BISS ZUM ABENDROT

STEPHENIE MEYER

Biss

ZUM ABENDROT

Aus dem Englischen von Sylke Hachmeister

CARLSEN

Von Stephenie Meyer im Carlsen Verlag erschienen:

Biss zum Morgengrauen

Biss zur Mittagsstunde

Biss zum Abendrot

Wir danken dem Insel Verlag für die freundliche Abdruckgenehmigung aus
Emily Brontë, *»Die Sturmhöhe«*. Aus dem Englischen von Grete Rambach.
© Insel Verlag, Leipzig 1938
Wir danken dem Langewiesche-Brandt Verlag für die freundliche Abdruckgenehmigung
des Gedichts *»Feuer und Eis«* von Robert Frost. Aus *Robert Frost, Promises to keep. Poems. Gedichte.*
in der Übersetzung von Lars Vollert. © Langewiesche-Brandt Verlag, 2002

Für meinen Mann Pancho,
für deine Geduld und Liebe, deine Freundschaft, deinen Humor
und deine Bereitschaft, auswärts zu essen.

Und für meine Kinder Gabe, Seth und Eli,
durch die ich jene Liebe erfahre,
für die Menschen sterben.

Feuer und Eis

So mancher sagt, die Welt vergeht in Feuer,
so mancher sagt, in Eis.
Nach dem, was ich von Lust gekostet,
halt ich's mit denen, die das Feuer vorziehn.
Doch müsst sie zweimal untergehn,
kenn ich den Hass wohl gut genug,
zu wissen, dass für die Zerstörung Eis
auch bestens ist
und sicher reicht.

Robert Frost

Vorwort

All unsere Versuche, noch einen Ausweg zu finden, waren vergebens gewesen.

Mit Eis im Herzen sah ich zu, wie er sich anschickte, mich zu verteidigen. Er wirkte hochkonzentriert und siegessicher, obwohl die anderen in der Überzahl waren. Ich wusste, dass wir nicht mit Hilfe rechnen konnten – seine Familie kämpfte in diesem Moment genauso um ihr Leben wie er um unseres.

Würde ich je erfahren, wie dieser andere Kampf ausgegangen war? Wer gewonnen und wer verloren hatte? Würde ich lange genug leben?

Es sah nicht danach aus.

Der Blick aus schwarzen Augen verlangte heftig nach meinem Tod, lauerte darauf, dass mein Beschützer einen einzigen Moment nicht aufpasste. Ein Moment, in dem ich ganz sicher sterben würde.

Irgendwo, in den Tiefen des kalten Waldes, heulte ein Wolf.

DAS RECHTE MASS

Bella,

~~ich weiß nicht, warum Du Charlie Briefchen für Billy mitgibst – als ob wir zwölf wären. Wenn ich mit Dir reden wollte, würde ich doch ans~~

~~Es war Deine Entscheidung, oder? Du kannst nicht beides haben, wenn~~

~~Was ist so schwer daran zu verstehen, dass wir Todfeinde~~

~~Ich weiß, dass ich mich idiotisch aufführe, aber es geht eben nicht~~

~~Wir können keine Freunde sein, wenn Du die ganze Zeit mit einer Horde~~

~~Wenn ich zu viel an Dich denke, wird es nur noch schlimmer, also schreib mir nicht mehr~~

Ja, du fehlst mir auch. Sehr sogar. Aber das ändert nichts. Tut mir leid.

Jacob

11

Ich fuhr mit den Fingern über das Blatt und spürte, wo er mit dem Füller so fest aufgedrückt hatte, dass die Seite fast eingerissen wäre. Ich sah ihn vor mir, wie er diese Zeilen schrieb – wie er die wütenden Buchstaben in seiner unordentlichen Schrift hinkritzelte und alles wieder durchstrich, was ihm nicht gefiel, vielleicht sogar die Feder mit seiner zu großen Hand zerbrach; das würde die Tintenkleckse erklären. Ich stellte mir vor, wie er vor Wut die Augenbrauen zusammenzog und die Stirn runzelte. Wäre ich dabei gewesen, hätte ich vielleicht gelacht. Pass auf, dass du nicht platzt, Jacob, hätte ich gesagt. Spuck's einfach aus.

Aber als ich die Worte, die ich bereits auswendig konnte, noch einmal las, war mir ganz und gar nicht zum Lachen zu Mute. Seine Antwort auf meinen flehenden Brief – den ich über Charlie und Billy hatte überbringen lassen, wie eine Zwölfjährige, da hatte er Recht – war nicht weiter überraschend. Noch ehe ich den Brief öffnete, hatte ich gewusst, was drinstand.

Überraschend war, wie sehr mich jede durchgestrichene Zeile verletzte – als wären die Ober- und Unterlängen der Buchstaben lauter kleine Messer. Hinter jedem wütenden Satzanfang verbarg sich ein tiefer Schmerz; Jacobs Kummer tat mir noch mehr weh als mein eigener.

Plötzlich drang mir ein unverkennbarer Geruch aus der Küche ins Bewusstsein – eine qualmende Herdplatte. In einem anderen Haus wäre die Tatsache, dass jemand kochte, vielleicht kein Grund zur Panik gewesen.

Ich schob den zerknitterten Brief in die hintere Hosentasche und stürmte die Treppe hinunter. Ich kam gerade noch rechtzeitig.

Das Glas mit Spaghettisoße, das Charlie in die Mikrowelle gestellt hatte, war gerade bei der ersten Umdrehung, als ich die Tür aufriss und es herausnahm.

»Was hab ich falsch gemacht?«, wollte Charlie wissen.

»Erst den Deckel abnehmen, Dad. Metall gehört nicht in die Mikrowelle.« Schnell schraubte ich den Deckel ab, kippte die Hälfte der Soße in eine Schale, schob die Schale in die Mikrowelle und das Glas in den Kühlschrank. Dann stellte ich die Zeit ein und drückte den Startknopf.

Charlie sah mir mit geschürzten Lippen zu. »Hab ich wenigstens die Nudeln richtig gekocht?«

Ich schaute in den Topf, der auf dem Herd stand – da kam der Geruch her, der mich alarmiert hatte. »Ab und zu umrühren kann nicht schaden«, sagte ich freundlich. Ich nahm einen Löffel und versuchte den matschigen Haufen, der am Boden des Topfes klebte, zu entklumpen.

Charlie seufzte.

»Ist heute was Besonderes?«, fragte ich.

Er verschränkte die Arme vor der Brust und schaute durch die nach hinten gelegenen Fenster hinaus in den strömenden Regen. »Ich weiß nicht, was du meinst«, grummelte er.

Ich verstand die Welt nicht mehr. Charlie und Kochen? Und wieso war er so schlecht gelaunt? Edward war doch noch gar nicht hier; normalerweise sparte mein Vater sich dieses Benehmen für meinen Freund auf, um ihm mit jedem Wort und jeder Geste zu demonstrieren, dass er nicht willkommen war. Charlie hätte sich gar nicht so anstrengen müssen – Edward wusste sowieso, was er dachte.

Während ich rührte, musste ich mir beim Gedanken an das Wort »Freund« auf die Wange beißen, weil ich schon wieder kribbelig wurde. Das Wort passte nicht, ganz und gar nicht. Es müsste etwas sein, was nach Ewigkeit klang … Doch Begriffe wie Schicksal und Fügung klangen so aufgeblasen, wenn man sie in einer normalen Unterhaltung benutzte.

Edward hatte ein anderes Wort im Kopf, und dieses Wort machte mich so kribbelig. Wenn ich nur daran dachte, rollten sich mir schon die Fußnägel hoch.

Verlobte. Brrr. Bei der Vorstellung bekam ich das Gruseln.

»Hab ich was verpasst? Seit wann machst du denn Abendessen?«, fragte ich Charlie. Der Nudelklumpen schwappte im Kochwasser herum, als ich hineinstach. »Oder besser gesagt, *versuchst* Abendessen zu machen?«

Charlie zuckte die Achseln. »Es gibt kein Gesetz, das es mir verbietet, in meinem eigenen Haus zu kochen.«

»Wenn es eins gäbe, würdest du's ja kennen«, sagte ich und schaute grinsend auf den Stern an seiner Lederjacke.

»Ha. Guter Witz.« Er zog die Jacke aus, als hätte mein Blick ihn daran erinnert, dass er sie immer noch anhatte, und hängte sie an den Kleiderhaken, der für ihn reserviert war. Sein Pistolengurt hing schon dort – den hatte er seit Wochen nicht mehr umgeschnallt, wenn er zur Wache fuhr. In der kleinen Stadt Forks in Washington war schon länger nichts Beunruhigendes mehr passiert; die geheimnisvollen Riesenwölfe waren in den ständig verregneten Wäldern nicht mehr gesichtet worden …

Schweigend stocherte ich in den Nudeln herum und dachte, dass Charlie mir schon sagen würde, was er auf dem Herzen hatte, wenn er so weit war. Mein Vater war kein Freund großer Worte, und die Tatsache, dass er versucht hatte, ein gemeinsames Abendessen auf die Beine zu stellen, zeigte, dass er ungewöhnlich viele Worte im Kopf hatte.

Ich schaute gewohnheitsmäßig auf die Uhr – das tat ich um diese Zeit alle fünf Minuten. Keine halbe Stunde mehr.

Die Nachmittage waren das Schlimmste. Seit mein ehemaliger bester Freund (und Werwolf) Jacob Black meinem Vater verraten hatte, dass ich heimlich Motorrad gefahren war – damit ich Hausarrest bekam und mich nicht mehr mit meinem Freund (und Vampir) Edward Cullen treffen konnte –, durfte ich Edward nur noch abends von sieben bis halb zehn treffen, und auch das nur bei mir zu Hause und unter den zuverlässig grimmigen Blicken meines Vaters.

Das war eine Steigerung des etwas milderen Hausarrests, den ich mir eingehandelt hatte, als ich ohne Erklärung für drei Tage verschwunden und von einer hohen Klippe gesprungen war. Natürlich traf ich Edward weiterhin in der Schule, das konnte Charlie nicht verhindern. Außerdem verbrachte Edward fast jede Nacht in meinem Zimmer, aber davon hatte Charlie keine Ahnung. Edwards Talent, leise und behände durchs Fenster in mein Zimmer im ersten Stock hereinzuklettern, war fast so nützlich wie seine Fähigkeit, Charlies Gedanken zu lesen.

Obwohl ich nur nachmittags von Edward getrennt war, wurde ich jedes Mal ganz unruhig und die Stunden zogen sich endlos. Trotzdem ertrug ich die Strafe klaglos. Erstens wusste ich, dass ich sie verdient hatte, und zweitens konnte ich es meinem Vater jetzt nicht antun auszuziehen, wo doch bald eine Trennung von sehr viel längerer Dauer anstand. Aber davon ahnte er noch nichts.

Ächzend setzte mein Vater sich an den Tisch und faltete die feuchte Zeitung auseinander. Kurz darauf schnalzte er missbilligend mit der Zunge.

»Dad, ich weiß gar nicht, wieso du überhaupt noch Zeitung liest. Du regst dich doch nur auf.«

Er beachtete mich nicht, sondern murrte über der Zeitung weiter vor sich hin. »Deshalb will alle Welt in einer Kleinstadt leben! Es ist unglaublich.«

»Was haben die Großstädte jetzt schon wieder verbrochen?«

»Seattle ist auf dem besten Weg, die Hauptstadt der Mörder zu werden. Allein in den letzten beiden Wochen fünf unaufgeklärte Morde. Kannst du dir vorstellen, in so einer Stadt zu leben?«

»Ich glaube, da steht Phoenix auf der Liste noch weiter oben, Dad. Ich hab schon mal in so einer Stadt gelebt.« Und ich war noch nie so nah dran gewesen, selbst einem Mord zum Opfer zu fallen, wie seit meinem Umzug in diese harmlose Kleinstadt. Auch jetzt schwebten mehrere Todesdrohungen über mir … Der Löffel in meiner Hand zitterte und das Wasser schwappte bedenklich.

»Keine zehn Pferde würden mich dahin kriegen«, sagte Charlie.

Ich gab es auf, das Abendessen retten zu wollen, und beschloss es einfach zu servieren. Ich musste ein Steakmesser nehmen, um eine Portion Spaghetti für Charlie und dann eine für mich abzuschneiden, während er mir beschämt zuschaute. Er schaufelte sich Soße über seine Portion und machte sich darüber her. Ich versteckte meinen Spaghettiklumpen so gut es eben ging unter der Soße und folgte seinem Beispiel ohne große Begeisterung. Eine Weile aßen wir schweigend. Charlie las immer noch Zeitung, also griff ich nach meiner abgenutzten Ausgabe von *Sturmhöhe* und las dort weiter, wo ich beim Frühstück stehengeblieben war, um mich ins England des achtzehnten Jahrhunderts zu versetzen, während ich darauf wartete, dass er loslegte.

Ich war gerade bei Heathcliffs Rückkehr angelangt, als Charlie sich räusperte und die Zeitung auf den Boden warf.

»Du hast Recht«, sagte Charlie. »Es gibt einen Grund für das hier.« Er zeigte mit der Gabel auf die Nudelpampe. »Ich wollte mit dir reden.«

Ich legte das Buch beiseite; es war so zerlesen, dass der Einband gar nicht mehr richtig hielt. »Das hättest du mir doch einfach sagen können.«

Er nickte und zog die Augenbrauen zusammen. »Ja. Ich werd's mir fürs nächste Mal merken. Ich dachte mir, es stimmt dich milde, wenn ich dir das Kochen abnehme.«

Ich lachte. »Das hast du geschafft – dank deiner Kochkünste bin ich jetzt so mild wie der Winter in Kalifornien. Was gibt's, Dad?«

»Also, es geht um Jacob.«

Ich merkte, wie meine Miene hart wurde. »Was ist mit ihm?«, fragte ich mit steifen Lippen.

»Immer mit der Ruhe, Bella. Ich weiß, dass du sauer bist, weil er dich verraten hat, aber da hatte er Recht. Er hat verantwortungsvoll gehandelt.«

»Verantwortungsvoll«, sagte ich abfällig. »Ah ja. Also, was ist mit Jacob?«

Die Frage hallte in meinem Kopf wider, sie war gar nicht so banal, wie es schien. Was war mit ihm? Mit meinem ehemaligen besten Freund, der jetzt mein … was war er eigentlich? Mein Feind? Bei dem Gedanken erschrak ich.

Charlie war plötzlich auf der Hut. »Nicht sauer werden, ja?«

»Sauer?«

»Na ja, es hat auch mit Edward zu tun.«

Ich kniff die Augen zusammen.

Charlie klang jetzt angriffslustiger. »Ich lasse ihn doch ins Haus, oder?«

»Ja«, gab ich zu. »Für kurze Zeit. Du könntest mich natürlich auch ab und zu mal kurz *raus*lassen«, fügte ich hinzu – nur im Spaß, denn ich wusste, dass der Hausarrest bis zum Ende des Schuljahrs galt. »In letzter Zeit war ich doch ziemlich brav.«

»Tja, also, genau darauf wollte ich hinaus …« Und plötzlich verzog Charlie das Gesicht zu einem Grinsen. Mit den Lachfältchen sah er zwanzig Jahre jünger aus.

Das Grinsen machte mir ein wenig Hoffnung, aber ich wollte mich nicht zu früh freuen. »Jetzt versteh ich nichts mehr, Dad. Reden wir jetzt über Jacob, über Edward oder über meinen Hausarrest?«

Wieder blitzte das Grinsen auf. »Gewissermaßen über alles drei.«

»Und wo ist der Zusammenhang?«, fragte ich vorsichtig.

»Also gut.« Er seufzte und hob die Hände, als wollte er sich ergeben. »Ich dachte mir, du hast vielleicht eine Strafmilderung wegen guter Führung verdient. Für dein Alter bist du erstaunlich hart im Nehmen.«

Ich zog die Augenbrauen hoch und sagte schnell: »Im Ernst? Dann bin ich also frei?«

Wie kam das so plötzlich? Ich war mir sicher gewesen, dass ich Hausarrest haben würde, bis ich endgültig auszog, und Edward hatte nichts in Charlies Gedanken gelesen, was auf einen Wandel hindeutete …

Charlie hob einen Finger. »Unter einer Bedingung.«

Meine Begeisterung verpuffte. »Na super«, stöhnte ich.

»Bella, das ist kein Befehl, sondern eine Bitte, ja? Du bist frei. Aber ich hoffe, dass du mit dieser Freiheit … vernünftig umgehst.«

»Was soll das heißen?«

Er seufzte wieder. »Ich weiß, dass du nichts lieber willst, als deine gesamte Zeit mit Edward zu verbringen …«

»Mit Alice verbringe ich auch Zeit«, wandte ich ein. Für Edwards Schwester galten keine besonderen Besuchszeiten, sie konnte kommen und gehen, wie es ihr passte. Charlie fraß ihr aus der Hand.

»Das stimmt«, sagte er. »Aber du hast noch andere Freunde außer den Cullens, Bella. Jedenfalls war das einmal so.«

Wir sahen uns lange an.

»Wann hast du das letzte Mal mit Angela Weber gesprochen?«, fragte er.

»Freitag beim Mittagessen«, sagte ich, ohne zu zögern.

Bevor Edward zurückgekehrt war, hatten sich meine Schulfreunde in zwei Gruppen gespalten. Ich teilte diese Gruppen gern in *Gut* und *Böse* ein. *Wir* und *die anderen* war eine andere mögliche Bezeichnung. Die Guten waren Angela, ihr Freund Ben Cheney und Mike Newton; alle drei hatten mir großzügig verziehen, dass ich durchgedreht war, als Edward mich verlassen hatte. Lauren Mallory war die Wortführerin der anderen, und alle Übrigen, darunter Jessica Stanley, meine erste Freundin in Forks, gehörten zu ihrer Anti-Bella-Fraktion.

Seit Edward wieder an der Schule war, waren die Fronten noch klarer.

Edwards Rückkehr hatte mich Mikes Freundschaft gekostet, aber Angela blieb treu an meiner Seite, und auch auf Ben konnte ich zählen. Während die meisten Leute die Cullens instinktiv ablehnten, saß Angela beim Mittagessen jeden Tag tapfer neben Alice. Nach ein paar Wochen schien sie sich dort sogar ganz wohl zu fühlen. Dem Charme der Cullens konnte man sich kaum entziehen – wenn man ihnen erst mal Gelegenheit gab, charmant zu sein.

»Und außerhalb der Schule?«, fragte Charlie in meine Gedanken hinein.

»Außerhalb der Schule hab ich mich mit niemandem getroffen, Dad. Ich hab Hausarrest, hast du das vergessen? Und außerdem hat Angela auch einen Freund. Sie ist immer mit Ben zusammen. *Wenn* ich jetzt wirklich frei bin«, fügte ich mit zweifelndem Unterton hinzu, »können wir ja vielleicht mal zu viert ausgehen.«

»Okay. Aber ...« Er zögerte. »Du und Jake, ihr wart doch früher unzertrennlich, und jetzt ...«

Ich fiel ihm ins Wort. »Komm mal zur Sache, Dad. Was genau ist deine Bedingung?«

»Ich finde es nicht gut, dass du alle anderen links liegenlässt, nur weil du einen Freund hast«, sagte er streng. »Das ist nicht nett, und ich glaube, dein Leben wäre ausgeglichener, wenn noch ein paar andere Leute darin vorkämen. Was letzten September passiert ist ...«

Ich zuckte zusammen.

»Na ja«, sagte er abwehrend. »Wenn es neben Edward Cullen noch etwas anderes in deinem Leben gegeben hätte, wäre es vielleicht nicht so schlimm gewesen.«

»Es wär genauso schlimm gewesen«, murmelte ich.

»Vielleicht, vielleicht auch nicht.«

»Wolltest du nicht zur Sache kommen?«, erinnerte ich ihn.

»Nutz deine neue Freiheit, um dich auch mit deinen anderen Freunden zu treffen. Ein bisschen Ausgewogenheit.«

Ich nickte langsam. »Ausgewogenheit ist immer gut. Muss ich da bestimmte Quoten erfüllen?«

Er verzog das Gesicht, schüttelte jedoch den Kopf. »Ich will es nicht zu kompliziert machen. Du sollst nur deine Freunde nicht vergessen ...«

Dieses Dilemma beschäftigte mich schon seit einiger Zeit. Meine Freunde. Menschen, die ich zu ihrem eigenen Besten nach dem Schulabschluss nie wiedersehen durfte.

Sollte ich mich also mit ihnen treffen, solange es noch ging? Oder sollte ich mich lieber jetzt schon zurückziehen, damit es nachher nicht so plötzlich kam? Beim Gedanken an die zweite Möglichkeit wurde mir ganz elend.

»… vor allem Jacob«, fügte Charlie hinzu, noch ehe ich den Gedanken zu Ende gedacht hatte.

Womit das Dilemma noch größer wurde. Ich suchte einen Moment nach den richtigen Worten. »Das mit Jacob … könnte schwierig werden.«

»Die Blacks gehören praktisch zur Familie«, sagte er, streng und väterlich zugleich. »Und Jacob war ein sehr, sehr guter Freund für dich.«

»Ich weiß.«

»Fehlt er dir denn gar nicht?«, fragte Charlie frustriert.

Plötzlich hatte ich einen Kloß im Hals, ich musste mich zweimal räuspern, bevor ich antworten konnte. »Doch, er fehlt mir«, gab ich mit gesenktem Blick zu. »Sehr sogar.«

»Wo ist dann das Problem?«

Das konnte ich nicht so einfach erklären. Es verstieß gegen die Regeln, dass normale Leute – Menschen wie Charlie und ich – über die Welt voller Mythen und Monster Bescheid wussten, die im Verborgenen um uns herum existiert. Ich wusste alles über diese Welt – und das hatte mich ganz schön in Schwierigkeiten gebracht. Ich wollte nicht, dass Charlie ähnliche Schwierigkeiten bekam.

»Mit Jacob gibt es einen … Konflikt«, sagte ich langsam. »Was unsere Freundschaft angeht. Freundschaft ist für Jake nicht immer genug.« Das stimmte zwar, war jedoch völlig unbedeutend im Vergleich zu der Tatsache, dass Jacobs Werwolfrudel Edwards Vampirfamilie zutiefst verabscheute – und damit auch mich, da ich fest vorhatte, Teil dieser Familie zu werden. Dieses Problem konnten wir nicht mit Briefen klären, und Jacob weigerte sich, am Telefon mit mir zu sprechen. Mein Plan, dem

Werwolf höchstpersönlich gegenüberzutreten, kam wiederum bei den Vampiren gar nicht gut an.

»Kann Edward nicht ein bisschen Konkurrenz vertragen?«, sagte Charlie sarkastisch.

Ich warf ihm einen finsteren Blick zu. »Es gibt keine Konkurrenz.«

»Du verletzt Jake, wenn du ihm so aus dem Weg gehst. Er wäre bestimmt lieber nur mit dir befreundet als gar nichts.«

Aha, jetzt ging *ich ihm* auf einmal aus dem Weg?

»Ich bin mir ziemlich sicher, dass Jake nicht mit mir befreundet sein will.« Die Worte brannten in meinem Mund. »Wie kommst du überhaupt darauf?«

Jetzt blickte Charlie verlegen drein. »Kann sein, dass Billy und ich heute darauf zu sprechen kamen …«

»Du und Billy, ihr seid richtige Klatschtanten«, sagte ich und stach mit der Gabel wütend in den Spaghettikloß auf meinem Teller.

»Billy macht sich Sorgen um Jacob«, sagte Charlie. »Es geht ihm ziemlich schlecht … Er ist sehr unglücklich.«

Ich fuhr zusammen, blickte jedoch nicht von meinem Teller auf.

»Und du warst immer so glücklich, wenn du einen Tag mit ihm verbracht hattest.« Charlie seufzte.

»Ich bin *jetzt* glücklich«, stieß ich zwischen den Zähnen hervor.

Der Widerspruch zwischen meinen Worten und meinem Ton löste die Spannung. Charlie prustete los, und ich konnte nicht anders, als mitzulachen.

»Okay, okay«, sagte ich. »Ausgewogenheit.«

»Und Jacob«, sagte er.

»Ich werd's versuchen.«

»Gut. Versuch das richtige Maß zu finden, Bella. Ach ja, du hast übrigens Post«, sagte Charlie und beendete das Thema damit ohne große Umschweife. »Neben dem Herd.«

Ich rührte mich nicht, meine Gedanken kreisten immer noch um Jacob. Bestimmt war es sowieso nur Werbung; ich hatte erst gestern ein Päckchen von meiner Mutter bekommen, und jetzt erwartete ich nichts.

Charlie schob den Stuhl zurück, stand auf und reckte sich. Er trug seinen Teller zur Spüle, aber bevor er ihn abwusch, warf er mir einen dicken Umschlag zu. Der Brief sauste über den Tisch und rumste gegen meinen Ellbogen.

»Hm, danke«, murmelte ich und wunderte mich darüber, dass Charlie mich so drängte. Da sah ich den Absender – der Brief kam von der Universität Alaska Southeast. »Das ging ja schnell. Wahrscheinlich hab ich da auch wieder den Bewerbungsschluss verpasst.«

Charlie lachte in sich hinein.

Ich drehte den Umschlag um und sah Charlie wütend an. »Der ist ja offen.«

»Ich war neugierig.«

»Ich bin schockiert, Sheriff. Das ist ein Fall fürs FBI.«

»Ach, guck doch endlich rein.«

Ich zog den Brief heraus, außerdem ein Faltblatt mit einem Kursprogramm.

»Gratuliere«, sagte er, bevor ich auch nur ein Wort gelesen hatte. »Deine erste Zusage.«

»Danke, Dad.«

»Wir müssen über die Finanzierung sprechen. Ich habe einiges zur Seite gelegt, und ...«

»Nein, nein, kommt gar nicht in Frage. Deine Altersvorsorge behältst du mal schön für dich. Ich hab doch mein Collegegeld.«

Oder das, was davon übrig war – und es war von vornherein nicht besonders viel gewesen.

Charlie runzelte die Stirn. »Manche Unis sind aber ziemlich teuer, Bella. Ich möchte dich gern unterstützen. Du musst nicht unbedingt weit weg nach Alaska, nur weil es da billiger ist.«

Es war überhaupt nicht billiger. Aber weit weg war es wirklich, und der Himmel über Juneau war an durchschnittlich dreihunderteinundzwanzig Tagen im Jahr bewölkt. Ersteres war gut für mich, Letzteres für Edward.

»Das krieg ich schon hin. Außerdem kann ich ja einen Zuschuss beantragen. Es ist ganz leicht, ein Stipendium zu kriegen.« Ich hoffte, dass der Bluff nicht allzu durchsichtig war. Ich hatte mich noch gar nicht richtig informiert.

»Und …«, setzte Charlie an, dann verzog er den Mund und wandte den Blick ab.

»Was und?«

»Nichts. Ich dachte nur …« Er zog die Stirn in Falten. »Ich frag mich nur, was Edward nächstes Jahr vorhat.«

»Ach so.«

»Und?«

Ein dreimaliges schnelles Klopfen an der Tür rettete mich. Charlie verdrehte die Augen und ich sprang auf.

»Ich komme!«, rief ich, während Charlie etwas murmelte, das sich anhörte wie »bleib bloß weg«. Ich beachtete ihn nicht und ging zur Tür, um Edward hereinzulassen.

Ich riss die Tür auf – ich konnte es kaum abwarten – und da war er, mein persönlicher Engel.

Nach all der Zeit war ich immer noch nicht immun gegen seine Schönheit; nie würde ich irgendetwas an ihm für selbstverständlich nehmen. Ich ließ den Blick über seine blassen Züge schweifen: das markante Kinn, die weich geschwungenen, vollen Lippen, die sich jetzt zu einem Lächeln verzogen, die gerade, schmale Nase, die ausgeprägten Wangenknochen, die sanft gebogene Marmorstirn, teilweise von bronzefarbenem Haar verdeckt, das jetzt dunkler aussah vom Regen …

Die Augen hob ich mir bis zum Schluss auf, weil ich wusste, dass ich, wenn ich sie sah, nicht mehr denken konnte. Sie waren groß, warm wie flüssiges Gold und umrahmt von dichten schwarzen Wimpern. Es war ein merkwürdiges Gefühl, in seine Augen zu schauen – als wenn meine Knochen butterweich würden. Mir war ein bisschen schwindelig, aber das lag vielleicht daran, dass ich vergessen hatte zu atmen. Schon wieder.

Für dieses Gesicht würde jedes männliche Model der Welt seine Seele geben. Und möglicherweise entsprach das auch genau dem Preis, der dafür verlangt würde: eine Seele.

Nein. Bestimmt nicht. Sofort schämte ich mich für diesen Gedanken, und wie so oft war ich froh, dass meine – und nur meine – Gedanken für Edward unergründlich waren.

Ich suchte seine Hand und seufzte, als seine kalten Finger meine fanden. Als er mich berührte, empfand ich eine eigenartige Erleichterung – als würde mir ganz plötzlich ein Schmerz genommen.

»Hi.« Ich lächelte ein wenig über die zurückgenommene Begrüßung.

Er hob unsere verschränkten Hände und strich mir mit dem Handrücken über die Wange. »Wie war der Nachmittag?«

»Zog sich.«

»Bei mir auch.«

Er legte mein Handgelenk an sein Gesicht, unsere Finger waren immer noch miteinander verschränkt. Er schloss die Augen, als er meine Haut mit der Nase streifte, und lächelte leise, ohne die Augen zu öffnen. Er genoss das Bouquet, obwohl er dem Wein entsagte, wie er es einmal ausgedrückt hatte.

Ich wusste, dass der Geruch meines Blutes – das für ihn so viel süßer roch als das anderer Menschen, wie Wein im Vergleich zu Wasser für einen Alkoholiker – bei ihm einen brennenden Durst auslöste, der regelrecht schmerzte. Das ließ ihn im Gegensatz zu früher jedoch nicht mehr zurückschrecken. Ich konnte nur ahnen, was für übermenschliche Kräfte diese einfache Geste ihn kostete.

Es machte mich traurig, dass es so schwer für ihn war. Ich tröstete mich damit, dass ich ihm nicht mehr lange solche Schmerzen bereiten würde.

Da hörte ich Charlie kommen, demonstrativ stampfend, um seine Abneigung gegen den Besuch zu betonen. Edward riss die Augen auf und ließ die Hand sinken, ohne meine loszulassen.

»Guten Abend, Charlie.« Edward war immer ausgesprochen höflich, obwohl Charlie das gar nicht verdiente.

Charlie grunzte etwas Unverständliches und blieb mit verschränkten Armen neben uns stehen. In letzter Zeit übertrieb er es mit der väterlichen Fürsorge.

»Ich habe dir noch einige Bewerbungsformulare mitgebracht«, sagte Edward und hielt einen dicken braunen Umschlag hoch. Um den kleinen Finger trug er eine Rolle Briefmarken wie einen Ring.

Ich stöhnte. Waren etwa noch Colleges übrig, die ich nicht angeschrieben hatte? Und wie schaffte er es, immer weitere zu finden, die noch Bewerbungen annahmen? Ich war so spät dran.

Er lächelte, als könnte er meine Gedanken doch lesen; offenbar sprach mein Gesicht Bände. »Bei einigen ist die Frist noch nicht abgelaufen. Und manche sind bereit, eine Ausnahme zu machen.«

Die Gründe dafür konnte ich mir schon denken. Und auch, welche Summen dafür geflossen waren.

Edward lachte über mein Gesicht.

»Sollen wir?«, sagte er und zog mich zum Küchentisch.

Charlie schnaubte verärgert und ging uns hinterher, obwohl er sich über die Pläne für den heutigen Abend nicht beklagen konnte. Schließlich nervte er mich jeden Tag mit der College-Frage.

Schnell räumte ich den Tisch ab, während Edward einen erschreckend hohen Stapel Formulare ordnete. Als ich *Sturmhöhe* auf die Anrichte legte, hob er eine Augenbraue. Ich wusste, was er dachte, aber ehe er eine Bemerkung machen konnte, sagte Charlie: »Ach Edward, apropos College-Bewerbungen.« Sein Ton war noch unfreundlicher als sonst – im Allgemeinen vermied er es, Edward direkt anzusprechen, und wenn es doch einmal sein musste, ärgerte er sich enorm. »Bella und ich haben gerade darüber gesprochen, wie es nach der Schule weitergeht. Hast du dich schon entschieden, wo du studieren willst?«

Edward lächelte und sagte freundlich: »Noch nicht. Ich habe bereits einige Zusagen, doch die Entscheidung ist noch nicht gefallen.«

»Wo bist du angenommen?«, wollte Charlie wissen.

»In Syracuse … Harvard … Dartmouth … und heute bekam ich eine Zusage von der Universität Alaska Southeast.« Edward wandte leicht den Kopf und blinzelte mir zu. Ich unterdrückte ein Kichern.

»Harvard? Dartmouth?«, murmelte Charlie. Er konnte seine Bewunderung nicht verhehlen. »Das ist ja ganz schön … das ist nicht übel. Na, aber die Universität Alaska … Die kommt ja wohl nicht ernsthaft in Frage, wenn du auf eine der Elite-Unis gehen kannst. Ich meine, dein Vater möchte doch bestimmt …«

»Carlisle ist mit allem einverstanden, was ich mache«, sagte Edward gelassen.

»Hmpf.«

»Weißt du was, Edward?«, sagte ich fröhlich und spielte sein Spiel mit.

»Was denn, Bella?«

Ich zeigte auf den dicken Umschlag, der auf der Anrichte lag. »Ich hab auch gerade eine Zusage für Alaska gekriegt!«

»Gratuliere!« Er grinste. »So ein Zufall.«

Charlies Augen wurden schmal, und er schaute abwechselnd zu Edward und zu mir. »Na gut«, murmelte er dann. »Ich gucke jetzt das Spiel, Bella. Halb zehn dann.«

Das war sein üblicher Spruch.

»Öhm, Dad? Hatten wir nicht gerade darüber gesprochen, dass ich keinen Hausarrest mehr …?«

Er seufzte. »Ja. Okay, dann also halb elf. Wenn am nächsten Tag Schule ist, ist das die Grenze.«

»Bella hat keinen Hausarrest mehr?«, fragte Edward. Das konnte ihn nicht ernsthaft überraschen, aber er ließ sich nichts anmerken. Er klang aufrichtig erfreut.

»Unter Vorbehalt«, sagte Charlie. »Was geht dich das an?«

Ich funkelte ihn an, aber das sah er nicht.

»Es ist nur, weil Alice unbedingt bummeln gehen möchte«, sagte Edward, »und sicher würde auch Bella gern einmal wieder in die Stadt gehen.« Er lächelte mir zu.

Aber Charlie sagte grollend »Nein!« und lief rot an.

»Dad! Wieso denn nicht?«

Er musste sich anstrengen, um die Zähne auseinanderzubekommen. »Ich will nicht, dass du jetzt nach Seattle fährst.«

»Hä?«

»Ich hab dir doch von der Geschichte erzählt, die in der Zeitung stand – in Seattle ist eine Mörderbande unterwegs, und ich möchte, dass du denen aus dem Weg gehst, klar?«

Ich verdrehte die Augen. »Dad, die Wahrscheinlichkeit, von einem Blitz getroffen zu werden, ist größer als die, dass ausgerechnet, wenn ich in Seattle …«

»Kein Problem, Charlie«, sagte Edward. »Ich meinte gar nicht Seattle. Ich dachte eigentlich an Portland. Ich möchte auch nicht, dass Bella in Seattle unterwegs ist. Natürlich nicht.«

Ich schaute ihn ungläubig an, aber er hatte Charlies Zeitung in der Hand und war ganz in die Titelseite vertieft.

Bestimmt wollte er meinen Vater nur beschwichtigen. Es war eine absurde Vorstellung, irgendwelche Menschen, und wären sie noch so gefährlich, könnten mir etwas anhaben, wenn Alice oder Edward dabei waren.

Edwards Strategie ging auf. Charlie starrte ihn noch einen Augenblick an, dann zuckte er die Schultern. »Gut.« Er ging in Richtung Wohnzimmer, etwas eiliger jetzt – wahrscheinlich wollte er den Hochball nicht verpassen.

Ich wartete, bis der Fernseher lief, damit Charlie mich nicht hören konnte.

»Was …«, setzte ich an.

»Warte mal«, sagte Edward, ohne von der Zeitung aufzublicken. Sein Blick blieb an der Titelseite hängen, während er mir die erste Bewerbung über den Tisch schob. »Ich glaub, für die hier kannst du denselben Text noch mal verwenden. Die Fragen sind identisch.«

Also lauschte Charlie wohl doch noch. Ich seufzte und begann damit, die allgemeinen Angaben einzutragen: Name, Adresse, Sozialversicherungsnummer … Nach einer Weile blickte ich

auf, aber jetzt starrte Edward nachdenklich aus dem Fenster.
Erst als ich mich wieder über das Bewerbungsformular beugte,
fiel mir der Name der Universität ins Auge.

Ich schnaubte und schob die Blätter beiseite.

»Was ist?«

»Das ist doch lächerlich. *Dartmouth?*«

Edward nahm die Bewerbungsblätter und legte sie sanft wieder vor mich hin. »Ich glaube, New Hampshire würde dir gefallen«, sagte er. »Für mich gibt es ein komplettes Angebot von
Abendkursen, und die Wälder eignen sich hervorragend zum
Wandern. Es gibt dort viele wilde Tiere.« Er zauberte das schiefe
Lächeln auf sein Gesicht, von dem er wusste, dass ich es unwiderstehlich fand.

Ich holte tief Luft.

»Wenn du unbedingt willst, kannst du es mir auch zurück-
zahlen«, versprach er. »Ich kann dir sogar Zinsen berechnen.«

»Als ob ich da ohne Bestechung überhaupt angenommen
würde. Oder ist das Teil des Darlehens? Der neue Cullen-Trakt
der Bibliothek? Bah! Warum müssen wir darüber schon wieder
diskutieren?«

»Bella, würdest du bitte einfach die Bewerbung ausfüllen?
Das kann ja nicht schaden.«

Ich biss die Zähne zusammen. »Weißt du was? Ich glaub
nicht, dass ich das mache.«

Ich wollte die Blätter nehmen und sie zerknüllen, um sie anschließend in den Mülleimer zu pfeffern, aber da waren sie
schon nicht mehr da. Ich starrte eine Weile auf den leeren Tisch,
dann schaute ich Edward an. Es war ihm nicht anzusehen, dass
er sich bewegt hatte, aber vermutlich hatte er die Bewerbung
schon in die Jacke gesteckt.

»Was hast du damit vor?«, fragte ich.

»Ich kann deine Unterschrift besser als du selbst. Und die Texte hast du ja bereits geschrieben.«

»Jetzt treibst du es aber zu weit.« Ich sprach ganz leise, für den unwahrscheinlichen Fall, dass Charlie nicht völlig von seinem Spiel gefangen war. »Ich brauche mich nirgendwo anders mehr zu bewerben. Ich bin in Alaska angenommen. Die Studiengebühren für das erste Semester hab ich schon fast zusammen. Als Alibi ist Alaska genauso gut wie jede andere Uni. Es ist völlig unnötig, einen Haufen Geld zum Fenster rauszuwerfen, ganz egal, wem es gehört.«

Jetzt guckte er gequält. »Bella …«

»Fang nicht damit an. Ich weiß, dass ich das Prozedere Charlie zuliebe durchlaufen muss, aber wir wissen beide, dass ich im nächsten Jahr nicht in der Verfassung sein werde, auf eine Uni zu gehen. Ich werde überhaupt nicht in der Nähe von Menschen sein können.«

Ich wusste nur ganz grob über die ersten Jahre eines Vampirs Bescheid. Edward hatte nie Genaueres erzählt – es war nicht gerade sein Lieblingsthema –, aber ich wusste, dass es nicht leicht werden würde. Selbstbeherrschung musste man offenbar erst lernen. Es kam nur ein Fernstudium in Frage.

»Ich dachte, der Zeitpunkt wäre noch nicht entschieden«, sagte Edward sanft. »Ein oder zwei Semester am College würden dir sicher gefallen. Dort kannst du viele neue Erfahrungen machen.«

»Die mache ich dann eben danach.«

»Dann werden es aber keine *menschlichen* Erfahrungen mehr sein, Bella. Du bekommst keine zweite Chance, ein Mensch zu sein.«

Ich seufzte. »Edward, sei doch vernünftig, was den Zeitpunkt angeht. Wir dürfen kein Risiko eingehen, es ist einfach zu gefährlich.«

»Bis jetzt besteht keine Gefahr«, sagte er.

Ich schaute ihn wütend an. Keine Gefahr, soso. Nur eine sadistische Vampirfrau, die hinter mir her war, um den Tod ihres Gefährten zu rächen, vermutlich auf möglichst langsame, qualvolle Weise. Warum sich wegen Victoria Sorgen machen? Ah ja, und dann waren da noch die Volturi, die königliche Vampirfamilie mit ihrer Wache, die es zur Bedingung gemacht hatte, dass mein Herz in naher Zukunft auf die eine oder andere Weise aufhörte zu schlagen, weil kein Mensch von ihrer Existenz wissen durfte. Alles kein Grund zur Panik.

Selbst wenn Alice aufpasste – und Edward verließ sich darauf, dass sie uns mit ihren Zukunftsvisionen rechtzeitig warnen konnte –, war es Wahnsinn, ein Risiko einzugehen.

Außerdem hatte ich diesen Streit bereits gewonnen. Wir hatten vereinbart, dass meine Verwandlung bald nach dem Schulabschluss stattfinden sollte, und bis dahin waren es nur noch ein paar Wochen.

Als mir bewusst wurde, wie wenig Zeit mir noch blieb, zog sich mein Magen plötzlich zusammen. Natürlich war die Verwandlung notwendig – sie war der Schlüssel zu dem, was ich mir am meisten auf der Welt wünschte –, aber gleichzeitig musste ich an Charlie denken, der im Zimmer nebenan saß und sein Spiel guckte, so wie jeden Abend. Und dann gab es noch meine Mutter Renée, im sonnigen Florida, die mich drängte, ich solle den Sommer mit ihr und ihrem neuen Mann am Meer verbringen. Und Jacob, der, im Gegensatz zu meinen Eltern, sofort Bescheid wüsste, wenn ich zum Studieren weit weg ziehen würde. Selbst wenn meine Eltern lange keinen Verdacht schöpfen würden, selbst wenn ich mich mit Reisekosten, Prüfungen oder Krankheit herausreden könnte, um sie nicht besuchen zu müssen – Jacob wüsste Bescheid.

Für einen Augenblick überschattete der Gedanke daran, wie angeekelt Jacob sein würde, alles andere.

»Bella«, murmelte Edward. Offenbar sah er mir an, dass mich etwas bedrückte. »Es eilt ja nicht. Ich werde es nicht zulassen, dass dir jemand etwas antut. Du kannst dir alle Zeit der Welt lassen.«

»Ich will mich aber beeilen«, flüsterte ich und lächelte mühsam. Ich versuchte die Sache ins Lächerliche zu ziehen. »Ich will auch ein Monster werden.«

Mit zusammengebissenen Zähnen sagte er: »Du weißt ja nicht, was du da sagst.« Plötzlich knallte er die feuchte Zeitung zwischen uns auf den Tisch. Er stach mit dem Finger auf die Überschrift des Aufmachers:

WEITERE OPFER –
POLIZEI GEHT VON BANDE AUS

»Was hat das denn damit zu tun?«

»Monster sind kein Witz, Bella.«

Ich starrte wieder auf die Schlagzeile, dann schaute ich in sein ernstes Gesicht. »Du meinst … der Mörder ist ein *Vampir?*«, flüsterte ich.

Er lächelte bitter. Er sprach leise und ohne Wärme. »Du würdest dich wundern, Bella, wie oft unseresgleichen hinter den Schreckensmeldungen in euren Nachrichten steckt. Wenn man die Anzeichen kennt, ist es leicht zu durchschauen. Die Informationen hier lassen darauf schließen, dass in Seattle ein neugeborener Vampir frei herumläuft. Blutrünstig, wild und ungebremst. Wie wir alle es waren.«

Ich schaute wieder auf die Zeitung und wich seinem Blick aus.

»Wir beobachten die Lage schon seit einigen Wochen. Alles deutet darauf hin – das unerklärliche Verschwinden von Menschen, immer nachts, die nur dürftig verborgenen Leichen, der Mangel an weiteren Beweisen ... Ja, ein Neuling. Und niemand scheint sich seiner anzunehmen ...« Er holte tief Luft. »Nun ja, das sollte eigentlich nicht unser Problem sein. Wir würden es gar nicht weiter beachten, wenn es sich nicht so nah an unserem Zuhause abspielen würde. Wie gesagt, so etwas passiert ständig. Die Tatsache, dass es Monster gibt, hat eben auch monströse Folgen.«

Ich versuchte, nicht auf die Namen in dem Bericht zu achten, doch sie sprangen mir entgegen, als wären sie fettgedruckt. Die fünf Menschen, deren Leben vorüber war und deren Familien jetzt um sie trauerten. Diese Namen zu lesen, war etwas anderes, als abstrakt über Mord nachzudenken. Maureen Gardiner, Geoffrey Campbell, Grace Razi, Michelle O'Connell, Ronald Albrook. Menschen, die Eltern gehabt hatten und Kinder und Freunde und Haustiere und eine Arbeit und Hoffnungen und Pläne und Erinnerungen und eine Zukunft ...

»Bei mir wäre das nicht so«, flüsterte ich, halb zu mir selbst. »Das würdest du nicht zulassen. Wir ziehen in die Antarktis.«

Edward schnaubte. »Pinguine. Delikat.«

Ich lachte ein zittriges Lachen und fegte die Zeitung vom Tisch, um die Namen nicht mehr sehen zu müssen; mit einem dumpfen Geräusch landete sie auf dem Linoleumfußboden. Natürlich machte Edward sich Gedanken über die Jagdmöglichkeiten. Er und seine »vegetarische« Familie, die sich alle dem Schutz menschlichen Lebens verschrieben hatten, stillten ihren Durst lieber mit großen Raubtieren. »Dann also Alaska, wie geplant. Aber es muss schon abgelegener sein als Juneau – irgendwo, wo es Grizzlybären in rauen Mengen gibt.«

34

»Noch besser«, sagte er. »Dort gibt es auch Polarbären. Die sind sehr wild. Und die Wölfe werden in der Gegend ziemlich groß.«

Ich stieß einen Schreckenslaut aus.

»Was ist?«, fragte er. Ich hatte mich noch nicht wieder gefasst, da hatte Edward schon begriffen, und sein ganzer Körper schien zu erstarren. »Ach so. Dann lassen wir die Wölfe lieber beiseite, wenn es dich bei der Vorstellung graust.« Sein Ton war steif und förmlich, seine Schultern straff.

»Edward, er war mein bester Freund«, murmelte ich. Es tat weh, in der Vergangenheit von ihm zu sprechen. »Natürlich macht mir das etwas aus.«

»Bitte verzeih meine Gedankenlosigkeit«, sagte er, immer noch sehr förmlich. »Ich hätte das nicht sagen sollen.«

»Schon gut.« Ich starrte auf meine Hände, die ineinander verkrallt auf dem Tisch lagen.

Einen Moment schwiegen wir beide, dann fasste er mir mit einem kühlen Finger unters Kinn und hob mein Gesicht an. Sein Blick war jetzt viel weicher.

»Es tut mir leid. Wirklich.«

»Ich weiß. Ich weiß auch, dass das etwas anderes ist. Ich hätte nicht so reagieren sollen. Es ist nur … also, ich hatte schon an Jacob gedacht, bevor du kamst.« Ich zögerte. Seine bernsteinfarbenen Augen schienen sich bei Jacobs Namen ein wenig zu verdunkeln. Jetzt wurde meine Stimme flehend. »Charlie sagt, Jake geht es nicht gut. Er leidet, und … das ist meine Schuld.«

»Du hast nichts falsch gemacht, Bella.«

Ich holte tief Luft. »Ich muss versuchen, es wiedergutzumachen, Edward. Das bin ich ihm schuldig. Und außerdem hat Charlie es zur Bedingung gemacht …«

Während ich sprach, veränderte sich sein Gesichtsausdruck, wurde wieder hart und statuenhaft.

»Es kommt überhaupt nicht in Frage, dass du dich schutzlos in die Nähe eines Werwolfs begibst, Bella, das weißt du. Und wenn einer von uns ihr Gebiet betreten würde, wäre das gegen den Vertrag. Möchtest du, dass wir einen Krieg anfangen?«

»Natürlich nicht!«

»Dann brauchen wir nicht weiter darüber zu reden.« Er ließ die Hand sinken und wandte den Blick ab. Er suchte nach einer Möglichkeit, das Thema zu wechseln. Sein Blick blieb an etwas hinter mir hängen und er lächelte, obwohl er immer noch wachsam aussah.

»Es freut mich, dass Charlie dir Ausgang gewährt – du musst dringend eine Buchhandlung aufsuchen. Ich kann es nicht glauben, dass du schon wieder *Sturmhöhe* liest. Kannst du es noch nicht auswendig?«

»Nicht jeder hat so ein fotografisches Gedächtnis wie du«, sagte ich kurz angebunden.

»Fotografisches Gedächtnis hin oder her, ich begreife nicht, was dir daran gefällt. Die Figuren sind furchtbare Menschen, die einander das Leben zur Hölle machen. Es ist mir ein Rätsel, weshalb man Heathcliff und Cathy mit Paaren wie Romeo und Julia oder Elizabeth Bennett und Mr Darcy auf eine Stufe stellt. Es ist keine Liebesgeschichte, sondern eine Hassgeschichte.«

»Mit den Klassikern hast du's wohl nicht so«, sagte ich schnippisch.

»Vielleicht weil mich das Alte nicht beeindruckt.« Er lächelte, sichtlich zufrieden, weil er mich abgelenkt hatte. »Im Ernst, warum liest du es immer wieder?« Echtes Interesse blitzte in seinen Augen auf; er versuchte wieder einmal zu verstehen, wie mein Denken funktionierte. Über den Tisch hinweg nahm er mein Gesicht in die Hände. »Was gefällt dir so daran?«

Seine ehrliche Neugier war entwaffnend. »Ich weiß nicht genau«, sagte ich und versuchte zusammenhängend zu denken. Ohne es zu wollen, verwirrte er mich mit seinem Blick. »Ich glaube, es hat mit der Unausweichlichkeit zu tun. Dass nichts sie trennen kann – weder Cathys Egoismus noch Heathcliffs Boshaftigkeit, am Ende nicht einmal der Tod ...«

Er sah nachdenklich aus, während er meine Worte abwog. Nach einer Weile lächelte er neckend. »Dennoch glaube ich, es wäre eine bessere Geschichte, wenn einer von beiden wenigstens eine gute Eigenschaft hätte.«

»Vielleicht ist das gerade der springende Punkt«, sagte ich. »Ihre Liebe *ist* ihre einzige gute Eigenschaft.«

»Ich hoffe, du bist vernünftiger – und verliebst dich nicht in jemanden, der so ... boshaft ist.«

»Es ist ein bisschen zu spät, sich Gedanken darüber zu machen, in wen ich mich verliebe«, sagte ich. »Aber obwohl mich niemand vorher gewarnt hat, finde ich, dass ich das ganz gut hingekriegt habe.«

Er lachte leise. »Es freut mich, dass du so darüber denkst.«

»Und ich hoffe, du bist klug genug, dich von Frauen fernzuhalten, die so selbstsüchtig sind. Catherine ist das eigentliche Problem, nicht Heathcliff.«

»Ich werde mich hüten«, versprach er.

Ich seufzte. Ablenkungsmanöver waren seine Spezialität.

Ich legte meine Hand auf seine und zog sie an mein Gesicht. »Ich muss Jacob sehen.«

Er schloss die Augen. »Nein.«

»Es ist wirklich nicht gefährlich«, sagte ich, jetzt wieder

flehend. »Früher hab ich immer den ganzen Tag mit ihnen in La Push verbracht, und es ist nie irgendwas passiert.«

Aber das stimmte nicht ganz; meine Stimme versagte, als mir auffiel, dass ich nicht die Wahrheit sagte. Es war nicht richtig, dass *nie* irgendwas passiert war. Eine blitzartige Erinnerung – ein riesiger grauer Wolf, der zum Sprung ansetzte und die dolchartigen Zähne bleckte – und meine Handflächen wurden feucht vor Panik.

Edward hörte, wie mein Herz schneller schlug, und nickte, als hätte ich die Lüge eingestanden. »Werwölfe sind unberechenbar. Häufig werden Menschen verletzt, die sich in ihrer Nähe aufhalten. Manche kommen sogar ums Leben.«

Ich wollte widersprechen, aber ein Bild ließ mich verstummen. Ich sah das Gesicht von Emily Young vor mir, das einmal so schön gewesen war und jetzt von drei dunklen Narben entstellt wurde, die von ihrem rechten Auge bis zum Mund verliefen und ihn für immer zu einer schiefen Grimasse verzerrten.

Edward wartete grimmig, aber siegesgewiss, bis ich meine Stimme wiedergefunden hatte.

»Du kennst sie nicht«, flüsterte ich.

»Ich kenne sie besser, als du glaubst, Bella. Ich war beim letzten Mal dabei.«

»Beim letzten Mal?«

»Vor über siebzig Jahren kamen wir den Wölfen erstmals in die Quere … Da hatten wir uns gerade in der Nähe von Hoquiam niedergelassen. Alice und Jasper waren damals noch nicht bei uns. Wir waren trotzdem in der Überzahl, doch das hätte sie nicht von einem Kampf abgehalten, wäre Carlisle nicht gewesen. Ihm gelang es, Ephraim Black davon zu überzeugen, dass ein friedliches Nebeneinander möglich sei, und schließlich schlossen wir den Vertrag.«

Beim Namen von Jacobs Urgroßvater erschrak ich.

»Wir glaubten, mit Ephraim sei die Linie ausgestorben«, murmelte Edward; er schien jetzt mehr zu sich selbst zu sprechen. »Dass der genetische Trick, der die Verwandlung möglich macht, verlorengegangen sei …« Er brach ab und sah mich vorwurfsvoll an. »Es scheint wirklich eine Art Fluch zu sein, der von Tag zu Tag mächtiger wird. Ist dir klar, dass deine unglaubliche Anziehungskraft auf alles Gefährliche stark genug war, um ein Rudel ausgestorbener mutierter Hunde ins Leben zurückzuholen? Wenn wir etwas davon in Flaschen abfüllen könnten, stünde uns eine Waffe mit vernichtender Wirkung zur Verfügung.«

Ich überging die Stichelei, weil ich seine Behauptung so ungeheuerlich fand – meinte er das im Ernst? »Aber *ich* hab sie doch nicht ins Leben zurückgeholt! Weißt du das denn nicht?«

»Was soll ich wissen?«

»Ich habe gar nichts damit zu tun. Die Werwölfe sind zurückgekommen, weil die Vampire zurückgekommen sind.«

Edward starrte mich an, er war so perplex, dass er sich nicht rühren konnte.

»Jacob hat mir erzählt, dass die Dinge in Gang gekommen sind, weil deine Familie hierhergezogen ist. Ich dachte, das wüsstest du …«

Seine Augen wurden schmal. »Das glauben sie?«

»Edward, betrachte es mal logisch. Vor siebzig Jahren kamt ihr hierher und die Werwölfe sind aufgetaucht. Jetzt seid ihr zurückgekommen, und wieder tauchen die Werwölfe auf. Glaubst du, das ist Zufall?«

Er blinzelte, und sein Blick war jetzt nicht mehr so starr. »Diese Theorie wird Carlisle interessieren.«

»Theorie«, spottete ich.

Er schwieg eine Weile und schaute aus dem Fenster in den Regen; vermutlich dachte er darüber nach, dass die Bewohner von La Push sich durch die Anwesenheit seiner Familie in riesige Hunde verwandelten.

»Interessant, aber nicht besonders relevant«, murmelte er. »Es ändert nichts an der Lage.«

Das war leicht zu übersetzen: keine Freundschaft mit Werwölfen.

Ich wusste, dass ich mit Edward Geduld haben musste. Er war nicht unvernünftig, das nicht, aber er *verstand* mich einfach nicht. Er hatte keine Ahnung, wie viel ich Jacob Black zu verdanken hatte – mein Leben und meinen Verstand vermutlich noch dazu.

Ich sprach nicht gern über diese Zeit der Leere, schon gar nicht mit Edward. Als er mich damals verlassen hatte, wollte er nur mich und meine Seele retten. Ich machte ihn weder für all die Dummheiten verantwortlich, die ich in seiner Abwesenheit angestellt hatte, noch für das Leid, das ich durchgemacht hatte.

Aber er selbst fühlte sich verantwortlich.

Also musste ich die Worte, mit denen ich meine Beweggründe erklären wollte, genau abwägen.

Ich stand auf und ging um den Tisch herum. Er breitete die Arme aus und ich setzte mich auf seinen Schoß und schmiegte mich in seine kühle, steinerne Umarmung. Er schaute auf seine Hände, während ich sprach.

»Hör mir mal einen Moment zu. Es geht hier nicht darum, dass ich aus einer Laune heraus bei einem alten Freund vorbeischauen will. Jacob *leidet*.« Bei dem Wort brach meine Stimme. »Ich *muss* einfach versuchen, ihm zu helfen – ich kann ihn nicht im Stich lassen, wenn er mich braucht. Nur weil er nicht immer ein Mensch ist ... Er war ja auch für mich da, als ich ... selber

kein richtiger Mensch war. Du weißt ja gar nicht, wie es war …«
Ich zögerte. Edward hatte die Arme jetzt fest um mich geschlungen, er hatte die Hände so fest zu Fäusten geballt, dass die Sehnen hervortraten. »Wenn Jacob mir nicht geholfen hätte … Ich weiß nicht, wie du mich dann vorgefunden hättest. Ich möchte es wiedergutmachen. Das bin ich ihm schuldig, Edward.«

Ich schaute ihn wachsam an. Er hatte die Augen geschlossen, der Kiefer war angespannt.

»Ich werde mir nie verzeihen, dass ich dich verlassen habe«, flüsterte er. »Und wenn ich hunderttausend Jahre lebe.«

Ich legte eine Hand an sein kaltes Gesicht und wartete, bis er seufzte und die Augen aufschlug.

»Du wolltest ja nur das Richtige tun. Und bei jemand weniger Verrücktem als mir hätte das bestimmt geklappt. Außerdem bist du jetzt ja da. Das ist das Einzige, was zählt.«

»Wäre ich nicht fortgegangen, würdest du nicht dein Leben aufs Spiel setzen wollen, um einen *Hund* zu trösten.«

Ich zuckte zusammen. Von Jacob war ich solche Schimpfwörter gewohnt, *Blutsauger*, *Parasiten* … Wenn Edward mit seiner Samtstimme fluchte, klang es noch gröber.

»Ich weiß nicht, wie ich es am besten ausdrücken soll«, sagte er düster. »Ich fürchte, es klingt hart. Doch ich war zu nahe dran, dich zu verlieren. Ich kenne das Gefühl, dich verloren zu haben. Ich lasse es nicht zu, dass du dich in Gefahr begibst.«

»Du musst mir vertrauen. Mir passiert schon nichts.«

Er sah wieder gequält aus. »Bitte, Bella«, flüsterte er.

Ich starrte in seine plötzlich brennenden goldenen Augen. »Bitte was?«

»Bitte, tu es für mich. Bitte gib Acht, dass dir nichts passiert. Ich tue, was ich kann, aber ein wenig Hilfe könnte ich schon brauchen.«

»Ich geb mein Bestes«, murmelte ich.

»Hast du überhaupt eine Ahnung, wie viel du mir bedeutest? Hast du eine Vorstellung davon, wie sehr ich dich liebe?« Er zog mich noch fester an seine harte Brust und legte das Kinn auf meinen Kopf.

Ich drückte die Lippen an seinen schneekalten Hals. »Ich weiß, wie sehr *ich dich* liebe«, sagte ich.

»Du vergleichst ein Bäumchen mit einem ganzen Wald.«

Ich verdrehte die Augen, aber das konnte er nicht sehen. »Unmöglich.«

Er küsste mich aufs Haar und seufzte.

»Keine Werwölfe.«

»Das kann ich dir nicht versprechen. Ich muss Jacob sehen.«

»Dann werde ich es verhindern müssen.«

Er schien sehr zuversichtlich, dass ihm das nicht weiter schwerfallen dürfte.

Und ich war mir sicher, dass er Recht hatte.

»Wir werden ja sehen«, sagte ich dennoch. »Er ist immer noch mein Freund.«

Ich spürte Jacobs Brief in meiner Tasche, als wöge er plötzlich fünf Kilo. Ich hatte die Worte im Ohr, und Jacob schien Edward zuzustimmen – was er in Wirklichkeit nie tun würde.

Aber das ändert nichts. Tut mir leid.

AUSWEICHMANÖVER

Mir war seltsam leicht ums Herz, als ich vom Spanischunterricht zur Cafeteria ging, nicht nur, weil ich mit dem traumhaftesten Menschen der Welt Händchen hielt, obwohl das sicherlich dazu beitrug.

Vielleicht war es das Bewusstsein, dass ich meine Strafe abgesessen hatte und wieder frei war.

Oder vielleicht hatte es gar nichts mit mir zu tun. Vielleicht war es das Gefühl von Freiheit, das über der ganzen Schule lag. Die Ferien rückten näher, und vor allem für die Abschlussklasse lag ein Prickeln in der Luft.

Die Freiheit war so nah, dass man sie greifen und schmecken konnte. Alles zeugte davon. Die Wände der Cafeteria waren mit Aushängen tapeziert und die Mülleimer trugen bunte Röcke aus überquellenden Flugblättern: Werbung für Jahrbücher und Klassenringe, für Abschlusskleider, Hüte und Quasten; neonfarbene Slogans, mit denen die Schüler der unteren Jahrgänge sich als Klassensprecher bewarben; unheilvolle rosenumkränzte Reklamezettel für den diesjährigen Abschlussball. Der Ball war am kommenden Wochenende, aber Edward hatte mir hoch und heilig versprochen, mich dort nicht noch einmal hinzuschleppen. *Diese* menschliche Erfahrung hatte ich schließlich schon gemacht.

Nein, es war wohl doch meine persönliche Freiheit, die mir heute so ein beschwingtes Gefühl gab. Dass das Schuljahr zu Ende ging, freute mich nicht so sehr wie die anderen. Ehrlich gesagt, war ich so aufgeregt, dass mir fast übel wurde, wenn ich nur daran dachte. Ich versuchte, *nicht* daran zu denken.

Aber es war schwer, ein so allgegenwärtiges Thema wie den Schulabschluss zu meiden.

»Hast du deine Karten schon verschickt?«, fragte Angela, als Edward und ich uns an den Tisch setzten. Sie hatte die glatten hellbraunen Haare nachlässig zu einem Pferdeschwanz zusammengebunden, anstatt sie wie üblich offen zu tragen, und ihr Blick war leicht panisch.

Auch Alice und Ben waren schon da, sie saßen links und rechts von Angela. Ben war in ein Comicheft vertieft, die Brille rutschte ihm fast von der schmalen Nase. Alice betrachtete mein langweiliges Jeans-und-T-Shirt-Outfit auf eine Weise, die mich verunsicherte. Wahrscheinlich überlegte sie schon wieder, wie sie mich verwandeln konnte. Ich seufzte. Mein Desinteresse an Mode war ihr ein ständiger Dorn im Auge. Wenn ich sie ließe, würde sie mich jeden Tag – vielleicht sogar mehrmals täglich – anziehen wie eine übergroße, dreidimensionale Anziehpuppe.

»Nein«, sagte ich zu Angela. »Bei mir lohnt sich das nicht. Renée weiß, wann die Abschlussfeier ist. Wem sonst sollte ich es mitteilen?«

»Und du, Alice?«

Alice lächelte. »Schon erledigt.«

»Du Glückliche.« Angela seufzte. »Meine Mutter hat unzählige Cousinen und Cousins, und sie erwartet, dass ich jedem eine Karte schreibe. Ich krieg bestimmt eine Sehnenscheidenentzündung. Ich kann es nicht länger vor mir herschieben, aber mir graut schon davor.«

»Ich helf dir«, sagte ich. »Wenn meine Klaue dich nicht stört.«

Das würde Charlie gefallen. Aus dem Augenwinkel sah ich Edward lächeln. Ihm gefiel es auch – dass ich Charlies Bedingungen erfüllte, ohne dass Werwölfe ins Spiel kamen.

Angela sah erleichtert aus. »Das ist supernett von dir. Sag Bescheid, wenn es dir passt, dann komme ich vorbei.«

»Wenn du nichts dagegen hast, komm ich lieber zu dir – zu Hause fällt mir die Decke auf den Kopf. Charlie hat gestern Abend den Hausarrest aufgehoben.« Ich grinste, als ich die gute Nachricht verkündete.

»Echt?«, sagte Angela, und Überraschung spiegelte sich in ihren sanften braunen Augen. »Du meintest doch, du wärst für den Rest deines Lebens eingesperrt.«

»Ich bin mindestens so überrascht wie du. Vor dem Schulabschluss hätte ich nie damit gerechnet.«

»Das ist ja toll, Bella! Wir müssen unbedingt ausgehen, um das zu feiern.«

»O ja, das klingt gut.«

»Was sollen wir machen?«, fragte Alice, und beim Gedanken an die vielen Möglichkeiten leuchtete ihr Gesicht. Alice' Ideen gingen mir in der Regel eine Spur zu weit, und auch jetzt sah ich es in ihrem Blick – ihren Hang, völlig über die Stränge zu schlagen.

»Egal, was du im Sinn hast, Alice, *so* frei bin ich nicht.«

»Frei ist frei, oder?«, sagte sie.

»Bestimmt gibt es für mich immer noch Grenzen – innerhalb der USA müssten wir wohl schon bleiben.«

Angela und Ben lachten, aber Alice sah ernsthaft enttäuscht aus.

»Was unternehmen wir denn nun heute Abend?«, sagte sie.

»Nichts. Wir warten lieber erst mal ein paar Tage, um sicherzugehen, dass Charlie es ernst meint. Außerdem haben wir morgen ja Schule.«

»Dann feiern wir am Wochenende.« Alice' Begeisterung ließ sich nicht dämpfen.

»Klar«, sagte ich, damit sie zufrieden war. Ich wollte auf keinen Fall etwas allzu Ausgefallenes unternehmen, ich wollte Charlie nicht gleich überfordern. Er sollte erst mal sehen, wie reif und verantwortungsbewusst ich war, ehe ich ihn um irgendeinen Gefallen bat.

Angela und Alice fingen sofort an zu überlegen, was wir alles unternehmen könnten, und auch Ben legte seinen Comic beiseite, um mit zu planen. Meine Gedanken schweiften ab. Erstaunlicherweise freute ich mich über die neu gewonnene Freiheit jetzt gar nicht mehr so sehr wie vorhin. Während sie darüber sprachen, was man in Port Angeles oder in Hoquiam machen könnte, merkte ich, wie meine Laune sank.

Schon bald wurde mir klar, woher meine innere Unruhe rührte.

Seit dem Abschied von Jacob im Wald hinter unserem Haus quälte mich ein bestimmtes Bild. In regelmäßigen Abständen tauchte es wieder auf, wie ein nerviger Wecker, der alle halbe Stunde klingelt, das Bild von Jacobs schmerzverzerrtem Gesicht. Das war meine letzte Erinnerung an ihn.

Als sich das Bild jetzt wieder in meine Gedanken drängte, wusste ich, weshalb ich mit meiner Freiheit nicht zufrieden war. Sie war nicht vollständig.

Zwar konnte ich fahren, wohin ich wollte – aber nicht nach La Push; ich konnte tun und lassen, was ich wollte – aber Jacob durfte ich nicht sehen. Missmutig starrte ich auf den Tisch. Es musste doch irgendeinen Weg geben.

»Alice? Alice!«

Angelas Stimme riss mich aus meinen Gedanken. Sie bewegte die Hand vor Alice' starrem, ausdruckslosem Gesicht hin und her. Diesen Ausdruck kannte ich – und sofort fuhr mir der Schreck in die Glieder. Alice' leerer Blick verriet mir, dass sie etwas ganz anderes sah als die alltägliche Szene in der Cafeteria, etwas, was auf seine Weise jedoch genauso real war. Etwas, was in der Zukunft lag und bald, sehr bald eintreten würde. Ich spürte, wie mir das Blut aus dem Gesicht wich.

Da lachte Edward, ein scheinbar ganz natürliches, entspanntes Lachen. Angela und Ben schauten ihn an, aber ich wandte den Blick nicht von Alice. Plötzlich zuckte sie zusammen, als hätte ihr jemand unter dem Tisch einen Tritt versetzt.

»Hältst du um diese Zeit schon ein Nickerchen, Alice?«, neckte Edward sie.

Jetzt war Alice wieder ganz da. »Entschuldigung. Ich hab wohl geträumt.«

»Besser träumen als an die beiden Schulstunden denken, die noch vor uns liegen«, sagte Ben.

Alice beteiligte sich jetzt noch lebhafter an dem Gespräch als zuvor – einen Tick zu lebhaft. Ich sah, wie Edward und sie einen kurzen Blick tauschten; ehe es jemand bemerkte, schaute Alice wieder zu Angela. Edward war schweigsam, gedankenverloren spielte er mit einer Strähne meines Haars.

Ich wartete ungeduldig auf eine Gelegenheit, Edward zu fragen, was Alice in ihrer Vision gesehen hatte, aber wir hatten den ganzen Nachmittag keinen Moment für uns.

Es kam mir komisch vor, fast so, als lege er es darauf an. Nach dem Mittagessen ging er langsam, bis Ben ihn eingeholt hatte, und sprach mit ihm über irgendwelche Hausaufgaben, von denen ich wusste, dass er sie schon erledigt hatte. Und dann war zwischen den einzelnen Stunden immer irgendjemand dabei, während wir sonst meistens ein paar Minuten für uns hatten. Als es zum Schulschluss klingelte, ging Edward ausgerechnet neben Mike Newton her, der auch auf dem Weg zum Parkplatz war, und fing ein Gespräch mit ihm an. Ich ging langsamer, aber Edward schleppte mich mit.

Verwirrt hörte ich zu, wie Mike Edwards ungewöhnlich freundliche Fragen beantwortete. Offenbar hatte Mike Ärger mit seinem Wagen.

»… aber die Batterie hab ich grad erst ausgewechselt«, sagte Mike. Er schaute zu seinem Wagen und dann wieder zu Edward. Er sah misstrauisch aus – und verwirrt, genau wie ich.

»Vielleicht liegt es an den Kabeln?«, sagte Edward.

»Vielleicht. Ich hab echt überhaupt keine Ahnung von Autos«, gab Mike zu. »Irgendwer muss sich den Wagen mal ansehen, aber ihn zu Dowling's zu bringen, kann ich mir nicht leisten.«

Ich machte den Mund auf, um meinen persönlichen Mechaniker zu empfehlen, klappte ihn aber sofort wieder zu. Mein Mechaniker hatte zu tun – er musste als riesiger Wolf herumlaufen.

»Ich kenne mich ein wenig aus – ich könnte ihn mir mal anschauen, wenn du willst«, bot Edward an. »Ich will nur vorher Alice und Bella nach Hause bringen.«

Mike und ich starrten Edward mit offenem Mund an.

»Öh … danke«, murmelte Mike, als er sich wieder gefasst hatte. »Aber ich muss jetzt zur Arbeit. Vielleicht ein andermal.«

»Jederzeit.«

»Bis dann.« Mike stieg ins Auto und schüttelte fassungslos den Kopf.

Edwards Volvo, in dem Alice schon wartete, stand nur zwei Wagen weiter.

»Was war das denn?«, sagte ich leise, als Edward mir die Beifahrertür aufhielt.

»Ich wollte ihm nur helfen«, sagte Edward.

Und dann plapperte Alice, die auf der Rückbank saß, was das Zeug hielt.

»So ein guter Mechaniker bist du nun auch wieder nicht, Edward. Vielleicht sollte Rosalie heute Abend einen Blick darauf werfen, damit du besser dastehst, wenn Mike deine Hilfe annehmen will. Obwohl es ja ganz lustig wäre, sein Gesicht zu sehen, wenn *Rosalie* auftauchen würde, um ihm zu helfen. Aber da Rosalie ja eigentlich auf einem College an der Westküste sein müsste, ist das vielleicht keine so gute Idee. Zu schade. Andererseits, für Mikes Auto reicht dein Geschick vielleicht so gerade. Nur die Feinheiten eines guten italienischen Sportwagens gehen über deinen Horizont. Apropos Italien und Sportwagen, du bist mir immer noch einen gelben Porsche schuldig. Ich wollte eigentlich nicht bis Weihnachten darauf warten …«

Nach einer Weile schaltete ich ab und nahm ihre Stimme nur noch als summendes Hintergrundgeräusch wahr. Ich hatte den Eindruck, dass Edward meinen Fragen aus dem Weg gehen wollte. Na gut. Früher oder später würde er doch mit mir allein sein. Es war nur eine Frage der Zeit.

Das schien auch Edward klar zu sein und er ließ Alice wie üblich am Anfang der Cullen-Auffahrt aussteigen. Ich hatte schon halb erwartet, er würde sie bis zur Tür bringen und hineinbegleiten.

Beim Aussteigen sah Alice ihn durchdringend an. Edward wirkte völlig gelassen.

»Bis später«, sagte er. Und nickte ihr fast unmerklich zu.

Alice drehte sich um und verschwand zwischen den Bäumen.

Schweigend wendete er und fuhr zurück in Richtung Forks. Ich wartete darauf, dass er das Thema von sich aus zur Sprache brachte. Aber das tat er nicht, und meine Anspannung wuchs. Was hatte Alice heute Mittag gesehen? Irgendetwas, was er mir nicht sagen wollte. Ich überlegte, was für Gründe es dafür geben könnte, dass er mir etwas verheimlichte. Vielleicht sollte ich mich lieber schon mal wappnen, bevor ich fragte. Ich wollte nicht ausflippen, sonst dachte er noch, ich könnte es nicht verkraften. Also schwiegen wir beide, bis wir bei mir zu Hause ankamen.

»Wenig Hausaufgaben heute«, sagte er.

»Hmm«, machte ich.

»Meinst du, ich darf jetzt wieder mit reinkommen?«

»Als du mich heute Morgen abgeholt hast, hat Charlie jedenfalls keinen Aufstand gemacht.«

Aber ich war mir sicher, dass Charlie ziemlich genervt wäre, wenn er von der Arbeit nach Hause käme und Edward da wäre. Vielleicht konnte ich zum Ausgleich etwas Besonderes kochen.

Als wir im Haus waren, ging ich nach oben, und Edward folgte mir. Er streckte sich auf dem Bett aus und schaute aus dem Fenster. Er schien meine Nervosität gar nicht zu bemerken.

Ich stellte die Schultasche ab und schaltete den Computer ein. Ich musste noch eine Mail von meiner Mutter beantworten – wenn sie zu lange nichts von mir hörte, wurde sie panisch. Ich trommelte mit den Fingern, während ich darauf wartete, dass meine alte Kiste mal aufwachte, ein gereiztes Stakkato-Trommeln.

Und dann legte er seine Hand auf meine und brachte meine Finger zur Ruhe.

»Sind wir heute etwas ungeduldig?«, fragte er leise.

Ich schaute auf und setzte zu einer sarkastischen Antwort an, aber sein Gesicht war näher als erwartet. Seine goldenen Augen glühten, sie waren nur wenige Zentimeter entfernt, und sein Atem strömte kühl an meine geöffneten Lippen. Ich schmeckte seinen Duft in meinem Mund.

Vergessen war die geistreiche Bemerkung, die mir auf der Zunge gelegen hatte. Ich wusste kaum noch, wie ich hieß.

Er ließ mir keine Chance, mich zu fangen.

Wäre es nach mir gegangen, hätte ich den größten Teil des Tages damit verbracht, Edward zu küssen. Nichts, was ich je erlebt hatte, ließ sich mit dem Gefühl seiner kühlen Lippen, hart wie Marmor und doch so sanft, auf meinen vergleichen.

Aber meistens ging es nicht nach mir.

Deshalb war ich etwas überrascht, als er die Hände in meinem Haar vergrub und mein Gesicht zu sich heranzog. Ich schlang die Arme um seinen Hals und wäre gern stärker gewesen – stark genug, um ihn festzuhalten. Eine Hand wanderte meinen Rücken hinab und drückte mich fester an seine steinharte Brust. Selbst durch den Pullover war seine Haut so kalt, dass ich zitterte – es war ein Zittern vor Glück, aber er lockerte sofort den Griff.

Ich wusste, dass mir noch ungefähr drei Sekunden blieben, bis er seufzen, mich mit einer geschickten Bewegung von sich schieben und eine Bemerkung darüber machen würde, dass er mich für heute genug in Gefahr gebracht hätte oder etwas in der Art. Um die letzten Sekunden auszukosten, presste ich mich noch enger an ihn und schmiegte mich an seine Brust. Mit der Zungenspitze fuhr ich über seine Unterlippe, sie war so glatt, als wäre sie poliert, und wie sie erst schmeckte …

Er schob mein Gesicht weg und löste sich ohne jede Anstrengung aus meiner Umarmung – wahrscheinlich merkte er gar nicht, dass ich sämtliche Kraft aufgewandt hatte.

Er lachte kurz, leise und kehlig. Aus seinen Augen strahlte die Erregung, die er so streng unter Kontrolle hielt.

»Ah, Bella«, seufzte er.

»Ich würd ja gern sagen, dass es mir leidtut, aber das wäre gelogen.«

»Und ich sollte mir Sorgen machen, weil es dir nicht leidtut, aber das wäre auch gelogen. Vielleicht ist es besser, wenn ich mich aufs Bett setze.«

Ich atmete aus, mir war ein wenig schwindelig. »Wenn du meinst, das ist nötig …«

Er lächelte ein schiefes Lächeln und machte sich frei.

Ich schüttelte ein paarmal den Kopf, um wieder klar denken zu können, und wandte mich zu meinem Computer. Jetzt war er warm und summte. Eigentlich war es eher ein Ächzen als ein Summen.

»Bestell Renée schöne Grüße von mir.«

»Mach ich.«

Ich überflog Renées Mail und schüttelte hier und da den Kopf über ihre Verrücktheiten. Ich war genauso amüsiert und entsetzt wie beim ersten Lesen. Typisch meine Mutter, ihre Höhenangst zu vergessen und erst wieder daran zu denken, als sie schon an einen Fallschirm und einen Tandemmaster geschnallt war. Ich war etwas enttäuscht von Phil, immerhin seit knapp zwei Jahren ihr Mann, dass er so etwas zuließ. Ich hätte besser auf sie aufgepasst. Ich kannte sie so viel besser.

Aber letztendlich muss ich sie doch loslassen, sagte ich mir wieder. Sie muss ihr eigenes Leben führen …

Einen Großteil meines Lebens hatte ich damit verbracht, mich um Renée zu kümmern und sie geduldig vor den schlimmsten Verrücktheiten zu bewahren. Die anderen, die ich nicht verhindern konnte, hatte ich gutmütig ertragen. Ich hatte meiner Mutter gegenüber immer eine nachsichtige, amüsierte, sogar leicht herablassende Haltung eingenommen. Ich sah ihre unzähligen Fehler und musste insgeheim über sie lachen. Die sprunghafte Renée.

Ich war ganz anders als meine Mutter. Nachdenklich und vorsichtig. Eine verantwortungsvolle, erwachsene Person. So sah ich mich jedenfalls. So kannte ich mich.

Während mir von Edwards Kuss immer noch das Blut im Kopf pochte, musste ich an den folgenschwersten Fehler meiner Mutter denken. Wie sie als alberner, romantischer Backfisch frisch von der Highschool weg einen Mann heiratete, den sie kaum kannte, und ein Jahr darauf mich in die Welt setzte. Sie hatte mir immer versichert, dass sie es nicht bereute, dass ich das Beste sei, was ihr je passiert war. Und trotzdem hatte sie mir immer wieder eingetrichtert, ich solle es besser machen und die Ehe ernst nehmen. Ein vernünftiges Mädchen ging erst mal aufs College und stürzte sich ins Berufsleben, ehe sie eine ernsthafte Beziehung einging. Meine Mutter wusste, dass ich mich nie so gedankenlos und dämlich und provinziell benehmen würde wie sie …

Ich biss die Zähne zusammen und versuchte mich auf den Brief zu konzentrieren.

Als ich die letzten Zeilen las, wusste ich wieder, warum ich die Antwort vor mir hergeschoben hatte. *Du hast lange nichts von Jacob erzählt*, schrieb sie. *Wie geht's ihm denn?*

Garantiert hatte Charlie sie geimpft.

Ich seufzte und fügte die Antwort auf ihre Frage schnell zwischen zwei weniger heiklen Absätzen ein.

Ich glaube, Jacob geht es ganz gut. Ich sehe ihn kaum, er ist in letzter Zeit meistens mit ein paar Freunden aus La Push zusammen.

Ich lächelte bitter, dann fügte ich Grüße von Edward hinzu und drückte auf »senden«.

Erst als ich den Computer ausschaltete und vom Tisch abrückte, merkte ich, dass Edward schweigend hinter mir stand. Ich wollte mich gerade darüber beschweren, dass er mir heimlich über die Schulter guckte, als ich sah, dass er überhaupt nicht auf mich achtete. Er starrte auf einen flachen schwarzen Kasten, aus dem mehrere Drähte krumm und schief herausguckten. Wozu auch immer das Ding gedacht war, es sah nicht gut aus. Im nächsten Moment erkannte ich, dass es die Stereoanlage fürs Auto war, die Emmett, Rosalie und Jasper mir letztes Jahr zum Geburtstag geschenkt hatten. Ich hatte ganz vergessen, dass ich die Geburtstagsgeschenke in einem Müllsack unten in meinem Kleiderschrank versteckt hatte.

»Was in aller Welt hast du damit angestellt?«, fragte Edward entsetzt.

»Anders hab ich sie nicht aus dem Armaturenbrett gekriegt.«

»Und deshalb musstest du sie foltern?«

»Du weißt ja, dass ich handwerklich nicht so begabt bin. Wenn ich ihr Schmerzen zugefügt habe, war das keine Absicht.«

Mit gespielt tragischem Gesichtsausdruck schüttelte er den Kopf. »Du hast sie ermordet.«

Ich zuckte die Schultern. »Tja.«

»Wenn die anderen das sehen würden, wären sie zutiefst gekränkt«, sagte er. »Ich glaube, es war gut, dass du Hausarrest hattest. Ich muss die Anlage ersetzen, ehe sie etwas merken.«

»Danke, aber ich brauch nicht so ein überkandideltes Ding.«

»Ich möchte sie nicht deinetwegen ersetzen.«

Ich seufzte.

»Von deinen Geburtstagsgeschenken letztes Jahr hast du

nicht viel gehabt«, sagte er verärgert. Plötzlich fächerte er sich mit einer Karte Luft zu.

Ich sagte nichts, weil ich Angst hatte, dass mir die Stimme versagen würde. Ich dachte nur ungern an meinen katastrophalen achtzehnten Geburtstag mit all seinen weitreichenden Folgen, und es überraschte mich, dass Edward davon anfing. Er mied das Thema noch mehr als ich.

»Weißt du, dass der hier bald verfällt?«, fragte er und warf mir die Karte zu. Noch ein Geschenk – der Gutschein für zwei Flugtickets, den ich von Esme und Carlisle bekommen hatte, damit ich Renée in Florida besuchen konnte.

Ich holte tief Luft und sagte tonlos: »Nein. Den hatte ich ganz vergessen.«

Seine Miene war freundlich und gelassen, kein Anzeichen irgendeiner tieferen Regung, als er sagte: »Nun ja, ein wenig Zeit haben wir noch. Du bist jetzt frei … und wir haben am Wochenende noch nichts vor, da du dich ja weigerst, mit mir zum Abschlussball zu gehen.« Er grinste. »Warum deine Freiheit nicht auf diese Weise feiern?«

Ich schnappte nach Luft. »Indem wir nach Florida fliegen?«

»Du hast doch gesagt, alles innerhalb der USA wäre akzeptabel.«

Ich schaute ihn misstrauisch an und versuchte zu ergründen, woher diese Idee so plötzlich kam.

»Und?«, sagte er. »Besuchen wir Renée nun oder nicht?«

»Das würde Charlie nie erlauben.«

»Charlie kann dir nicht verbieten, deine Mutter zu sehen. Sie hat immer noch das Sorgerecht.«

»Niemand hat das Sorgerecht für mich. Ich bin volljährig.«

Er strahlte. »Eben.«

Ich überlegte kurz, dann entschied ich, dass es den Kampf

nicht wert war. Charlie wäre stocksauer – nicht weil ich Renée besuchen würde, sondern weil Edward mitkommen würde. Charlie würde monatelang nicht mit mir reden, und wahrscheinlich würde ich wieder Hausarrest bekommen. Es war klüger, gar nicht erst davon anzufangen. Vielleicht in ein paar Wochen, als Geschenk zum Schulabschluss oder so.

Aber die Vorstellung, meine Mutter jetzt schon zu besuchen und nicht erst in ein paar Wochen, war fast unwiderstehlich. Wir hatten uns so lange nicht gesehen. Und noch länger war es her, dass wir uns unter glücklichen Umständen gesehen hatten. Als ich das letzte Mal bei ihr in Phoenix gewesen war, hatte ich die ganze Zeit im Krankenhaus gelegen. Und bei ihrem letzten Besuch war ich mehr oder weniger unzurechnungsfähig gewesen. Nicht gerade die schönsten Erinnerungen, die sie an mich hatte.

Wenn sie jetzt sehen könnte, wie glücklich ich mit Edward war, würde sie Charlie ja vielleicht sagen, er solle sich nicht so anstellen.

Edward musterte mich, während ich überlegte.

Ich seufzte. »Nicht an diesem Wochenende.«

»Warum nicht?«

»Ich will keinen Streit mit Charlie. Nicht jetzt, wo er mir gerade erst verziehen hat.«

Er zog die Augenbrauen zusammen. »Ich finde, dieses Wochenende ist ideal«, murmelte er.

Ich schüttelte den Kopf. »Ein andermal.«

»Du bist nicht die Einzige, die in diesem Haus eingesperrt war, weißt du?« Er warf mir einen finsteren Blick zu.

Jetzt wurde ich wieder misstrauisch. Das sah ihm gar nicht ähnlich. Sonst war er immer so unglaublich selbstlos. Aber wahrscheinlich war ich schon zu verwöhnt.

»Du kannst reisen, wohin du willst«, sagte ich.

»Ohne dich ist die Welt für mich ohne Reiz.«

Ich verdrehte die Augen, weil er so maßlos übertrieb.

»Das ist mein Ernst«, sagte er.

»Lass uns die Welt langsam angehen, ja? Wir könnten ja erst mal in Port Angeles ins Kino gehen …«

Er stöhnte. »Lass nur. Wir reden später darüber.«

»Da gibt es nichts zu reden.«

Er zuckte die Schultern.

»Also gut, Themawechsel«, sagte ich. Meine Sorge vom Nachmittag hatte ich schon fast vergessen – war das Sinn und Zweck des Ganzen gewesen? »Was hat Alice heute beim Mittagessen gesehen?«

Ich sah ihn genau an, während ich das sagte, und beobachtete seine Reaktion.

Er wirkte gelassen, nur der Ausdruck seiner Topasaugen wurde ein kleines bisschen härter. »Sie hat Jasper an einem merkwürdigen Ort gesehen, irgendwo im Südwesten, wie sie vermutet, in der Nähe seiner alten … Familie. Doch er ist sich keiner Absicht bewusst, zurückzugehen.« Er seufzte. »Deswegen ist sie besorgt.«

»Ach so.« Das war ganz und gar nicht das, womit ich gerechnet hatte. Aber es war natürlich logisch, dass Alice Jaspers Zukunft im Blick hatte. Er war ihr Seelenverwandter, ihre wahre zweite Hälfte, auch wenn sie ihre Beziehung nicht so zur Schau stellten wie Rosalie und Emmett. »Warum hast du mir nichts davon gesagt?«

»Ich wusste nicht, dass du es bemerkt hattest«, sagte er. »Wahrscheinlich ist es auch gar nicht weiter von Belang.«

Meine Phantasie war völlig mit mir durchgegangen. Ich hatte mir einen ganz normalen Nachmittag lang alles so zurechtgesponnen, dass es aussah, als würde Edward etwas angestrengt vor mir verbergen. Ich brauchte dringend eine Therapie.

Wir gingen nach unten, um Hausaufgaben zu machen, für den Fall, dass Charlie früher nach Hause kam. Edward war nach wenigen Minuten fertig; ich quälte mich mit Mathe, bis ich entschied, dass es Zeit zum Kochen war. Edward half mir, wobei er hin und wieder das Gesicht verzog – er fand Menschenessen ziemlich ekelhaft. Ich kochte Bœuf Stroganow nach einem Rezept von Oma Swan, um Charlie zu bestechen. Es war nicht gerade mein Leibgericht, aber er würde sich freuen.

Charlie kam schon gut aufgelegt nach Hause. Er gab sich nicht mal Mühe, unfreundlich zu Edward zu sein. Edward entschuldigte sich wie üblich vom Essen. Aus dem Wohnzimmer waren die Abendnachrichten zu hören, aber ich bezweifelte, dass er sie wirklich anschaute.

Nachdem Charlie drei Portionen vertilgt hatte, legte er die Füße auf den freien Stuhl und faltete die Hände zufrieden über dem prallen Bauch.

»Das war köstlich, Bella.«

»Freut mich, dass es dir geschmeckt hat. Wie war's auf der Arbeit?« Bis dahin war er so mit Essen beschäftigt gewesen, dass keine Unterhaltung möglich war.

»Ein bisschen langweilig. Ehrlich gesagt, sogar todlangweilig. Am Nachmittag haben Mike und ich eine ganze Zeit Karten gespielt«, gestand er grinsend. »Ich hab gewonnen, neunzehn zu sieben. Und ich hab eine Weile mit Billy telefoniert.«

Ich versuchte keine Miene zu verziehen. »Wie geht es ihm?«

»Gut, gut. Hat ein bisschen Beschwerden mit den Gelenken.«

»Ach. Das tut mir leid.«

»Ja. Er hat uns für dieses Wochenende eingeladen. Die Clearwaters und die Uleys kommen vielleicht auch. Eine Art Party zum Entscheidungsspiel.«

»Hm«, sagte ich geistreich. Was sollte ich auch sonst sagen? Ich wusste, dass Edward mir nie erlauben würde, zu einer Werwolf-Party zu gehen, auch nicht unter elterlicher Aufsicht. Ob er wohl auch ein Problem damit hatte, wenn Charlie nach La Push fuhr? Oder ging er davon aus, dass für ihn keine Gefahr bestand, weil er ja die ganze Zeit mit Billy verbrachte, der kein Werwolf war?

Ich stand auf und räumte das Geschirr zusammen, ohne Charlie anzusehen. Ich stellte alles in die Spüle und drehte das Wasser an. Edward kam wortlos dazu und nahm sich ein Geschirrtuch.

Charlie seufzte und gab vorerst auf. Bestimmt würde er später, wenn wir allein waren, auf das Thema zurückkommen. Er hievte sich aus dem Stuhl und machte sich wie jeden Abend auf den Weg zum Fernseher.

»Charlie«, sagte Edward beiläufig.

Charlie blieb mitten in der kleinen Küche stehen. »Ja?«

»Hat Bella dir eigentlich mal erzählt, dass meine Eltern ihr zum Geburtstag Flugtickets geschenkt haben, damit sie Renée besuchen kann?«

Der Teller, den ich gerade spülte, fiel mir aus der Hand. Er glitt von der Anrichte und fiel laut klirrend zu Boden. Er zerbrach nicht, bespritzte jedoch die Küche und uns drei mit Seifenwasser. Charlie schien es gar nicht zu bemerken.

»Bella?«, sagte er verdattert.

Ich wandte den Blick nicht von dem Teller und hob ihn auf. »Ja, stimmt.«

Charlie schluckte geräuschvoll, dann wandte er sich mit zusammengekniffenen Augen zu Edward. »Nein, das hat sie nie erwähnt.«

»Hmm«, murmelte Edward.

»Gibt's einen bestimmten Grund, weshalb du jetzt davon anfängst?«, fragte Charlie mit harter Stimme.

Edward zuckte die Achseln. »Sie sind nicht mehr sehr lange gültig. Ich glaube, Esme wäre beleidigt, wenn Bella das Geschenk nicht in Anspruch nähme. Nicht, dass sie etwas sagen würde.«

Ich starrte Edward fassungslos an.

Charlie dachte einen Augenblick nach. »Es ist bestimmt eine gute Idee, deine Mom zu besuchen, Bella. Sie würde sich freuen. Es wundert mich allerdings, dass du nichts davon gesagt hast.«

»Hatte ich irgendwie vergessen.«

Er runzelte die Stirn. »Du hattest vergessen, dass du Flugtickets geschenkt bekommen hast?«

»Hmm«, murmelte ich unbestimmt und wandte mich wieder zur Spüle.

»Aber du hast gesagt, *sie* sind nicht mehr lange gültig, Edward«, fuhr Charlie fort. »Wie viele Tickets haben deine Eltern Bella denn geschenkt?«

»Nun, eins für sie ... und eins für mich.«

Der Teller, den ich diesmal fallen ließ, landete in der Spüle, das machte weniger Lärm. Ich hörte, wie mein Vater schnaubte. Vor Ärger schoss mir das Blut ins Gesicht. Warum machte Edward das? Panisch starrte ich auf die Seifenblasen in der Spüle.

»Das kommt überhaupt nicht in Frage!«, brüllte Charlie. Von einer Sekunde auf die andere war er auf hundertachtzig.

»Warum nicht?«, fragte Edward ganz unschuldig. »Du hast doch gerade gesagt, es sei eine gute Idee, wenn sie ihre Mutter besucht.«

Charlie beachtete ihn gar nicht. »Mit dem fliegst du nirgendwohin, Fräulein«, schrie er und zeigte mit dem Finger auf mich.

Automatisch stieg die Wut in mir hoch, die altbekannte Reaktion auf diesen Ton.

»Ich bin kein Kind mehr, Dad! Und ich hab auch keinen Hausarrest mehr, hast du das vergessen?«

»O doch, du hast Hausarrest. Ab sofort.«

»Warum?!«

»Weil ich es sage.«

»Muss ich dich daran erinnern, dass ich volljährig bin, Charlie?«

»Das ist mein Haus, und hier bestimme ich!«

Mein Blick wurde eisig. »Wenn du es so haben willst. Soll ich gleich heute Abend ausziehen? Oder hab ich noch ein paar Tage Zeit zu packen?«

Charlies Gesicht wurde flammend rot. Sofort hatte ich ein schlechtes Gewissen, weil ich diesen Trumpf ausgespielt hatte.

Ich atmete tief durch und versuchte in vernünftigerem Ton zu sprechen. »Wenn ich einen Fehler gemacht habe, Dad, sitze ich meine Strafe klaglos ab, aber deine Vorurteile werde ich nicht hinnehmen.«

Er schimpfte weiter leise vor sich hin.

»Ich weiß, dass du weißt, dass ich das Recht habe, Mom an den Wochenenden zu sehen. Wenn ich mit Alice oder Angela fliegen würde, hättest du dann auch was dagegen? Mal ehrlich.«

»Das sind Mädchen«, grunzte er.

»Und wenn ich Jacob mitnehmen würde?«

Das hatte ich nur gesagt, weil ich wusste, dass mein Vater Jacob mochte, aber ich bereute es sofort – Edward biss hörbar die Zähne zusammen.

Mein Vater rang mit sich, ehe er antwortete. »Ja«, sagte er, aber es klang nicht sehr überzeugend. »Ich hätte etwas dagegen.«

»Jetzt lügst du, Dad.«

»Bella …«

»Ich fliege doch nicht nach Las Vegas, um als Showgirl anzufangen. Ich will Mom besuchen«, sagte ich. »Sie kann genauso gut auf mich aufpassen wie du.«

Er warf mir einen vernichtenden Blick zu.

»Willst du das etwa bezweifeln?«

Charlie zuckte vor der Drohung, die in meiner Frage lag, zurück.

»Du kannst froh sein, wenn ich ihr das nicht erzähle«, sagte ich.

»Das lässt du schön bleiben«, sagte er. »Die Sache gefällt mir überhaupt nicht, Bella.«

»Du hast überhaupt keinen Grund, so an die Decke zu gehen.«

Er verdrehte die Augen, aber ich wusste, dass der Sturm vorüber war.

Ich zog den Stöpsel aus dem Spülbecken. »Ich hab die Hausaufgaben fertig, ich hab dir was zu essen gekocht, ich hab Geschirr gespült und ich hab keinen Hausarrest. Ich gehe aus. Spätestens um halb elf bin ich wieder da.«

»Wo willst du hin?« Sein Gesicht, das jetzt fast normal aussah, wurde schon wieder rot.

»Weiß ich noch nicht«, sagte ich. »Ich bleibe in einem Umkreis von fünfzehn Kilometern, okay?«

Er grummelte etwas, das sich nicht direkt nach Zustimmung anhörte, und verließ die Küche. Typisch: Kaum hatte ich den Kampf gewonnen, meldete sich mein schlechtes Gewissen.

»Wir gehen aus?«, fragte Edward. Er sprach leise, aber er klang begeistert.

Ich drehte mich um und sah ihn zornig an. »Ja. Ich glaube, ich muss ein Wörtchen allein mit dir reden.«

Er sah nicht so ängstlich aus, wie er meiner Meinung nach hätte aussehen sollen.

Ich wartete noch, bis wir in seinem Wagen waren.

»Was sollte das?«, fragte ich.

»Ich weiß, dass du deine Mutter gern sehen möchtest. Du hast im Schlaf von ihr geredet. Es hat sich angehört, als ob du dir Sorgen machst.«

»Ja?«

Er nickte. »Aber du warst zu feige, um es mit Charlie auszufechten. Deshalb habe ich mich für dich eingesetzt.«

»Für mich eingesetzt? Du hast mich den Haien zum Fraß vorgeworfen!«

»Ich glaube nicht, dass du in Gefahr warst.«

»Ich hatte dir doch gesagt, dass ich keinen Streit mit Charlie will.«

»Niemand hat verlangt, dass du dich mit ihm streitest.«

Ich schaute ihn finster an. »Wenn er so einen Kommandoton anschlägt, bin ich machtlos – dann gehen meine Teenagerinstinkte mit mir durch.«

Er lachte leise. »Tja, das ist nicht mein Problem.«

Ich schaute ihn nachdenklich an. Er schien es nicht zu bemerken. Gelassen schaute er durch die Windschutzscheibe. Irgendetwas stimmte nicht, ich kam nur nicht darauf, was es war. Aber vielleicht hatte ich einfach nur eine allzu lebhafte Phantasie.

»Hat dieser plötzliche Drang, nach Florida zu fliegen, irgendwas mit der Party bei Billy zu tun?«

Sein Kiefer wurde hart. »Ganz und gar nicht. Es spielt keine Rolle, ob du hier bist oder am anderen Ende des Landes, du würdest sowieso nicht hingehen.«

Es war genauso wie vorhin mit Charlie – schon wieder wurde

ich behandelt wie ein ungezogenes Kind. Ich biss die Zähne zusammen, um nicht loszubrüllen. Ich wollte nicht auch noch mit Edward streiten.

Edward seufzte, dann sprach er wieder mit seiner warmen Samtstimme. »Was möchtest du heute Abend unternehmen?«, fragte er.

»Können wir zu dir fahren? Ich hab Esme schon so lange nicht mehr gesehen.«

Er lächelte. »Sie wird sich freuen. Vor allem, wenn sie hört, was wir am Wochenende vorhaben.«

Ich stöhnte ergeben.

Wir blieben nicht lange, wie ich es Charlie versprochen hatte. Es überraschte mich nicht, dass die Lichter noch an waren, als wir vor dem Haus hielten – ich hatte gewusst, dass Charlie auf mich warten würde, um mich noch ein bisschen anzubrüllen.

»Komm lieber nicht mit rein«, sagte ich. »Das würde es nur noch schlimmer machen.«

»Er ist ziemlich ruhig«, sagte Edward. Als ich ihn anschaute, fragte ich mich, ob ich irgendeinen Witz verpasst hatte. Um seine Mundwinkel zuckte es, als müsse er ein Lächeln unterdrücken.

»Bis später«, murmelte ich bedrückt.

Er lachte und gab mir einen Kuss aufs Haar. »Sobald Charlie schnarcht, komme ich wieder.«

Als ich ins Haus trat, dröhnte mir der Fernseher entgegen. Einen kurzen Moment erwog ich, mich an Charlie vorbeizuschleichen.

»Könntest du mal bitte kommen, Bella«, rief Charlie, und damit schied diese Möglichkeit aus.

Ich schlurfte die fünf Schritte ins Wohnzimmer.

»Was ist, Dad?«

»Hattest du einen netten Abend?«, fragte er. Er wirkte befangen. Ich suchte nach einem doppelten Boden in seinen Worten, ehe ich antwortete.

»Ja«, sagte ich zögernd.

»Was habt ihr gemacht?«

Ich zuckte die Schultern. »Wir waren mit Alice und Jasper zusammen. Edward hat Alice beim Schach geschlagen und dann hab ich gegen Jasper gespielt. Er hat mich fertiggemacht.«

Ich lächelte. Ich hatte selten so etwas Witziges gesehen wie Edward und Alice beim Schachspiel. Sie saßen fast reglos da und starrten auf das Schachbrett, während Alice die Züge voraussah, die er machen wollte, und er die Züge, die sie machen wollte, in ihren Gedanken las. Den größten Teil der Partie spielten sie im Kopf – sie hatten jeder zwei Bauern bewegt, als Alice plötzlich ihren König umstieß und sich geschlagen gab. Das Ganze dauerte höchstens drei Minuten.

Charlie schaltete den Ton aus – sehr ungewöhnlich.

»Da ist etwas, über das ich mit dir reden muss«, sagte er. Er schien sich gar nicht wohl in seiner Haut zu fühlen.

Ich setzte mich und wartete. Er schaute mich kurz an, dann starrte er zu Boden. Er sagte nichts mehr.

»Was ist, Dad?«

Er seufzte. »Ich kann so was nicht besonders gut. Ich weiß nicht, wo ich anfangen soll …«

Ich wartete wieder.

»Also gut, Bella. Folgendes.« Er erhob sich vom Sofa und ging im Zimmer auf und ab, wobei er die ganze Zeit auf seine Füße schaute. »Das mit dir und Edward scheint ziemlich ernst zu sein, und du musst ein bisschen aufpassen. Ich weiß, dass du erwachsen bist, aber du bist immer noch jung, und da gibt es vieles, was du wissen musst, wenn du … nun ja, wenn du körperlich …«

»O nein, bitte nicht!«, rief ich und sprang auf. »Bitte sag jetzt nicht, dass du mich aufklären willst.«

Er schaute zu Boden. »Ich bin dein Vater. Ich bin für dich verantwortlich. Für mich ist es genauso peinlich wie für dich.«

»Das kann gar nicht sein. Außerdem ist Mom dir zehn Jahre zuvorgekommen. Du bist aus dem Schneider.«

»Vor zehn Jahren hattest du aber noch keinen Freund«, murmelte er widerstrebend. Ich merkte ihm an, dass er gegen den Wunsch ankämpfte, das Thema fallenzulassen. Wir standen uns gegenüber und schauten zu Boden.

»Ich glaube, das Prinzip ist immer noch das Gleiche«, sagte ich leise, und bestimmt war ich genauso rot wie er. Das war schlimmer als die Hölle, und noch schlimmer war es zu wissen, dass Edward es schon vorausgesehen hatte. Jetzt war mir klar, weshalb er sich vorhin im Auto so amüsiert hatte.

»Sag mir einfach, dass ihr beiden euch verantwortungsvoll benehmt«, bat Charlie. Er sah so aus, als hoffte er auf ein Loch im Boden, in dem er verschwinden könnte.

»Mach dir keine Sorgen, Dad, so ist es nicht.«

»Denk nicht, dass ich dir nicht vertraue, Bella, aber ich weiß, dass du mir nichts davon erzählen willst, und du weißt auch, dass ich das gar nicht wissen will. Aber ich werde versuchen, aufgeschlossen zu sein. Ich weiß, dass sich die Zeiten geändert haben.«

Ich lachte verkrampft. »Die Zeiten vielleicht schon, aber Edward ist ziemlich altmodisch. Du brauchst dir gar keine Sorgen zu machen.«

Charlie seufzte. »Ja, das ist er wohl«, murmelte er.

»Himmel!«, stöhnte ich. »Mir wär es lieber, wenn du mich

nicht zwingen würdest, es so deutlich zu sagen, Dad. Wirklich. Aber … ich bin … Jungfrau, und ich habe nicht vor, daran so bald etwas zu ändern.«

Wir wanden uns beide, aber dann entspannte sich Charlies Miene. Offenbar glaubte er mir.

»Kann ich jetzt schlafen gehen? *Bitte*.«

»Einen Moment noch«, sagte er.

»Och, bitte, Dad? Ich flehe dich an.«

»Der peinliche Teil ist überstanden, versprochen«, sagte er.

Ich schaute ihn kurz an und stellte erleichtert fest, dass er wieder entspannt aussah, seine Gesichtsfarbe war jetzt normal. Er ließ sich aufs Sofa sinken und seufzte, froh darüber, dass er die Aufklärungsstunde hinter sich hatte.

»Was gibt es noch?«

»Ich wollte nur wissen, wie es in Sachen Ausgewogenheit vorangeht.«

»Ach so. Ganz gut, glaub ich. Ich hab mich heute mit Angela verabredet. Ich will ihr mit ihren Karten zur Abschlussfeier helfen. Nur sie und ich.«

»Schön. Und was ist mit Jake?«

Ich seufzte. »Da bin ich noch nicht weitergekommen, Dad.«

»Dann versuch es, Bella. Dir wird schon etwas einfallen. Du bist doch ein vernünftiges Mädchen.«

Ach, so war das also. Wenn ich das mit Jacob nicht hinkriegte, war ich demnach nicht vernünftig? Das war gemein.

»Na klar«, sagte ich. Über diese automatische Antwort musste ich fast lächeln – ich hatte sie von Jacob übernommen. Und ich hatte es fast genauso herablassend gesagt, wie Jacob mit seinem Vater redete.

Charlie grinste und schaltete den Ton wieder ein. Er ließ sich tiefer in die Sofakissen sinken, zufrieden mit seinem Werk. Ich wusste, dass ihn das Spiel noch eine ganze Weile auf dem Sofa halten würde.

»Nacht, Bella.«

»Bis morgen früh.« Ich sauste zur Treppe.

Edward würde erst zurückkommen, wenn Charlie schlief – wahrscheinlich war er auf der Jagd oder vertrieb sich sonst wie die Zeit –, deshalb hatte ich keine Eile, mich bettfertig zu machen. Ich war nicht in der Stimmung, allein zu sein, aber natürlich wollte ich auch nicht wieder nach unten zu Charlie – womöglich fiel ihm noch irgendwas zum Thema Aufklärung ein, o Graus.

Dank Charlie war ich also aufgedreht und hibbelig. Die Hausaufgaben waren erledigt und ich fühlte mich noch längst nicht schläfrig genug, um zu lesen oder Musik zu hören. Ich überlegte, ob ich Renée anrufen und ihr von dem bevorstehenden Besuch erzählen sollte, als mir einfiel, dass es in Florida drei Stunden später war, sie schlief also schon.

Dann überlegte ich, Angela anzurufen.

Aber auf einmal wusste ich, dass es nicht Angela war, mit der ich sprechen wollte – sprechen musste.

Ich starrte zum schwarzen Fenster und biss mir auf die Lippe. Ich wusste nicht, wie lange ich dort stand und das Für und Wider abwog – Jacob was Gutes tun, meinen besten Freund wiedersehen, vernünftig sein contra Edward wütend machen. Vielleicht zehn Minuten. Die reichten, um zu dem Schluss zu kommen, dass die Argumente dafür stärker waren als die dagegen. Edward hatte nur Angst um mich, aber ich wusste, dass keinerlei Gefahr bestand.

Telefonieren kam nicht in Frage; seit Edward wieder da war, weigerte Jacob sich, mit mir zu sprechen. Außerdem musste ich ihn *sehen* – ihn lächeln sehen wie früher. Ich musste die schreckliche Erinnerung an sein schmerzverzerrtes Gesicht durch ein anderes Bild ersetzen, sonst kam ich nicht zur Ruhe.

Ich hatte etwa eine Stunde. Das müsste reichen, um schnell nach La Push zu fahren und wieder zu Hause zu sein, bevor Edward etwas merkte. Eigentlich durfte ich um diese Zeit nicht mehr weg, aber spielte das für Charlie überhaupt eine Rolle, wenn es nicht um Edward ging? Jetzt konnte ich es herausfinden.

Ich schnappte mir meine Jacke und fuhr in die Ärmel, während ich die Treppe runterlief.

Charlie schaute von seinem Spiel auf, er war sofort misstrauisch.

»Hast du was dagegen, wenn ich noch zu Jake fahre?«, fragte ich atemlos. »Ich bleib nicht lange.«

Kaum hatte ich Jakes Namen ausgesprochen, lächelte Charlie zufrieden. Es schien ihn kein bisschen zu überraschen, dass seine Lektion so schnell gewirkt hatte. »Aber sicher, kein Problem. Bleib, solange du willst.«

»Danke, Dad«, sagte ich und flitzte zur Tür hinaus.

Wie alle, die auf der Flucht sind, schaute ich automatisch ein paarmal über die Schulter, während ich zu meinem Transporter lief, aber es war so dunkel, dass man sowieso nichts erkennen konnte. Ich musste mich an meinem Wagen entlang zur Fahrertür vortasten.

Meine Augen begannen sich gerade an die Dunkelheit zu gewöhnen, als ich den Schlüssel ins Zündschloss steckte. Ich drehte ihn herum, doch statt des ohrenbetäubenden Röhrens klickte der Motor nur einmal kurz. Ich versuchte es noch einmal, aber wieder ohne Erfolg.

Dann sah ich aus dem Augenwinkel, wie sich etwas bewegte, und zuckte zusammen.

»Aah!«, schrie ich, als ich sah, dass jemand auf dem Beifahrersitz saß.

Edward saß reglos da, ein schemenhafter heller Fleck in der Dunkelheit. Nur seine Hände bewegten sich, als er ein geheimnisvolles schwarzes Ding herumdrehte.

»Alice hat mich angerufen«, murmelte er.

Alice! So ein Mist. An sie hatte ich überhaupt nicht gedacht. Offenbar hatte Edward sie auf mich angesetzt.

»Sie war beunruhigt, als deine Zukunft vor fünf Minuten ganz plötzlich verschwand.«

Ich riss die Augen auf.

»Weil sie die Wölfe nicht sehen kann«, erklärte er, immer noch leise. »Hattest du das vergessen? Und wenn du dich entschließt, dein Schicksal mit ihrem zu verbinden, dann verschwindest auch du. Das konntest du natürlich nicht wissen. Aber kannst du dir vorstellen, dass ich mir deshalb ein wenig … Sorgen gemacht habe? Alice sah dich verschwinden und konnte nicht einmal sagen, ob du wieder nach Hause kommen würdest. Deine Zukunft verschwand, genau wie die der Wölfe. Wir wissen nicht genau, warum das so ist. Ein natürlicher Schutzmechanismus, mit dem sie zur Welt kommen?« Jetzt schien er mehr zu sich selbst zu sprechen. Er schaute immer noch auf das Teil aus dem Motor meines Wagens, das er in den Händen drehte. »Das ist nicht sehr wahrscheinlich, da es mir keine Schwierigkeiten bereitete, ihre Gedanken zu lesen, jedenfalls die der Blacks. Carlisle vermutet, der Grund liege darin, dass ihr Leben so sehr von ihrer Verwandlung beherrscht wird. Es ist eher eine unwillkürliche Reaktion als eine Entscheidung. Gänzlich unvorhersehbar verändert sich alles an ihnen. In dem Moment, da sie von einer Gestalt in die andere übergehen, gibt es sie gar nicht richtig. Die Zukunft kann sie nicht festhalten …«

Ich schwieg eisern, während ich ihm zuhörte.

»Ich repariere den Wagen rechtzeitig, falls du morgen selbst zur Schule fahren möchtest«, versprach er kurz darauf.

Mit zusammengepressten Lippen nahm ich die Autoschlüssel und stieg aus.

»Wenn du mich heute Nacht nicht bei dir haben willst, schließ dein Fenster. Ich könnte es verstehen«, flüsterte er, bevor ich die Wagentür zuknallte.

Ich stampfte ins Haus und knallte auch die Haustür zu.

»Was ist los?«, fragte Charlie, der immer noch auf dem Sofa saß.

»Der Wagen springt nicht an«, sagte ich wütend.

»Soll ich ihn mir mal ansehen?«

»Nein. Ich versuch's morgen früh.«

»Soll ich dir meinen Wagen leihen?«

Eigentlich durfte ich den Streifenwagen nicht benutzen. Charlie lag wirklich viel daran, dass ich nach La Push fuhr. Fast so viel wie mir.

»Nein. Ich bin müde«, grummelte ich. »Nacht.«

Ich stampfte die Treppe hoch und ging schnurstracks zum Fenster. Ich schob den Rahmen mit aller Kraft zur Seite – mit einem Knall schloss sich das Fenster, die Scheibe wackelte.

Lange starrte ich auf die zitternde schwarze Scheibe, bis sie sich nicht mehr bewegte. Dann seufzte ich und öffnete das Fenster, so weit es ging.

FALSCHE SCHLÜSSE

Die Sonne war hinter einer so dicken Wolkendecke versteckt, dass man nicht sehen konnte, ob sie schon untergegangen war oder noch nicht. Nach dem langen Flug – wir waren der Sonne nach Westen gefolgt, so dass sie reglos am Himmel zu stehen schien – war das noch verwirrender; die Zeit wirkte seltsam beliebig. Ich war überrascht, als der Wald sich öffnete und die ersten Häuser zu sehen waren. Jetzt waren wir fast zu Hause.

»Du bist so still«, sagte Edward. »Ist dir im Flugzeug übel geworden?«

»Nein, mir geht's gut.«

»Bist du traurig, dass wir wieder zu Hause sind?«

»Wohl eher erleichtert als traurig.«

Er sah mich an und zog eine Augenbraue hoch. Ich wusste, dass es keinen Sinn hatte und – so ungern ich es auch zugab – auch nicht nötig war, ihn zu bitten, auf die Straße zu schauen.

»Renée … merkt so viel mehr als Charlie. Das hat mich ganz nervös gemacht.«

Edward lachte. »Deine Mutter hat interessante Gedanken. Fast wie ein Kind, doch sehr hellsichtig. Sie hat einen anderen Blick auf die Dinge als andere Menschen.«

Hellsichtig. Das war eine passende Beschreibung für meine Mutter – wenn sie aufmerksam war. Meistens war Renée von ihrem eigenen Leben so sehr in Anspruch genommen, dass sie kaum etwas anderes wahrnahm. Aber an diesem Wochenende war sie sehr aufmerksam gewesen.

Phil war unterwegs – das Baseballteam der Highschool, das er trainierte, stand im Endspiel –, meine Mutter war also mit Edward und mir allein und nicht so abgelenkt. Sobald die Umarmungen und Freudenschreie vorüber waren, fing sie an uns zu beobachten. Und während sie uns beobachtete, nahmen ihre großen blauen Augen erst einen verwirrten, dann einen besorgten Ausdruck an.

Heute Morgen hatten wir einen Strandspaziergang unternommen. Sie wollte mir alle Schönheiten ihrer neuen Heimat vorführen – sie hoffte wohl immer noch, dass die Sonne mich von Forks weglocken könnte. Außerdem wollte sie mit mir allein reden, und das ließ sich leicht einrichten. Edward schob eine Hausarbeit vor, um den Tag drinnen verbringen zu können.

Ich ließ das Gespräch noch einmal Revue passieren …

Renée und ich waren über die Promenade geschlendert und hatten versucht, im Schatten der wenigen Palmen zu bleiben. Es war noch früh, aber die Hitze war jetzt schon sengend. Die Luft war so feuchtschwer, dass mir das bloße Ein- und Ausatmen schwerfiel.

»Bella?«, sagte meine Mutter und schaute über den Sand zu den Wellen, die sich leise brachen.

»Ja?«

Sie seufzte und wich meinem Blick aus. »Ich mache mir Sorgen …«

»Was ist?«, fragte ich. Ich war sofort alarmiert. »Kann ich dir helfen?«

»Es geht nicht um mich.« Sie schüttelte den Kopf. »Ich mache mir Sorgen wegen dir … und Edward.«

Als sie seinen Namen aussprach, sah sie mich endlich an, ihr Blick bat um Entschuldigung.

»Ach so«, murmelte ich und schaute zu zwei schweißgebadeten Joggern, die an uns vorbeiliefen.

»Die Geschichte ist ja ernster, als ich dachte«, sagte sie.

Ich runzelte die Stirn und ließ die letzten beiden Tage Revue passieren. Edward und ich hatten uns kaum berührt – jedenfalls in ihrer Gegenwart. Ich fragte mich, ob ich jetzt auch von Renée einen Vortrag zum Thema Verantwortungsbewusstsein zu hören bekam. Es würde mir nicht so viel ausmachen wie bei Charlie. Vor meiner Mutter war es mir nicht peinlich. Schließlich hatte ich ihr diesen Vortrag in den letzten zehn Jahren auch immer wieder gehalten.

»Irgendwas ist … komisch an eurem Zusammensein«, murmelte sie mit zusammengezogenen Brauen. »Wie er dich anschaut – wie … ein Beschützer. Als würde er sich jeden Moment vor dich werfen, damit du nicht erschossen wirst oder so.«

Ich lachte, aber ich konnte sie noch immer nicht ansehen. »Ist das so schlimm?«

»Nein.« Sie suchte nach Worten. »Es ist nur so anders. Er empfindet sehr stark für dich … und er ist so vorsichtig. Ich habe das Gefühl, eure Beziehung nicht richtig zu verstehen. Als gäbe es da ein Geheimnis, das ich nicht kenne …«

»Ich glaub, da bildest du dir was ein, Mom«, sagte ich schnell und bemühte mich, es locker klingen zu lassen. In meinem Bauch flatterte es. Ich hatte vergessen, wie viel meine Mutter sah. Mit ihrer einfachen Weltsicht durchschnitt sie alles Nebensächliche und sah direkt in den Kern der Dinge. Bisher war das nie ein Problem gewesen. Ich hatte früher keine Geheimnisse vor ihr gehabt.

»Und nicht nur er benimmt sich merkwürdig«, sagte sie, als

wollte sie sich verteidigen. »Du müsstest mal sehen, wie du dich in seiner Gegenwart bewegst.«

»Wieso?«

»Du passt dich ihm an, ohne es überhaupt zu merken. Wenn er sich ein bisschen bewegt, veränderst du im selben Moment auch deine Haltung. Wie Magnete ... oder als wäre eine Art Schwerkraft im Spiel. Du bist wie ... ein Satellit oder so. So was hab ich noch nie gesehen.«

Sie verzog den Mund und schaute zu Boden.

»Ich hab's«, sagte ich in neckendem Ton und zwang mich zu einem Lächeln. »Du liest wieder Mystery-Krimis, oder? Oder ist es diesmal Science-Fiction?«

Renée wurde ein bisschen rot. »Das hat damit überhaupt nichts zu tun.«

»Hast du was Gutes entdeckt?«

»Na ja, eins war dabei ... aber das spielt hier keine Rolle. Jetzt reden wir über dich.«

»Halt dich lieber an Liebesromane, Mom. Sonst kriegst du noch Albträume.«

Ihre Mundwinkel hoben sich. »Ich bin albern, oder?«

Im ersten Moment konnte ich darauf nicht antworten. Renée ließ sich so leicht beeinflussen. Manchmal war das gut, denn ihre Ideen waren häufig total weltfremd. Aber es tat mir weh, wie schnell sie jetzt klein beigab, obwohl sie ins Schwarze getroffen hatte.

Sie schaute mich an und ich machte ein harmloses Gesicht.

»Du bist nicht albern – du bist eben eine Mutter.«

Sie lachte, dann zeigte sie feierlich auf den weißen Sandstrand vor dem blauen Wasser.

»Und das hier ist kein Grund für dich, wieder zu deiner albernen Mutter zu ziehen?«

Ich wischte mir übertrieben über die Stirn und tat so, als würde ich mir die Haare auswringen.

»An die Luftfeuchtigkeit gewöhnt man sich«, behauptete sie.

»An den Regen auch«, konterte ich.

Sie boxte mir scherzhaft in die Seite und nahm meine Hand, als wir zurück zum Auto gingen. Abgesehen von der Sorge um mich schien sie ganz glücklich zu sein. Zufrieden. Sie war immer noch verrückt nach Phil, und das war beruhigend. Bestimmt hatte sie ein ausgefülltes, glückliches Leben. Und bestimmt vermisste sie mich nicht besonders, selbst jetzt nicht …

Edward strich mir über die Wange. Ich schaute auf, blinzelte und landete wieder in der Gegenwart. Er beugte sich zu mir herab und küsste mich auf die Stirn.

»Wir sind zu Hause, Dornröschen. Du kannst aufwachen.«

Wir standen vor Charlies Haus. Auf der Veranda brannte Licht und der Streifenwagen stand in der Einfahrt. Als ich zum Haus schaute, sah ich, wie der Vorhang vor dem Wohnzimmerfenster zuckte und ein kleiner gelber Lichtstrahl auf den dunklen Rasen fiel.

Ich seufzte. Natürlich saß Charlie schon in den Startlöchern.

Offenbar dachte Edward dasselbe, denn er sah steif und abwesend aus, als er um den Wagen herumging und mir die Beifahrertür öffnete.

»Wie schlimm?«, fragte ich.

»Charlie wird dir keine Schwierigkeiten machen«, versprach er ohne jeden Anflug von Ironie. »Er hat dich vermisst.«

Ich sah ihn zweifelnd an. Wenn das stimmte, warum war Edward dann so angespannt wie vor einer Schlacht?

Ich hatte nur eine kleine Reisetasche, aber er bestand darauf, sie mir ins Haus zu tragen. Charlie machte uns die Tür auf.

»Willkommen zu Hause«, rief Charlie, und das klang ehrlich.
»Wie war's in Jacksonville?«

»Schwül. Und voller Ungeziefer.«

»Also konnte Renée dich nicht dafür begeistern, in Florida zu studieren?«

»Sie hat's versucht. Aber ich finde, Wasser ist zum Trinken da, nicht zum Einatmen.« Charlie schaute widerstrebend zu Edward. »Hat es dir gefallen?«

»Ja«, sagte Edward gelassen. »Renée war sehr gastfreundlich.«

»Das ist … öhm … schön. Freut mich, dass ihr Spaß hattet.« Er wandte sich von Edward ab und nahm mich unvermittelt in die Arme.

»Ich bin beeindruckt«, flüsterte ich ihm ins Ohr.

Er lachte grollend. »Du hast mir wirklich gefehlt, Bella. Ohne dich ist das Essen ziemlich mies.«

»Ich kümmere mich drum«, sagte ich, als er mich losließ.

»Rufst du vorher bitte Jacob an? Er hat mich seit heute früh um sechs alle fünf Minuten genervt. Ich hab ihm versprochen, dass du ihn anrufst, bevor du auspackst.«

Ich brauchte Edward gar nicht anzusehen, ich merkte auch so, dass er zu reglos, zu kalt neben mir stand. Deshalb also war er so angespannt.

»Jacob will mit mir reden?«

»Ziemlich dringend, würde ich sagen. Er wollte mir nicht verraten, worum es geht – er hat nur gesagt, es wär wichtig.«

Da klingelte das Telefon, schrill und fordernd.

»Das ist er wieder, darauf verwette ich mein nächstes Gehalt«, murmelte Charlie.

»Ich geh dran.« Ich lief in die Küche.

Edward ging mir nach, während Charlie sich ins Wohnzimmer verzog.

Ich nahm mitten im Klingeln ab und drehte mich mit dem Gesicht zur Wand. »Hallo?«

»Du bist wieder da«, sagte Jacob.

Die vertraute heisere Stimme erfüllte mich mit Wehmut. Tausend Erinnerungen wirbelten in meinem Kopf herum und vermischten sich – ein felsiger Strand mit Treibholz, eine Werkstatt aus Wellblechwänden, warme Cola in Papiertüten, ein winziges Zimmer mit einem viel zu kleinen, schäbigen Zweiersofa. Das Lachen in seinen tiefliegenden schwarzen Augen, seine fiebrig heißen Hände um meine, die blendend weißen Zähne und die dunkle Haut, das breite Lächeln, das immer wie der Schlüssel zu einer geheimen Tür gewesen war, durch die nur verwandte Seelen eintreten konnten.

Ich empfand so etwas wie Heimweh, Sehnsucht nach dem Menschen, der mir in der schwärzesten Nacht beigestanden hatte.

Ich räusperte mich, damit der Kloß im Hals verschwand. »Ja«, sagte ich.

»Warum hast du nicht angerufen?«, fragte er.

Sein wütender Ton brachte mich schnell wieder auf den Boden der Tatsachen. »Weil ich seit genau fünf Sekunden wieder hier bin und Charlie mir gerade sagte, dass du angerufen hast, als das Telefon klingelte.«

»Ach so. Tut mir leid.«

»Schon gut. Also, warum nervst du Charlie?«

»Ich muss mit dir reden.«

»Ja, das hab ich mir inzwischen schon gedacht. Schieß los.«

Eine Weile sagte er nichts.

»Gehst du morgen zur Schule?«

Ich runzelte die Stirn, ich verstand die Frage nicht. »Natürlich. Wieso sollte ich nicht zur Schule gehen?«

»Weiß nicht. Einfach so.«

Wieder schwieg er.

»Worüber wolltest du denn mit mir reden, Jake?«

Er zögerte. »Über nichts Bestimmtes eigentlich. Ich … wollte deine Stimme hören.«

»Ja, ich weiß. Ich bin so froh, dass du angerufen hast, Jake. Ich …« Aber ich wusste nicht, was ich noch sagen sollte. Ich hätte ihm gern gesagt, dass ich gleich nach La Push kommen würde. Aber das ging nicht.

»Ich muss jetzt Schluss machen«, sagte er plötzlich.

»Was?«

»Wir sprechen uns bald, ja?«

»Aber, Jake …«

Er hatte schon aufgelegt. Fassungslos hielt ich den Hörer in der Hand.

»Das war kurz«, murmelte ich.

»Alles in Ordnung?«, fragte Edward. Er sprach leise und vorsichtig.

Ich drehte mich langsam zu ihm um. Seine Miene ließ keine Regung erkennen.

»Ich weiß nicht. Was sollte das wohl?« Es war unlogisch, dass Jacob Charlie den ganzen Tag genervt hatte, nur um mich zu fragen, ob ich zur Schule gehe. Und wenn er meine Stimme hören wollte, warum legte er dann so schnell wieder auf?

»Das kannst du sicher besser beurteilen als ich«, sagte Edward mit der Andeutung eines Lächelns im Mundwinkel.

»Hmm«, murmelte ich. Das stimmte. Ich kannte Jake in- und auswendig. Es dürfte nicht allzu schwierig sein, seine Beweggründe herauszufinden.

Während meine Gedanken meilenweit weg waren – rund fünfzehn Meilen, auf der Straße nach La Push –, begann ich den Kühlschrank zu durchforsten, um ein Abendessen für Charlie zu zaubern. Edward lehnte an der Anrichte. Ich war mir undeutlich bewusst, dass er mich beobachtete, aber ich konnte jetzt keine Rücksicht darauf nehmen, was in meinem Gesicht zu lesen war.

Der springende Punkt schien die Sache mit der Schule zu sein. Das war die einzige richtige Frage, die Jake mir gestellt hatte. Und er war offenbar auf eine Antwort aus gewesen, sonst hätte er Charlie nicht den ganzen Tag angerufen.

Aber wieso interessierte ihn das?

Ich versuchte logisch zu denken. Wenn ich morgen nicht zur Schule gehen würde, was wäre daran, aus Jacobs Sicht, das Problem? Charlie hatte ein bisschen gemeckert, weil ich so kurz vor dem Abschluss einen Tag verpasste, aber ich hatte ihn überzeugt, dass mir ein fehlender Freitag bestimmt nicht den Schnitt vermasseln würde. Jake war das garantiert egal.

Mir wollte einfach nichts Vernünftiges dazu einfallen. Vielleicht übersah ich irgendetwas Entscheidendes.

Was konnte in den letzten drei Tagen passiert sein, dass Jacob sein langes Schweigen aufgeben und mich anrufen wollte? Was konnten drei Tage schon ausmachen?

Da erstarrte ich plötzlich. Die tiefgefrorenen Hamburger glitten mir aus den Händen. Es dauerte eine gefühlte Ewigkeit, bis mir auffiel, dass sie nicht auf dem Küchenboden landeten.

Edward hatte das Päckchen aufgefangen und auf die Anrichte geworfen. Er hatte die Arme um mich geschlungen, die Lippen an meinem Ohr.

»Was ist?«

Ich schüttelte benommen den Kopf.

In drei Tagen konnte sich alles ändern.

Hatte ich nicht kürzlich noch darüber nachgedacht, dass ich gar nicht aufs College gehen konnte? Dass ich mich nach der schmerzhaften dreitägigen Verwandlung nicht in der Nähe von Menschen aufhalten konnte? Die Verwandlung, die mich von der Sterblichkeit befreien würde, damit ich bis in alle Ewigkeit mit Edward zusammen sein konnte. Und die mich für immer zu einer Gefangenen meines Durstes machen würde …

Hatte Charlie Billy erzählt, dass ich für drei Tage verreist war? Hatte Billy daraus seine Schlüsse gezogen? Hatte Jacob mich in Wirklichkeit gefragt, ob ich noch ein Mensch war? Um sicherzugehen, dass der Vertrag mit den Werwölfen nicht gebrochen worden war – dass keiner der Cullens es gewagt hatte, einen Menschen zu beißen … zu beißen, nicht zu töten …?

Doch glaubte er ernsthaft, ich würde in diesem Fall wieder zu Charlie zurückkehren?

Edward schüttelte mich. »Bella?« Jetzt war er wirklich besorgt.

»Ich glaub … ich glaub, das war ein Kontrollanruf«, murmelte ich. »Er wollte wissen, ob ich noch ein Mensch bin.«

Edward erstarrte, und ich hörte ihn leise zischen.

»Wir müssen von hier verschwinden«, flüsterte ich. »Vorher. Damit wir den Vertrag nicht brechen. Wir können nie mehr zurückkommen.«

Er umarmte mich noch fester. »Ich weiß.«

»Ähem.« Charlie räusperte sich laut hinter uns.

Ich zuckte zusammen, dann löste ich mich aus Edwards Umarmung. Ich fühlte, dass mein Gesicht brannte. Edward lehnte sich an die Anrichte, die Augen schmal zusammengekniffen. Ich sah Sorge darin und auch Wut.

»Wenn du keine Lust hast zu kochen, kann ich auch eine Pizza kommen lassen«, sagte Charlie.

»Nein, nein. Bin schon dabei.«

»Gut«, sagte Charlie. Er stellte sich mit verschränkten Armen in den Türrahmen.

Seufzend machte ich mich an die Arbeit und versuchte meine Zuschauer zu ignorieren.

»Wenn ich dich um einen Gefallen bitten würde, würdest du mir vertrauen?«, sagte Edward leise. Ein nervöser Unterton lag in seiner Stimme.

Wir waren kurz vor der Schule. Eben noch war Edward zu Scherzen aufgelegt gewesen, jetzt umklammerte er plötzlich das Lenkrad, die Knöchel angespannt, um es nicht zu zerbrechen.

Ich starrte ihm ins Gesicht – sein Blick war weit weg, als hörte er Stimmen in der Ferne.

Mein Puls fing an zu rasen, aber ich sagte vorsichtig: »Kommt drauf an.«

Wir fuhren auf den Parkplatz.

»Diese Antwort hatte ich befürchtet.«

»Worum geht es denn?«

»Ich möchte, dass du im Wagen bleibst.« Er fuhr auf seinen gewohnten Parkplatz und schaltete den Motor aus. »Ich möchte, dass du hier wartest, bis ich dich abhole.«

»Aber ... *warum*?«

Und da sah ich ihn. Selbst wenn er nicht an seinem schwarzen Motorrad gelehnt hätte, das er verbotenerweise auf dem Gehweg abgestellt hatte, wäre er kaum zu übersehen gewesen, so wie er die Schüler überragte.

»Ach so.«

Jacobs Gesicht war die ruhige Maske, die ich schon kannte. Diese Miene setzte er immer dann auf, wenn er entschlossen war, seine Gefühle im Zaum zu halten und sich zu beherrschen.

Er sah dann aus wie Sam, der älteste der Wölfe, der Anführer des Quileute-Rudels. Aber Jacob brachte nie die Gelassenheit zu Stande, die Sam ausstrahlte. Ich hatte vergessen, wie weh es mir tat, ihn so zu sehen. Obwohl ich Sam vor der Rückkehr der Cullens ganz gut kennengelernt hatte – und ihn sogar mochte –, hatte ich den Groll, den es bei mir auslöste, wenn Jacob seinen Ausdruck imitierte, nie ganz abschütteln können. Es war das Gesicht eines Fremden. Wenn er so aussah, war er nicht mein Jacob.

»Du hast gestern Abend die falschen Schlüsse gezogen«, sagte Edward leise. »Er hat dich nach der Schule gefragt, weil er wusste, dass ich da bin, wo du bist. Er wollte an einem sicheren Ort mit mir reden. Vor Zeugen.«

Also hatte ich Jacobs Anruf gestern falsch interpretiert. Mir fehlten entscheidende Informationen. Zum Beispiel darüber, warum um alles in der Welt Jacob mit Edward reden wollte.

»Ich bleibe nicht im Wagen«, sagte ich.

Edward stöhnte leise. »Natürlich nicht. Nun gut, bringen wir es hinter uns.«

Jacobs Miene verhärtete sich, als wir Hand in Hand auf ihn zugingen.

Ich sah noch andere Gesichter – die Gesichter meiner Mitschüler. Ich sah, wie sie große Augen machten, als sie Jacob sahen, zwei Meter groß und viel muskulöser als ein normaler Sechzehneinhalbjähriger. Ich sah, wie sie sein enges schwarzes T-Shirt musterten – kurzärmlig, obwohl es sehr kühl für die Jahreszeit war –, seine zerschlissene, ölverschmierte Jeans und das glänzende Motorrad. Sie sahen ihm nicht lange ins Gesicht – es lag etwas darin, das sie schnell wegschauen ließ. Und ich sah, wie sie ihm Platz machten; niemand wagte sich in seine Nähe.

Erstaunt bemerkte ich, dass sie dachten, Jacob könnte *gefährlich* sein. Wie merkwürdig.

Edward blieb ein paar Meter von ihm entfernt stehen, und ich merkte, wie es ihm widerstrebte, mich so nah bei einem Werwolf zu sehen. Mit einer Handbewegung zog er mich halb hinter seinen Rücken.

»Du hättest anrufen können«, sagte Edward scharf.

»Tut mir leid«, sagte Jacob mit einem verächtlichen Grinsen. »Nummern von Blutsaugern hab ich nicht eingespeichert.«

»Du hättest mich doch bei Bella zu Hause erreichen können.«

Jacob spannte den Kiefer an und runzelte die Brauen. Er gab keine Antwort.

»Hier ist wohl kaum der richtige Ort, Jacob. Können wir später darüber sprechen?«

»Na klar. Ich komme nach der Schule bei deiner Gruft vorbei«, sagte Jacob. »Warum nicht jetzt?«

Edward schaute demonstrativ zu den anderen Schülern, die fast in Hörweite waren. Ein paar standen unschlüssig auf dem Gehweg, ein erwartungsvolles Glitzern in den Augen. Als hofften sie auf eine Rauferei, die diesen langweiligen Montagmorgen auflockern würde. Ich sah, wie Tyler Crowley Austin Marks anstieß, dann blieben beide stehen.

»Ich weiß schon, was du mir sagen willst«, erinnerte Edward Jacob so leise, dass es selbst für mich kaum hörbar war. »Die Botschaft ist angekommen. Betrachte uns als gewarnt.«

Edward schaute mich einen kurzen Moment besorgt an.

»Gewarnt?«, fragte ich tonlos. »Wovon redest du?«

»Du hast es ihr nicht gesagt?«, fragte Jacob ungläubig. »Hattest du etwa Angst, sie könnte für uns Partei ergreifen?«

»Hör bitte damit auf, Jacob«, sagte Edward ruhig.

»Warum?«, fragte Jacob angriffslustig.

Ich runzelte verwirrt die Stirn. »Was weiß ich nicht? Edward?«

Edward starrte Jacob nur wütend an, als hätte er mich gar nicht gehört.

»Jake?«

Jake zog eine Augenbraue hoch. »Er hat dir nicht erzählt, dass sein großer ... *Bruder* Samstagnacht die Grenze überschritten hat?«, sagte er voller Sarkasmus. Dann huschte sein Blick wieder zu Edward. »Paul hatte vollkommen Recht ...«

»Das war Niemandsland!«, zischte Edward.

»War es nicht!«

Jacob schäumte regelrecht. Seine Hände zitterten. Er schüttelte den Kopf und atmete zweimal tief durch.

»Emmett und Paul?«, flüsterte ich. Paul war der Hitzigste aus Jacobs Rudel. Er hatte auch an jenem Tag im Wald die Beherrschung verloren – plötzlich war die Erinnerung an den knurrenden grauen Wolf wieder lebendig. »Was ist passiert? Haben sie miteinander gekämpft?« Meine Stimme war schrill vor Panik. »Warum? Ist Paul verletzt worden?«

»Niemand hat gekämpft«, sagte Edward leise, nur zu mir. »Niemand ist verletzt worden. Keine Angst.«

Jacob starrte uns ungläubig an. »Du hast ihr gar nichts erzählt, oder? Hast du sie deshalb weggebracht? Damit sie nicht erfährt, dass ...«

»Schluss jetzt.« Edward schnitt ihm mitten im Satz das Wort ab, und er sah plötzlich furchterregend aus – wirklich furchterregend. Einen kurzen Moment lang sah er aus wie ... wie ein *Vampir*. Er sah Jacob mit unverhohlenem Hass an.

Jacob zog die Augenbrauen hoch, zeigte aber keine weitere Regung. »Warum hast du es ihr nicht gesagt?«

Einen langen Augenblick starrten sie sich schweigend an. Hinter Tyler und Austin versammelten sich noch mehr Schüler.

Ich sah Ben und daneben Mike – Mike hatte Ben eine Hand auf die Schulter gelegt, als wollte er ihn zurückhalten.

In der Totenstille fügten sich die Einzelteile plötzlich zu einem Bild zusammen.

Edward wollte mir etwas verheimlichen.

Etwas, das Jacob mir nicht verheimlicht hätte.

Und dieses Etwas trieb sowohl die Cullens als auch die Wölfe in den Wald, gefährlich nah zueinander.

Es brachte Edward dazu, mich aus Forks wegzubringen.

Alice hatte es letzte Woche in ihrer Vision gesehen – in einer Vision, über die Edward mir nicht die Wahrheit gesagt hatte.

Es war etwas, mit dem ich sowieso gerechnet hatte. Ich hatte gewusst, dass es wieder passieren würde, sosehr ich mir auch das Gegenteil wünschte. Das würde nie ein Ende nehmen, nicht wahr?

Ich hörte, wie der Atem schnell und stoßweise aus meinem Mund kam, aber ich konnte nichts dagegen tun. Es sah aus, als würde die Schule von einem Erdbeben geschüttelt, aber das lag nur daran, dass ich so zitterte.

»Sie ist zurückgekommen, um mich zu holen«, stieß ich mühsam hervor.

Victoria würde erst aufgeben, wenn ich tot war. Sie wiederholte immer wieder dasselbe Muster – antäuschen und weglaufen, antäuschen und weglaufen –, bis sie irgendwann eine Lücke in der Verteidigung fand.

Vielleicht hatte ich Glück. Vielleicht kamen die Volturi ihr zuvor – die würden mich wenigstens schnell töten.

Edward drückte mich an sich und strich mir besorgt übers Gesicht. Er achtete darauf, dass er zwischen mir und Jacob stand. »Es ist alles gut«, flüsterte er. »Es ist alles gut. Ich lasse es nicht zu, dass sie in deine Nähe kommt, es ist alles gut.«

Dann blitzte er Jacob an. »Ist deine Frage damit beantwortet, du Bastard?«

»Findest du nicht, dass Bella das Recht hat, Bescheid zu wissen?«, sagte Jacob. »Es ist ihr Leben.«

Edward sprach fast lautlos, nicht einmal Tyler, der sich ein wenig vorbeugte, konnte ihn hören. »Warum soll sie Angst haben, wenn gar keine Gefahr besteht?«

»Lieber Angst haben als angelogen werden.«

Ich versuchte mich zusammenzureißen, aber meine Augen waren tränennass. Ich sah es vor mir – ich sah Victorias Gesicht, ihre gefletschten Zähne, ihre vor Rachedurst glühenden Augen. Sie gab Edward die Schuld am Tod von James, ihrem Geliebten, und würde erst Ruhe geben, wenn auch Edward seine Geliebte verloren hatte.

Edward wischte mir mit den Fingerspitzen die Tränen von den Wangen.

»Hältst du es wirklich für besser, ihr wehzutun, als sie zu beschützen?«, murmelte er.

»Sie kann mehr ab, als du denkst«, sagte Jacob. »Und sie hat schon Schlimmeres durchgemacht.«

Ganz plötzlich änderte sich Jacobs Miene, und er starrte Edward mit einem eigenartigen, forschenden Blick an. Seine Augen wurden schmal, als versuchte er, eine schwierige Aufgabe im Kopf auszurechnen.

Ich spürte, wie Edward sich verkrampfte. Ich schaute zu ihm auf und sah, dass sein Gesicht schmerzverzerrt war. Einen schrecklichen Moment lang fühlte ich mich an den Nachmittag in Italien erinnert, an das grausige Turmzimmer der Volturi, wo Jane Edward mit ihrer heimtückischen Gabe gefoltert, ihn mit ihren bloßen Gedanken verbrannt hatte …

Diese Erinnerung bewahrte mich vor dem drohenden Nervenzusammenbruch, sie rückte alles wieder zurecht. Denn lieber wollte ich hundertmal von Victoria getötet werden, als Edward noch ein Mal so leiden zu sehen.

»Interessant«, sagte Jacob und lachte, als er Edwards Gesicht sah.

Edward zuckte zusammen, schaffte es jedoch, wieder einigermaßen normal zu gucken. Nur in seinem Blick lag noch der Schmerz.

Mit großen Augen schaute ich von Edwards verzerrtem Gesicht zu Jacob, der höhnisch grinste.

»Was machst du da mit ihm?«, fragte ich.

»Gar nichts, Bella«, sagte Edward ruhig. »Jacob hat nur ein gutes Gedächtnis, das ist alles.«

Jacob grinste, und Edward zuckte wieder zusammen.

»Hör auf damit! Was auch immer du da treibst.«

»Klar, wenn du willst«, sagte Jacob und zuckte die Achseln. »Aber wenn ihm das nicht gefällt, woran ich mich erinnere, ist er selber schuld.«

Ich sah ihn wütend an, und er grinste frech zurück – wie ein Kind, das bei etwas Verbotenem ertappt wird und genau weiß, dass es keine Strafe zu erwarten hat.

»Der Direktor ist im Anmarsch, um das Herumlungern auf dem Schulgelände zu unterbinden«, sagte Edward leise. »Komm, wir gehen zu Englisch, damit du keinen Ärger bekommst.«

»Was für ein edler Beschützer er doch ist«, sagte Jacob. Er sprach jetzt nur zu mir. »Dabei macht ein bisschen Aufregung das Leben doch erst spannend. Du darfst wohl nicht viel Spaß haben, was?«

Edward schaute ihn finster an und zog ganz leicht die Oberlippe hoch.

»Halt die Klappe, Jake«, sagte ich.

Jacob lachte. »Also nein. Hey, wenn du mal wieder richtig leben willst, komm einfach vorbei. Dein Motorrad steht immer noch bei mir in der Werkstatt.«

Ich war irritiert. »Das solltest du doch verkaufen. Du hast es Charlie versprochen.« Hätte ich mich nicht so eingesetzt – schließlich hatte Jake mehrere Wochen Arbeit in die Motorräder gesteckt und eine Entschädigung verdient –, hätte Charlie mein Motorrad in den Müllcontainer geworfen. Und den Container dann vermutlich angezündet.

»Ja, klar. Als ob ich das tun würde. Es gehört dir, nicht mir. Ich werd's jedenfalls aufbewahren, bis du es zurückhaben willst.«

Plötzlich umspielte die Andeutung des altbekannten Lächelns seine Lippen.

»Jake ...«

Er beugte sich vor, seine Miene war jetzt ernst, der bittere Sarkasmus verflog. »Ich glaube, ich hab mich geirrt, als ich sagte, wir könnten keine Freunde sein. Vielleicht können wir es doch schaffen, auf meiner Seite der Grenze. Komm mal vorbei.«

Ich war mir Edwards Gegenwart sehr wohl bewusst, er hielt mich immer noch besitzergreifend im Arm, reglos wie ein Stein. Ich schaute ihn an – er sah ruhig aus, geduldig.

»Ich, äh, ich weiß nicht, Jake.«

Jetzt ließ Jacob seine feindselige Haltung gänzlich fallen. Als hätte er vergessen, dass Edward da war, oder als wollte er jedenfalls so tun, als ob. »Du fehlst mir jeden Tag, Bella. Ohne dich ist nichts, wie es war.«

»Ich weiß, und es tut mir auch leid, Jake, aber ich ...«

Er schüttelte den Kopf und seufzte. »Ich weiß. Spielt keine Rolle, oder? Ich werd's wohl überleben. Wer braucht schon

Freunde?« Er verzog das Gesicht in dem schwachen Versuch, die Verletzung zu überspielen.

Wenn ich Jacob leiden sah, löste das bei mir immer einen Beschützerinstinkt aus. Das war ziemlich irrational – ich war wohl kaum in der Lage, Jacob zu beschützen. Doch ich hätte am liebsten die Arme ausgebreitet, die unter Edwards Armen eingeklemmt waren. Hätte sie um seinen großen, warmen Körper geschlungen, ein stummes Versprechen des Trostes.

Edwards Arme fühlten sich jetzt nicht mehr beschützend an, sie hielten mich in Schach.

»So, alle in den Unterricht, bitte«, ertönte da eine strenge Stimme hinter uns. »Gehen Sie weiter, Mr Crowley.«

»Fahr zur Schule, Jake«, zischte ich erschrocken, als ich die Stimme des Direktors erkannte. Jacob ging auf die Schule der Quileute, und ihm drohte Ärger wegen unbefugten Betretens unserer Schule.

Edward gab mich frei, aber er nahm sogleich meine Hand und zog mich hinter seinen Rücken.

Mr Greene schob sich durch den Zuschauerkreis, seine Brauen standen über den kleinen Augen wie unheilvolle Gewitterwolken.

»Das ist mein Ernst«, sagte er jetzt drohend. »Alle, die noch hier stehen, wenn ich mich wieder umdrehe, bleiben heute eine Stunde länger.«

Noch ehe er ausgeredet hatte, löste sich das Grüppchen der Zuschauer auf.

»Ah, Mr Cullen. Gibt es hier ein Problem?«

»Ganz und gar nicht, Mr Greene. Wir wollten gerade zum Unterricht gehen.«

»Ausgezeichnet. Ihr Freund kommt mir nicht bekannt vor.« Mr Greene wandte den Blick zu Jacob. »Sind Sie neu an unserer Schule?«

Mr Greene schaute Jacob prüfend an, und ich sah ihm an, dass er zu demselben Schluss gelangte wie die Schüler: ein gefährlicher Typ, ein Unruhestifter.

»Nein«, antwortete Jacob und verzog die vollen Lippen zu einem leichten Grinsen.

»Dann empfehle ich Ihnen, das Schulgelände schleunigst zu verlassen, junger Mann, bevor ich die Polizei rufe.«

Jetzt grinste Jacob breit, und ich wusste, dass er sich vorstellte, wie Charlie auftauchte, um ihn festzunehmen. Es war ein bitteres, spöttisches Grinsen, nicht das Lächeln, das ich so gern wieder gesehen hätte.

Jacob sagte »Ja, Sir« und salutierte, dann stieg er aufs Motorrad und ließ es auf dem Gehweg an. Der Motor knurrte, dann quietschten die Reifen, als er die Maschine ruckartig herumriss. Wenige Sekunden später war Jacob außer Sichtweite.

Zähneknirschend beobachtete Mr Greene das Spektakel.

»Mr Cullen, ich erwarte, dass Sie Ihren Freund bitten, sich in Zukunft vom Schulgelände fernzuhalten.«

»Er ist nicht mein Freund, Mr Greene, aber ich werde es ihm ausrichten.«

Mr Greene verzog den Mund. Edwards ausgezeichnete Noten und sein tadelloses Betragen beeinflussten ganz eindeutig Mr Greenes Einschätzung der Ereignisse. »Ich verstehe. Wenn Sie befürchten, dass es Ärger geben könnte, bin ich gern bereit …«

»Kein Grund zur Sorge, Mr Greene. Es gibt bestimmt keinen Ärger.«

»Das hoffe ich. Nun denn. Auf zum Unterricht. Das gilt auch für Sie, Miss Swan.«

Edward nickte und zog mich schnell mit zur Englischstunde. »Wie geht es dir? Kannst du zum Unterricht gehen?«, flüsterte er, als wir an dem Direktor vorbei waren.

»Ja«, flüsterte ich zurück, obwohl ich mir nicht so sicher war. Es war auch völlig egal, wie es mir ging. Aber ich musste sofort mit Edward reden, und der Kursraum war dafür kaum der richtige Ort.

Aber da Mr Greene uns auf dem Fuß folgte, blieb mir keine andere Wahl.

Wir kamen etwas zu spät und gingen schnell auf unsere Plätze. Mr Berty trug gerade ein Gedicht von Robert Frost vor. Er beachtete uns nicht, um nicht aus dem Rhythmus zu geraten.

Ich riss ein Blatt aus meiner Kladde und schrieb los; vor lauter Aufregung war meine Schrift noch unleserlicher als sonst.

Was ist passiert? Ich will alles wissen. Und hör bitte auf, den Beschützer zu spielen.

Dann schob ich den Zettel zu Edward. Er seufzte, dann antwortete er. Er brauchte nicht so lange wie ich, obwohl er eine halbe Seite mit seiner schönen Schrift füllte.

Alice sah, dass Victoria zurückkommen würde. Ich brachte Dich nur vorsichtshalber aus der Stadt - es bestand zu keiner Zeit die Gefahr, dass sie in Deine Nähe kommen würde. Emmett und Jasper hatten sie schon fast, aber sie ist aalglatt. Sie entkam direkt an der Grenze zu den Quileute, als hätte sie eine Landkarte. Zudem war Alice' Gabe durch die Gegenwart der Werwölfe unbrauchbar. Zugegeben, die Quileute hätten Victoria auch fangen können, wären wir nicht im Weg gewesen. Der große Graue dachte, Emmett hätte die Grenze überschritten, und ging zur Verteidigung über. Natürlich griff Rosalie daraufhin ein, und alle ließen von der Verfolgung ab, um ihre Familie zu beschützen. Carlisle und Jasper sorgten für Ordnung, ehe die Sache aus dem Ruder laufen konnte. Doch da war Victoria bereits entwischt. Das ist alles.

Stirnrunzelnd las ich den Bericht. Alle waren dabei gewesen –
Emmett, Jasper, Alice, Rosalie und Carlisle. Vielleicht sogar
Esme, obwohl Edward sie nicht erwähnt hatte. Und dann Paul
und der Rest des Quileute-Rudels. Wie leicht hätte es zu einem
Kampf zwischen meiner künftigen Familie und meinen alten
Freunden kommen können. Jeder von ihnen hätte verletzt werden können. Wahrscheinlich waren die Wölfe mehr in Gefahr,
aber die Vorstellung von der zierlichen Alice im Kampf mit einem
riesigen Werwolf …

Ich schauderte.

Sorgfältig radierte ich den ganzen Absatz aus und schrieb auf
das Blatt:

Was ist mit Charlie? Sie hätte Jagd auf ihn machen können.

Edward schüttelte den Kopf, noch ehe ich zu Ende geschrieben
hatte, um mir zu versichern, dass für Charlie keinerlei Gefahr
bestanden hatte. Er streckte die Hand aus, aber ich achtete nicht
darauf und schrieb weiter.

*Das kannst Du gar nicht wissen, Du warst ja nicht dabei.
Florida war keine gute Idee.*

Er nahm mir das Blatt aus der Hand.

*Ich wollte Dich nicht allein fliegen lassen. Bei Deinem Glück hätte
nicht einmal der Flugschreiber überlebt.*

Er hatte mich völlig missverstanden. Ich meinte nicht, dass ich
ohne ihn hätte fliegen sollen – ich meinte, dass wir gemeinsam
in Forks hätten bleiben sollen. Doch ich war ein bisschen belei-

digt und ließ mich durch seine Antwort ablenken. Als ob ich nicht mal von A nach B fliegen könnte, ohne dass das Flugzeug abstürzte. Sehr witzig.

Angenommen, das Flugzeug wäre wirklich abgestürzt. Was hättest Du dann ausrichten können?

Warum stürzt das Flugzeug ab?

Er musste ein Lächeln unterdrücken.

Die Piloten sind sturzbetrunken.

Kein Problem. Dann fliege ich selber.

Natürlich. Ich schob die Lippen vor und schrieb:

Beide Motoren sind explodiert und wir stürzen in einer Todesspirale hinab.

Dann warte ich, bis wir nah genug an der Erde sind, halte Dich ganz fest, trete die Wand raus und springe. Danach renne ich zurück zur Unglücksstelle, wo wir herumstolpern und es so aussieht, als hätten wir unglaubliches Glück gehabt.

Ich starrte ihn wortlos an.
»Was ist?«, flüsterte er.
Ich schüttelte ehrfürchtig den Kopf. »Nichts«, murmelte ich.
Ich radierte die beunruhigende Korrespondenz aus und schrieb nur noch eine weitere Zeile.

Nächstes Mal sagst Du es mir.

Ich wusste, dass es ein nächstes Mal geben würde. Es würde sich immer wiederholen, bis einer verlor.

Edward schaute mir lange in die Augen. Ich fragte mich, wie ich wohl aussah – mein Gesicht fühlte sich kalt an, das Blut war noch nicht wieder in die Wangen zurückgekehrt. Meine Wimpern waren immer noch nass.

Er seufzte, dann nickte er.

Danke.

Das Blatt wurde mir unter der Hand weggezogen. Ich schaute überrascht auf, und genau in dem Moment kam Mr Berty den Gang entlang.

»Dürfen wir vielleicht alle daran teilhaben, Mr Cullen?«

Edward schaute unschuldig auf und legte das Blatt auf seine Mappe. »An meinen Notizen?«, fragte er und tat verwirrt.

Mr Berty überflog Edwards Notizen – zweifellos eine makellose Mitschrift des Unterrichts – und ging stirnrunzelnd zurück.

Später, in der Mathestunde – der einzige Kurs, den ich nicht mit Edward zusammen hatte –, hörte ich das Gerede.

»Ich wette auf den großen Indianer«, sagte jemand.

Ich schaute verstohlen auf und sah, dass Tyler, Mike, Austin und Ben die Köpfe zusammengesteckt hatten.

»Ja«, flüsterte Mike. »Habt ihr gesehen, wie groß der Typ war? Ich glaub, der könnte Cullen erledigen.« Die Vorstellung schien Mike zu gefallen.

»Glaub ich nicht«, widersprach Ben. »Edward hat was. Er ist

immer so … selbstbewusst. Ich glaub, der weiß sich schon zu helfen.«

»Ich seh das genauso wie Ben«, sagte Tyler. »Und wenn der Typ sich mit Edward anlegt, dann kriegt er es mit Edwards großen Brüdern zu tun.«

»Wart ihr in letzter Zeit mal in La Push?«, fragte Mike. »Lauren und ich waren vor ein paar Wochen am Strand, und ihr könnt mir glauben, Jacobs Kumpels sind alle genauso groß wie er.«

»Nicht schlecht!«, sagte Tyler. »Schade, dass nichts draus geworden ist. Wir werden wohl nie erfahren, wie es ausgegangen wär.«

»Ich glaub nicht, dass die Sache erledigt ist«, sagte Austin. »Vielleicht kriegen wir doch noch was zu sehen.«

Mike grinste. »Will einer wetten?«

»Zehn auf Jacob«, sagte Austin sofort.

»Zehn auf Cullen«, sagte Tyler.

»Zehn auf Edward«, sagte Ben.

»Jacob«, sagte Mike.

»He, weiß eigentlich jemand, worum es ging?«, fragte Austin. »Das ist ja nicht ganz unwichtig dafür, wie die Sache ausgeht.«

»Ich kann's mir denken«, sagte Mike, und dann schaute er schnell zu mir. Im selben Moment sahen auch Ben und Tyler mich an.

Offenbar hatte keiner von ihnen gemerkt, dass ich alles mit angehört hatte. Jetzt schauten sie schnell wieder weg und blätterten in den Papieren auf ihrem Tisch.

»Ich bleibe bei Jacob«, flüsterte Mike.

WIDER DIE NATUR

Es war eine schlimme Woche für mich.

Ich wusste, dass sich im Grunde nichts verändert hatte. Victoria hatte also nicht aufgegeben, aber hatte ich mir das je auch nur eine Sekunde lang eingebildet? Dass sie jetzt wiederaufgetaucht war, bestätigte nur, was ich ohnehin wusste. Kein Grund, schon wieder in Panik zu geraten.

Theoretisch. Keine Panik, das war leichter gesagt als getan.

Bis zum Schulabschluss waren es nur noch ein paar Wochen, aber ich fragte mich, ob es nicht ein bisschen dämlich war, als wehrloser Leckerbissen herumzulaufen und auf die nächste Katastrophe zu warten. Es war einfach zu gefährlich, ein Mensch zu sein – ich forderte die Schwierigkeiten ja geradezu heraus. Jemand wie ich durfte kein Mensch sein. Wer so verflucht zu sein schien, müsste sich besser schützen können.

Aber keiner wollte auf mich hören.

»Wir sind zu siebt, Bella«, hatte Carlisle gesagt. »Und da wir Alice haben, kann Victoria uns kaum überraschend angreifen. Um Charlies willen halte ich es für wichtig, dass wir uns an den ursprünglichen Plan halten.«

Esme hatte gesagt: »Wir würden nie zulassen, dass dir etwas zustößt, Liebling. Das weißt du doch. Sei ganz unbesorgt.« Und dann hatte sie mich auf die Stirn geküsst.

Emmett hatte gesagt: »Ich bin richtig froh, dass Edward dich damals nicht umgebracht hat. Mit dir ist es viel lustiger.«

Rosalie hatte ihn wütend angestarrt.

Alice hatte die Augen verdreht und gesagt: »Du beleidigst mich. Du machst dir doch nicht etwa ernsthaft Sorgen, oder?«

»Wenn es so eine Lappalie ist, warum hat Edward mich dann nach Florida geschleppt?«, fragte ich.

»Ist dir noch nicht aufgefallen, Bella, dass Edward bisweilen ein kleines bisschen überreagiert?«

Jasper mit seiner eigenartigen Gabe, Stimmungen zu beeinflussen, hatte die Panik und Anspannung in meinem Körper stillschweigend gelöst. Ich war einigermaßen beruhigt und ließ mir die Sache ausreden.

Natürlich verschwand das Gefühl, sobald Edward und ich den Raum verließen.

Es wurde also beschlossen, dass ich den verrückten Vampir, der mir nach dem Leben trachtete, einfach vergessen sollte. Um zur Tagesordnung überzugehen.

Das versuchte ich auch wirklich. Und es gab ja noch andere Probleme, die mich fast so sehr belasteten wie die Tatsache, dass ich auf der Liste der bedrohten Arten stand.

Denn Edwards Antwort war die frustrierendste von allen gewesen.

»Das musst du mit Carlisle aushandeln«, hatte er gesagt. »Du weißt ja, dass es jederzeit eine Sache zwischen dir und mir werden könnte. Du kennst meine Bedingung.« Und er hatte sein Engelslächeln gelächelt.

Umpf. Und ob ich seine Bedingung kannte. Edward hatte versprochen, dass er mich jederzeit selbst verwandeln würde ... unter der Voraussetzung, dass ich ihn vorher *heiratete*.

Manchmal fragte ich mich, ob er vielleicht nur so tat, als könnte er meine Gedanken nicht lesen. Wie sonst war er auf die einzige Bedingung gekommen, auf die ich mich nicht einlassen wollte? Die einzige Bedingung, mit der er mir den Wind aus den Segeln nahm.

Alles in allem eine sehr schlimme Woche. Und heute war der schrecklichste Tag von allen.

Es war immer schrecklich, wenn Edward weg war. Aber Alice hatte für dieses Wochenende nichts Außergewöhnliches vorhergesehen, deshalb hatte ich darauf bestanden, dass er die Gelegenheit nutzte, um mit seinen Brüdern auf die Jagd zu gehen. Ich wusste, wie langweilig es für ihn war, die leichte Beute in der näheren Umgebung zu jagen.

»Viel Spaß«, hatte ich gesagt. »Und fang mir ein paar Pumas.«

Nie hätte ich ihm gestanden, wie sehr ich unter seiner Abwesenheit litt – dass dann die Albträume vom Verlassensein zurückkehrten. Es wäre furchtbar für ihn, wenn er das wüsste. Er hätte dann jedes Mal Angst, mich allein zu lassen, selbst wenn es gar nicht anders ginge. So war es in der ersten Zeit nach seiner Rückkehr aus Italien gewesen. Seine goldenen Augen waren schwarz geworden und der Durst hatte ihn noch mehr gequält als sonst. Also riss ich mich zusammen und warf ihn jedes Mal praktisch raus, wenn Emmett und Jasper jagen gingen.

Aber wahrscheinlich durchschaute er mich doch. Ein wenig zumindest. Heute Morgen hatte ein Zettel auf meinem Kopfkissen gelegen:

Ich bin so schnell zurück, dass Du gar nicht dazu kommen wirst, mich zu vermissen. Gib gut auf mein Herz Acht – ich habe es bei Dir gelassen.

Jetzt lag also ein langer, öder Samstag vor mir, der außer der Vormittagsschicht bei Newton's Olympic Outfitters keine Ablenkung bot. Und dann war da noch das ach so beruhigende Versprechen, das Alice mir gegeben hatte.

»Ich jage ganz in der Nähe der Stadt. Wenn du mich brauchst, ich bin nur eine Viertelstunde entfernt. Ich passe auf dich auf.«

Was so viel hieß wie: Mach keinen Quatsch, nur weil Edward nicht da ist.

Alice könnte meinen Transporter garantiert genauso gut lahmlegen wie Edward.

Ich versuchte es positiv zu sehen. Nach der Arbeit wollte ich Angela beim Adressenschreiben helfen, das war eine gute Ablenkung. Und Charlie war, weil Edward nicht zu Besuch kam, bestens aufgelegt – darüber wollte ich mich freuen, solange es anhielt. Alice würde bestimmt bei mir übernachten, wenn ich so tief sank, sie zu fragen. Und morgen war Edward schon wieder da. Ich würde es überleben.

Weil ich nicht so peinlich früh im Laden erscheinen wollte, ließ ich mir Zeit mit dem Frühstück und aß die Cornflakes einzeln. Nachdem ich das Geschirr gespült hatte, ordnete ich die Magnete am Kühlschrank in einer geraden Linie an. Vielleicht entwickelte ich ja eine Zwangsneurose?

Die letzten beiden Magnete – runde, schwarze, zweckmäßige Dinger, die ich am liebsten hatte, weil man mit ihnen problemlos zehn Zettel gleichzeitig am Kühlschrank befestigen konnte – widersetzten sich meiner fixen Idee. Sie stießen sich gegenseitig ab; jedes Mal, wenn ich den einen am Kühlschrank befestigen wollte, sprang der andere ab.

Aus irgendeinem Grund – vielleicht eine beginnende Manie – ärgerte ich mich richtig darüber. Warum taten sie nicht das, was ich von ihnen wollte? In meinem Starrsinn ging ich so weit, sie immer näher zusammenzuschieben, als könnte ich sie damit umstimmen. Ich hätte einen von beiden umdrehen können, aber dann hätte ich das Spiel verloren. Mehr aus Wut auf mich selbst als auf die Magnete nahm ich sie schließlich vom Kühlschrank und drückte sie mit beiden Händen zusammen. Das war gar nicht so leicht – sie waren stark genug, um dagegen anzukämpfen –, doch ich zwang sie, miteinander auszukommen.

»Seht ihr«, sagte ich laut – und redete doch tatsächlich mit toten Dingen, was immer bedenklich ist – »so schlimm ist es doch gar nicht, oder?«

Eine ganze Weile stand ich da wie ein Idiot und weigerte mich einzusehen, dass ich gegen die Naturgesetze nicht dauerhaft etwas ausrichten konnte. Mit einem Seufzer heftete ich die Magnete wieder an den Kühlschrank, ein gutes Stück voneinander entfernt.

»Warum seid ihr bloß so starrsinnig?«, murmelte ich.

Es war immer noch zu früh, aber ich wollte lieber aus dem Haus, bevor die toten Dinge auf die Idee kamen zu antworten.

Als ich bei Newton's ankam, wischte Mike gerade sorgfältig den Boden trocken, während seine Mutter den Displayständer neu dekorierte. Ich erwischte die beiden mitten in einer Auseinandersetzung, sie hatten mich nicht bemerkt.

»Aber Tyler kann nur dann«, beschwerte sich Mike. »Du hast gesagt, wenn ich mit der Schule fertig bin …«

»Du musst eben warten«, sagte Mrs Newton scharf. »Tyler und du, ihr könnt auch etwas anderes unternehmen. Solange die Polizei die Sache in Seattle nicht gestoppt hat, fahrt ihr da nicht hin. Ich weiß, dass Beth Crowley Tyler dasselbe erzählt hat, also stell mich jetzt nicht als die Böse hin – oh, guten Morgen, Bella«, sagte sie, als sie mich sah, und schlug sofort einen freundlicheren Ton an. »Du bist früh dran.«

Karen Newton war die Letzte, an die ich mich in einem Sportgeschäft gewandt hätte. Das blonde Haar mit den perfekten Strähnchen trug sie immer in einem eleganten Knoten, die Fingernägel ließ sie sich im Nagelstudio zurechtmachen, ebenso die Fußnägel, die aus den hochhackigen Riemchensandalen hervorschauten – ein krasser Gegensatz zu den Wanderschuhen, die bei Newton's reihenweise im Regal standen.

»Wenig los auf den Straßen«, scherzte ich und holte die hässliche orangefarbene Weste unter dem Tresen hervor. Es wunderte mich, dass Mrs Newton sich über die Geschichte in Seattle genauso aufregte wie Charlie. Ich hatte bisher gedacht, dass er sich übertrieben anstellte.

»Ähm, also …« Mrs Newton zögerte einen Augenblick und machte sich verlegen an den Flugblättern zu schaffen, die sie neben der Kasse gestapelt hatte.

Ich verharrte mit einem Arm in der Weste. Diesen Blick kannte ich.

Als ich den Newtons mitgeteilt hatte, dass ich im Sommer nicht aushelfen konnte – und sie also in der Hochsaison im Stich ließ –, hatten sie angefangen, Katie Marshall anzulernen, damit sie mich ersetzen konnte. Eigentlich konnten sie es sich nicht leisten, uns beide zu bezahlen, wenn also nicht so viel Betrieb war …

»Ich hätte dich noch angerufen«, fuhr Mrs Newton fort. »Ich glaube, heute wird eher ein ruhiger Tag. Mike und ich kommen bestimmt zurecht. Tut mir leid, dass du aufgestanden und hergekommen bist …«

An jedem anderen Tag wäre ich begeistert über diese Wendung. Heute dagegen … weniger.

»Na gut«, seufzte ich. Ich ließ die Schultern hängen. Was sollte ich jetzt machen?

»Das geht doch nicht, Mom«, sagte Mike. »Wenn Bella arbeiten will …«

»Nein, ist schon gut, Mrs Newton. Echt, Mike, ich muss für den Abschluss pauken und so …« Ich wollte ihnen nicht noch mehr Anlass zum Streiten bieten.

»Danke, Bella. Mike, du hast Gang vier vergessen. Öhm, Bella, würde es dir etwas ausmachen, diese Flugblätter wegzuschmeißen, wenn du rausgehst? Ich hab dem Mädchen, das sie hier abgegeben hat, gesagt, ich würde sie auf den Tresen legen, aber ich habe gar keinen Platz dafür.«

»Klar, mach ich.« Ich legte die Weste zurück, klemmte die Flugblätter unter den Arm und ging hinaus in den Nieselregen.

Der Müllcontainer war bei Newton's um die Ecke, gleich dort, wo die Angestellten parkten. Ich schlurfte dorthin und kickte gereizt Kieselsteine. Ich wollte die knallgelben Flugblätter gerade wegwerfen, als mir die fettgedruckte Überschrift auffiel. Vor allem ein Wort stach mir ins Auge.

Ich umklammerte den Stapel mit beiden Händen, während ich auf das Bild unter der Schlagzeile starrte. Ich hatte sofort einen Kloß im Hals.

Rettet den Wolf der Olympic-Halbinsel!

Darunter war die detailgetreue Zeichnung eines Wolfs vor einer Tanne, er hatte den Kopf in den Nacken gelegt und heulte den Mond an. Es war ein verstörendes Bild; in seiner klagenden Haltung wirkte der Wolf schrecklich einsam. Als würde er vor Kummer heulen.

Und dann rannte ich zu meinem Wagen, die Flugblätter immer noch in den Händen.

Eine Viertelstunde – mehr Zeit hatte ich nicht. Aber das

müsste reichen. Länger brauchte ich nicht bis nach La Push, und bestimmt würde ich die Grenze ein paar Minuten vor der Ortschaft überschreiten.

Der Transporter sprang problemlos an.

Alice konnte nichts gesehen haben, weil ich nichts geplant hatte. Eine Blitzentscheidung, das war's! Und wenn ich nur schnell genug fuhr, konnte ich das bestimmt ausnutzen.

In der Eile hatte ich die feuchten Flugblätter einfach auf den Beifahrersitz geworfen, und dort lagen sie jetzt verstreut – hundert fettgedruckte Schlagzeilen, hundert dunkle, heulende Wölfe auf gelbem Hintergrund.

Ich raste über die nasse Landstraße, schaltete die Scheibenwischer auf höchste Stufe und achtete nicht auf das Stöhnen des altersschwachen Motors. 90, mehr gab die Kiste nicht her, und ich betete, dass es reichte.

Ich hatte keine Ahnung, wo die Grenze war, aber als ich an den ersten Häusern vor dem Ortseingang von La Push vorbeikam, fühlte ich mich in Sicherheit. Hierher durfte Alice mir garantiert nicht mehr folgen.

Ich beruhigte mich mit dem Gedanken, dass ich sie heute Nachmittag von Angela aus anrufen würde, damit sie wusste, dass mir nichts passiert war. Sie brauchte sich nicht aufzuregen. Sie brauchte nicht wütend auf mich zu sein – Edward würde wütend genug für zwei sein, wenn er zurückkehrte.

Als ich vor dem altbekannten Haus mit der verblichenen roten Fassade hielt, schnaufte mein Wagen wirklich. Ich schaute zu dem kleinen Haus, das einmal meine Zuflucht gewesen war, und jetzt hatte ich wieder einen Kloß im Hals. So lange war ich nicht mehr hier gewesen.

Ich hatte den Motor noch nicht ausgestellt, als Jacob schon in der Tür stand. Er sah völlig verdattert aus.

Als das Röhren des Motors erstarb und es still wurde, hörte ich, wie Jacob nach Luft schnappte.

»Bella?«

»Hi, Jake!«

»Bella!«, schrie er, und das Lächeln, auf das ich gewartet hatte, breitete sich auf seinem Gesicht aus, als würde die Sonne durch die Wolken brechen. Seine Zähne strahlten im Kontrast zu seiner rotbraunen Haut. »Ich fass es nicht!«

Er kam auf den Wagen zugerannt und riss mich fast hinaus, und dann hüpften wir beide auf und ab wie kleine Kinder.

»Wie bist du hierhergekommen?«

»Ich bin abgehauen!«

»Wahnsinn!«

»Hallo, Bella!« Billy kam mit seinem Rollstuhl an die Haustür, um zu sehen, was es Aufregendes gab.

»Hi, Bill…!«

Und dann wurde mir der Atem geraubt – Jacob hob mich hoch und wirbelte mich im Kreis herum.

»Das ist ja schön, dich hier zu sehen!«

»Keine … Luft«, keuchte ich.

Jake lachte und setzte mich wieder ab.

»Willkommen, Bella«, sagte er und grinste. Und das hörte sich an wie »Willkommen zu Hause«.

Wir machten einen Spaziergang, zum Herumsitzen waren wir zu aufgedreht. Jacob lief, als hätte er Sprungfedern unter den Füßen, und ich musste ihn mehrmals daran erinnern, dass ich keine drei Meter langen Beine hatte.

Während wir gingen, merkte ich, wie ich mich in die Bella zurückverwandelte, die ich mit Jacob gewesen war. Ein bisschen jünger, ein bisschen verrückter. Ein Mädchen, das hin und wieder und ohne besonderen Grund eine richtige Dummheit begehen konnte.

Unser Überschwang hielt sich während der ersten paar Gesprächsthemen – wie es uns ging, was wir jetzt unternehmen wollten, wie viel Zeit ich hatte und was mich herführte. Als ich zögernd von dem Wolfs-Flugblatt erzählte, lachte Jacob so schallend, dass es von den Bäumen widerhallte. Doch dann, als wir am Laden vorbeischlenderten und uns durch das dichte Gestrüpp zwängten, das diesen Küstenabschnitt des First Beach umgab, wurde es schwieriger. Schon bald kamen wir auf die Gründe für unsere lange Trennung zu sprechen, und ich sah, wie Jacobs Gesicht sich zu der bitteren Maske verhärtete, die ich inzwischen nur zu gut kannte.

»Also, wie sieht's jetzt aus?«, fragte Jacob und trat mit zu viel Kraft gegen ein Stück Treibholz. Es flog über den Sand und knallte gegen die Felsen. »Ich meine, seit wir uns das letzte Mal … na ja, vorher, du weißt schon«, stammelte er. Er holte tief Luft und versuchte es noch einmal. »Was mich interessieren würde … ist jetzt alles wieder so wie vorher, bevor er dich verlassen hat? Hast du ihm das alles verziehen?«

Ich atmete tief durch. »Da gab es nichts zu verzeihen.«

Ich hätte diesen Teil gern übersprungen, den Verrat, die Beschuldigungen, aber ich wusste, dass wir uns darüber aussprechen mussten.

Jacob machte ein Gesicht, als hätte er in eine Zitrone gebissen. »Schade, dass Sam dich nicht fotografiert hat, als er dich in der Nacht im September gefunden hat. Das wäre dann Beweisstück A.«

»Hier steht niemand vor Gericht.«

»Vielleicht sollte aber jemand vor Gericht stehen.«

»Nicht mal du würdest ihm sein Verschwinden vorwerfen, wenn du den Grund kennen würdest.«

Er starrte mich einige Augenblicke lang wütend an. »Also gut«, sagte er dann herausfordernd. »Versuch mal mich zu überraschen.«

Seine Feindseligkeit tat mir weh; ich konnte es nicht ertragen, dass er wütend auf mich war. Es erinnerte mich an den düsteren Nachmittag vor langer, langer Zeit, als er mir – auf Befehl von Sam – gesagt hatte, wir könnten nicht mehr befreundet sein. Es dauerte einen Moment, bis ich mich wieder gefasst hatte.

»Edward hat mich im Herbst verlassen, weil er fand, ich sollte nicht mit Vampiren zusammen sein. Er dachte, es wäre besser für mich, wenn er wegginge.«

Jacob musste erst mal schlucken. Die Antwort, die er parat gehabt hatte, passte jetzt offenbar nicht mehr. Ich war froh, dass er nicht wusste, was Edward zu dieser Entscheidung getrieben hatte. Ich konnte nur ahnen, was er denken würde, wenn er wüsste, dass Jasper mich beinahe umgebracht hätte.

»Aber er ist ja zurückgekommen, oder?«, murmelte Jacob. »Schade, dass er sich nicht an seine Vorsätze halten kann.«

»Vielleicht erinnerst du dich, dass *ich ihm* nachgereist bin und ihn zurückgeholt hab.«

Jacob starrte mich einen Augenblick an, dann machte er einen Rückzieher. Als er wieder sprach, war seine Miene nicht mehr so angespannt, seine Stimme ruhiger.

»Da hast du Recht. Du hast mir nie erzählt, was passiert ist. Also?«

Ich zögerte und biss mir auf die Lippe.

»Ist es ein Geheimnis?« Das klang fast höhnisch. »Darfst du es mir nicht erzählen?«

»Doch«, sagte ich schnippisch. »Aber es ist eine sehr lange Geschichte.«

Jacob lächelte überheblich und begann am Strand entlangzugehen. Offenbar erwartete er, dass ich mitkam.

Wenn Jacob sich so benahm, machte es keinen Spaß, mit ihm zusammen zu sein. Ich trottete hinter ihm her, unschlüssig, ob ich mich nicht lieber umdrehen und wieder verschwinden sollte. Aber zu Hause wartete eine Auseinandersetzung mit Alice auf mich ... ich hatte es eigentlich nicht eilig.

Jacob ging zu einem riesigen Stück Treibholz, das ich gut kannte – es war ein ganzer Baum mit Wurzeln, weiß gewaschen und tief in den Sand eingegraben; es war sozusagen *unser* Baum.

Jacob setzte sich auf den Baum wie auf eine Bank und klopfte auf den Platz neben sich.

»Gegen lange Geschichten hab ich nichts. Ist auch Action dabei?«

Ich verdrehte die Augen und setzte mich neben ihn. »Ein bisschen schon«, sagte ich.

»Ohne Action wär es ja auch keine Horrorgeschichte.«

»Horror!«, sagte ich verächtlich. »Willst du jetzt zuhören oder unverschämte Bemerkungen über meine Freunde machen?«

Er tat so, als würde er seine Lippen verschließen, dann warf er den unsichtbaren Schlüssel über die Schulter. Ich versuchte nicht zu lächeln – vergeblich.

»Ich muss mit den Geschichten anfangen, die du eigentlich schon kennst«, sagte ich und versuchte alles im Kopf zu ordnen, bevor ich loslegte.

Jacob hob die Hand.

»Was ist?«

»Das ist gut«, sagte er. »Ich hab damals gar nicht richtig kapiert, was los war.«

»Tja, es ist alles ziemlich kompliziert, also hör gut zu. Du weißt, dass Alice in die Zukunft sehen kann?«

Ich interpretierte seinen finsteren Blick – die Werwölfe waren nicht begeistert darüber, dass die Legenden von Vampiren mit übernatürlichen Fähigkeiten der Wahrheit entsprachen – als ein Ja und erzählte von der irrwitzigen Fahrt durch Italien zu Edward.

Ich fasste mich so kurz wie möglich und ließ alles Nebensächliche aus. Ich versuchte Jacobs Reaktion einzuschätzen, aber seine Miene war undurchdringlich, während ich erzählte, wie Alice Edward seinen Selbstmord planen sah, als er von meinem Tod erfuhr. Manchmal sah Jacob so gedankenverloren aus, dass ich mir nicht sicher war, ob er überhaupt zuhörte. Nur ein einziges Mal unterbrach er mich.

»Die Schwarzhaarige kann uns nicht sehen?«, sagte er voller Schadenfreude. »Echt? Das ist ja super!«

Ich presste die Lippen zusammen, und wir saßen schweigend da. Erwartungsvoll schaute er zu mir, damit ich weitererzählte. Ich sah ihn böse an, bis er seinen Fehler bemerkte.

»Ups«, sagte er. »Tut mir leid.« Wieder verschloss er seine Lippen.

Als ich von den Ereignissen bei den Volturi erzählte, war seine Reaktion eindeutiger. Er biss die Zähne zusammen, die Haare auf seinen Armen stellten sich auf und seine Nasenlöcher bebten. Ich erzählte keine Einzelheiten, sagte nur, dass Edward uns herausgeholt hatte. Ich erwähnte weder das Versprechen, das wir den Volturi geben mussten, noch den Besuch, der uns bevorstand. Jacob musste ja nicht auch noch Albträume bekommen.

»Nun weißt du alles«, schloss ich. »Jetzt bist du dran. Was ist am letzten Wochenende passiert, als ich bei meiner Mutter war?« Ich wusste, dass Jacob mir mehr Einzelheiten verraten würde als Edward. Er kümmerte sich nicht so sehr darum, ob er mir Angst einjagte.

Jacob beugte sich vor, er war sofort bei der Sache. »Embry, Quil und ich haben Samstagabend unseren üblichen Kontrollgang gemacht, da kam es plötzlich aus dem Nichts – wumm!« Mit einer Handbewegung deutete er eine Explosion an. »Auf einmal hatten wir eine frische Spur vor uns, keine zehn Minuten alt. Sam wollte, dass wir auf ihn warten, aber ich wusste nicht, dass du verreist warst, und ich hatte keine Ahnung, ob deine Blutsauger auf dich aufpassen. Also sind wir blitzschnell hinter ihr her, aber bevor wir sie einholen konnten, war sie schon über die Grenze. Wir verteilten uns entlang der Grenzlinie und hofften, dass sie wiederauftauchen würde. So was Frustrierendes, kann ich dir sagen.« Er schüttelte den Kopf, und seine Haare – jetzt nicht mehr so kurz wie damals, als er sich dem Rudel angeschlossen hatte – fielen ihm in die Augen. »Wir standen zu weit südlich. Die Cullens haben sie ein paar Kilometer weiter nördlich wieder auf unsere Seite getrieben. Wäre der perfekte Hinterhalt gewesen, wenn wir gewusst hätten, wo wir hätten warten müssen.«

Er schüttelte den Kopf und verzog das Gesicht. »Da wurde es dann heikel. Sam und die anderen waren vor uns bei ihr, aber sie tanzte an der Grenze herum, und die ganze Bande war genau auf der anderen Seite. Der Große, wie heißt der noch mal ...«

»Emmett.«

»Ja, genau. Er machte einen Satz auf die Rothaarige zu, aber die ist schnell, sag ich dir! Er sauste hinter ihr her und lief Paul in die Arme. Und Paul ... na ja, du kennst ihn ja.«

»Ja.«

»Hat die Beherrschung verloren. Ich kann's ihm nicht verdenken – der große Blutsauger war direkt auf ihm drauf. Er hat sich auf ihn gestürzt – he, guck mich nicht so an. Der Vampir war auf unserem Territorium.«

Ich versuchte meine Gesichtszüge unter Kontrolle zu halten, damit er weitererzählte. Ich krallte die Fingernägel in die Hand – obwohl ich wusste, dass alles gut ausgegangen war, fand ich die Spannung unerträglich.

»Na ja, Paul hat ihn ja nicht erwischt, und der Große ist zurück auf seine Seite. Aber dann hat die ... äh ... also die Blonde ...« Als Jacob Edwards Schwester zu beschreiben versuchte, verriet sein Blick eine komische Mischung aus Abscheu und widerwilliger Bewunderung.

»Rosalie.«

»Egal. Sie hat einen richtigen Aufstand wegen der Grenzlinie gemacht, also sind Sam und ich zurück, um Paul Deckung zu geben. Dann haben ihr Anführer und der andere Blonde ...«

»Carlisle und Jasper.«

Er sah mich wütend an. »Du weißt, dass mir das herzlich egal ist. Aber von mir aus, dann sprach also *Carlisle* mit Sam und versuchte, alle zu beschwichtigen. Und dann passierte etwas Komisches: Ganz plötzlich beruhigten sich tatsächlich alle. Das lag an dem anderen, von dem du mir erzählt hast, dass er unsere Gefühle manipulieren kann. Aber obwohl wir wussten, was er tat, war es unmöglich, sich nicht zu beruhigen.«

»Ja, das kenne ich.«

»Ärgerlich ist das. Aber man kann sich noch nicht mal richtig ärgern, erst hinterher.« Aufgebracht schüttelte er den Kopf. »Sam und der Vampirboss haben sich also darauf verständigt, dass es jetzt vor allem um Victoria ging, und wir haben die Verfolgung wieder aufgenommen. Carlisle ließ uns so weit in ihr Gebiet, wie wir es für nötig hielten, damit wir ihre Fährte richtig verfolgen konnten, aber dann führte sie zu den Klippen nördlich des Makah-Gebiets, dort, wo die Grenze ein paar Kilometer an der Küste verläuft. Und da ist sie wieder ins Wasser gesprungen. Der Große und der Ruhige wollten die Erlaubnis, die Grenze zu überschreiten, um sie zu verfolgen, aber natürlich haben wir das abgelehnt.«

»Gut. Ich meine, das war dämlich von euch, aber ich bin trotzdem froh darüber. Emmett ist immer zu waghalsig. Er hätte verletzt werden können.«

Jacob schnaubte. »Dann hat dein Vampir dir also erzählt, wir hätten grundlos angegriffen und seine völlig unschuldige Bande ...«

»Nein«, unterbrach ich ihn. »Edward hat mir die Geschichte genauso erzählt, nur nicht ganz so detailliert.«

»Hm«, machte Jacob leise und beugte sich vor, um einen von den unzähligen Kieselsteinen aufzuheben. Lässig schnippte er ihn gut hundert Meter weit in die Bucht. »Tja, ich schätze, sie kommt wieder. Wir kriegen sicher noch eine Chance, sie zu erwischen.«

Ich schauderte, natürlich würde sie wiederkommen. Ob Edward es mir beim nächsten Mal wirklich erzählen würde? Ich war mir nicht sicher. Ich musste Alice im Auge behalten und darauf achten, ob sich das Muster wiederholte ...

Jacob schien meine Reaktion nicht zu bemerken. Nachdenklich, die vollen Lippen geschürzt, starrte er über die Wellen.

»Woran denkst du?«, fragte ich, nachdem wir lange so dagesessen hatten.

»Ich denke über das nach, was du mir erzählt hast. Dass die Hellseherin dich von der Klippe springen sah und dachte, du hättest dich umgebracht, und wie dann alles drunter und drüber ging ... Ist dir klar, dass du nur wie verabredet auf mich hättest warten müssen und dass dich die verd... – dass Alice dich dann nicht hätte springen sehen können? Dann wäre alles beim Alten geblieben. Dann wären wir jetzt wahrscheinlich in meiner Werkstatt, wie an jedem anderen Samstag. In Forks gäbe es keine Vampire und du und ich ...« Seine Stimme erstarb, er war in Gedanken versunken.

Die Art, wie er das gesagt hatte, beunruhigte mich – als wäre es gut, wenn es keine Vampire in Forks gäbe. Die Vorstellung ließ in mir ein Gefühl von Leere entstehen, mein Herz schlug unregelmäßig.

»Edward wäre sowieso zurückgekommen.«

»Bist du dir da so sicher?«, fragte er und klang mit einem Mal wieder streitlustig.

»Mit der Trennung ... kamen wir beide nicht so gut klar.«

Er wollte etwas sagen, seinem Blick nach zu urteilen etwas Unfreundliches, aber er beherrschte sich, atmete tief durch und setzte noch einmal an.

»Weißt du eigentlich, dass Sam ziemlich sauer auf dich ist?«

»Auf mich?« Es dauerte einen Moment, bis ich begriff. »Ach so. Er denkt, wenn ich nicht wäre, wären sie nicht zurückgekommen.«

»Nein. Nicht deswegen.«

»Was hat er dann gegen mich?«

Jacob beugte sich vor, um noch einen Kieselstein aufzuheben. Er drehte den schwarzen Stein in den Fingern und starrte darauf, während er leise sprach.

»Als Sam gesehen hat ... wie du am Anfang warst; als Billy ihnen erzählt hat, was für Sorgen Charlie sich machte; als sich dein Zustand nicht besserte und du anfingst von Klippen zu springen ...«

Ich verzog das Gesicht. Immer mussten sie darauf herumreiten.

Jetzt schaute Jacob mich an. »Er dachte, du wärst die Einzige auf der Welt, die ebensolchen Grund hat, die Cullens zu hassen, wie er. Sam fühlt sich ... verraten, weil du sie einfach wieder in dein Leben gelassen hast, als hätten sie dir nie etwas getan.«

Ich glaubte kein bisschen, dass Sam der Einzige war, der so empfand. Und mein ätzender Ton galt ihnen beiden.

»Du kannst Sam sagen, er soll sich zum ...«

»Guck dir das an«, unterbrach Jacob mich und zeigte auf einen Adler, der gerade aus unglaublicher Höhe zum Ozean stürzte. Erst im letzten Moment hielt er inne, und nur seine Klauen durchbrachen für einen kurzen Augenblick die Wasseroberfläche. Dann flog er davon, seine Flügel kämpften mit dem Gewicht des riesigen Fisches, den er geschnappt hatte.

»Wohin du auch blickst«, sagte Jacob, und seine Stimme war plötzlich weit weg, »nimmt die Natur ihren Lauf ... Jäger und Beute, der endlose Kreislauf von Leben und Tod.«

Ich wusste nicht, was diese Lektion in Naturkunde sollte, vermutlich wollte er bloß das Thema wechseln. Aber dann schaute er mich spöttisch an.

»Während man nie sieht, dass der Fisch den Adler zu küssen versucht. *Das* sieht man nie.« Er grinste.

Ich grinste verkniffen zurück, obwohl ich immer noch wütend war. »Vielleicht hat der Fisch es versucht«, sagte ich. »Es ist schwer zu sagen, was ein Fisch denkt. Adler sind schöne Vögel, weißt du.«

»Kommt es nur darauf an?« Sein Ton war plötzlich schärfer. »Auf das Aussehen?«

»Sei nicht albern, Jacob.«

»Oder ist es das Geld?«, sagte er.

»Das ist ja reizend«, sagte ich leise und stand auf. »Wie

schmeichelhaft, dass du so von mir denkst.« Ich kehrte ihm den Rücken zu und ging davon.

»He, sei nicht sauer.« Er war sofort hinter mir, fasste mich am Handgelenk und drehte mich zu sich herum. »Im Ernst! Ich versuche dich zu verstehen, aber es gelingt mir einfach nicht!«

Wütend zog er die Augenbrauen zusammen, und seine dunkel umschatteten Augen waren schwarz.

»Ich liebe *ihn*. Nicht weil er schön oder weil er *reich* ist.« Ich sagte es voller Verachtung. »Mir wäre es lieber, er wäre keins von beidem. Das würde den Abstand zwischen uns verringern – wenn auch nur ein kleines bisschen, denn er wäre immer noch der liebste, selbstloseste, klügste und *netteste* Junge, den ich je kennengelernt habe. Natürlich liebe ich ihn. Ist das so schwer zu verstehen?«

»Es ist unmöglich zu verstehen.«

»Dann klär mich doch mal bitte auf, Jacob«, sagte ich betont sarkastisch. »Was ist ein annehmbarer Grund, jemanden zu lieben? Da ich es ja ganz offensichtlich falsch mache.«

»Ich glaube, zunächst sollte man sich jemanden seiner eigenen Art suchen. Das klappt normalerweise ganz gut.«

»Was für ein Schwachsinn!«, rief ich. »Dann bleib ich am Ende also doch bei Mike Newton hängen.«

Jacob zuckte zusammen und biss sich auf die Lippe. Ich sah, dass ich ihn verletzt hatte, aber ich war so wütend, dass es mir egal war. Er ließ mein Handgelenk los und verschränkte die Arme vor der Brust. Dann wandte er mir den Rücken zu und starrte aufs Meer.

»Ich bin ein Mensch«, sagte er fast unhörbar.

»Nicht so wie Mike«, sagte ich unbarmherzig. »Glaubst du jetzt immer noch, das ist der wichtigste Punkt?«

»Das ist was ganz anderes«, sagte Jacob, ohne den Blick von den grauen Wellen zu wenden. »Ich hab es mir nicht ausgesucht.«

Ich lachte ungläubig. »Denkst du etwa, Edward hat es sich ausgesucht? Er wusste genauso wenig wie du, wie ihm geschah. Er hat sich bestimmt nicht dafür angemeldet.«

Jacob schüttelte den Kopf mit kleinen, schnellen Bewegungen. »Weißt du, Jacob, du bist ganz schön selbstgerecht – wenn man bedenkt, dass du ein Werwolf bist.«

»Das ist nicht dasselbe«, beharrte Jacob und sah mich finster an.

»Und warum nicht? Ein bisschen mehr Verständnis könntest du schon für die Cullens haben. Du weißt ja gar nicht, wie gut sie sind – herzensgut, Jacob.«

Er zog die Brauen noch mehr zusammen. »Es dürfte sie gar nicht geben. Ihre Existenz ist gegen die Natur.«

Ich sah ihn lange an, eine Augenbraue ungläubig hochgezogen. Es dauerte eine Weile, ehe er es bemerkte.

»Was ist?«

»Apropos gegen die Natur ...«, sagte ich.

»Bella«, sagte er langsam, mit veränderter Stimme. Er hörte sich plötzlich älter an als ich – wie ein Vater oder ein Lehrer. »Was ich bin, ist in mir geboren. Es ist ein Teil meiner selbst, meiner Familie, meines Stammes – es ist der Grund dafür, dass wir immer noch hier sind. Außerdem«, er schaute mich an, sein Blick immer noch unergründlich, »bin ich immer noch ein Mensch.«

Er nahm meine Hand und legte sie an seine fieberwarme Brust. Durch das T-Shirt spürte ich seinen Herzschlag.

»Normale Menschen können aber keine Motorräder durch die Gegend werfen wie du.«

Er lächelte ein schwaches Lächeln. »Normale Menschen laufen vor Monstern weg, Bella. Außerdem habe ich nie behauptet, ich wäre normal. Nur ein Mensch.«

Es war zu anstrengend, wütend auf Jacob zu sein. Ich lächelte und nahm die Hand von seiner Brust.

»Für mich siehst du ziemlich menschlich aus«, gab ich zu. »Jedenfalls im Moment.«

»Ich fühle auch wie ein Mensch.« Er starrte an mir vorbei, sein Blick war in weite Ferne gerichtet. Seine Unterlippe bebte, er biss fest darauf.

»Ach, Jake«, flüsterte ich und fasste seine Hand.

Deshalb war ich hier. Deshalb scherte ich mich nicht darum, was ich bei meiner Rückkehr erleben würde. Denn versteckt unter der Wut und dem Sarkasmus litt Jacob. Das sah ich jetzt ganz deutlich. Ich wusste nicht, wie ich ihm helfen konnte, aber ich wusste, dass ich es versuchen musste. Nicht nur, weil ich es ihm schuldig war. Sein Schmerz tat auch mir weh. Jacob war ein Teil von mir geworden, das war nicht zu ändern.

$\mathcal{P}$RÄGUNG

»Alles in Ordnung, Jake? Charlie hat gesagt, es geht dir nicht so gut ... Ist es immer noch nicht besser?«

Seine warme Hand schmiegte sich um meine. »Es geht schon«, sagte er, doch er wich meinem Blick aus.

Langsam ging er zurück zu dem Treibholzbaum, den Blick auf die regenbogenfarbenen Kiesel geheftet, und zog mich mit. Ich setzte mich wieder auf unseren Baum, doch er setzte sich nicht neben mich, sondern auf den nassen, steinigen Boden. Vielleicht tat er das, weil er sein Gesicht auf diese Weise besser verbergen konnte. Er ließ meine Hand nicht los.

Ich plapperte los, um das Schweigen zu übertönen. »Ich war so lange nicht mehr hier. Bestimmt hab ich wahnsinnig viel verpasst. Wie geht es Sam und Emily? Und Embry? Ist Quil ...?«

Ich brach mitten im Satz ab, als mir einfiel, dass Jacobs Freund Quil ein heikles Thema gewesen war.

»Ach, Quil.« Jacob seufzte.

Dann war es also passiert – Quil gehörte jetzt auch zum Rudel.

»Tut mir leid«, murmelte ich.

Zu meiner Überraschung schnaubte Jacob. »Sag das bloß nicht zu *ihm*.«

»Wieso?«

»Quil braucht kein Mitleid. Ganz im Gegenteil – er ist ganz high. Total aus dem Häuschen.«

Das kam mir absurd vor. Die anderen Wölfe waren so niedergeschlagen gewesen bei der Vorstellung, dass ihr Freund ihr Schicksal teilen musste. »Hä?«

Jacob drehte den Kopf zu mir. Er lächelte und verdrehte die Augen. »Quil findet, es ist das Coolste, was ihm je passiert ist. Weil er jetzt endlich weiß, was Sache ist. Und er freut sich, dass er seine Freunde wiederhat – dass er wieder dazugehört.« Jacob schnaubte noch einmal. »Sollte mich wohl nicht überraschen. Es ist typisch Quil.«

»Es *gefällt* ihm?«

»Ehrlich gesagt ... gefällt es den meisten«, gab Jacob langsam zu. »Es hat ja auch wirklich Vorteile – die Schnelligkeit, die Freiheit, die Stärke ... das Gefühl, eine ... Familie zu haben ... Sam und ich sind die Einzigen, die deswegen verbittert waren. Und Sam ist darüber schon lange hinweg. Jetzt bin nur noch ich der Jammerlappen.« Jacob musste über sich selbst lachen.

Es gab so vieles, was ich wissen wollte. »Warum ist es bei Sam und dir anders? Wie war das überhaupt mit Sam? Was hat er für ein Problem?« Die Fragen sprudelten nur so aus mir heraus, Jacob konnte gar nicht schnell genug antworten. Er lachte wieder.

»Das ist eine lange Geschichte.«

»Ich hab dir auch eine lange Geschichte erzählt. Außerdem hab ich's nicht eilig, nach Hause zu kommen«, sagte ich und verzog das Gesicht beim Gedanken an den Ärger, den es geben würde.

Er sah mich schnell an, der Unterton in meiner Stimme war ihm nicht entgangen. »Meinst du, er ist sauer auf dich?«

»Ja«, sagte ich. »Er kann es nicht leiden, wenn ich etwas mache, was seiner Meinung nach ... gefährlich ist.«

»Zum Beispiel mit Werwölfen rumhängen.«

»Zum Beispiel.«

Jacob zuckte die Achseln. »Dann fahr einfach nicht nach Hause. Ich schlafe auf dem Sofa.«

»Super Idee«, sagte ich. »Dann würde er kommen und mich suchen.«

Jacob erstarrte, dann lächelte er finster. »Echt?«

»Wenn er Angst hätte, ich könnte verletzt sein oder so – wahrscheinlich.«

»Das macht meine Idee noch reizvoller.«

»Bitte, Jake. Das nervt echt.«

»Was?«

»Dass ihr beiden euch am liebsten gegenseitig umbringen würdet!«, sagte ich. »Das macht mich wahnsinnig. Warum könnt ihr euch nicht vernünftig benehmen?«

»Würde er mich wirklich am liebsten umbringen?«, fragte Jacob mit grimmigem Lächeln. Meine Wut ließ ihn unbeeindruckt.

»Nicht so sehr wie du ihn offenbar!«, schrie ich jetzt. »Er kann sich wenigstens erwachsen benehmen! Er weiß, dass er mir wehtun würde, wenn er dir etwas antäte, deshalb würde er es nicht machen. Dir scheint das ja völlig egal zu sein!«

»Ja, sicher«, murmelte Jacob. »Er ist bestimmt ein richtiger Engel.«

»Mann!« Ich entzog ihm meine Hand und schob seinen Kopf weg. Dann schlang ich die Arme fest um meine Knie und zog sie an die Brust.

Wütend starrte ich zum Horizont.

Ein paar Minuten lang schwieg Jacob. Schließlich stand er

auf, setzte sich neben mich und legte mir einen Arm um die Schultern. Ich schüttelte ihn ab.

»Tut mir leid«, sagte er leise. »Ich werd versuchen mich zu benehmen.«

Ich gab keine Antwort.

»Willst du die Geschichte über Sam immer noch hören?«, fragte er.

Ich zuckte die Achseln.

»Wie gesagt, es ist eine lange Geschichte. Und sie ist sehr ... merkwürdig. So vieles ist merkwürdig an diesem neuen Leben. Ich hab dir noch nicht mal die Hälfte erzählt. Und die Sache mit Sam ... tja, ich weiß gar nicht, ob ich das richtig erklären kann.« Ich war immer noch verärgert, aber allmählich siegte die Neugier.

»Ich höre«, sagte ich steif.

Aus dem Augenwinkel sah ich, wie er das Gesicht zu einem Lächeln verzog.

»Sam hatte es so viel schwerer als wir anderen. Weil er der Erste war – er war allein und hatte niemanden, dem er erzählen konnte, was mit ihm vorging. Sams Großvater war schon vor seiner Geburt gestorben, und sein Vater war so gut wie nie da. Niemand war da, der die Zeichen hätte deuten können. Als es das erste Mal passierte – als er sich zum ersten Mal verwandelte –, da dachte er, er hätte den Verstand verloren. Erst nach zwei Wochen hatte er sich so weit beruhigt, dass er sich zurückverwandeln konnte. Das war vor deiner Zeit in Forks, das kannst du also nicht wissen. Sams Mutter und Leah Clearwater ließen die Ranger und die Polizei nach ihm suchen. Die Leute dachten, er wäre verunglückt oder so ...«

»Leah?«, sagte ich überrascht. Leah war Harrys Tochter. Als ich ihren Namen hörte, empfand ich sofort Mitleid. Es war noch nicht lange her, dass Charlies alter Freund Harry Clearwater an einem Herzinfarkt gestorben war.

Jacobs Stimme veränderte sich, er klang jetzt ernst. »Ja. Leah und Sam waren in der Schule ein Paar. Leah war in ihrem ersten Jahr an der Highschool, als sie zusammenkamen. Als er verschwand, war sie außer sich.«

»Aber er und Emily ...«

»Dazu komme ich noch – das ist Teil der Geschichte«, sagte er. Er holte langsam Luft und atmete mit einem Seufzer aus.

Wahrscheinlich war es albern von mir zu denken, Sam hätte vor Emily noch nie jemanden geliebt. Die meisten Leute verliebten sich viele Male im Leben. Es kam nur daher, dass ich Sam mit Emily gesehen hatte und ihn mir mit keiner anderen vorstellen konnte. Wie er sie ansah ... das erinnerte mich an den Blick, den ich von Edward kannte – wenn er mich ansah.

»Sam kam zurück«, sagte Jacob, »aber er erzählte niemandem, wo er gewesen war. Es gab natürlich Gerüchte – die meisten dachten, er wäre auf die schiefe Bahn geraten. Und dann lief Sam eines Tages Quils Großvater in die Arme, als Old Quil Ateara Mrs Uley besuchte. Sam schüttelte ihm die Hand, und Old Quil traf fast der Schlag.« Jacob lachte.

»Wieso?«

Jacob legte mir eine Hand an die Wange und drehte mein Gesicht so herum, dass ich ihn ansehen musste. Sein Gesicht war nur wenige Zentimeter von meinem entfernt. Seine Hand brannte auf meiner Wange, als hätte er Fieber.

»Ach so«, sagte ich. Es war mir unangenehm, ihm so nah zu sein und seine heiße Hand auf der Haut zu spüren. »Sam hatte Fieber.«

Jacob lachte wieder. »Sams Hand fühlte sich an, als hätte er sie auf eine heiße Herdplatte gelegt.«

Er war mir so nah, dass ich seinen warmen Atem spürte. Möglichst beiläufig nahm ich seine Hand von meiner Wange und verschränkte meine Finger mit seinen, um ihn nicht zu verletzen. Er lächelte und lehnte sich zurück – er ließ sich von mir nicht täuschen.

»Old Quil Ateara ging daraufhin direkt zu den anderen Stammesältesten«, fuhr Jacob fort. »Sie waren die Einzigen, die noch davon wussten, die sich erinnerten. Old Quil, Billy und Harry hatten mit eigenen Augen gesehen, wie ihre Großväter sich verwandelt hatten. Als Old Quil ihnen davon erzählte, trafen sie sich heimlich mit Sam und weihten ihn ein. Als er begriff, was mit ihm los war, wurde es einfacher, außerdem war er dann nicht mehr allein. Sie waren sicher, dass er nicht als Einziger von der Rückkehr der Cullens betroffen war.« Er klang bitter, als er den Namen aussprach. »Aber wir anderen waren alle noch zu jung. Also wartete Sam darauf, dass wir ihm nachfolgen würden ...«

»Die Cullens wussten nichts davon«, flüsterte ich. »Sie dachten nicht, dass es hier immer noch Werwölfe gäbe. Sie wussten nicht, dass ihre Ankunft euch verwandeln würde.«

»Das ändert nichts daran, dass es so war.«

»Sich mit dir anzulegen, bringt ja nichts.«

»Du meinst, ich sollte ihnen genauso verzeihen wie du? Wir können nicht alle Heilige und Märtyrer sein.«

»Werd mal erwachsen, Jacob.«

»Wenn ich das nur könnte«, sagte er leise.

Ich starrte ihn an und versuchte seine Antwort zu begreifen. »Was?«

Jacob kicherte. »Eine von den vielen Merkwürdigkeiten, die ich erwähnt hab.«

»Du ... wirst ... nicht ... erwachsen?«, sagte ich verblüfft.

»Du wirst ... nicht älter? Willst du mich auf den Arm nehmen?«

»Nein«, sagte er gedehnt.

Ich spürte, wie mir das Blut ins Gesicht schoss. Tränen der Wut stiegen mir in die Augen. Meine Zähne schlugen aufeinander. »Bella? Hab ich was Falsches gesagt?«

Ich war aufgesprungen, die Hände zu Fäusten geballt, und zitterte am ganzen Körper.

»Du. Wirst. Nicht. Älter«, knurrte ich mit zusammengebissenen Zähnen.

Jacob fasste mich am Arm und wollte mich sanft neben sich ziehen. »Das werden wir alle nicht. Was hast du denn?«

»Bin ich die Einzige, die alt werden muss? Mit jedem verfluchten Tag werde ich älter!« Ich kreischte fast und fuchtelte wild herum. Ich war mir undeutlich bewusst, dass das ein schon fast charliemäßiger Wutanfall war, aber ich konnte mich einfach nicht beherrschen. »So ein Mist! In was für einer Welt leben wir? Wo bleibt die Gerechtigkeit?«

»Nimm's nicht so schwer, Bella.«

»Halt die Klappe, Jacob. Halt einfach die Klappe! Es ist so ungerecht!«

»Hast du gerade echt mit dem Fuß aufgestampft? Ich dachte, das machen Mädchen nur im Fernsehen.«

Ich grollte wenig überzeugend.

»Es ist nicht so schlimm, wie du denkst. Setz dich, dann erkläre ich es dir.«

»Ich stehe lieber.«

Er verdrehte die Augen. »Na gut. Wie du willst. Aber hör zu, ich werde schon älter … irgendwann.«

»Das musst du mir erklären.«

Wieder klopfte er auf den freien Platz neben sich. Einen Augenblick noch funkelte ich ihn an, doch dann setzte ich mich. So plötzlich, wie meine Wut gekommen war, war sie auch schon wieder verraucht, und jetzt, da ich ruhiger war, merkte ich, wie lächerlich ich mich benahm.

»Wenn wir uns weit genug in der Gewalt haben ...«, sagte Jacob, »und uns für längere Zeit nicht mehr verwandeln, dann fangen wir wieder an zu altern. Aber das ist nicht leicht.« Er schüttelte unsicher den Kopf. »Ich glaube, es dauert sehr lange, bis man gelernt hat, sich so zu beherrschen. Selbst Sam ist noch nicht so weit. Natürlich ist es auch nicht gerade hilfreich, dass ein paar Meter weiter ein riesiger Vampirzirkel haust. Solange unser Stamm Beschützer braucht, können wir nicht mal daran denken aufzuhören. Aber du brauchst dich gar nicht so aufzuregen – ich bin doch sowieso schon älter als du, jedenfalls körperlich.«

»Wie meinst du das?«

»Guck mich mal an, Bella. Sehe ich etwa aus wie sechzehn?«

Ich schaute seine hünenhafte Gestalt von oben bis unten an und versuchte objektiv zu sein. »Wahrscheinlich nicht.«

»Überhaupt nicht. Weil wir, wenn das Werwolf-Gen erst mal aktiviert ist, innerhalb weniger Monate ausgewachsen sind. Biologisch gesehen dürfte ich um die fünfundzwanzig sein. Also brauchst du dir die nächsten sieben Jahre oder so keine Sorgen zu machen, du könntest zu alt für mich sein.«

Um die fünfundzwanzig. Die Vorstellung verwirrte mich. Aber an den enormen Wachstumsschub erinnerte ich mich – wie Jacob sozusagen vor meinen Augen in die Höhe und in die Breite geschossen war. Ich wusste noch, dass er sich manchmal von einem Tag auf den anderen verändert hatte ... Ich schüttelte den Kopf, mir schwindelte.

»Also, willst du jetzt mehr über Sam erfahren oder willst du mich weiter wegen Sachen anschreien, auf die ich keinen Einfluss habe?«

Ich atmete tief durch. »Tut mir leid. Beim Thema Alter bin ich empfindlich. Da hast du einen Nerv getroffen.«

Jacobs Augen wurden schmal, und er sah aus, als wollte er etwas sagen, wüsste aber nicht, wie er es ausdrücken sollte.

Weil ich nicht über die richtig heiklen Themen reden wollte – meine Zukunftspläne oder Verträge, die durch besagte Zukunftspläne gebrochen werden könnten –, kam ich noch mal auf Sam zurück. »Du hast vorhin gesagt, als Sam kapiert hatte, was los war, als er Billy, Harry und Mr Ateara hatte, da war es nicht mehr so schlimm für ihn. Und du hast von den coolen Seiten des Werwolflebens gesprochen ...« Ich zögerte kurz. »Warum hasst Sam die Cullens dann so sehr? Und warum meint er, ich müsste sie auch hassen?«

Jacob seufzte. »Jetzt wird es echt verrückt.«

»Verrücktheiten sind meine Spezialität.«

»Ja, ich weiß.« Er grinste, dann erzählte er weiter. »Also, es war so, wie du gesagt hast. Sam wusste Bescheid, und alles war fast in Ordnung. Sein Leben war in vielerlei Hinsicht wieder, na ja, nicht normal, aber jedenfalls ganz okay.« Jacob verzerrte das Gesicht, als käme jetzt etwas Schmerzliches. »Aber Sam konnte es Leah nicht erzählen. Wir dürfen niemandem davon erzählen, der es nicht unbedingt wissen muss. Und es war ganz schön gefährlich, dass er sich in ihrer Nähe aufhielt – aber er hat geschummelt, genau wie ich bei dir. Leah war stocksauer, weil er ihr nicht verraten wollte, was los war – wo er gewesen war, wo er nachts hinging, warum er immer so erschöpft war –, aber sie kriegten es irgendwie hin. Sie gaben sich Mühe. Sie liebten sich wirklich.«

»Hat sie es herausgefunden? War es das?«

Er schüttelte den Kopf. »Nein, das war nicht das Problem. Eines Tages kam ihre Cousine, Emily Young, aus dem Makah-Reservat, um sie übers Wochenende zu besuchen.«

Ich schnappte nach Luft. »Emily ist Leahs Cousine?«

»Sie sind Cousinen zweiten Grades. Aber sie stehen sich sehr nah. Sie sind fast wie Schwestern aufgewachsen.«

»Das ist ja … schrecklich. Wie konnte Sam …?« Meine Stimme versagte, ich schüttelte den Kopf.

»Du darfst ihn nicht verurteilen. Hat dir mal jemand erzählt … Hast du jemals davon gehört, dass jemand auf einen anderen geprägt wird?«

»Geprägt?«, wiederholte ich. »Nein. Was soll das heißen?«

»Das ist eine dieser merkwürdigen Sachen, mit denen wir zu tun haben. Es passiert nicht jedem. Es ist sogar eher die Ausnahme als die Regel. Sam kannte da schon alle Geschichten, die Geschichten, die wir früher für Legenden gehalten hatten. Er hatte auch schon mal von Prägung gehört, aber er hätte sich nie träumen lassen …«

»Was ist das denn?«, drängte ich.

Jacob ließ den Blick zum Ozean schweifen. »Sam liebte Leah. Aber von dem Moment an, als er Emily sah, spielte das keine Rolle mehr. Manchmal … niemand von uns weiß genau, warum … finden wir unsere Gefährten auf diese Weise.« Für einen kurzen Augenblick schaute er mich wieder an und wurde rot. »Ich meine … unsere Seelenverwandten.«

»Auf welche Weise? Liebe auf den ersten Blick?« Ich kicherte.

Jacob blieb ernst. Missbilligend sah er mich mit seinen dunklen Augen an. »Es ist schon ein bisschen mächtiger. Absoluter.«

»Entschuldige«, murmelte ich. »Du meinst das im Ernst, oder?«

»Ja.«

»Liebe auf den ersten Blick? Aber noch mächtiger?« Ich war immer noch nicht überzeugt.

»Es ist nicht einfach zu erklären. Es spielt auch keine Rolle.«

Er zuckte die Achseln. »Du wolltest wissen, weshalb Sam die Vampire dafür hasst, dass sie ihn verändert haben – weshalb er sich selbst hasst. Weil er Leah das Herz gebrochen hat. Er hat alle Versprechen gebrochen, die er ihr je gegeben hatte. Tagtäglich sieht er den Vorwurf in ihren Augen, und er weiß, dass sie Recht hat.«

Jacob verstummte plötzlich, als hätte er mehr verraten, als er eigentlich wollte.

»Und Emily? Wenn sie und Leah sich so nahe standen ...«

Ich wusste, dass Sam und Emily füreinander bestimmt waren, wie zwei Teile eines Puzzles, die zusammengehören. Trotzdem ... wie war Emily damit umgegangen, dass er zu einer anderen gehört hatte? Die für sie wie eine Schwester war?

»Am Anfang war sie total wütend. Aber es ist schwer, einem solchen Liebeswerben zu widerstehen.« Jacob seufzte. »Und außerdem konnte Sam ihr alles anvertrauen. Wenn man seine andere Hälfte findet, gelten die Gesetze nicht mehr, die das verbieten. Du weißt, wie sie verletzt wurde?«

»Ja.« In Forks erzählte man sich, sie sei von einem Bären angegriffen worden, aber ich kannte das Geheimnis.

Werwölfe sind unberechenbar, hatte Edward gesagt. *Häufig werden Menschen in ihrer Nähe verletzt.*

»Tja, so verrückt es ist, gab das schließlich den Ausschlag. Sam war so entsetzt, so angewidert von sich selbst, voller Hass für das, was er getan hatte ... Er hätte sich vor einen Bus geworfen, wenn er ihr damit hätte helfen können. Vielleicht hätte er das sowieso getan, um seiner Tat zu entkommen. Er war am Boden zerstört ... Auf einmal war *sie* diejenige, die *ihn* tröstete, und dann ...«

Jacob sprach nicht weiter, und ich spürte, dass die Geschichte jetzt zu intim wurde.

»Arme Emily«, flüsterte ich. »Armer Sam. Arme Leah …«

»Ja, Leah hat es am schlimmsten getroffen«, sagte er. »Sie macht gute Miene zum bösen Spiel. Sie wird Brautjungfer.«

Ich wandte den Blick ab und schaute zu den zerklüfteten Felsen, die sich am Südende der Bucht wie abgebrochene Finger aus dem Ozean erhoben. Ich versuchte zu begreifen, was Jacob mir erzählt hatte. Ich spürte, dass er mich ansah und darauf wartete, dass ich etwas sagte.

»Hast du das auch erlebt?«, fragte ich schließlich, immer noch mit abgewandtem Blick. »Diese Sache mit der Liebe auf den ersten Blick?«

»Nein«, sagte er schnell. »Nur Sam und Jared.«

»Hmmm«, sagte ich und tat so, als hätte ich bloß aus höflichem Interesse gefragt. Ich war erleichtert und überlegte, warum. Wahrscheinlich war ich einfach froh darüber, dass er nicht behauptete, es gebe irgendeine geheimnisvolle Verbindung zwischen uns. Unsere Beziehung war so schon kompliziert genug. Da brauchte ich nicht noch mehr Übernatürliches.

Wir sagten beide nichts, und das Schweigen war ein bisschen peinlich. Ich fragte ihn lieber nicht, was er dachte.

»Wie war das bei Jared?«, fragte ich stattdessen.

»Ganz undramatisch. Es war ein Mädchen, neben dem er in der Schule jeden Tag gesessen hatte. Er hatte sie nie groß beachtet. Aber nach seiner Verwandlung sah er sie wieder und konnte nicht mehr wegschauen. Kim war begeistert. Sie war total verknallt in ihn. Sie hatte in ihr Tagebuch x-mal ihren Namen mit seinem Nachnamen dahinter geschrieben.« Er lachte spöttisch.

Ich sah ihn missbilligend an. »Hat Jared dir das erzählt? Das ist ja nicht gerade die feine Art.«

Jacob biss sich auf die Lippe. »Ich sollte mich wohl nicht darüber lustig machen. Aber es war schon witzig.«

»Tolle Seelenverwandtschaft.«

Er seufzte. »Jared hat es uns nicht absichtlich erzählt. Du weißt doch, wie das bei uns funktioniert, oder?«

»Ach ja. Ihr könnt die Gedanken der anderen hören, aber nur, wenn ihr Wölfe seid, oder?«

»Ja. Genau wie dein Blutsauger.« Er sah mich finster an.

»Edward«, verbesserte ich ihn.

»Na klar. Deshalb weiß ich auch so genau, wie es Sam ging. Freiwillig hätte er uns das nicht alles erzählt. Das ist eine Sache, die wir alle grässlich finden.« Plötzlich klang er sehr bitter. »Es ist furchtbar. Kein Privatleben, keine Geheimnisse. Alles, was einem peinlich ist, erfahren auch die anderen.« Er schüttelte sich.

»Das klingt schrecklich«, flüsterte ich.

»Manchmal, wenn wir uns abstimmen müssen, ist es ganz praktisch«, gab er zu. »Alle Jubeljahre einmal, wenn ein Blutsauger sich auf unser Territorium verirrt. Laurent war ein echtes Highlight. Und wenn uns die Cullens letzten Samstag nicht in die Quere gekommen wären ... Mann! Dann hätten wir sie vielleicht gehabt!« Er ballte die Hände zu Fäusten.

Ich schauderte. Meine Sorge um Jasper oder Emmett verblasste im Vergleich zu der Panik, die ich bei der Vorstellung empfand, Jacob könnte gegen Victoria kämpfen. Emmett und Jasper waren so gut wie unverwundbar. Jacob war immer noch vergleichsweise menschlich. Sterblich. Ich stellte mir vor, wie Jacob Victoria gegenüberstand und wie ihr glänzendes Haar ihr seltsam katzenhaftes Gesicht umwehte ... Ich schauderte.

Jacob sah mich neugierig an. »Aber ist das für dich nicht die ganze Zeit so? Wenn *er* deine Gedanken hören kann?«

»O nein. Edward hört nie meine Gedanken. Das hätte er nur gern.«

Jetzt sah Jacob verwirrt aus.

»Er *kann* mich nicht hören«, erklärte ich, und das klang ein bisschen stolz – alte Gewohnheit. »Ich bin die Einzige, mit der es ihm so geht. Keine Ahnung, warum.«

»Verrückt«, sagte Jacob.

»Ja.« Jetzt war ich schon weniger stolz. »Wahrscheinlich bedeutet es, dass mit meinem Gehirn irgendwas nicht stimmt.«

»Das war mir schon lange klar«, murmelte Jacob. »Vielen Dank.«

Da brach ganz plötzlich die Sonne durch die Wolken, und ich musste die Augen zusammenkneifen, weil sich die Sonnenstrahlen im Wasser spiegelten. Alle Farben veränderten sich – die Wellen waren jetzt blau statt grau, die Bäume leuchtend jadegrün statt dumpf olivgrün und die regenbogenfarbenen Kieselsteine glitzerten wie Juwelen.

Eine Weile blinzelten wir, bis unsere Augen sich an das Licht gewöhnt hatten. Es war nichts zu hören als das hohle Brausen der Wellen, das von allen Seiten des geschützten Hafens widerhallte, das leise Schaben der Steine unter der Bewegung des Wassers und das Schreien der Möwen hoch über uns. Es war sehr friedlich.

Jacob rückte näher, er lehnte jetzt an meinem Arm. Er war so warm. Nach einer Weile zog ich die Regenjacke aus. Er stieß ein kleines zufriedenes Brummen aus und legte die Wange auf meinen Kopf. Ich spürte die Wärme der Sonne auf der Haut – wenn sie auch nicht ganz so heiß war wie Jacob – und fragte mich träge, wie lange es dauern würde, bis ich einen Sonnenbrand bekam.

In Gedanken, drehte ich die rechte Hand und sah, wie die Narbe, die James dort hinterlassen hatte, in der Sonne schimmerte.

»Woran denkst du?«, fragte Jacob leise.

»An die Sonne.«

»Mmm. Schön, oder?«

»Und woran denkst du?«, fragte ich.

Er kicherte in sich hinein. »Ich dachte an diesen schwachsinnigen Film, in den du mich geschleppt hast. Und wie Mike Newton kotzen musste.«

Jetzt lachte ich auch; ich war überrascht, wie die Zeit die Erinnerung verändert hatte. Damals hatte ich den Abend als anstrengend und verwirrend empfunden. So viel hatte sich in jener Nacht verändert … Und jetzt konnte ich darüber lachen. Es war unser letzter gemeinsamer Abend gewesen, bevor Jacob die Wahrheit über sein Schicksal erfuhr. Die letzte Erinnerung an den Jacob von damals. Merkwürdig angenehm kam sie mir jetzt vor.

»Das vermisse ich«, sagte Jacob. »Damals war alles so leicht … so unkompliziert. Aber zum Glück hab ich ein gutes Gedächtnis.« Er seufzte.

Mein Körper spannte sich an, als mir bei seinen Worten etwas einfiel.

»Was ist?«, fragte er.

»Apropos gutes Gedächtnis …« Ich rückte ein Stück von ihm ab, um sein Gesicht besser sehen zu können. Im Moment sah er verwirrt aus. »Könntest du mir mal erzählen, was du Montagmorgen gemacht hast? Da hast du an irgendwas gedacht, was Edward geärgert hat.«

Geärgert traf es nicht ganz, aber ich wollte ja eine Antwort haben, und da war es besser, nicht allzu schwere Geschütze aufzufahren.

Jacobs Miene hellte sich auf, als er begriff, und er lachte. »Da hab ich nur an dich gedacht. Das hat ihm nicht besonders gefallen, was?«

»An *mich*? Woran denn?«

Jacob lachte, ein härteres Lachen diesmal. »Ich hab daran gedacht, wie du in der Nacht aussahst, als Sam dich fand – das hab ich in Sams Gedanken gesehen, und es ist, als wäre ich selbst dabei gewesen. Die Erinnerung daran hat Sam nie losgelassen. Und dann hab ich daran gedacht, wie du aussahst, als du zum ersten Mal zu mir kamst. Du hast bestimmt keine Ahnung, wie verstört du gewirkt hast, Bella. Es hat Wochen gedauert, bis du wieder einigermaßen menschlich aussahst. Und ich hab daran gedacht, wie du dich immer selbst umarmt hast, damit du nicht auseinanderfällst ...« Jacob zuckte zusammen, dann schüttelte er den Kopf. »Selbst mir tut es weh, daran zu denken, wie traurig du warst, dabei konnte ich ja gar nichts dafür. Also dachte ich mir, dass es für ihn bestimmt noch schlimmer ist. Und ich fand, er sollte das, was er da angerichtet hat, mal zu sehen kriegen.«

Ich schlug ihm so fest auf die Schulter, dass mir die Hand wehtat. »Jacob Black, mach das nicht noch mal! Versprich es mir.«

»Kommt gar nicht in Frage. So köstlich hab ich mich seit Monaten nicht amüsiert.«

»Mir zuliebe, Jake ...«

»Ach, Bella, krieg dich mal wieder ein. Wann seh ich ihn je wieder? Mach dir keine Sorgen.«

Ich stand auf und wollte weggehen, aber er nahm meine Hand. Ich versuchte mich loszureißen.

»Ich fahre jetzt, Jacob.«

»Nein, noch nicht«, sagte er und hielt meine Hand noch fester. »Es tut mir leid. Und ... na gut, ich mach es nicht noch mal. Versprochen.«

Ich seufzte. »Danke, Jake.«

»Komm, wir gehen wieder zu mir«, sagte er schnell.

»Ich glaub, ich muss jetzt wirklich mal los. Ich bin noch mit Angela Weber verabredet, und ich weiß, dass Alice sich Sorgen macht. Ich möchte nicht, dass sie sich zu sehr aufregt.«

»Aber du bist doch gerade erst gekommen!«

»So kommt es mir auch vor«, sagte ich. Ich starrte zur Sonne, die auf einmal direkt über uns stand. Die Zeit war so schnell vergangen.

Er zog die Brauen zusammen. »Ich weiß nicht einmal, wann wir uns wiedersehen«, sagte er, und es klang gekränkt.

»Ich komme, wenn er das nächste Mal weg ist«, versprach ich spontan.

»*Weg?*« Jacob verdrehte die Augen. »Das ist eine sehr freundliche Umschreibung für das, was er tut. Ekelhafte Parasiten.«

»Wenn du dich nicht zusammenreißen kannst, komme ich überhaupt nicht mehr!«, sagte ich und versuchte mich zu befreien, aber er hielt meine Hand fest.

»Komm schon, sei nicht sauer«, sagte er und grinste. »Das ist nur so ein Reflex bei mir.«

»Wenn ich wiederkommen soll, musst du eins kapieren, ja?« Er wartete.

»Pass auf«, sagte ich. »Mir ist es egal, ob jemand Vampir oder Werwolf ist. Das ist völlig unwichtig. Du bist Jacob und er ist Edward und ich bin Bella. Alles andere zählt nicht.«

Er kniff die Augen leicht zusammen. »Aber ich *bin* ein Werwolf«, sagte er widerstrebend. »Und er *ist* ein Vampir«, fügte er voller Abscheu hinzu.

»Und ich bin Sternzeichen Jungfrau!«, rief ich wütend.

Er hob die Augenbrauen und sah mich neugierig an. Schließlich zuckte er die Schultern.

»Wenn du es echt so sehen kannst …«

»Kann ich. Tu ich auch.«

»Na gut. Nur Bella und Jacob. Keine gruseligen Jungfrauen oder so was.« Er lächelte mich an, es war das warme, vertraute Lächeln, das mir so gefehlt hatte. Ich merkte, wie sich auch auf meinem Gesicht ein Lächeln ausbreitete.

»Du hast mir wirklich gefehlt, Jacob«, gestand ich plötzlich.

»Du mir auch.« Sein Lächeln wurde noch breiter. Sein Blick war fröhlich und klar und ausnahmsweise einmal ohne Wut und Verbitterung. »Mehr als du ahnst. Kommst du bald wieder?«

»Sobald ich kann«, versprach ich.

Neutral wie die Schweiz

Auf der Heimfahrt achtete ich nicht sonderlich auf die Straße, die nass in der Sonne glänzte. Ich dachte an alles, was Jacob mir erzählt hatte, und versuchte die Zusammenhänge zu begreifen. Es war viel zu viel, und doch war mir leichter ums Herz. Ich hatte Jacob lächeln sehen und wir hatten alle Geheimnisse ausgesprochen. Die Situation war immer noch nicht ideal, aber doch besser als vorher. Es war gut, dass ich hingefahren war. Jacob brauchte mich. Und offenbar, dachte ich, als ich auf die glitzernde Straße blinzelte, bestand keine Gefahr.

Es kam aus dem Nichts. Eben noch hatte ich nur die sonnenbeschienene Landstraße im Rückspiegel gehabt. Und im nächsten Moment klebte mir ein silberner Volvo direkt an der Stoßstange.

»So ein Mist«, jammerte ich.

Ich erwog, an den Rand zu fahren. Aber ich war zu feige, mich ihm jetzt schon zu stellen. Ich hatte gedacht, ich könnte mich noch ein bisschen auf unser Wiedersehen vorbereiten … und ich hatte mich darauf verlassen, dass Charlie als Puffer da sein würde. Wenigstens würde Edward in Charlies Gegenwart nicht herumbrüllen.

Der Volvo fuhr nur wenige Zentimeter hinter mir. Ich schaute starr nach vorn.

Feige, wie ich war, fuhr ich schnurstracks zu Angela, ohne auch nur ein einziges Mal dem Blick zu begegnen, der mir ein Loch in den Rückspiegel brannte.

Er folgte mir, bis ich vor dem Haus der Webers hielt. Ich blickte nicht auf, als er an mir vorbeifuhr. Ich wollte die Wut in seinem Gesicht nicht sehen. Sobald er außer Sicht war, rannte ich den kurzen Weg bis zur Haustür.

Ich hatte kaum geklopft, da riss Ben schon die Haustür auf, als hätte er direkt dahinter gestanden.

»Hi, Bella!«, sagte er überrascht.

»Hi, Ben. Äh, ist Angela da?« Ich fragte mich, ob Angela unsere Verabredung vergessen hatte, und wand mich innerlich bei der Vorstellung, früher nach Hause fahren zu müssen.

»Klar«, sagte Ben, und da erschien Angela auch schon oben an der Treppe. »Bella!«, rief sie.

Ben blickte an mir vorbei, als draußen ein Auto zu hören war. Das Geräusch machte mir keine Angst – stotternd erstarb der Motor, dann das laute Knallen eines Auspuffs. Ganz anders als das Schnurren eines Volvos. Das war wohl der Besuch, den Ben erwartete.

»Austin ist da«, sagte Ben, als Angela unten ankam.

Auf der Straße ertönte ein Hupen.

»Bis später«, sagte Ben. »Du fehlst mir jetzt schon.«

Er umarmte Angela und zog ihr Gesicht zu sich herunter, um sie stürmisch zu küssen. Kurz darauf hupte Austin wieder.

»Tschüss, Ang! Ich liebe dich!«, rief Ben und sauste an mir vorbei.

Angela schwankte, die Wangen leicht rosa, dann riss sie sich zusammen und winkte, bis Ben und Austin außer Sicht waren. Sie drehte sich zu mir um und grinste zerknirscht.

»Ich bin dir echt dankbar, Bella«, sagte sie. »Erstens bewahrst du meine Hände vor einem Dauerschaden, und zweitens rettest du mich vor zwei elend langen Stunden in einem miesen, schlecht synchronisierten Martial-Arts-Film.« Sie seufzte erleichtert.

»Stets zu Diensten.« Die Panik hatte sich ein bisschen gelegt, ich konnte wieder gleichmäßiger atmen. Hier war alles so normal. Angelas harmlose menschliche Dramen hatten etwas eigenartig Beruhigendes. Es war schön, dass das Leben anderswo so alltäglich war.

Ich ging mit Angela die Treppe hoch in ihr Zimmer. Im Gehen kickte sie Spielsachen aus dem Weg. Es war ungewöhnlich ruhig im Haus.

»Wo ist deine Familie?«

»Meine Eltern sind mit den Zwillingen zu einer Geburtstagsfeier in Port Angeles gefahren. Ich kann es kaum fassen, dass du mir helfen willst. Ben behauptet, er hätte schon eine Sehnenscheidenentzündung von seinen Karten.« Sie schnitt eine Grimasse.

»Mir macht das überhaupt nichts aus«, sagte ich. Als wir in Angelas Zimmer kamen, sah ich den Stapel Briefumschläge, die auf uns warteten.

»Oje!«, rief ich. Angela sah mich entschuldigend an. Jetzt verstand ich, weshalb sie das vor sich hergeschoben hatte und wieso Ben sich herausgewunden hatte.

»Ich dachte, du übertreibst«, sagte ich.

»Schön wär's. Willst du mir immer noch helfen?«

»Von mir aus können wir sofort loslegen. Ich hab den ganzen Tag Zeit.«

Angela teilte den Stapel in der Mitte und legte das Adressbuch ihrer Mutter zwischen uns auf den Tisch. Eine Weile waren wir ganz bei der Sache, nur das Kratzen unserer Füller war zu hören.

»Was macht Edward heute Abend?«, fragte sie nach ein paar Minuten.

Mein Füller stach in den Briefumschlag, den ich gerade beschriftete. »Emmett ist übers Wochenende zu Hause. Wahrscheinlich sind sie zusammen wandern.«

»Du sagst das so, als ob du dir nicht sicher wärst.«

Ich zuckte die Schultern.

»Du hast Glück, dass Edward seine Brüder zum Wandern und Zelten hat. Ich wüsste nicht, was ich tun sollte, wenn Ben nicht Austin für die ganzen Jungssachen hätte.«

»Ja, ich hab's auch nicht so mit der freien Natur. Außerdem könnte ich nie mit ihm mithalten.«

Angela lachte. »Ja, ich bin auch lieber drinnen.«

Jetzt konzentrierte sie sich wieder auf ihren Stapel. Ich schrieb vier weitere Adressen. Mit Angela musste man nie angestrengt Konversation machen. Ähnlich wie Charlie war sie jemand, mit dem man gut schweigen konnte.

Aber, und darin ähnelte sie eher Renée, sie merkte manchmal zu viel.

»Hast du irgendwas?«, fragte sie leise. »Du wirkst so … nervös.«

Ich lächelte verlegen. »Fällt das so sehr auf?«

»Nicht besonders.«

Wahrscheinlich log sie mir zuliebe.

»Du brauchst es mir nicht zu sagen, wenn du nicht willst«, sagte sie. »Aber wenn es dir hilft, höre ich gern zu.«

Ich wollte schon sagen: Danke, lieb von dir, aber besser nicht. Es gab einfach zu viele Geheimnisse, die ich für mich behalten musste. Ich konnte meine Probleme nicht mit einem Menschen besprechen. Das verstieß gegen die Regeln.

Aber plötzlich wollte ich genau das unbedingt. Ich wollte mit einer normalen, menschlichen Freundin reden. Ich wollte ein bisschen jammern, wie alle Mädchen in meinem Alter. Wie schön wäre es, wenn meine Probleme so einfach gewesen wären. Und wie schön wäre es, jemanden zu haben, der nichts mit dieser Vampir-Werwolf-Geschichte zu tun hatte und die Dinge ins rechte Licht rücken konnte. Jemand Unvoreingenommenen.

»Ich werd nicht weiter fragen«, sagte Angela und schrieb lächelnd an ihrer Adresse weiter.

»Das kannst du ruhig«, sagte ich. »Du hast Recht. Ich bin nervös. Es ist … wegen Edward.«

»Wieso?«

Es war so leicht, mit Angela zu reden. Wenn sie so eine Frage stellte, wusste ich, dass sie nicht vor Neugier starb oder auf Klatsch aus war, so wie Jessica. Sie interessierte sich ernsthaft für meine Sorgen.

»Ach, er ist sauer auf mich.«

»Das kann ich mir kaum vorstellen«, sagte sie. »Weswegen denn?«

Ich seufzte. »Erinnerst du dich an Jacob Black?«

»Ach so«, sagte sie.

»Ja.«

»Er ist eifersüchtig.«

»Nein, nicht *eifersüchtig* …« Ich hätte den Mund halten sollen. Es gab keine Möglichkeit, die Sache richtig zu erklären. Aber ich wollte trotzdem darüber reden. Ich hatte gar nicht gewusst, dass ich mich so danach sehnte, mit einem Menschen darüber zu sprechen. »Edward meint, Jacob hätte … einen schlechten Einfluss auf mich, das ist es wohl. Dass er … irgendwie gefährlich ist. Du weißt ja, die Sache mit dem Hausarrest … Aber trotzdem ist das alles lächerlich.«

Es überraschte mich, dass Angela den Kopf schüttelte.

»Was ist?«, fragte ich.

»Bella, ich hab gesehen, wie Jacob Black dich anschaut. Ich wette, dass das eigentliche Problem Eifersucht ist.«

»So ist es aber nicht mit Jacob.«

»Für dich vielleicht. Aber für Jacob ...«

Ich runzelte die Stirn. »Jacob weiß über meine Gefühle Bescheid. Ich hab ihm alles erzählt.«

»Aber Edward ist auch nur ein Mensch, Bella. Er reagiert genauso wie jeder andere Junge.«

Ich verzog das Gesicht. Dazu fiel mir nichts ein.

Sie tätschelte mir die Hand. »Er wird schon drüber wegkommen.«

»Hoffentlich. Jake hat gerade eine ziemliche Krise. Er braucht mich.«

»Jacob und du, ihr habt ein ziemlich enges Verhältnis, oder?«

»Er gehört praktisch zur Familie«, sagte ich.

»Und Edward kann ihn nicht leiden ... das stelle ich mir schwierig vor. Ich weiß nicht, wie Ben sich in so einer Situation verhalten würde«, sagte sie nachdenklich.

Ich lächelte ein wenig. »Wahrscheinlich wie jeder andere Junge.«

Sie grinste. »Wahrscheinlich.«

Dann wechselte sie das Thema. Angela bohrte niemals, und sie schien zu spüren, dass ich nicht mehr sagen wollte – oder konnte.

»Gestern hab ich erfahren, in welchem Wohnheim ich untergebracht bin. Natürlich ist es das, welches am allerweitesten vom Campus entfernt ist.«

»Weiß Ben schon, wo er wohnt?«

»In dem Wohnheim, das am nächsten am Campus liegt. Er ist echt ein Glückspilz. Und du? Weißt du schon, wohin du gehst?«

Ich starrte auf meinen Briefumschlag und versuchte mich auf mein Gekrakel zu konzentrieren. Bei der Vorstellung, dass Angela und Ben in ein paar Monaten an der Universität in Seattle studieren würden, wurde mir ganz mulmig. Ob es dort dann nicht mehr gefährlich war? Ob der wilde Jungvampir bis dahin woanders hingezogen war? Gab es dann eine andere Stadt, über die solche Horrorschlagzeilen verbreitet wurden?

Und war ich dann an den neuen Schlagzeilen schuld?

Ich versuchte diese Gedanken abzuschütteln und antwortete mit leichter Verzögerung: »Wahrscheinlich nach Alaska. An die Uni in Juneau.«

Ich hörte, wie überrascht sie war, als sie sagte: »Nach Alaska? Aha. Echt? Ist ja ... super. Ich hätte nur gedacht, du würdest irgendwo hingehen, wo es ... wärmer ist.«

Ich lachte ein bisschen, ich starrte immer noch auf den Briefumschlag. »Ja, seit ich in Forks wohne, sehe ich vieles anders.«

»Und Edward?«

Obwohl sich bei seinem Namen mein Magen zusammenzog, schaute ich auf und grinste sie an. »Edward findet Alaska auch nicht zu kalt.«

Sie grinste zurück. »Klar.« Und dann seufzte sie. »Das ist so weit weg. Da wirst du nicht oft nach Hause kommen können. Du wirst mir fehlen. Mailst du mir?«

Eine leise Traurigkeit überkam mich; vielleicht war es ein Fehler, die Freundschaft mit Angela zu vertiefen. Aber wäre es nicht noch trauriger, wenn ich mir diese letzte Chance entgehen ließe? Ich schüttelte die trübsinnigen Gedanken ab.

»Wenn ich nach dieser Aktion hier jemals wieder tippen kann.« Ich nickte zu dem Stapel Briefumschläge, die ich schon beschriftet hatte.

Wir lachten, und dann plauderten wir über Studienfächer

und Seminare, während wir die restlichen Umschläge fertig machten.

Ich durfte einfach nicht darüber nachdenken. Außerdem hatte ich heute dringendere Sorgen. Ich half Angela noch, die Briefmarken aufzukleben. Ich hatte Angst, nach Hause zu fahren.

»Wie geht's deiner Hand?«, fragte sie.

Ich bewegte die Finger. »Ich glaube, eines Tages werde ich sie wieder benutzen können.«

Unten schlug die Haustür zu, und wir schauten beide auf.

»Ang?«, rief Ben.

Ich versuchte zu lächeln, aber meine Lippen bebten. »Ich glaub, das ist jetzt mein Stichwort.«

»Du kannst gern noch bleiben. Obwohl er mir jetzt wahrscheinlich den Film erzählen wird – in allen Einzelheiten.«

»Charlie fragt sich bestimmt auch schon, wo ich bleibe.«

»Danke, dass du mir geholfen hast.«

»Hat doch Spaß gemacht. So was sollten wir öfter machen, nur wir Mädels.«

»Auf jeden Fall.«

Jetzt klopfte es leise an der Tür.

»Komm rein, Ben«, sagte Angela.

Ich stand auf und reckte mich.

»Hi, Bella! Du hast es überlebt«, sagte Ben und nickte mir zu, ehe er sich neben Angela setzte. Er betrachtete unser Werk. »Nicht schlecht. Schade, dass ihr mir nichts übrig gelassen habt. Ich hätte zu gern …« Er ließ den Satz in der Luft hängen, dann sagte er begeistert: »Ang, du hast echt was verpasst! Das war ein Superfilm. Diese Schlussszene … einfach unglaublich! Der eine Typ … na, du musst es dir selbst angucken, dann weißt du, wovon ich rede …«

Angela schaute mich an und verdrehte die Augen.

»Bis morgen in der Schule«, sagte ich mit einem nervösen Kichern.

Sie seufzte. »Bis dann.«

Auf dem Weg zu meinem Wagen war ich angespannt, aber die Straße war leer. Während der ganzen Heimfahrt schaute ich nervös in sämtliche Spiegel, aber das silberne Auto war nirgends zu sehen.

Auch vor unserem Haus stand sein Wagen nicht, aber das hatte nicht viel zu bedeuten.

»Bella?«, rief Charlie, als ich die Haustür öffnete.

»Hallo, Dad.«

Er saß im Wohnzimmer vor dem Fernseher.

»Wie war dein Tag?«

»Gut«, sagte ich. Ich konnte ihm genauso gut alles erzählen – er würde es sowieso bald von Billy erfahren. Außerdem würde es ihn freuen. »Im Sportgeschäft gab es für mich nichts zu tun, da bin ich nach La Push gefahren.«

Seine Überraschung war nicht ganz überzeugend. Billy hatte schon geplaudert.

»Wie geht's Jacob?«, fragte Charlie und versuchte es beiläufig klingen zu lassen.

»Gut«, sagte ich genauso beiläufig.

»Warst du dann noch bei Angela?«

»Ja. Wir sind mit den Karten fertig geworden.«

»Schön.« Charlie lächelte breit. Dafür, dass ein Spiel im Fernsehen lief, war er erstaunlich aufmerksam. »Freut mich, dass du dich mal wieder mit deinen Freunden getroffen hast.«

»Mich auch.«

Ich schlenderte in die Küche und sah nach, ob es dort etwas zu tun gab. Leider hatte Charlie sein Geschirr schon abgewaschen. Ein paar Minuten stand ich herum und starrte auf den hellen

Fleck, den die Sonne auf den Fußboden warf. Ich wusste, dass ich es nicht ewig vor mir herschieben konnte.

»Ich gehe hoch und lerne«, sagte ich mürrisch und ging zur Treppe.

»Ja, bis später«, rief Charlie mir nach.

Wenn ich es überlebe, antwortete ich in Gedanken.

Als ich in mein Zimmer kam, schloss ich sorgfältig die Tür, bevor ich mich umdrehte.

Natürlich war er da. Er stand an der gegenüberliegenden Wand, im Schatten neben dem geöffneten Fenster. Seine Miene war hart, seine Haltung angespannt. Wütend starrte er mich an, ohne ein Wort zu sagen.

Ich duckte mich innerlich und wartete auf den Ausbruch, aber es kam nichts. Er starrte mich nur an, vielleicht war er zu wütend, um etwas zu sagen.

»Hi«, sagte ich schließlich.

Sein Gesicht war wie aus Stein gemeißelt. Ich zählte in Gedanken bis hundert, aber es veränderte sich nicht.

»Öhm ... also, ich lebe noch«, setzte ich an.

Tief in seiner Brust grollte es, aber seine Miene blieb unverändert.

»Nichts passiert«, sagte ich achselzuckend.

Jetzt endlich rührte er sich. Er schloss die Augen und zwickte sich mit der rechten Hand in den Nasenrücken.

»Bella«, flüsterte er. »Kannst du dir vorstellen, wie nah dran ich heute war, die Grenze zu überschreiten? Den Vertrag zu brechen und dich zu suchen? Weißt du, was das bedeutet hätte?«

Ich schnappte nach Luft und er machte die Augen auf. Sie waren so hart und kalt wie die Nacht.

»Das kannst du nicht machen!«, sagte ich zu laut. Ich dämpfte die Stimme, damit Charlie mich nicht hörte, aber am liebsten hätte ich geschrien. »Edward, ihnen wäre jeder Anlass für einen Kampf recht. Du würdest ihnen einen Gefallen tun. Du darfst auf keinen Fall gegen die Abmachung verstoßen!«

»Vielleicht sind sie nicht die Einzigen, die sich über einen Kampf freuen würden.«

»Du fängst nicht an«, sagte ich wütend. »Du hast den Vertrag geschlossen, und jetzt hältst du dich auch daran.«

»Wenn er dir etwas tun würde …«

»Hör auf damit«, sagte ich. »Du hast überhaupt keinen Grund zur Sorge. Jacob ist nicht gefährlich.«

»Bella. Was gefährlich ist und was nicht, kannst du nicht gerade besonders gut beurteilen.«

»Ich weiß, dass ich mir wegen Jake keine Sorgen zu machen brauche. Und du auch nicht.«

Er biss die Zähne zusammen, die Hände hatte er neben dem Körper zu Fäusten geballt. Er stand immer noch an der Wand, schrecklich weit von mir entfernt.

Ich atmete tief durch und ging auf ihn zu. Er rührte sich nicht, als ich die Arme um ihn legte. Im Kontrast zu der warmen Spätnachmittagssonne, die zum Fenster hereinfiel, fühlte seine Haut sich besonders eisig an. Und er wirkte auch wie aus Eis gemeißelt, so starr, wie er war.

»Tut mir leid, dass du dir meinetwegen Sorgen gemacht hast«, sagte ich leise.

Er seufzte und entspannte sich ein wenig. Er legte mir die Arme um die Taille.

»*Sorgen machen* ist leicht untertrieben«, murmelte er. »Es war ein sehr langer Tag.«

»Du hättest eigentlich gar nichts davon mitkriegen sollen«, sagte ich. »Ich dachte, ihr würdet länger jagen.«

Ich sah ihm ins Gesicht, sah seinen entschuldigenden Blick.

Vor lauter Aufregung hatte ich es gar nicht bemerkt, aber jetzt sah ich, dass seine Augen zu dunkel waren. Tiefviolette Schatten lagen darunter. Ich runzelte missbilligend die Stirn.

»Als Alice dich verschwinden sah, bin ich zurückgekommen«, erklärte er.

»Das hättest du nicht tun sollen. Jetzt musst du noch mal los.« Mein Stirnrunzeln vertiefte sich.

»Das hat Zeit.«

»Das ist echt albern. Ich meine, ich weiß ja, dass sie mich nicht sehen kann, wenn ich bei Jacob bin, aber du hättest dir doch denken können …«

»Ich habe es mir aber nicht gedacht«, fiel er mir ins Wort.

»Und du kannst nicht erwarten, dass ich dich einfach …«

»O doch«, sagte ich. »Genau das erwarte ich.«

»Das wird nicht noch einmal vorkommen.«

»Stimmt. Weil du beim nächsten Mal nicht so ausrasten wirst.«

»Weil es kein nächstes Mal geben wird.«

»Ich hab doch auch Verständnis dafür, dass du losziehen musst, auch wenn es mir nicht gefällt …«

»Das ist etwas ganz anderes. Ich setze nicht mein Leben aufs Spiel.«

»Ich auch nicht.«

»Werwölfe sind gefährlich.«

»Das sehe ich ganz anders.«

»Darüber verhandle ich nicht, Bella.«

»Ich auch nicht.«

Jetzt hatte er die Hände wieder geballt. Ich spürte sie im Rücken.

Die Worte kamen gedankenlos heraus. »Geht es hier wirklich nur um meine Sicherheit?«

»Wie meinst du das?«, fragte er.

»Du bist nicht vielleicht …« Jetzt kam mir Angelas Theorie noch alberner vor als vorhin. Es fiel mir schwer, den Satz zu vollenden. »Ich meine, du bist ja wohl nicht eifersüchtig, oder?«

Er zog eine Augenbraue hoch. »Nicht?«

»Sei mal ernst.«

»Das fällt mir nicht schwer – das hier ist absolut nicht spaßig.«

Ich sah ihn misstrauisch an. »Oder … geht's hier etwa um was ganz anderes? Um diese blödsinnige Feindschaft zwischen Vampiren und Werwölfen? Ist es bloß ein testosterongeladener …«

Seine Augen funkelten vor Zorn. »Hier geht es nur um dich. Nur um deine Sicherheit.«

Der Blick seiner glühend schwarzen Augen ließ keinen Zweifel zu.

»Na gut.« Ich seufzte. »Ich glaube dir. Aber merk dir eins. Mit eurer Feindschaft hab ich nichts zu tun. Ich bin neutrales Gebiet. Ich bin die Schweiz. Ich lass mich nicht in die Territorialkämpfe irgendwelcher übersinnlicher Wesen hineinziehen. Jacob gehört zur Familie. Du bist … nun ja, nicht gerade die Liebe meines Lebens, denn ich gehe davon aus, dass ich dich noch viel länger lieben werde. Die Liebe meines Daseins. Mir ist es egal, wer hier Werwolf ist und wer Vampir. Und sollte es sich herausstellen, dass Angela eine Hexe ist, dann heiße ich sie willkommen im Club.«

Stumm starrte er mich mit schmalen Augen an.

»Wie die Schweiz«, wiederholte ich noch einmal.

Er sah mich finster an, dann seufzte er. »Bella«, begann er, dann brach er ab und rümpfte angewidert die Nase.

»Was ist denn jetzt schon wieder?«

»Also … nimm es mir nicht übel, aber du stinkst wie ein Hund«, sagte er.

Dann lächelte er sein schiefes Lächeln und der Kampf war vorüber. Vorerst.

Edward musste den geplatzten Jagdausflug nachholen, deshalb wollte er Freitagabend mit Jasper, Emmett und Carlisle zu einem Naturschutzgebiet im nördlichen Kalifornien aufbrechen, wo es ein Problem mit Pumas gab.

Zwar waren wir uns in der Werwolf-Frage nicht einig geworden, aber trotzdem hatte ich kein schlechtes Gewissen, als ich Jake anrief und ihm für den kommenden Samstag meinen Besuch ankündigte. Ich hinterging Edward ja nicht. Er wusste, wie ich die Sache sah. Und wenn er wieder meinen Transporter lahmlegte, würde Jacob mich eben abholen. Forks war neutrales Gebiet, genau wie die Schweiz – genau wie ich.

Als mich am Donnerstag Alice an Stelle von Edward mit dem Volvo von der Arbeit abholte, ahnte ich nichts Böses. Die Beifahrertür stand offen, und die Bässe eines Musikstücks, das ich nicht kannte, ließen das Auto beben.

»Hallo, Alice«, rief ich über das Gehämmer hinweg und stieg ein. »Wo ist dein Bruder?«

Sie sang eine komplizierte zweite Stimme zu dem Lied, eine Oktave höher als die eigentliche Melodie. Sie nickte mir zu und überging meine Frage, während sie sich weiter auf die Musik konzentrierte.

Ich schloss die Tür und hielt mir die Ohren zu. Sie grinste und drehte die Musik leiser, bis sie nur noch im Hintergrund zu hören war. Dann ließ sie den Wagen an und gab im selben Moment Gas.

»Was ist los?«, fragte ich. Ich fühlte mich allmählich unbehaglich. »Wo ist Edward?«

Sie zuckte die Schultern. »Sie sind schon früh weg.«

»Ach so.« Ich versuchte das blödsinnige Gefühl von Enttäuschung zu unterdrücken. Wenn er früh losgezogen war, würde er umso früher zurückkommen, sagte ich mir.

»Alle Jungs sind weg, und wir machen eine Pyjama-Party!«, verkündete sie trällernd.

»Eine Pyjama-Party?«, wiederholte ich. Jetzt war mein Misstrauen endgültig geweckt.

»Ist das nicht aufregend?«, juchzte sie begeistert.

Ich sah ihr lange in die Augen.

»Du entführst mich, stimmt's?«

Sie nickte lachend. »Bis Samstag. Esme hat alles mit Charlie besprochen; du bleibst zwei Nächte bei mir und ich nehme dich morgen mit zur Schule und auch wieder mit zurück.«

Zähneknirschend wandte ich das Gesicht zum Seitenfenster.

»Tut mir leid«, sagte Alice ohne den leisesten Anflug von Reue in der Stimme. »Er hat mich bestochen.«

»Womit?«, zischte ich durch die Zähne.

»Mit dem Porsche. Es ist genau der Gleiche wie der, den ich in Italien geklaut hatte.« Sie seufzte glücklich. »In Forks soll ich damit nicht rumfahren, aber wenn du Lust hast, kann ich dir mal zeigen, wie lange wir damit von hier nach L.A. brauchen – ich wette, wir wären vor Mitternacht zurück.«

Ich atmete tief durch. »Ich glaub, ich verzichte«, sagte ich und unterdrückte ein Schaudern.

Viel zu schnell kurvten wir über die lange Auffahrt. Alice fuhr den Volvo in die Garage, und ich warf schnell einen Blick zu den anderen Wagen. Da standen Emmetts großer Jeep und Rosalies rotes Cabrio und dazwischen ein kanariengelber Porsche.

Anmutig hüpfte Alice heraus und strich mit der Hand über ihre neue Errungenschaft. »Schön, nicht?«

»Ein bisschen übertrieben«, grummelte ich ungläubig. »Das hat er dir geschenkt, nur damit du mich zwei Tage lang als Geisel nimmst?«

Alice verzog das Gesicht.

Gleich darauf kapierte ich und schnappte entsetzt nach Luft.

»Das ist für jedes Mal, wenn er weg ist, oder?«

Sie nickte.

Ich knallte die Tür zu und stampfte zum Haus. Sie tänzelte neben mir her, immer noch ohne jede Reue.

»Alice, findest du nicht, dass er ein bisschen zu sehr über mich bestimmt? Findest du das nicht ein bisschen krank?«

»Eigentlich nicht.« Sie schnaubte. »Du scheinst dir nicht darüber im Klaren zu sein, wie gefährlich junge Werwölfe sind. Zumal ich die Werwölfe nicht sehen kann. Edward kann nicht sicher sein, dass dir nichts zustößt. Du bist zu waghalsig.«

Meine Stimme wurde eisig. »Ja, und eine Pyjama-Party mit Vampiren ist das Ungefährlichste, was man sich vorstellen kann.«

Alice lachte. »Du bekommst von mir eine Pediküre und so weiter«, versprach sie.

Es war gar nicht so übel, abgesehen davon, dass ich gegen meinen Willen festgehalten wurde. Esme holte italienisches Essen – richtige Leckereien aus Port Angeles – und Alice hatte meine Lieblingsfilme besorgt. Selbst Rosalie war da, sie hielt sich still im Hintergrund. Alice bestand tatsächlich auf der Pediküre, und ich fragte mich, ob sie irgendeine Liste abarbeitete – womöglich hatte sie das aus einer schlechten Sitcom.

»Wie lange willst du heute Abend aufbleiben?«, fragte sie, als meine Zehennägel blutrot schimmerten. Sie ließ sich von meiner schlechten Laune nicht beeindrucken.

»Ich will überhaupt nicht lange aufbleiben. Wir haben morgen Schule.«

Sie zog einen Flunsch.

»Wo soll ich eigentlich schlafen?« Skeptisch betrachtete ich das Sofa. Es war ein bisschen kurz. »Kannst du nicht bei mir zu Hause auf mich aufpassen?«

»Was wäre das denn für eine Pyjama-Party?« Alice schüttelte empört den Kopf. »Du schläfst in Edwards Zimmer.«

Ich seufzte. Sein schwarzes Ledersofa war tatsächlich länger als dieses hier. Und der goldene Teppich in seinem Zimmer war so dick, dass der Fußboden wahrscheinlich auch keine schlechte Alternative wäre.

»Kann ich wenigstens noch mal nach Hause und meine Sachen holen?«

Sie grinste. »Schon erledigt.«

»Darf ich dein Telefon benutzen?«

»Charlie weiß, wo du bist.«

»Ich wollte nicht Charlie anrufen.« Ich runzelte die Stirn. »Du müsstest doch wissen, dass ich eine Verabredung absagen muss.«

»Ach so.« Sie überlegte. »Ich weiß nicht recht.«

»Alice!«, jammerte ich. »Komm schon!«

»Also gut«, sagte sie und huschte aus dem Zimmer. Eine halbe Sekunde später kam sie mit dem Mobiltelefon in der Hand zurück. »Er hat es jedenfalls nicht ausdrücklich verboten«, murmelte sie, als sie es mir überreichte.

Ich wählte Jacobs Nummer und hoffte, dass er nicht gerade mit seinen Freunden unterwegs war. Ich hatte Glück – er ging selbst ans Telefon.

»Hallo?«

»Hallo, Jake, ich bin's.« Alice sah mich einen Augenblick ausdruckslos an, dann drehte sie sich um und setzte sich zwischen Rosalie und Esme aufs Sofa.

»Hi, Bella«, sagte Jacob. Er klang plötzlich misstrauisch. »Was gibt's?«

»Nichts Gutes. Ich kann Samstag doch nicht kommen.«
Er schwieg einen Moment. »Dämlicher Blutsauger«, sagte er
dann leise. »Ich dachte, er wär weg. Darfst du nicht einmal leben,
wenn er weg ist? Oder sperrt er dich in einen Sarg?«
Ich lachte.
»Das ist überhaupt nicht witzig.«
»Ich lache nur, weil du so nah dran bist«, sagte ich. »Aber Samstag ist er wieder zurück, also wäre es sowieso nicht gegangen.«
»Dann frisst er in Forks?«, fragte Jacob schneidend.
»Nein.« Ich ließ mich nicht provozieren. Schließlich war ich
fast so wütend wie er. »Er ist einfach früher losgefahren.«
»Ach so. Na, dann komm doch jetzt vorbei«, sagte er, auf einmal ganz begeistert. »Ist ja noch nicht so spät. Oder ich komme
zu euch.«
»Das wär schön. Aber ich bin nicht zu Hause«, sagte ich verdrossen. »Ich werde sozusagen gefangen gehalten.«
Als er den Sinn meiner Worte erfasste, wurde er still, dann
knurrte er. »Wir kommen und holen dich«, sagte er entschieden. Automatisch verfiel er in den Plural.
Es lief mir kalt über den Rücken, aber ich antwortete in
neckendem Ton. »Sehr verlockend. Ich werde hier ganz schön
gefoltert – Alice hat mir die Zehennägel lackiert.«
»Ich meine es ernst.«
»Lieber nicht. Sie wollen mich nur beschützen.«
Er knurrte wieder.
»Ich weiß, dass es lächerlich ist, aber sie haben das Herz auf
dem richtigen Fleck.«
»Das Herz!«, rief er höhnisch.
»Tut mir leid wegen Samstag«, sagte ich. »Ich muss jetzt ins
Bett« – aufs Sofa, verbesserte ich mich in Gedanken –, »aber ich
ruf dich bald wieder an.«

»Bist du dir sicher, dass sie das erlauben?«, fragte er in ätzendem Ton.

»Nicht ganz.« Ich seufzte. »Gute Nacht, Jake.«

»Bis dann.«

Plötzlich war Alice neben mir und streckte die Hand nach dem Telefon aus, aber ich wählte schon wieder.

»Ich glaube nicht, dass er sein Telefon dabeihat«, sagte sie, als sie die Nummer sah.

»Ich spreche ihm auf die Mailbox.«

Es klingelte viermal, dann kam ein Piepton. Keine Ansage.

»Du hast ein großes Problem«, sagte ich und betonte jedes einzelne Wort. »Ein riesiges Problem. Wütende Grizzlybären sind nichts gegen das, was dich zu Hause erwartet.«

Ich klappte das Telefon zu und legte es Alice in die ausgestreckte Hand. »Das war's.«

Sie grinste. »Ist ganz lustig, dich als Geisel zu haben.«

»Ich geh jetzt schlafen«, verkündete ich und ging zur Treppe. Alice folgte mir auf dem Fuß.

»Alice«, sagte ich seufzend. »Ich hau schon nicht ab. Wenn ich das vorhätte, wüsstest du es, und wenn ich es versuchen würde, würdest du mich wieder einfangen.«

»Ich möchte dir nur zeigen, wo du alles findest«, sagte sie unschuldig.

Edwards Zimmer lag ganz am Ende des Flurs im zweiten Stock, nicht zu verfehlen, selbst wenn ich das riesige Haus nicht so gut gekannt hätte. Doch als ich das Licht einschaltete, stutzte ich. Hatte ich mich in der Tür geirrt?

Alice kicherte.

Es war dasselbe Zimmer, merkte ich jetzt, aber es war umgeräumt worden. Das Sofa war an die nördliche Wand gerückt worden, und die Stereoanlage stand vor dem riesigen CD-Regal, damit das gigantische Bett hineinpasste, das jetzt den größten Teil des Raums einnahm.

Die südliche Wand war aus Glas, und darin spiegelte sich das Bett, was es doppelt so schlimm machte.

Alles war aufeinander abgestimmt. Die Bettdecke war mattgolden, eine Nuance heller als die Wände. Das Bettgestell bestand aus schwarzem, fein gearbeitetem Schmiedeeisen. Metallrosen rankten sich an den hohen Pfosten entlang und bildeten oben ein laubenähnliches Gitter. Mein Schlafanzug lag ordentlich gefaltet am Fußende, meine Kulturtasche auf einer Seite des Bettes.

»Was soll das alles?«, stieß ich hervor.

»Du hast doch nicht im Ernst gedacht, er würde dich auf dem Sofa schlafen lassen, oder?«

Ich murmelte etwas Unverständliches, dann nahm ich meine Sachen vom Bett.

»Ich lasse dich jetzt allein.« Alice lachte. »Bis morgen früh.«

Nachdem ich mich umgezogen und die Zähne geputzt hatte, schnappte ich mir ein dickes Federkissen von dem riesigen Bett und zog die goldene Decke zum Sofa. Ich wusste, dass ich mich albern benahm, aber das war mir egal. Ein Porsche als Bestechungsgeld und Himmelbetten in Häusern, in denen niemand schlief – das war mehr als ärgerlich. Ich schaltete das Licht aus und legte mich aufs Sofa, obwohl ich nicht wusste, ob ich mit so einer Wut im Bauch überhaupt schlafen konnte.

Im Dunkeln war die gläserne Wand kein schwarzer Spiegel mehr, der den Raum verdoppelte. Das Mondlicht ließ die Wolken vor dem Fenster leuchten. Als meine Augen sich an die Dunkelheit gewöhnt hatten, sah ich, dass das diffuse Licht die Baumwipfel erhellte und einen kleinen Streifen des Flusses glitzern ließ. Ich schaute in das Silberlicht und wartete darauf, dass mir die Lider schwer würden.

Da klopfte es leise an der Tür.

»Alice, was ist?«, zischte ich. Ich wappnete mich für die belustigte Miene, mit der sie auf mein improvisiertes Bett reagieren würde.

»Ich bin's«, sagte Rosalie leise und öffnete die Tür einen Spalt weit, so dass der silberne Schein auf ihr makelloses Gesicht fiel. »Darf ich hereinkommen?«

KEIN HAPPY END

Unschlüssig blieb Rosalie in der Tür stehen. Ihr atemberaubend schönes Gesicht verriet Unsicherheit.

»Klar«, sagte ich, meine Stimme vor Überraschung eine Oktave zu hoch. »Komm rein.«

Ich setzte mich auf und rückte ans Sofaende, um ihr Platz zu machen. Mein Magen zog sich nervös zusammen, als sich Rosalie, von der ich wusste, dass sie mich nicht leiden konnte, leise auf den freien Platz setzte. Ich überlegte, weshalb sie mich wohl sehen wollte, aber mir fiel nichts ein.

»Könnten wir kurz miteinander reden?«, fragte sie. »Ich habe dich doch nicht geweckt, oder?« Ihr Blick schweifte zu dem leeren Bett und dann wieder zum Sofa.

»Nein, ich war noch wach. Klar können wir reden.« Ich fragte mich, ob sie wohl die Panik in meiner Stimme hörte.

Sie lachte leise, und es klang wie ein Glockenspiel. »Er lässt dich so selten allein«, sagte sie. »Da wollte ich die Gelegenheit nutzen.«

Was hatte sie mir zu sagen, was sie nicht auch vor Edward sagen konnte? Nervös nestelte ich an der Bettdecke.

»Bitte halte mich nicht für aufdringlich«, sagte Rosalie. Ihre Stimme war sanft, fast flehend. Sie faltete die Hände im Schoß und hielt den Blick gesenkt, während sie sprach. »Gewiss habe ich deine Gefühle in der Vergangenheit schon oft genug verletzt, und das möchte ich nicht mehr tun.«

»Mach dir keine Gedanken, Rosalie. Meinen Gefühlen geht's super. Was gibt's?«

Sie lachte wieder, sie schien verlegen zu sein. »Ich möchte versuchen dir zu erklären, weshalb du ein Mensch bleiben solltest – weshalb ich an deiner Stelle ein Mensch bleiben würde.«

»Aha«, sagte ich erschrocken.

Sie lächelte, dann seufzte sie.

»Hat Edward dir je erzählt, wie es dazu gekommen ist?«, fragte sie und zeigte auf ihren göttlichen, unsterblichen Körper.

Ich nickte langsam, auf einmal wurde ich trübsinnig. »Er sagte, es war so ähnlich wie das, was mir damals in Port Angeles passiert ist, nur dass dir niemand zur Rettung kam.« Bei der Erinnerung schauderte ich.

»Mehr hat er dir nicht gesagt?«, fragte sie.

»Nein«, sagte ich verwirrt. »War da noch mehr?«

Sie sah mich an und lächelte; ihre Miene war jetzt hart und bitter, aber sie sah immer noch wunderschön aus.

»Ja«, sagte sie. »Da war noch mehr.«

Ich wartete, während sie aus dem Fenster schaute. Es sah so aus, als ob sie versuchte sich zu beruhigen.

»Möchtest du meine Geschichte hören, Bella? Sie hat kein Happy End – aber welche unserer Geschichten hat das schon? Wenn sie ein Happy End hätten, lägen wir jetzt alle friedlich unter der Erde.«

Ich nickte, obwohl der Unterton in ihrer Stimme mir Angst machte.

»Ich lebte in einer anderen Welt als du, Bella. Meine Welt war viel einfacher. Es war 1933. Ich war achtzehn und sehr schön. Mein Leben war vollkommen.«

Sie starrte zu den silbernen Wolken, ihr Blick war in weite Ferne gerichtet.

»Meine Eltern waren durch und durch bürgerlich. Mein Vater hatte eine sichere Stellung in der Bank. Im Nachhinein ist mir klargeworden, dass er sich darauf etwas einbildete – er betrachtete seinen Wohlstand als gerechten Lohn für Talent und harte Arbeit und sah nicht, dass er auch Glück gehabt hatte. Ich hielt das alles für selbstverständlich; bei uns zu Hause schien die Weltwirtschaftskrise nur ein dummes Gerücht zu sein. Natürlich sah ich die armen Leute, die nicht so viel Glück gehabt hatten. Mein Vater vermittelte mir den Eindruck, sie seien an ihrem Elend selbst schuld.

Die Aufgabe meiner Mutter bestand darin, das Haus in tadelloser Ordnung zu halten und für mich und meine beiden kleinen Brüder zu sorgen. Es war offensichtlich, dass ich ihr Augenstern war. Damals verstand ich es nicht richtig, aber mir war immer undeutlich bewusst, dass meine Eltern mit dem, was sie hatten, nicht zufrieden waren, obwohl sie doch so viel mehr hatten als die meisten. Sie wollten noch mehr. Sie wollten höher hinaus – man könnte sie wohl als gesellschaftliche Aufsteiger bezeichnen. Meine Schönheit war für sie wie ein Geschenk. Sie sahen darin ein viel größeres Potenzial als ich.

Sie waren nicht zufrieden, ich schon. Ich war überglücklich, ich selbst zu sein, Rosalie Hale. Es freute mich, dass die Blicke der Männer mir von meinem zwölften Lebensjahr an überallhin folgten. Dass meine Freundinnen neidvoll seufzten, wenn sie mein Haar berührten. Dass meine Mutter stolz auf mich war und mein Vater mir gern schöne Kleider kaufte.

Ich wusste, was ich im Leben wollte, und es schien ausgeschlossen, dass mir das verwehrt sein sollte. Ich wollte geliebt und angehimmelt werden. Ich wollte eine große, bombastische

Hochzeit, alle in der Stadt sollten sehen, wie mein Vater mich zum Altar führte, und ich wollte die schönste Braut sein, die es je gegeben hatte. Ich brauchte die Bewunderung der anderen wie die Luft zum Atmen, Bella. Ich war albern und oberflächlich, aber ich war zufrieden.« Sie lächelte über diese Selbsterkenntnis.

»Durch den Einfluss meiner Eltern strebte auch ich nach materiellem Wohlstand. Ich wünschte mir ein großes, stilvoll möbliertes Haus, das jemand anders für mich sauber hielt, und eine moderne Küche, in der jemand anders für mich kochte. Wie gesagt, ich war oberflächlich. Jung und sehr oberflächlich. Und ich sah keinen Grund, weshalb sich meine Wünsche nicht erfüllen sollten.

Einige wenige Wünsche hatte ich, die etwas tiefer gingen. Vor allem einen. Meine allerbeste Freundin hieß Vera. Sie heiratete jung, mit siebzehn Jahren. Sie hatte einen Mann erwählt, den meine Eltern niemals für mich in Betracht gezogen hätten – einen Zimmermann. Im Jahr darauf bekam sie einen Sohn, einen wunderschönen kleinen Jungen mit Grübchen und schwarzen Locken. Zum ersten Mal in meinem Leben empfand ich tiefen Neid auf jemand anderen.«

Rosalies Blick war unergründlich. »Es waren andere Zeiten. Ich war genauso alt wie du, doch ich war zu allem bereit. Ich sehnte mich danach, selbst ein Baby zu bekommen. Ich wollte ein eigenes Haus haben und einen Mann, der mich küsste, wenn er von der Arbeit nach Hause kam – so wie Vera. Nur dass ich ein ganz anderes Haus im Sinn hatte …«

Ich konnte mir die Welt, in der Rosalie gelebt hatte, kaum vorstellen. Ihre Geschichte klang für mich eher wie ein Märchen als wie etwas, das sich wirklich zugetragen hatte. Ich erschrak ein wenig, als mir klarwurde, dass Edward als Mensch in einer ganz ähnlichen Welt gelebt hatte wie Rosalie. Während Rosalie schweigend dasaß, fragte ich mich, ob meine Welt Edward wohl ähnlich fremd vorkam wie Rosalies mir.

Rosalie seufzte, und als sie weitersprach, klang ihre Stimme anders, ohne jede Wehmut.

»In Rochester gab es eine tonangebende Familie – passenderweise hießen sie King. Royce King war der Besitzer der Bank, für die mein Vater arbeitete, außerdem gehörten ihm fast alle anderen gutgehenden Geschäfte in der Stadt. So lernte sein Sohn, Royce King der Zweite«, – sie verzerrte den Mund bei dem Namen – »mich kennen. Er sollte die Bank übernehmen, und deshalb begann er die einzelnen Abteilungen genau zu überprüfen. Zwei Tage darauf vergaß meine Mutter rein zufällig, meinem Vater sein Mittagessen mitzugeben. Ich erinnere mich noch, wie irritiert ich war, als sie darauf bestand, dass ich mein Kleid aus weißem Organza anzog und die Haare aufdrehte, nur um zur Bank hinüberzugehen.« Rosalie lachte bitter.

»Mir fiel gar nicht auf, dass Royce mich besonders anschaute. Alle schauten mich an. Doch an jenem Abend kamen die ersten Rosen. Während er um mich warb, sandte er mir jeden Abend einen Rosenstrauß. Mein Zimmer quoll beinahe über davon. Es ging so weit, dass ich nach Rosen duftete, wenn ich das Haus verließ.

Royce war ein gutaussehender Mann. Er hatte hellere Haare als ich und blassblaue Augen. Er sagte, meine Augen hätten die Farbe von Veilchen, und von da an bekam ich außer Rosen auch Veilchen geschickt. Meine Eltern waren mit alldem einverstanden – um das Mindeste zu sagen. All ihre Träume erfüllten sich. Und mit Royce schienen sich auch all *meine* Träume zu erfüllen. Der Märchenprinz war gekommen, mich zur Prinzessin zu machen. Das war alles, was ich wollte, und doch nicht mehr als das, was ich erwartet hatte. Ich kannte ihn noch keine zwei Monate, als wir uns verlobten.

Wir waren nicht oft allein miteinander. Royce sagte, er hätte viel Arbeit, und außerdem gefiel es ihm, wenn die Leute uns anschauten und mich an seinem Arm sahen. Auch mir gefiel das. Es gab viele Feste, Bälle und schöne Kleider. Für einen King öffneten sich alle Türen, jeder rollte ihm einen roten Teppich aus, um ihn zu empfangen.

Die Verlobungszeit dauerte nicht lange. Schon bald wurden Pläne für die prunkvollste aller Hochzeiten gemacht. Ich sollte alles bekommen, was ich mir immer gewünscht hatte. Mein Glück war vollkommen. Wenn ich jetzt Vera besuchte, war ich nicht mehr neidisch. Ich stellte mir vor, wie meine blonden Kinder in den großen Gärten der Kings spielen würden, und Vera tat mir nur leid.«

Rosalie brach plötzlich ab und biss die Zähne zusammen. Ich wurde aus ihrer Geschichte gerissen und begriff, dass jetzt bald das Schreckliche kommen würde. Es gab kein Happy End, das hatte sie schon angekündigt. Ich fragte mich, ob sie wohl deshalb so viel bitterer war als die anderen Cullens – weil ihr Glück beinahe perfekt gewesen war, als ihr das Leben genommen wurde.

»An jenem Abend war ich bei Vera«, flüsterte Rosalie. Ihr Gesicht war glatt wie Marmor und ebenso hart. »Ihr kleiner Henry war wirklich entzückend mit seinen Grübchen, er lächelte die ganze Zeit – er konnte eben erst sitzen. Vera begleitete mich beim Abschied zur Tür, das Baby im Arm und ihren Mann an ihrer Seite. Er hatte ihr einen Arm um die Taille gelegt. Als er dachte, ich sähe nicht hin, küsste er sie auf die Wange. Ich stutzte. Wenn Royce mich küsste, war es anders – irgendwie nicht so sanft ... Ich schob den Gedanken beiseite. Royce war mein Prinz. Eines Tages würde ich Königin sein.«

Es war im Mondlicht kaum zu erkennen, aber es sah so aus, als würde ihr kalkweißes Gesicht noch blasser.

»Auf der Straße war es dunkel, die Laternen waren schon an. Ich hatte nicht bemerkt, wie spät es geworden war.« Ihr Flüstern war jetzt fast unhörbar. »Und es war kalt. Sehr kalt für Ende April. Es war nur noch eine Woche bis zur Hochzeit, und während ich nach Hause lief, machte ich mir Sorgen wegen des Wetters – daran erinnere ich mich noch genau. Ich erinnere mich an jede Einzelheit dieses Abends. Ich klammerte mich so sehr daran ... am Anfang. Ich dachte an nichts anderes. Deshalb weiß ich das noch alles, während so viele andere Erinnerungen vollkommen verblasst sind ...«

Sie seufzte und erzählte flüsternd weiter. »Ja, ich machte mir Sorgen wegen des Wetters ... Die Hochzeitsfeier sollte im Freien stattfinden ...

Ich war nur noch wenige Straßen von unserem Haus entfernt, als ich die Stimmen hörte. Eine Gruppe von Männern unter einer kaputten Laterne, die zu laut lachten. Betrunkene. Ich bereute, dass ich meinen Vater nicht gebeten hatte, mich abzuholen, doch der Weg war so kurz, dass es mir albern vorgekommen war. Und dann rief er mich.

›Rose!‹, brüllte er, und die anderen lachten dümmlich. Erst jetzt fiel mir auf, dass die Betrunkenen elegant gekleidet waren. Es waren Royce und einige seiner Freunde, alles Söhne reicher Männer.

›Da kommt meine Rose!‹, rief Royce und stimmte in ihr dümmliches Gelächter ein. ›Du bist spät dran. Wir frieren, du hast uns so lange warten lassen.‹

Ich hatte ihn bis dahin nie trinken sehen. Hier und da ein Glas zum Anstoßen auf einem Fest. Er hatte mir erzählt, er trinke nicht gern Champagner. Ich hatte nicht begriffen, dass er lieber härtere Sachen trank.

Ein neuer Freund – der Freund eines Freundes – war aus Atlanta gekommen.

›Na, hab ich dir zu viel versprochen, John?‹, grölte Royce, während er mich am Arm packte und näher zu sich heranzog. ›Ist sie nicht süßer als sämtliche Pfirsiche in Georgia?‹

Der Mann namens John war dunkelhaarig und braun gebrannt. Er betrachtete mich wie ein Pferd, das er kaufen wollte.

›Schwer zu sagen‹, sagte er lallend. ›Sie ist ja ganz eingepackt.‹ Sie lachten, Royce ebenso wie die anderen. Plötzlich riss Royce mir die Jacke von den Schultern; sie war ein Geschenk von ihm. Die Messingknöpfe rissen ab und fielen klirrend auf die Straße.

›Zeig ihm, wie du aussiehst, Rose!‹ Er lachte wieder und riss mir den Hut vom Kopf. Mit den Nadeln wurden Haare ausgerissen, und ich schrie vor Schmerz auf. Das schien ihnen zu gefallen – meinen Schmerz zu hören …«

Plötzlich schaute Rosalie mich an, als hätte sie ganz vergessen, dass ich da war. Bestimmt war mein Gesicht genauso weiß wie ihres. Oder auch grün.

»Den Rest erspare ich dir«, sagte sie ruhig. »Sie ließen mich auf der Straße liegen und torkelten lachend davon. Sie dachten, ich sei tot. Sie zogen Royce damit auf, dass er sich jetzt eine neue Braut suchen müsse. Er lachte und sagte, er müsse erst lernen, sich in Geduld zu üben.

Ich lag auf der Straße und wartete auf den Tod. Es war kalt, und ich wunderte mich darüber, dass ich die Kälte trotz der entsetzlichen Schmerzen spürte. Es begann zu schneien und ich fragte mich, warum ich nicht starb. Ich wollte, dass endlich der Tod kam und den Schmerzen ein Ende bereitete. Es dauerte so lange …

Da fand Carlisle mich. Er hatte das Blut gerochen und war gekommen, um mich zu untersuchen. Ich weiß noch, dass es mich ein wenig ärgerte, dass er mich behandelte und versuchte mir das Leben zu retten. Ich hatte Dr. Cullen nie gemocht, ebenso wenig wie seine Frau und deren Bruder – als der Edward sich damals ausgab. Es fuchste mich, dass sie alle schöner waren als ich, insbesondere dass die Männer schöner waren. Aber da sie nicht am gesellschaftlichen Leben teilnahmen, hatte ich sie erst ein- oder zweimal gesehen. Als Carlisle mich hochhob und mit mir davonrannte, glaubte ich zu fliegen und dachte, ich sei schon tot. Ich weiß noch, wie entsetzt ich war, dass der Schmerz trotzdem nicht nachließ … Dann befand ich mich in einem hellen Raum und es war warm. Ich verlor das Bewusstsein und war dankbar dafür, dass der Schmerz dumpfer wurde. Doch plötzlich spürte ich etwas Messerscharfes an der Kehle, an den Handgelenken und an den Fesseln. Ich schrie entsetzt auf, weil ich dachte, er hätte mich dorthin gebracht, um mir noch mehr Schmerzen zuzufügen. Dann brannte mein Körper wie Feuer und alles andere war mir gleichgültig. Ich bat ihn, mich zu töten. Als Esme und Edward nach Hause kamen, bat ich auch sie, mich zu erlösen. Carlisle saß bei mir. Er hielt meine Hand und sagte, es tue ihm so leid, aber der Schmerz werde vergehen. Er erzählte mir alles, und manchmal hörte ich zu. Er erzählte mir, was er war und was aus mir werden würde. Ich glaubte ihm nicht. Jedes Mal, wenn ich schrie, entschuldigte er sich.

Edward war nicht glücklich über das Ganze. Ich weiß noch, dass sie über mich sprachen. Manchmal hörte ich auf zu schreien. Das Schreien half nicht.

›Was hast du dir dabei gedacht, Carlisle?‹, sagte Edward. ›Rosalie Hale?‹« Rosalie traf Edwards verärgerten Ton ganz genau. »Es gefiel mir gar nicht, wie er meinen Namen aussprach, als ob irgendwas mit mir nicht stimmte.

›Ich konnte sie nicht einfach sterben lassen‹, sagte Carlisle ruhig. ›Das war zu viel – zu entsetzlich, solch eine Vergeudung.‹

›Ich weiß‹, sagte Edward, und das klang so, als interessiere ihn das alles nicht. Das machte mich wütend. Damals wusste ich noch nicht, dass er genau sehen konnte, was Carlisle gesehen hatte.

›Es war solch eine Vergeudung. Ich konnte sie nicht dort liegen lassen‹, flüsterte Carlisle wieder.

›Natürlich nicht‹, sagte Esme.

›Tagtäglich sterben Menschen‹, sagte Edward mit harter Stimme. ›Glaubst du nicht, dass sie ein wenig zu leicht zu erkennen ist? Die Kings werden eine große Suchaktion veranlassen – damit nur ja niemand den Satan verdächtigt‹, sagte er wütend.

Immerhin wussten sie, dass Royce der Schuldige war, das war mir ein Trost. Ich hatte nicht bemerkt, dass ich es fast überstanden hatte – dass ich stärker wurde und mich deshalb auf das konzentrieren konnte, was sie sagten. Der Schmerz verschwand langsam.

›Was sollen wir mit ihr machen?‹, fragte Edward angewidert – so klang es jedenfalls in meinen Ohren.

Carlisle seufzte. ›Das ist ihre Entscheidung. Vielleicht möchte sie ihrer eigenen Wege gehen.‹

Ich hatte von dem, was er mir erzählt hatte, so viel mitbekommen, dass ich über seine Worte erschrak. Ich wusste, dass mein Leben vorbei war und dass es kein Zurück gab. Die Vorstellung, allein dazustehen, war mir unerträglich … Endlich war der Schmerz vorüber und sie erklärten mir noch einmal, was ich war. Diesmal glaubte ich ihnen. Ich spürte den Durst, meine harte Haut, ich sah meine blutroten Augen. Oberflächlich, wie ich war, versöhnte mich der Anblick meines Spiegelbildes. Trotz der Augen war ich das Schönste, was ich je gesehen hatte.« Sie lachte kurz über sich selbst.»Es dauerte eine Weile, bis ich meine Schönheit für das verantwortlich machte, was mir zugestoßen war, und erkannte, dass sie ein Fluch war. Bis ich mir wünschte, ich wäre … nun ja, nicht hässlich, aber durchschnittlich. Wie Vera. So dass es mir vergönnt gewesen wäre, jemanden zu heiraten, der *mich* liebte, und Babys zu bekommen. Denn das hatte ich mir ja eigentlich die ganze Zeit gewünscht. Ich finde immer noch nicht, dass das zu viel verlangt war.«

Einen Augenblick war sie nachdenklich, und ich fragte mich, ob sie mich schon wieder vergessen hatte. Doch dann lächelte sie mich an, jetzt mit einem triumphierenden Ausdruck.

»Ich habe fast so eine reine Weste wie Carlisle«, sagte sie. »Ich bin besser als Esme. Tausendmal besser als Edward. Ich habe nie menschliches Blut gekostet«, sagte sie stolz.

Mein verwirrter Blick verriet ihr, dass ich mich fragte, weshalb sie nur *fast* eine so reine Weste hatte.

»Ich habe fünf Menschen ermordet«, sagte sie selbstzufrieden. »Wenn man sie denn als *Menschen* bezeichnen will. Doch ich war sehr darauf bedacht, dabei kein Blut zu vergießen – ich wusste, dass ich nicht hätte widerstehen können, und ich wollte nichts von ihnen *in* mir haben. Royce hob ich mir bis zuletzt auf. Ich hoffte, dass er von dem Tod seiner Freunde erfahren und begreifen würde, was ihm blühte. Ich hoffte, dass die Angst das Ende für ihn noch schlimmer machen würde. Ich glaube, das ist mir gelungen. Als ich ihn fand, hielt er sich in einem fensterlosen Raum versteckt, hinter Mauern so dick wie die eines Tresorraums, mit bewaffneten Männern davor. Ups, sieben Morde«, verbesserte sie sich. »Ich hatte seine Wachen vergessen. Mit denen war ich im Handumdrehen fertig.

Ich benahm mich sehr theatralisch. Ziemlich kindisch eigentlich. Ich trug ein Brautkleid, das ich eigens für diesen Anlass gestohlen hatte. Als er mich sah, schrie er. Er schrie viel in jener Nacht. Es war eine gute Idee, ihn bis zum Schluss aufzuheben – dadurch konnte ich mich leichter beherrschen und es in die Länge ziehen ...«

Plötzlich brach sie ab und schaute mich an. »Entschuldige«, sagte sie beschämt. »Ich jage dir Angst ein, oder?«

»Nein, gar nicht«, log ich.

»Ich habe mich hinreißen lassen.«

»Kein Problem.«

»Es wundert mich, dass Edward dir nicht davon erzählt hat.«

»Er spricht nicht gern über andere – er hat dann das Gefühl, Geheimnisse auszuplaudern, weil er so viel mehr hört als das, was sie ihm erzählen.«

Lächelnd schüttelte sie den Kopf. »Ich sollte wohl nicht so schlecht über ihn denken. Er ist eigentlich ganz in Ordnung, oder?«

»*Ich* finde schon.«

»Das kann ich mir vorstellen.« Sie seufzte. »Dir gegenüber war ich auch ungerecht, Bella. Hat er dir erzählt, warum? Oder war ihm auch das zu vertraulich?«

»Er sagte, es läge daran, dass ich ein Mensch bin. Dass es für dich schwerer zu ertragen ist, wenn jemand von außen Bescheid weiß.«

Rosalie lachte ein melodisches Lachen. »Jetzt habe ich wirklich ein schlechtes Gewissen. Er war viel, viel netter, als ich es verdient habe.« Als sie lachte, wirkte sie warmherziger, als wäre zum ersten Mal in meinem Beisein eine Maske gefallen. »Wie der Junge lügen kann.« Sie lachte wieder.

»Er hat gelogen?«, fragte ich, plötzlich auf der Hut.

»Nun ja, das ist vielleicht etwas zu hart ausgedrückt. Er hat dir nur nicht die ganze Wahrheit erzählt. Was er dir erzählt hat, stimmte schon, jetzt sogar mehr denn je. Doch damals ...« Sie brach ab und kicherte nervös. »Es ist so peinlich. Am Anfang war ich nämlich vor allem eifersüchtig, weil er *dich* wollte und nicht mich.«

Ihre Worte jagten mir einen Angstschauer durch den Körper. Wie sie da in dem silbernen Licht saß, war sie das schönste Wesen, das ich mir vorstellen konnte. Gegen sie hatte ich keine Chance.

»Aber du liebst doch Emmett ...«, murmelte ich.

Sie schüttelte belustigt den Kopf. »Ich begehre Edward nicht, Bella. Das war nie so – ich liebe ihn als Bruder, aber gleichzeitig ärgere ich mich über ihn, seit ich ihn zum ersten Mal sprechen hörte. Du musst verstehen ... ich war es immer gewohnt, dass die Leute *mich* wollten. Edward dagegen war nicht im Geringsten an mir interessiert. Am Anfang war ich enttäuscht darüber, ja, beleidigt. Doch da er niemals irgendjemanden wollte, hat es mich nicht lange beschäftigt. Selbst als wir zum ersten Mal Tanyas Familie in Denali kennenlernten – all die Frauen dort! –, zeigte Edward nie das leiseste Interesse. Und dann kamst du.«

Sie sah mich verwirrt an. Ich bemerkte es kaum. Ich dachte an Edward und Tanya und *all die Frauen* und presste die Lippen fest zusammen.

»Nicht, dass du nicht hübsch wärest, Bella«, sagte Rosalie, die meinen Gesichtsausdruck falsch deutete. »Aber das bedeutete, dass er dich attraktiver fand als mich. Eitel, wie ich bin, machte mir das etwas aus.«

»Aber du hast gesagt ›am Anfang‹. Jetzt macht dir das doch nichts mehr aus, oder? Ich meine, wir wissen doch beide, dass du die Schönste auf der ganzen Welt bist.«

Ich lachte darüber, dass ich es aussprechen musste – es war so selbstverständlich. Wie merkwürdig, dass Rosalie solche Versicherungen brauchte.

Auch Rosalie lachte. »Danke, Bella. Und nein, es macht mir nichts mehr aus. Edward war schon immer ein wenig sonderbar.« Sie lachte wieder.

»Aber du magst mich immer noch nicht«, flüsterte ich.

Ihr Lächeln erstarb. »Das tut mir leid.«

Eine Weile saßen wir schweigend da, ohne dass sie Anstalten machte weiterzusprechen.

»Kannst du mir sagen, weshalb? Hab ich irgendwas getan …?« War sie wütend auf mich, weil ich ihre Familie – ihren Emmett – in Gefahr brachte? Immer wieder. Erst James, jetzt Victoria …

»Nein, du hast nichts getan«, murmelte sie. »Noch nicht.«

Ich starrte sie verwirrt an.

»Verstehst du denn nicht, Bella?« Nicht einmal als sie ihre eigene, unglückliche Geschichte erzählt hatte, hatte sie so leidenschaftlich geklungen. »Du hast doch schon alles. Du hast ein ganzes Leben vor dir – alles, was ich mir wünsche. Und du willst es einfach wegwerfen. Begreifst du nicht, dass ich alles geben würde, um an deiner Stelle zu sein? Du hast die Wahl, die ich nicht hatte, und du bist dabei, dich falsch zu entscheiden.«

Ich zuckte vor ihrer grimmigen Miene zurück. Ich merkte, dass mein Mund offen stand, und klappte ihn zu.

Sie starrte mich lange an, und langsam erlosch das Feuer in ihrem Blick. Auf einmal schämte sie sich.

»Und ich war mir so sicher, dass es mir gelingen würde, ruhig zu bleiben.« Sie schüttelte den Kopf, offenbar leicht benommen von den vielen Gefühlen. »Das kommt nur daher, dass es jetzt schwerer ist als damals, als es bloße Eitelkeit war.«

Stumm starrte sie zum Mond. Es dauerte eine Weile, bis ich mich traute, ihre Gedanken zu stören.

»Würdest du mich lieber mögen, wenn ich mich dafür entscheiden würde, ein Mensch zu bleiben?«

Sie drehte sich zu mir um und verzog den Mund zu der Andeutung eines Lächelns. »Vielleicht.«

»Aber du hast dein Happy End schließlich doch noch bekommen«, sagte ich. »Du hast Emmett.«

»Ich bekam es zu Hälfte.« Sie grinste. »Du weißt, dass ich Emmett vor einem Bären gerettet habe, der dabei war, ihn zu zerfleischen, und ihn nach Hause zu Carlisle brachte. Aber kannst du dir denken, weshalb ich verhindert habe, dass der Bär ihn auffraß?«

Ich schüttelte den Kopf.

»Mit den dunklen Locken … und den Grübchen, die man sogar in seinem schmerzverzerrten Gesicht sehen konnte … diesem unschuldigen Ausdruck, der so gar nicht zu einem erwachsenen Mann passen wollte … erinnerte er mich an Veras kleinen Henry. Ich wollte nicht, dass er starb – und sosehr ich dieses Dasein hasste, war ich selbstsüchtig genug, um Carlisle zu bitten, ihn für mich zu verwandeln.

Ich hatte mehr Glück, als mir zustand. Emmett ist alles, was ich mir gewünscht hätte, wenn ich mich gut genug gekannt hätte, um zu wissen, was ich brauche. Er ist genau der Richtige für jemanden wie mich. Und so verrückt es klingt, er braucht mich auch. Was das betrifft, habe ich mehr, als ich zu hoffen wagte. Doch es wird immer nur uns beide geben. Ich werde nie irgendwo auf der Veranda sitzen, Emmett mit grauen Haaren neben mir, um uns herum unsere Enkelkinder.« Ihr Lächeln war jetzt sanft. »Das klingt für dich ziemlich befremdlich, oder? Einerseits bist du viel reifer, als ich es mit achtzehn war. Doch andererseits ... gibt es vieles, worüber du dir vermutlich noch nie ernsthaft Gedanken gemacht hast. Du bist zu jung, um jetzt schon zu wissen, was du in zehn, fünfzehn Jahren willst – und zu jung, um alles aufzugeben. Für etwas so Endgültiges sollte man sich nicht überstürzt entscheiden, Bella.« Sie tätschelte mir den Kopf, aber die Geste hatte nichts Herablassendes.

Ich seufzte.

»Überleg es dir einfach noch mal. Ist es einmal geschehen, kannst du es nicht mehr rückgängig machen. Esme hat uns als Kinderersatz ... und Alice hat keine Erinnerung an ihr Menschenleben, also kann sie es auch nicht vermissen ... Aber du wirst dich erinnern. Es ist sehr viel, was man aufgibt.«

Aber noch mehr, was man bekommt, dachte ich, doch ich sagte es nicht laut. »Danke, Rosalie. Schön, dass ich dich jetzt besser verstehe ... besser kenne.«

»Tut mir leid, dass ich so ein Monster bin.« Sie grinste. »Von jetzt an will ich versuchen, mich besser zu benehmen.«

Ich grinste zurück.

Wir waren immer noch keine Freundinnen, aber ich war mir ziemlich sicher, dass sie mich nicht bis in alle Ewigkeit hassen würde.

»Ich lasse dich jetzt schlafen.« Rosalies Blick schweifte zu dem Bett und sie verzog den Mund. »Ich weiß, du bist wütend, weil er dich hier gefangen hält, aber setz ihm nicht zu sehr zu, wenn er zurückkommt. Er liebt dich mehr, als du weißt. Es macht ihm Angst, von dir getrennt zu sein.« Sie erhob sich lautlos und schwebte zur Tür. »Gute Nacht, Bella«, flüsterte sie und schloss die Tür hinter sich.

»Gute Nacht, Rosalie«, murmelte ich eine Sekunde zu spät.

Es dauerte lange, bis ich einschlafen konnte.

Als ich endlich schlief, hatte ich einen Albtraum. Während leichter Schnee fiel, kroch ich über die dunklen, kalten Steine einer unbekannten Straße und hinterließ dabei eine verschmierte Blutspur. Ein schemenhafter Engel im langen weißen Kleid sah mir zornig zu.

Am nächsten Morgen fuhr Alice uns zur Schule, während ich mürrisch aus dem Fenster starrte. Ich fühlte mich unausgeschlafen, und das machte die Wut darüber, eingesperrt zu sein, nur noch größer.

»Heute Abend fahren wir nach Olympia oder so«, versprach sie. »Das wäre doch schön, oder?«

»Warum sperrst du mich nicht einfach im Keller ein?«, schlug ich vor, »und hörst auf Süßholz zu raspeln?«

Alice zog die Brauen zusammen. »Er nimmt mir den Porsche wieder weg. Ich mache meine Sache nicht besonders gut. Du sollst dich eigentlich amüsieren.«

»Es ist nicht deine Schuld«, murmelte ich. Jetzt hatte ich auch noch ein schlechtes Gewissen – nicht zu fassen. »Bis nachher beim Mittagessen.«

Ich trottete zum Englischunterricht. Ohne Edward würde der Tag unerträglich werden. Übellaunig ließ ich die erste Stunde über mich ergehen, wobei ich mir sehr wohl bewusst war, dass ich die Sache mit dieser Einstellung nicht gerade besser machte.

Als es zum Ende der Stunde klingelte, erhob ich mich ohne große Begeisterung. Mike hielt mir die Tür auf.

»Ist Edward dieses Wochenende wandern?«, fragte er freundlich, als wir in den Nieselregen traten.

»Ja.«

»Hast du Lust, heute Abend was zu unternehmen?«

Wie konnte er sich immer noch Hoffnungen machen?

»Geht nicht. Ich bin auf eine Pyjama-Party eingeladen«, grummelte ich. Er sah mich merkwürdig an, als er merkte, in was für einer Stimmung ich war.

»Mit wem ...«

Er wurde von einem lauten, röhrenden Geräusch hinter uns auf dem Parkplatz unterbrochen. Alle auf dem Gehweg ließen die Köpfe herumfahren und starrten ungläubig zu dem lärmenden schwarzen Motorrad, das kreischend am Wegrand zum Stehen kam, während der Motor immer noch brummte.

Jacob winkte mir ungeduldig.

»Komm schnell, Bella!«, schrie er über das Motorengeräusch hinweg.

Einen Augenblick war ich wie erstarrt, dann begriff ich.

Schnell schaute ich zu Mike; ich wusste, dass mir nur wenige Sekunden blieben.

Würde Alice so weit gehen, mich in aller Öffentlichkeit zurückzuhalten?

»Mir ist plötzlich total schlecht geworden und ich musste nach Hause, okay?«, sagte ich zu Mike. Ich merkte, wie aufgeregt ich klang.

»Gut«, murmelte er.

Ich gab ihm einen flüchtigen Kuss auf die Wange. »Danke, Mike. Dafür hast du was bei mir gut!«, rief ich und sauste davon.

Grinsend ließ Jacob den Motor aufheulen. Ich sprang hinter ihn auf den Sitz und schlang die Arme um seinen Oberkörper.

Ich sah, wie Alice versteinert in der Cafeteria saß, sie fletschte die Zähne und ihre Augen sprühten Funken.

Ich warf ihr einen flehenden Blick zu.

Dann rasten wir so schnell über den Asphalt, dass mein Magen irgendwo hinter mir zurückblieb.

»Halt dich fest!«, rief Jacob.

Ich verbarg das Gesicht an seinem Rücken, als er über die Landstraße bretterte. Ich wusste, dass er langsamer fahren würde, sobald wir die Grenze der Quileute erreicht hätten. Bis dahin musste ich durchhalten. Ich betete inständig, dass Alice uns nicht hinterherkam und dass Charlie uns nicht zufällig sah ...

Als wir auf der sicheren Seite waren, merkte ich es sofort. Jacob fuhr langsamer, er richtete sich auf und lachte brüllend. Ich schlug die Augen auf.

»Geschafft!«, rief er. »Nicht schlecht, der Gefängnisausbruch, was?«

»Gute Idee, Jake.«

»Mir fiel wieder ein, was du gesagt hattest – dass die Schwarzhaarige nicht sehen kann, was *ich* plane. Ich bin froh, dass *du* nicht darauf gekommen bist – dann hätte sie dich nicht in die Schule gelassen.«

»Deshalb hab ich auch nicht drüber nachgedacht.«

Er lachte triumphierend. »Wozu hast du heute Lust?«

»Zu allem!« Ich lachte auch. Es war ein herrliches Gefühl, frei zu sein.

WORTE IM ZORN

Schließlich landeten wir wieder am Strand, wo wir ziellos umherwanderten. Jacob war immer noch ganz begeistert darüber, wie er meine Flucht organisiert hatte.

»Glaubst du, sie suchen nach dir?«, fragte er. Es klang hoffnungsvoll.

»Nein«, sagte ich überzeugt. »Aber sie werden heute Abend stocksauer auf mich sein.«

Er hob einen Stein auf und warf ihn in die Wellen. »Dann bleib doch einfach hier«, schlug er wieder vor.

»Charlie wäre begeistert«, sagte ich sarkastisch.

»Ich wette, er hätte nichts dagegen.«

Ich gab keine Antwort. Wahrscheinlich hatte Jacob Recht, und ich knirschte mit den Zähnen. Es war einfach ungerecht, dass Charlie meine Quileute-Freunde so unverhohlen bevorzugte. Ich fragte mich, ob das auch so wäre, wenn er wüsste, dass es eine Wahl zwischen Vampiren und Werwölfen war.

»Und, gibt's einen neuen Skandal im Rudel?«, fragte ich leichthin.

Jacob blieb stehen und sah mich erschrocken an.

»Was ist? Das war nur ein Scherz.«

»Ach so.« Er wandte den Blick ab.

Ich wartete darauf, dass er weiterging, aber er schien in Gedanken versunken.

»Gibt es wirklich einen Skandal?«, fragte ich.

Jacob lachte leise. »Ich hatte fast vergessen, wie das ist, wenn nicht jeder immer alles von mir weiß. Einen stillen, geheimen Winkel in meinem Kopf zu haben.«

Ein paar Minuten gingen wir schweigend über den Steinstrand.

»Also, was gibt's?«, fragte ich schließlich. »Was wissen alle, die in deinen Kopf gucken können?«

Er zögerte, als wüsste er nicht recht, wie viel er mir erzählen sollte. Dann seufzte er und sagte: »Quil ist geprägt worden. Jetzt sind es schon drei. Wir anderen machen uns allmählich Sorgen. Vielleicht ist es doch verbreiteter, als die Legenden sagen ...« Er runzelte die Stirn, dann wandte er sich zu mir. Wortlos schaute er mir in die Augen, die Brauen konzentriert zusammengezogen.

»Was guckst du so?«, fragte ich. Ich fühlte mich befangen.

Er seufzte. »Nur so.«

Jetzt lief er weiter. Wie selbstverständlich nahm er meine Hand. Schweigend gingen wir über die Steine.

Ich dachte, dass wir bestimmt wie ein Pärchen aussahen, und überlegte, ob ich mich wehren sollte. Aber so war es immer mit Jacob gewesen – es gab keinen Grund, sich plötzlich darüber aufzuregen.

»Warum ist es so ein Skandal, dass Quil geprägt wurde?«, fragte ich, als er nicht weitersprach. »Weil er der Jüngste ist?«

»Damit hat das nichts zu tun.«

»Was ist es dann?«

»Es ist wieder so eine Legende. Wann hören wir endlich mal auf, uns darüber zu wundern, dass sie *alle* wahr sind?«, sagte er zu sich selbst.

»Erzählst du es mir jetzt? Oder soll ich raten?«

»Das errätst du nie. Weißt du, Quil hängt ja erst seit kurzem wieder so viel mit uns rum. Also war er vorher auch lange nicht mehr bei Emily.«

»Quil ist auch auf Emily geprägt worden?«, sagte ich entsetzt.

»Nein! Ich hab dir doch gesagt, du kannst es nicht erraten. Emily hatte Besuch von ihren beiden Nichten – und da lernte Quil Claire kennen.«

Er sprach nicht weiter. Ich dachte eine Weile darüber nach.

»Will Emily etwa nicht, dass ihre Nichte mit einem Werwolf zusammen ist? Das ist aber irgendwie widersinnig«, sagte ich.

Trotzdem konnte ich verstehen, weshalb ausgerechnet sie so empfand. Ich dachte wieder an die langen Narben, die von ihrem Gesicht bis zum rechten Arm gingen. Sam hatte nur ein einziges Mal die Beherrschung verloren, als sie zu nah bei ihm stand. Einmal genügte ... ich hatte gesehen, wie weh es Sam tat, wenn er sah, was er Emily angetan hatte. Es war nur logisch, dass Emily ihre Nichte vor so etwas beschützen wollte.

»Hörst du bitte mal auf rumzuraten? Du liegst total daneben. Emily hat nichts dagegen, dass er ein Werwolf ist; sie findet es nur, na ja, ein bisschen früh.«

»Was heißt *früh*?«

Jacob sah mich mit schmalen Augen an. »Versuch nicht vorschnell zu urteilen, ja?«

Ich nickte vorsichtig.

»Claire ist zwei«, sagte Jacob.

Es fing an zu regnen. Ich blinzelte wütend, als mir die Tropfen aufs Gesicht prasselten.

Jacob wartete schweigend. Wie üblich hatte er keine Jacke an; der Regen hinterließ schwarze Tupfen auf seinem T-Shirt und tropfte an seinen zottigen Haaren hinab.

»Quil … ist … auf eine *Zweijährige* geprägt worden?«, brachte ich schließlich heraus.

»Das kommt vor.« Jacob zuckte die Schultern. Er nahm noch einen Stein und warf ihn in die Bucht. »So erzählen es die Legenden.«

»Aber sie ist doch fast noch ein Baby«, sagte ich.

Er sah mich mit einem düsteren Lächeln an. »Quil wird ja nicht älter«, sagte er, leise Bitterkeit in der Stimme. »Er muss nur eine Weile warten, fünfzehn Jahre vielleicht.«

»Ich … weiß nicht, was ich dazu sagen soll.«

Ich gab mir alle Mühe, nicht darüber zu urteilen, aber in Wirklichkeit war ich schockiert. Seit ich herausgefunden hatte, dass die Werwölfe keine Mörder waren, hatte mich nichts an ihnen gestört, aber das hier …

»Du verurteilst uns«, sagte er vorwurfsvoll. »Ich seh es dir an.«

»Tut mir leid«, murmelte ich. »Aber es klingt echt gruselig.«

»Es ist nicht, wie du denkst.« Jetzt legte Jacob sich für seinen Freund ins Zeug. »Ich hab durch seine Augen gesehen, wie es ist. Das hat nichts mit romantischer Liebe zu tun, jedenfalls jetzt noch nicht.« Er holte tief Luft. »Es ist so schwer zu erklären. Es ist nicht wie Liebe auf den ersten Blick. Man kann es eher mit … einer Verlagerung der Schwerkraft vergleichen. In dem Moment, wo man *sie* sieht, ist es plötzlich, als würde man nicht mehr von der Erde angezogen, sondern von *ihr*. Nichts ist wichtiger als *sie*. Und man würde alles für sie tun, alles für sie sein … Man wird das, was sie gerade braucht, Beschützer oder Geliebter, Freund oder Bruder. Quil wird für Claire der beste, liebste Bruder der Welt sein. Kein Kind wird besser behütet werden als sie. Und wenn sie dann größer ist und einen Freund braucht, wird er verständnisvoller und zuverlässiger sein als jeder andere, den sie kennt. Und wenn sie schließlich erwachsen ist, werden die beiden genauso glücklich sein wie Emily und Sam.« In seinen letzten Worten schwang Bitterkeit mit.

»Hat Claire dabei gar nichts zu sagen?«

»Doch, klar. Aber warum sollte sie sich nicht für ihn entscheiden? Er wird der perfekte Mann für sie sein. Wie für sie geschaffen.«

Eine Weile gingen wir schweigend nebeneinanderher, bis ich kurz stehen blieb, um einen Stein ins Meer zu werfen. Er fiel ein paar Meter vorher auf den Strand. Jacob lachte mich aus.

»Kann ja nicht jeder so krankhaft stark sein«, murmelte ich. Er seufzte.

»Was glaubst du, wann es bei dir passiert?«, fragte ich leise. Die Antwort kam prompt und direkt. »Nie.«

»Darauf hat man doch keinen Einfluss, oder?«

Ein paar Minuten lang schwieg er. Unbewusst gingen wir beide langsamer, bis wir uns kaum noch bewegten.

»Eigentlich nicht«, gab er zu. »Aber man muss sie sehen – diejenige, die für einen bestimmt ist.«

»Und du glaubst, wenn du sie noch nicht gesehen hast, dann gibt es sie auch nicht?«, fragte ich skeptisch. »Jacob, du hast noch nicht so viel von der Welt gesehen – noch weniger als ich.«

»Das stimmt«, sagte er leise. Plötzlich sah er mich durchdringend an. »Aber ich werde nie jemand anderen sehen, Bella. Ich sehe nur dich. Selbst wenn ich die Augen schließe und versuche etwas anderes zu sehen. Frag Quil oder Embry. Es macht sie alle verrückt.«

Ich starrte zu Boden, auf die Steine.

Jetzt waren wir stehen geblieben. Es gab nur das Geräusch der Wellen, die gegen das Ufer schlugen. Ihr Tosen war so laut, dass der Regen nicht mehr zu hören war.

»Vielleicht ist es besser, wenn ich jetzt fahre«, flüsterte ich.

»Nein!«, rief er. Mit dieser Reaktion hatte er nicht gerechnet.

Ich schaute ihn an, er sah ängstlich aus.

»Du hast doch den ganzen Tag Zeit, oder? Der Blutsauger ist doch noch nicht zu Hause.«

Ich starrte ihn wütend an.

»Das sollte keine Beleidigung sein«, sagte er schnell.

»Ja, ich hab den ganzen Tag Zeit. Aber, Jake …«

Er hob die Hände. »Entschuldige. Ich hör schon auf. Jetzt bin ich einfach nur noch Jacob.«

Ich seufzte. »Aber wenn du so denkst …«

»Mach dir um mich keine Sorgen«, sagte er und lächelte breit, zu breit. »Ich weiß schon, was ich tue. Sag's mir einfach, wenn ich dich nerve.«

»Ich weiß nicht …«

»Komm schon, Bella. Los, wir gehen zurück und holen die Motorräder. So eine Maschine muss regelmäßig gefahren werden, damit sie gut läuft.«

»Ich glaube nicht, dass ich das darf.«

»Wer soll denn was dagegen haben? Charlie oder der Blut… – oder *er*?«

»Beide.«

Jacob grinste *mein* Grinsen, und jetzt war er auf einmal der Jacob, den ich am meisten vermisste, sonnig und warm.

Ich konnte nicht anders, als zurückzugrinsen.

Der Regen ließ nach, es nieselte nur noch.

»Ich sag's auch keinem weiter«, versprach er.

»Außer all deinen Freunden.«

Er schüttelte ernst den Kopf und hob die rechte Hand. »Ich schwöre, dass ich nicht daran denken werde.«

Ich lachte. »Falls ich mich verletze, bin ich gestolpert.«

»Genau.«

Wir fuhren mit den Motorrädern auf den Straßen außerhalb von La Push, bis sie vom Regen zu matschig waren und Jacob sagte, wenn er nicht bald etwas zu essen bekäme, würde er umfallen. Als wir ins Haus kamen, begrüßte Billy mich, als wäre es das Normalste von der Welt, dass ich gekommen war, um den Tag mit Jacob zu verbringen. Nachdem Jacob uns Sandwiches gemacht hatte und wir mit dem Essen fertig waren, gingen wir in die Werkstatt, und ich half ihm, die Motorräder zu putzen. Ich war seit Monaten nicht mehr hier gewesen – seit Edwards Rückkehr –, doch es schien keine besondere Bedeutung zu haben. Es war ein ganz gewöhnlicher Nachmittag in der Werkstatt.

»Wie schön«, sagte ich, als er die warmen Colas aus der Papiertüte holte. »Das hab ich vermisst.«

Er lächelte und schaute zu den zusammengeschraubten Wellblechwänden. »Ja, das kann ich gut verstehen. Die ganze Pracht des Tadsch Mahal, ohne die Kosten und Mühen einer Indienreise.«

»Auf das kleine Tadsch Mahal von Washington«, sagte ich und hob die Coladose.

Er stieß mit mir an.

»Weißt du noch, der letzte Valentinstag? Ich glaube, das war das letzte Mal, dass du hier warst – das letzte Mal, als alles noch … normal war, meine ich.«

Ich lachte. »Klar weiß ich das noch. Da hab ich lebenslange Knechtschaft gegen eine Schachtel Zuckerherzen getauscht. So was vergisst man nicht so leicht.«

Er stimmte in mein Lachen ein. »Das ist wahr. Hmmm, Knechtschaft. Da muss ich mir mal was Gutes einfallen lassen.« Er seufzte. »Es kommt mir vor, als wäre es Jahre her. Eine andere Ära. Eine glücklichere.«

Da konnte ich ihm nicht zustimmen. Ich erlebte jetzt meine glückliche Ära. Doch es überraschte mich, wie viel ich aus jener Zeit vermisste, die für mich so düster gewesen war. Ich starrte hinaus in den Wald. Der Regen war jetzt wieder stärker geworden, aber in der kleinen Werkstatt neben Jacob war es warm. Er war wie ein Ofen.

Er strich mir über die Hand. »Es hat sich wirklich viel verändert.«

»Ja«, sagte ich, und dann klopfte ich mit der Hand an das Hinterrad meines Motorrades. »Charlie hat mich ja gerade wieder ziemlich gern. Ich hoffe, Billy erzählt ihm nicht, was wir heute gemacht haben …« Ich biss mir auf die Lippe.

»Bestimmt nicht. Er regt sich nicht so schnell auf wie Charlie. Ach, übrigens hab ich mich ja nie offiziell für die blöde Aktion mit dem Motorrad entschuldigt. Tut mir leid, dass ich dich bei Charlie verpfiffen hab. Ich wünschte, ich könnt's rückgängig machen.«

»Ich auch.« Ich funkelte ihn an.

»Es tut mir echt wahnsinnig leid.«

Er sah mich hoffnungsvoll an, seine nassen schwarzen Haare standen in alle Himmelsrichtungen ab.

»Na gut. Ich verzeihe dir!«

»Danke, Bella!«

Wir grinsten uns einen Moment an, dann verfinsterte sich seine Miene.

»An dem Tag, als ich das Motorrad zu Charlie gebracht hab … da wollte ich dich eigentlich was fragen«, sagte er langsam. »Und gleichzeitig … wollte ich es nicht.«

Ich blieb ganz still sitzen. Das machte ich immer, wenn ich nervös war – eine Angewohnheit, die ich von Edward übernommen hatte.

»Warst du da nur so stur, weil du sauer auf mich warst, oder hast du das ernst gemeint?«, flüsterte er.

»Was denn?«, flüsterte ich, obwohl ich zu wissen glaubte, wovon er sprach.

Er sah mich finster an. »Du weißt schon. Als du gesagt hast, dass es mich nichts angeht ... wenn – wenn er dich beißt.« Er zuckte zusammen.

»Jake ...« Ich hatte so einen Kloß im Hals, dass ich nicht sprechen konnte.

Er schloss die Augen und atmete tief durch. »War das dein Ernst?«

Er zitterte ganz leicht und hielt die Augen geschlossen.

»Ja«, flüsterte ich.

Jacob holte Luft, lange und tief. »Wahrscheinlich hab ich das die ganze Zeit gewusst.«

Ich starrte ihn an und wartete darauf, dass er die Augen öffnete.

»Weißt du, was das bedeutet?«, fragte er plötzlich. »Das ist dir doch klar, oder? Was passiert, wenn sie den Vertrag brechen?«

»Wir gehen vorher weg«, sagte ich leise.

Jetzt riss er die Augen auf, Zorn und Schmerz im Blick. »Der Vertrag hat keine geographische Grenze, Bella. Unsere Urgroßväter waren nur einverstanden, den Frieden zu wahren, weil die Cullens geschworen haben, dass sie anders sind, dass sie keine Menschen gefährden. Sie haben versprochen, nie mehr irgendjemanden zu töten oder zu verwandeln. Wenn sie ihr Wort brechen, ist der Vertrag nichtig und sie sind nicht anders als alle anderen Vampire. Wenn es so ist und wir sie dann finden ...«

»Aber Jake, hast du den Vertrag nicht schon gebrochen?«, fragte ich, bereit, mich an jeden Strohhalm zu klammern. »War es euch nicht verboten, anderen von den Vampiren zu erzählen?

Und du hast mir davon erzählt. Ist der Vertrag dann überhaupt noch gültig?«

Daran wurde Jacob nicht gern erinnert, sein Blick wurde feindselig. »Ja, ich habe den Vertrag gebrochen – lange bevor ich irgendwas davon geglaubt habe. Und ich bin mir sicher, dass sie darüber Bescheid wissen.« Er starrte wütend auf meine Stirn und mied meinen beschämten Blick. »Aber das gibt ihnen noch lange keinen Freibrief. Ein Fehler kann nicht mit einem anderen vergolten werden. Wenn ihnen nicht passt, was ich getan habe, bleibt ihnen nur eine Wahl. Dieselbe Wahl, die wir haben, wenn sie den Vertrag brechen: Angriff. Krieg.«

So, wie er es sagte, klang es unausweichlich. Ich schauderte. »Jake, so muss es doch nicht kommen.«

Er knirschte mit den Zähnen. »So *ist* es aber.«

Das Schweigen nach seinen Worten dröhnte mir in den Ohren.

»Wirst du mir nie verzeihen, Jacob?«, flüsterte ich. Kaum hatte ich die Worte ausgesprochen, bereute ich sie schon. Ich wollte seine Antwort nicht hören.

»Du wirst nicht mehr Bella sein«, sagte er. »Meine Freundin gibt es dann nicht mehr. Da wird niemand sein, dem ich verzeihen könnte.«

»Das klingt nach einem Nein«, flüsterte ich.

Endlos lange schauten wir uns an.

»Ist das jetzt der Abschied, Jake?«

Er blinzelte schnell, die Überraschung vertrieb den Zorn aus seinem Blick. »Warum denn? Wir haben doch noch ein paar Jahre. Können wir nicht Freunde sein, bis es so weit ist?«

»Jahre? Nein, Jake, nicht Jahre.« Ich schüttelte den Kopf und lachte trocken. »*Wochen* kommt der Sache wohl näher.«

Auf seine Reaktion war ich nicht gefasst.

Blitzschnell sprang er auf die Füße und es gab einen lauten Knall. Die Coladose in seiner Hand war geplatzt, die Cola spritzte überallhin und machte mich nass.

»Jake!«, beschwerte ich mich, verstummte jedoch, als ich sah, dass er am ganzen Körper vor Wut zitterte. Zornbebend starrte er mich an, ein Knurren erhob sich in seiner Brust.

Starr vor Schreck stand ich da, ich wusste nicht mehr, wie man sich bewegt.

Das Beben wurde schneller, bis es so aussah, als ob er vibrierte. Sein Körper begann zu verschwimmen ...

Da biss Jacob die Zähne zusammen, das Knurren verstummte. Angestrengt kniff er die Augen zu; das Beben wurde schwächer, bis nur noch seine Hände zitterten.

»Wochen«, sagte er tonlos.

Ich konnte nichts sagen, ich war immer noch wie erstarrt.

Er schlug die Augen auf. Jetzt lag mehr als nur Zorn in seinem Blick.

»Er will dich in wenigen Wochen in einen dreckigen Blutsauger verwandeln!«, zischte er.

Ich war zu perplex, um beleidigt zu sein, und nickte stumm.

Sein Gesicht unter der rotbraunen Haut wurde grün.

»Natürlich, Jake«, flüsterte ich nach langem Schweigen. »Er ist siebzehn, Jacob. Und ich komme der Neunzehn mit jedem Tag näher. Außerdem, warum noch warten? Ich will nur ihn. Was bleibt mir anderes übrig?«

Das war als rhetorische Frage gemeint.

Seine Worte kamen wie Peitschenhiebe. »Alles. Alles andere. Es wäre besser, du wärst tot. Das wäre mir lieber.«

Ich wich zurück, als hätte er mich geschlagen. Seine Worte schmerzten mehr als ein Schlag.

Und als der Schmerz mich durchzuckte, verlor auch ich die Beherrschung.

»Vielleicht hast du ja Glück«, sagte ich hart und sprang auf.
»Vielleicht rase ich auf dem Rückweg in einen Laster.«
Ich schnappte mein Motorrad und schob es in den Regen.
Jacob rührte sich nicht, als ich an ihm vorbeiging. Sobald ich auf
dem kleinen, matschigen Weg war, stieg ich auf und ließ den
Motor mit einem Kickstart an. Das Hinterrad spritzte den
Matsch in Richtung Werkstatt, und ich hoffte, dass Jacob etwas
abbekam.

Auf der Fahrt über die glitschige Landstraße zum Haus der
Cullens wurde ich klatschnass. Es fühlte sich an, als würde der
Wind den Regen auf meiner Haut gefrieren. Schon auf halber
Strecke klapperten meine Zähne.

Motorräder waren einfach nichts für Washington. Ich beschloss, das blöde Ding bei der erstbesten Gelegenheit zu ver-
scherbeln.

Ich schob das Motorrad in die riesige Garage der Cullens. Es
überraschte mich nicht, dass Alice dort auf mich wartete. Lässig
saß sie auf der Kühlerhaube ihres Porsche und strich über den
glänzenden gelben Lack.

»Ich hatte noch gar keine Gelegenheit, damit zu fahren.« Sie
seufzte.

»Tut mir leid«, stieß ich zwischen klappernden Zähnen hervor.

»Du siehst aus, als könntest du eine heiße Dusche brauchen«,
sagte sie und sprang leichtfüßig von dem Wagen.

»O ja.«

Sie verzog den Mund und betrachtete mich eingehend.
»Möchtest du darüber reden?«

»Nein.«

Sie nickte, doch die Neugier stand ihr ins Gesicht geschrieben.
»Hast du Lust, heute Abend nach Olympia zu fahren?«

»Eigentlich nicht. Kann ich nicht nach Hause?«

Sie schnitt eine Grimasse.

»Kein Problem, Alice«, sagte ich. »Wenn es für dich einfacher ist, bleibe ich.«

»Danke«, sagte sie seufzend.

An diesem Abend ging ich früh schlafen und rollte mich auf Edwards Sofa zusammen.

Als ich wach wurde, war es noch dunkel. Ich fühlte mich wie gerädert, aber ich wusste, dass es noch nicht Morgen war. Die Augen fielen mir wieder zu, ich reckte mich und drehte mich auf die andere Seite. Es dauerte einen Moment, bis ich merkte, dass ich bei dieser Bewegung eigentlich hätte runterfallen müssen. Und dass es viel zu bequem war.

Ich drehte mich wieder um und versuchte etwas zu erkennen. Es war dunkler als letzte Nacht – kein Mondstrahl drang durch die dichte Wolkendecke.

»Entschuldige«, murmelte er so leise, dass seine Stimme eins war mit der Dunkelheit. »Ich wollte dich nicht wecken.«

Ich machte mich steif und wartete auf den Wutausbruch – auf seinen und meinen –, doch in dem dunklen Zimmer blieb es ruhig. Der süße Duft unseres Wiedersehens lag in der Luft, ein anderer Duft als der seines Atems; wenn wir getrennt waren, hinterließ die Leere einen bitteren Nachgeschmack, den ich erst bemerkte, wenn er wieder verschwunden war.

Es gab keine Spannungen zwischen uns. Die Stille war friedlich – nicht wie die Ruhe vor dem Sturm, sondern wie eine klare Nacht, an die nicht einmal der Traum eines Sturms rührt.

Und es war mir egal, dass ich eigentlich wütend auf ihn hätte sein müssen. Ich wollte auf überhaupt niemanden wütend sein. Ich fand seine Hände in der Dunkelheit und rückte näher an ihn heran. Er umarmte mich und zog mich an seine Brust. Meine

Lippen fuhren suchend an seinem Hals entlang zum Kinn, bis ich endlich seine Lippen fand. Edward küsste mich sanft, dann lachte er leise.

»Ich hatte mich auf einen Zornausbruch gefasst gemacht, der selbst einen Grizzlybären in die Flucht schlagen würde, und dann empfängst du mich so? Ich sollte dich öfter wütend machen.«

»Lass mir ein bisschen Zeit, um mich aufzuregen«, sagte ich neckend und küsste ihn wieder.

»Ich warte, solange du willst«, flüsterte er an meinem Mund. Er wühlte seine Hände in mein Haar.

Mein Atem wurde unregelmäßig. »Vielleicht morgen früh.«

»Ganz wie du möchtest.«

»Herzlich willkommen zu Hause«, sagte ich, während er seine kalten Lippen an meinen Hals drückte. »Ich bin froh, dass du wieder da bist.«

»Das ist schön.«

»Mmm«, machte ich und schlang die Arme noch fester um seinen Nacken.

Seine Hand fuhr an meinem Ellbogen entlang, langsam den Arm hinunter, über Rippen und Taille zur Hüfte und das Bein hinunter bis zum Knie. Dort ließ er die Hand einen Moment liegen, dann umfasste er meine Wade. Plötzlich hob er mein Bein an und schlang es um seine Hüfte.

Ich hielt die Luft an. So weit ließ er es normalerweise nicht kommen. Obwohl seine Hände so kalt waren, wurde mir plötzlich warm. Er schmiegte die Lippen in meine Schulterbeuge.

»Nicht, dass ich deinen Zorn vorzeitig heraufbeschwören wollte«, flüsterte er, »aber könntest du mir vielleicht verraten, was du gegen dieses Bett hast?«

Ehe ich antworten konnte, ehe ich seine Worte auch nur erfasst hatte, drehte er sich auf den Rücken und zog mich auf sich. Er hielt mein Gesicht in den Händen und legte den Mund an meine Kehle. Mein Atem ging zu laut – es war fast peinlich, aber andere Gefühle waren stärker als die Scham.

»Das Bett?«, fragte er wieder. »*Ich* finde es schön.«

»Es ist überflüssig«, stieß ich mühsam hervor.

Er zog mein Gesicht wieder näher zu sich heran, und wie von selbst legten meine Lippen sich auf seine. Ganz langsam drehte er sich herum, bis er über mir war. Er stützte sich so ab, dass ich sein Gewicht nicht spürte, aber ich merkte, wie sich sein kalter Marmorkörper an meinen presste. Mein Herz hämmerte so laut, dass ich sein leises Lachen kaum hörte.

»Darüber kann man streiten«, sagte er. »Das hier würde sich auf dem Sofa schwierig gestalten.«

Sanft zeichnete er mit seiner eiskalten Zunge die Linie meiner Lippen nach.

In meinem Kopf drehte sich alles – der Sauerstoff kam zu schnell und zu flach.

»Hast du es dir anders überlegt?«, fragte ich atemlos. Vielleicht hatte er seine strengen Regeln noch einmal überdacht. Vielleicht hatte dieses Bett mehr zu bedeuten, als ich gedacht hatte. Mein Herz pochte fast schmerzhaft, während ich auf seine Antwort wartete.

Mit einem Seufzer drehte Edward sich wieder auf seine Hälfte des Bettes.

»Sei nicht albern, Bella«, sagte er missbilligend – er hatte die Andeutung verstanden. »Ich wollte dir nur die Vorteile des Bettes nahebringen, das dir offenbar nicht gefällt. Bitte beherrsche dich.«

»Zu spät«, murmelte ich. »Und das Bett gefällt mir«, fügte ich hinzu.

»Gut.« In seiner Stimme lag ein Lächeln, und er küsste mich auf die Stirn. »Mir auch.«

»Aber ich finde es immer noch überflüssig«, fuhr ich fort. »Wenn wir uns beherrschen sollen, wozu brauchen wir es dann?«

Er seufzte wieder. »Zum hundertsten Mal, Bella – es ist zu gefährlich.«

»Ich liebe die Gefahr«, sagte ich.

»Ich weiß.« In seiner Stimme lag ein bissiger Unterton, und mir wurde klar, dass er das Motorrad in der Garage gesehen hatte.

»Ich sag dir mal, was gefährlich ist«, warf ich schnell ein, bevor er davon anfangen konnte. »Irgendwann in den nächsten Tagen werde ich einfach platzen – und daran bist nur du schuld.«

Er schob mich von sich.

»Was machst du da?«, fragte ich und klammerte mich an ihn.

»Dich vor dem Platzen bewahren. Wenn das hier zu viel für dich ist …«

»Damit komm ich schon klar«, sagte ich.

Er ließ es zu, dass ich mich wieder in seine Arme schmiegte.

»Es tut mir leid, dass ich dir falsche Hoffnungen gemacht habe«, sagte er. »Ich wollte dich nicht enttäuschen. Das war nicht schön.«

»Ich fand es aber sehr, sehr schön.«

Er atmete tief durch. »Bist du nicht müde? Ich lasse dich jetzt lieber schlafen.«

»Nein, gar nicht. Und du darfst mir gern noch mal falsche Hoffnungen machen.«

»Ich glaube, das ist keine gute Idee. Du bist nicht die Einzige, die sich irgendwann nicht mehr beherrschen kann.«

»Doch«, grummelte ich.

Er lachte. »Du hast ja keine Ahnung, Bella. Und es ist nicht sehr hilfreich, wenn du versuchst meine Selbstbeherrschung zu untergraben.«

»Dafür werde ich mich jetzt nicht entschuldigen.«

»Kann *ich* mich entschuldigen?«

»Wofür?«

»Du warst wütend auf mich, weißt du noch?«

»Ach, das.«

»Es tut mir leid. Ich war im Unrecht. Wenn ich dich hier bei mir habe, sehe ich alles viel klarer.« Er nahm mich fest in die Arme. »Immer wenn ich dich verlasse, drehe ich ein wenig durch. Ich glaube nicht, dass ich noch einmal so weit weg gehe. Das ist es nicht wert.«

Ich lächelte. »Keine Pumas gefunden?«

»Doch, habe ich sogar. Dennoch war es die Sorge nicht wert. Und es tut mir leid, dass ich Alice gebeten habe, dich als Geisel zu nehmen. Das war keine gute Idee.«

»Stimmt«, sagte ich.

»Es wird nicht wieder vorkommen.«

»Okay«, sagte ich leichthin. Ich hatte ihm schon verziehen. »Aber Pyjama-Partys haben ja auch ihre Vorteile ...« Ich schmiegte mich enger an ihn und drückte die Lippen in die Mulde über seinem Schlüsselbein. »*Du* darfst mich jederzeit als Geisel nehmen.«

»Mmm«, seufzte er. »Vielleicht komme ich darauf noch zurück.«

»Also bin ich jetzt dran?«

»Du?« Er klang verwirrt.

»Mich zu entschuldigen.«

»Wofür solltest du dich entschuldigen?«

»Bist du mir nicht böse?«, fragte ich verblüfft.

»Nein.«

Das klang ehrlich.

Ich merkte, wie meine Augenbrauen sich zusammenzogen.

»Hast du Alice nicht getroffen, als du nach Hause gekommen bist?«

»Doch – warum?«

»Nimmst du ihr den Porsche wieder weg?«

»Natürlich nicht. Er war ein Geschenk.«

Jetzt hätte ich zu gern sein Gesicht gesehen. Es klang so, als hätte ich ihn beleidigt.

»Willst du gar nicht wissen, was ich gemacht hab?«, fragte ich. Allmählich verwirrte mich sein offensichtliches Desinteresse.

Ich merkte, dass er mit den Achseln zuckte. »Ich möchte immer alles wissen, was du machst – doch du musst mir nichts erzählen, wenn du nicht möchtest.«

»Aber ich bin nach La Push gefahren.«

»Ich weiß.«

»Und ich hab die Schule geschwänzt.«

»Ich auch.«

Ich starrte in seine Richtung, strich mit den Fingern über sein Gesicht und versuchte, seine Stimmung zu ergründen.

»Woher auf einmal diese Gelassenheit?«, fragte ich.

Er seufzte.

»Ich bin zu dem Schluss gekommen, dass du Recht hattest. Ich hatte vor allem … Vorbehalte gegen Werwölfe. Ich werde versuchen, vernünftiger zu sein und auf dein Urteil zu vertrauen. Wenn du sagst, dass keine Gefahr besteht, dann werde ich dir glauben.«

»Wow.«

»Und … was noch wichtiger ist … ich werde nicht zulassen, dass diese Sache einen Keil zwischen uns treibt.«

Ich legte den Kopf auf seine Brust und schloss die Augen. Ich war so froh.

»Und«, sagte er beiläufig, »hast du vor, demnächst wieder nach La Push zu fahren?«

Ich gab keine Antwort. Bei seiner Frage musste ich wieder an Jacobs Worte denken, und mir schnürte sich die Kehle zu.

Edward zog die falschen Schlüsse aus meinem Schweigen und meiner Anspannung.

»Nur damit ich mir dann auch etwas vornehmen kann«, erklärte er schnell. »Du sollst nicht das Gefühl haben, dass du schnell wieder nach Hause musst, weil ich hier sitze und auf dich warte.«

»Nein«, sagte ich, und meine Stimme klang mir selbst fremd. »Ich habe nicht vor, noch mal hinzufahren.«

»Ach so. Du brauchst aber nicht meinetwegen darauf zu verzichten.«

»Ich glaube, ich bin nicht mehr willkommen«, flüsterte ich.

»Hast du jemandem die Katze überfahren?«, fragte er scherzhaft. Ich wusste, dass er nicht in mich dringen wollte, aber ich hörte die Neugier in seinen Worten.

»Nein.« Ich holte tief Luft, dann murmelte ich schnell: »Ich dachte, Jacob wüsste … Ich hätte nicht gedacht, dass es ihn überraschen würde.«

Edward wartete, während ich zögerte.

»Er hat nicht gedacht … dass es schon so bald sein würde.«

»Ach so«, sagte Edward ruhig.

»Er hat gesagt, es wäre ihm lieber, wenn ich tot wäre.« Bei den letzten Worten versagte mir die Stimme.

Im ersten Moment war Edward zu reglos, er versuchte irgendeine Reaktion zu unterdrücken, die er mir nicht zeigen wollte.

Dann zog er mich sanft an seine Brust. »Das tut mir sehr leid.«

»Ich dachte, du wärst froh«, flüsterte ich.

»Froh über etwas, das dir wehtut?«, murmelte er in mein Haar. »Wohl kaum, Bella.«

Ich seufzte und entspannte mich, ich schmiegte mich an seinen steinernen Körper. Doch er war schon wieder reglos und angespannt.

»Was ist?«, fragte ich.

»Nichts.«

»Du kannst es mir ruhig sagen.«

Er schwieg einen Moment. »Dann bist du aber vielleicht wütend.«

»Ich will es trotzdem wissen.«

Er seufzte. »Für das, was er zu dir gesagt hat, könnte ich ihn umbringen. Dafür *möchte* ich ihn umbringen.«

Ich lachte halbherzig. »Ein Glück, dass du dich so gut beherrschen kannst.«

»Ich könnte mich vergessen«, sagte er nachdenklich.

»Wenn du schon die Beherrschung verlierst, könnte ich mir eine bessere Art vorstellen.« Ich versuchte mich zu ihm hochzuziehen, um ihn zu küssen. Er umarmte mich fester und hielt mich zurück.

Er seufzte. »Muss immer ich der Vernünftige von uns beiden sein?«

Ich grinste in die Dunkelheit. »Nein. Überlass das ruhig mir für ein paar Minuten ... oder auch ein paar Stunden.«

»Gute Nacht, Bella.«

»Warte mal – ich wollte dich noch was anderes fragen.«

»Was denn?«

»Ich hab gestern Nacht mit Rosalie gesprochen ...«

Ich merkte, wie er sich wieder anspannte. »Ja. Sie dachte gerade daran, als ich hereinkam. Sie hat dir einiges zum Nachdenken gegeben, nicht wahr?«

Er klang besorgt; offenbar dachte er, ich wollte darüber sprechen, weshalb ich Rosalies Meinung nach lieber ein Mensch bleiben sollte. Doch ich hatte etwas Drängenderes auf dem Herzen.

»Sie hat mir ein bisschen erzählt ... von der Zeit, als eure Familie in Denali gelebt hat.«

Eine Weile sagten wir beide nichts, er wirkte überrascht. »Und?«

»Sie sagte etwas von vielen weiblichen Vampiren ... und dir.«

Er gab keine Antwort, obwohl ich lange wartete.

»Keine Sorge«, sagte ich, als das Schweigen unbehaglich wurde. »Sie hat nicht gesagt, dass du ... irgendeine besonders mochtest. Aber ich hab mich gefragt, weißt du, ob es bei einer von ihnen so war. Dass sie dich besonders mochte, meine ich.«

Wieder schwieg er.

»Welche?«, fragte ich und versuchte, es beiläufig klingen zu lassen, was mir nicht ganz gelang. »Oder war es mehr als eine?«

Keine Antwort. Ich hätte zu gern sein Gesicht gesehen, dann hätte ich erraten können, was das Schweigen bedeutete.

»Alice wird's mir erzählen«, sagte ich. »Ich geh direkt zu ihr und frage sie.«

Er hielt mich so fest, dass ich mich keinen Zentimeter von der Stelle bewegen konnte.

»Es ist schon spät«, sagte er. In seiner Stimme lag ein Unterton, der mir ganz neu war. Irgendwie nervös, vielleicht auch ein wenig verlegen. »Außerdem glaube ich, Alice ist ausgegangen ...«

»Es ist schlimm«, vermutete ich. »Es ist richtig schlimm, oder?« Ich geriet in Panik, mein Herz begann zu rasen, als mir klarwurde, dass ich eine umwerfend schöne, unsterbliche Rivalin hatte, von deren Existenz ich bisher nichts geahnt hatte.

»Beruhige dich, Bella«, sagte er und gab mir einen Kuss auf die Nasenspitze. »Du benimmst dich albern.«

»Ach ja? Warum erzählst du es mir dann nicht?«

»Weil es da nichts zu erzählen gibt. Du machst aus einer Mücke einen Elefanten.«

»Welche war es?«, fragte ich wieder.

Er seufzte. »Tanya zeigte ein wenig Interesse. Ich gab ihr auf sehr höfliche, galante Weise zu verstehen, dass dieses Interesse nicht auf Gegenseitigkeit beruhte. Das war's.«

Ich versuchte ganz ruhig zu sprechen. »Sag mal – wie sieht Tanya aus?«

»Wie wir alle aussehen – weiße Haut, goldene Augen«, sagte er zu schnell.

»Und natürlich ist sie außergewöhnlich schön.«

Er zuckte die Achseln.

»Vermutlich ja, für menschliche Augen«, sagte er gleichgültig. »Aber weißt du was?«

»Was?«, sagte ich gereizt.

Er legte die Lippen an mein Ohr, sein kalter Atem kitzelte mich. »Ich mag lieber Dunkelhaarige.«

»Sie ist also blond. Das hätte ich mir denken können.«

»Rotblond. Überhaupt nicht mein Typ.«

Ich dachte eine Weile darüber nach und versuchte mich zu konzentrieren, während seine Lippen langsam an meiner Wange entlangstrichen, meinen Hals hinunter und wieder herauf. Das machte er dreimal, bevor ich wieder etwas sagte.

»Dann glaube ich, es ist in Ordnung.«

»Hmmm«, machte er leise an meiner Haut. »Du bist ziemlich hinreißend, wenn du eifersüchtig bist. Es hat einen erstaunlichen Reiz.«

Ich starrte wütend in die Dunkelheit.

»Es ist spät«, sagte er wieder, seine Stimme war jetzt fast ein Summen, weicher als Seide. »Schlaf, meine Bella. Träum süß. Du bist die Einzige, die je mein Herz berührt hat. Es wird immer dir gehören. Schlaf, meine einzige Geliebte.«

Er begann mein Schlaflied zu singen, und ich wusste, dass es nur eine Frage der Zeit war, bis ich mich geschlagen geben musste, also schloss ich die Augen und kuschelte mich noch enger an seine Brust.

Ein unheimlicher Besucher

Am nächsten Morgen brachte Alice mich nach Hause, um den Anschein der Pyjama-Party aufrechtzuerhalten. Es konnte nicht mehr lange dauern, bis Edward kam und offiziell von seiner »Wanderung« zurückkehrte. Dieses ganze Theater ging mir auf die Nerven. Das würde ich ganz bestimmt nicht vermissen, wenn ich kein Mensch mehr war.

Als Charlie hörte, wie ich die Beifahrertür zuschlug, spähte er zum Fenster hinaus. Er winkte Alice zu, dann machte er die Haustür auf.

»War's schön?«, fragte er.

»Ja, super. Ein richtiges Mädchenwochenende.«

Ich trug meine Sachen rein, stellte alles an der Treppe ab und ging in die Küche, um mir etwas zu essen zu suchen.

»Da ist eine Nachricht für dich«, rief Charlie mir nach.

Auf der Anrichte lehnte der Notizblock auffällig an einem Kochtopf.

Jacob hat angerufen, hatte Charlie geschrieben.

Er sagt, er hat es nicht so gemeint und es tut ihm leid. Du sollst ihn anrufen. Sei nett und gib ihm eine Chance. Er klang mitgenommen.

Ich verzog das Gesicht. So ein persönlicher Kommentar war ganz untypisch für Charlie.

Von mir aus konnte Jacob ruhig weiter mitgenommen sein. Ich wollte nicht mit ihm reden. Nach allem, was ich gehört hatte, waren Anrufe aus dem Jenseits nicht erlaubt. Wenn Jacob mir den Tod wünschte, konnte er sich an die Funkstille besser gleich gewöhnen.

Mir war der Appetit vergangen. Ich wandte mich ab und machte mich daran, meine Sachen nach oben zu bringen.

»Willst du Jacob nicht anrufen?«, fragte Charlie. Er lehnte an der Wohnzimmerwand und sah mir zu, wie ich alles aufhob.

»Nein.«

Ich ging die Treppe hoch.

»Das ist aber nicht sehr nett, Bella«, sagte er. »Man muss auch verzeihen können.«

»Kümmer dich um deinen eigenen Kram«, murmelte ich so leise, dass er es nicht hören konnte.

Ich wusste, dass sich Wäsche angesammelt hatte, und nachdem ich die Zahnpasta weggeräumt und meine schmutzigen Kleider in den Wäschekorb geworfen hatte, zog ich Charlies Bett ab. Ich legte das Bettzeug in einem Haufen oben an die Treppe und ging in mein Zimmer, um auch mein Bett abzuziehen.

Vor dem Bett blieb ich stehen und legte den Kopf schräg.

Wo war mein Kopfkissen? Ich schaute mich suchend im Zimmer um. Kein Kopfkissen. Mir fiel auf, dass es in meinem Zimmer ungewohnt ordentlich aussah. Hatte mein graues Sweatshirt nicht über dem Bettpfosten am Fußende gehangen? Und ich hätte schwören können, dass hinter dem Schaukelstuhl ein paar dreckige Socken gelegen hatten, und die rote Bluse, die ich vorgestern anprobiert hatte, dann aber doch zu schick für die Schule fand, hatte über der Armlehne gehangen … Wieder drehte ich mich um. Mein Wäschekorb war nicht leer, aber er quoll auch nicht über, wie ich gedacht hatte.

Hatte Charlie gewaschen? Das sah ihm gar nicht ähnlich.

»Dad, hast du die Wäsche gemacht?«, rief ich durch die Zimmertür.

»Öhm, nein«, rief er zurück; er klang so, als hätte er ein schlechtes Gewissen. »Hätte ich das tun sollen?«

»Nein, das mach ich schon. Hast du irgendwas in meinem Zimmer gesucht?«

»Nein. Wieso?«

»Ich suche … eine Bluse …«

»Ich war nicht in deinem Zimmer.«

Da fiel mir ein, dass Alice in meinem Zimmer gewesen war, um meinen Schlafanzug zu holen. Ich hatte nicht bemerkt, dass sie auch mein Kopfkissen mitgenommen hatte. Es sah so aus, als hätte sie auch aufgeräumt. Ich schämte mich für meine Schludrigkeit.

Aber die rote Bluse war gar nicht schmutzig, also ging ich zum Wäschekorb, um sie zu retten.

Ich dachte, sie müsste obenauf liegen, aber da war sie nicht. Ich durchwühlte die ganze Wäsche, konnte die Bluse jedoch nicht finden. Allmählich kam ich mir paranoid vor, aber ich hatte den Eindruck, dass noch etwas anderes fehlte, wahrscheinlich sogar mehrere Teile. Der Wäschekorb war noch nicht mal halb voll.

Ich zog das Bett ab, nahm Charlies Bettzeug und ging in die Waschküche. Die Maschine war leer. Ich sah auch im Trockner nach und rechnete halb damit, dass Alice so nett gewesen war, die saubere Wäsche dort hineinzupacken. Aber nichts. Ich runzelte verwirrt die Stirn.

»Hast du die Bluse gefunden?«, rief Charlie.

»Noch nicht.«

Ich ging wieder nach oben und schaute unter meinem Bett nach. Nichts als Wollmäuse. Ich begann den Kleiderschrank zu durchwühlen. Vielleicht hatte ich die rote Bluse ganz in Gedanken weggeräumt.

Als es klingelte, gab ich auf. Das war bestimmt Edward.

»Es hat geklingelt«, sagte Charlie, der auf dem Sofa saß, als ich an ihm vorbeiflitzte.

»Überanstreng dich bloß nicht, Dad.«

Mit einem breiten Lächeln öffnete ich die Tür weit.

Edward hatte die goldenen Augen aufgerissen, seine Nasenlöcher waren gebläht, die Zähne gefletscht.

»Edward?«, sagte ich erschrocken, als ich ihn so sah. »Was ist ...«

Er legte mir einen Finger auf die Lippen. »Zwei Sekunden«, flüsterte er. »Beweg dich nicht.«

Ich stand wie erstarrt an der Tür und er ... verschwand. Es ging so schnell, dass Charlie ihn bestimmt nicht gesehen hatte.

Ich hätte nicht mal bis zwei zählen können, da war er schon zurück. Er legte mir einen Arm um die Taille und zog mich in die Küche. Schnell schaute er sich im Zimmer um und hielt mich fest, als wollte er mich vor etwas beschützen. Ich warf einen Blick zu Charlie hinüber, aber der ignorierte uns geflissentlich.

»Es war jemand hier«, flüsterte Edward mir ins Ohr, nachdem er mich in den hinteren Teil der Küche gezogen hatte. Seine Stimme war gepresst, über dem Rumpeln der Waschmaschine konnte ich ihn kaum verstehen.

»Ich schwöre dir, dass kein Werwolf ...«, setzte ich an.

»Keiner von ihnen«, sagte er schnell und schüttelte den Kopf. »Einer von uns.«

So, wie er es sagte, war es eindeutig, dass er niemanden aus seiner Familie meinte.

Ich spürte, wie mir das Blut aus dem Gesicht wich.

»Victoria?«, stieß ich hervor.

»Es ist kein Geruch, den ich kenne.«

»Einer von den Volturi«, vermutete ich.

»Wahrscheinlich.«

»Wann?«

»Genau deshalb glaube ich, dass sie es waren – es ist noch nicht lange her, heute früh, als Charlie schlief. Und wer es auch war, er hat ihn nicht angerührt, also hatte sein Besuch einen anderen Zweck.«

»Er hat mich gesucht.«

Edward gab keine Antwort. Sein Körper war starr wie eine Statue.

»Was gibt's denn hier zu flüstern?«, fragte Charlie misstrauisch. Er kam mit einer leeren Popcornschale in die Küche.

Mir wurde übel. Während Charlie schlief, war ein Vampir im Haus gewesen und hatte nach mir gesucht. Panik ergriff mich, schnürte mir die Kehle zu. Statt einer Antwort starrte ich Charlie nur entsetzt an.

Sein Gesichtsausdruck veränderte sich. Plötzlich grinste er. »Wenn ihr euch streitet … lasst euch von mir nicht stören.«

Immer noch grinsend stellte er die Schale in die Spüle und verzog sich.

»Komm, wir gehen«, flüsterte Edward.

»Aber was ist mit Charlie?« Die Angst drückte mir auf die Brust, ich konnte kaum atmen.

Er zögerte kurz, dann hatte er das Telefon in der Hand.

»Emmett«, sagte er leise. Dann sprach er so schnell, dass ich nichts verstehen konnte. Das Gespräch dauerte keine halbe Minute. Danach zog er mich zur Tür.

»Emmett und Jasper sind unterwegs«, flüsterte er, als er mein

Widerstreben spürte. »Sie durchkämmen den Wald. Charlie kann nichts passieren.«

Da ließ ich mich mitziehen; vor lauter Angst konnte ich nicht klar denken. Charlie erwiderte meinen unsicheren Blick mit einem selbstzufriedenen Grinsen, aber dann sah er plötzlich verwirrt aus. Ehe er etwas sagen konnte, hatte Edward mich schon hinausgezerrt.

»Wohin fahren wir?« Obwohl wir schon im Auto saßen, flüsterte ich.

»Wir müssen mit Alice reden«, sagte er. Er sprach jetzt in normaler Lautstärke, aber seine Stimme war tonlos.

»Meinst du, sie könnte was gesehen haben?«

Er starrte mit zusammengekniffenen Augen auf die Straße. »Vielleicht.«

Sie warteten schon auf uns, Edwards Anruf hatte sie alarmiert. Es war, als käme man in ein Museum; alle waren reglos wie Statuen.

»Was ist passiert?«, wollte Edward wissen, kaum dass wir im Haus waren. Ich war erschrocken, als ich sah, dass er Alice wütend anstarrte, die Hände zu Fäusten geballt.

Alice stand mit fest verschränkten Armen da. Sie bewegte nur die Lippen. »Ich habe keine Ahnung. Ich habe nichts gesehen.«

»Wie ist das möglich?«, zischte er.

»Edward«, sagte ich mit leisem Tadel. Es gefiel mir nicht, dass er so mit Alice redete.

Carlisle sagte beschwichtigend: »Es ist keine exakte Wissenschaft, Edward.«

»Alice, er war in ihrem Zimmer. Er hätte noch da sein und auf sie warten können.«

»Das hätte ich gesehen.«

Edward hob aufgebracht die Hände. »Wirklich? Bist du dir da sicher?«

Mit kalter Stimme antwortete Alice: »Du lässt mich die Entscheidungen der Volturi überwachen, Victorias Rückkehr, jeden von Bellas Schritten. Soll ich auf noch mehr achten? Soll ich nur Charlie beobachten oder auch Bellas Zimmer, das Haus, die ganze Straße? Edward, wenn ich mich auf zu viele Dinge gleichzeitig konzentriere, wird mir früher oder später etwas entgehen.«

»Das ist doch offenbar schon passiert«, sagte Edward schneidend.

»Sie war in keinem Moment in Gefahr. Da gab es nichts zu sehen.«

»Wenn du Italien bewachst, warum hast du dann nicht gesehen, dass sie jemanden ...«

»Ich glaube nicht, dass sie es sind«, beharrte Alice. »Das hätte ich gesehen.«

»Wer sonst hätte Charlie am Leben gelassen?«

Ich schauderte.

»Ich weiß es nicht«, sagte Alice.

»Sehr hilfreich.«

»Hör damit auf, Edward«, flüsterte ich.

Er drehte sich zu mir um, das Gesicht immer noch bleich, die Zähne zusammengebissen. Er starrte mich eine halbe Sekunde lang an, dann atmete er plötzlich aus. Seine Augen weiteten sich, seine Kiefermuskeln entspannten sich.

»Du hast Recht, Bella. Es tut mir leid.« Er schaute Alice an. »Entschuldige, Alice. Ich hätte das nicht an dir auslassen dürfen. Das war unverzeihlich.«

»Ich kann dich verstehen«, sagte Alice. »Ich bin auch nicht glücklich darüber.«

Edward atmete tief durch. »Also gut, gehen wir einmal logisch an die Sache heran. Welche Möglichkeiten gibt es?«

Augenblicklich schienen alle aufzutauen. Alice lehnte sich entspannt im Sofa zurück. Carlisle ging langsam auf sie zu, sein Blick war in weite Ferne gerichtet. Esme saß vor Alice auf dem Sofa und zog die Beine auf den Sitz. Nur Rosalie rührte sich nicht, sie saß mit dem Rücken zu uns und starrte durch die gläserne Wand.

Edward zog mich zum Sofa und ich setzte mich neben Esme; sie legte einen Arm um mich. Edward hielt meine Hand fest in seinen Händen.

»Victoria?«, fragte Carlisle.

Edward schüttelte den Kopf. »Nein, es war ein Geruch, den ich nicht kannte. Vielleicht jemand von den Volturi, jemand, den ich noch nicht kennengelernt habe ...«

Alice schüttelte den Kopf. »Aro hat noch niemanden beauftragt, nach ihr zu suchen. Das *werde* ich sehen. Ich warte darauf.«

Edward ließ den Kopf hochfahren. »Du wartest auf einen offiziellen Befehl.«

»Du glaubst, jemand handelt auf eigene Faust? Warum?«

»Caius' Idee«, sagte Edward, und sein Gesichtsausdruck wurde wieder hart.

»Oder Janes ...«, sagte Alice. »Beide hätten die Möglichkeit, ein unbekanntes Gesicht loszuschicken ...«

Edwards Miene verfinsterte sich. »Und Grund genug.«

»Und doch ist es unlogisch«, sagte Esme. »Wenn dieser große Unbekannte auf Bella gewartet hätte, dann hätte Alice das doch gesehen. Er – oder sie – hatte nicht vor, Bella etwas anzutun. Und auch Charlie nicht.«

Beim Namen meines Vaters zuckte ich zusammen.

»Es wird alles gut, Bella«, murmelte Esme und strich mir übers Haar.

»Aber was sollte das dann?«, fragte Carlisle.

»Vielleicht wollten sie nachsehen, ob ich immer noch ein Mensch bin«, sagte ich.

»Schon möglich«, sagte Carlisle.

Rosalie seufzte so laut, dass ich es hören konnte. Jetzt hatte sich ihre Starre gelöst, und sie schaute erwartungsvoll in Richtung Küche. Edward dagegen sah entmutigt aus.

Emmett stürmte zur Hintertür herein, gefolgt von Jasper.

»Schon lange weg, schon seit Stunden«, verkündete Emmett enttäuscht. »Die Spur führte erst nach Osten, dann nach Süden, dann verlor sie sich in einer Seitenstraße. Von dort an ging's wohl mit dem Auto weiter.«

»Das ist Pech«, sagte Edward leise. »Wenn er nach Westen gegangen wäre ... dann hätten diese Hunde sich einmal nützlich machen können.«

Wieder zuckte ich zusammen, und Esme rieb mir die Schulter.

Jasper schaute zu Carlisle. »Wir haben ihn beide nicht erkannt. Aber sieh dir das an.« Er hielt Carlisle etwas Grünes, Zerknittertes hin. Carlisle nahm es und hielt es sich an die Nase. Als es von einer Hand zur anderen ging, sah ich, dass es ein abgebrochener Farnwedel war. »Vielleicht kennst du den Geruch.«

»Nein«, sagte Carlisle. »Ich kenne ihn auch nicht. Ich bin demjenigen noch nie begegnet.«

»Vielleicht sind wir auf dem Holzweg. Vielleicht ist es nur Zufall ...«, setzte Esme an, hielt jedoch inne, als sie die ungläubigen Gesichter der anderen sah. »Ich meinte nicht, dass ein Fremder sich zufällig Bellas Haus ausgesucht hat. Ich meine, dass jemand vielleicht einfach neugierig war. Unser Geruch klebt an ihr. Vielleicht hat er sich gefragt, was uns dort hinzieht.«

»Warum kommt er dann nicht einfach hierher?«, fragte Emmett. »Wenn er so neugierig ist?«

»Das würdest *du* tun«, sagte Esme mit einem warmen Lächeln. »Nicht alle sind so direkt. Unsere Art ist sehr vielfältig – er oder sie hat vielleicht Angst. Doch Charlie ist nichts geschehen. Vielleicht ist es gar kein Feind.«

Neugierig. So wie James und Victoria anfangs neugierig gewesen waren? Beim Gedanken an Victoria zitterte ich, obwohl offenbar festzustehen schien, dass sie es nicht gewesen war. Diesmal nicht. Sie hielt sich an das Schema, von dem sie besessen war. Das hier war jemand anders gewesen, ein Fremder.

Allmählich dämmerte mir, dass Vampire eine viel größere Rolle auf der Welt spielten, als ich bisher gedacht hatte. Wie oft lief der durchschnittliche Mensch wohl nichtsahnend einem Vampir über den Weg? Wie viele Todesfälle, die als Unfälle oder Verbrechen verbucht wurden, gingen in Wirklichkeit auf ihr Konto? Wie bevölkert würde diese andere Welt wohl sein, wenn ich endlich dazustieß?

Beim Gedanken an die geheimnisvolle Zukunft, die vor mir lag, bekam ich Gänsehaut.

Die Cullens dachten über Esmes Worte nach, und man sah ihnen an, dass sie zu unterschiedlichen Schlüssen kamen. Ich sah, dass Edward ihre Theorie nicht logisch fand, während Carlisle nur zu gern daran glauben wollte.

Alice verzog den Mund. »Ich glaub das nicht. Der Zeitpunkt war zu gut gewählt … Der Besucher war sehr darauf bedacht, niemandem zu begegnen. Beinahe als wüsste er, dass ich ihn sehen könnte …«

»Er könnte andere Gründe haben, niemandem begegnen zu wollen«, erinnerte Esme sie.

»Ist es überhaupt wichtig, wer es war?«, sagte ich. »Allein die Möglichkeit, dass jemand nach mir gesucht haben könnte … reicht das nicht? Wir sollten nicht mehr bis zum Schulabschluss warten.«

»Nein, Bella«, sagte Edward schnell. »So schlimm ist es nicht. Wenn du wirklich in Gefahr bist, werden wir es erfahren.«

»Denk an Charlie«, erinnerte Esme mich. »Denk daran, wie weh es ihm täte, wenn du plötzlich verschwändest.«

»Ich denke doch an Charlie! Seinetwegen mache ich mir ja solche Sorgen! Was wäre gewesen, wenn mein unbekannter Gast letzte Nacht Durst gehabt hätte? Solange ich bei Charlie bin, ist auch er eine Zielscheibe. Wenn ihm irgendetwas zustoßen würde, wäre es allein meine Schuld!«

»Wohl kaum, Bella«, sagte Esme und strich mir wieder übers Haar. »Und Charlie wird nichts zustoßen. Wir müssen einfach besser aufpassen.«

»Noch besser aufpassen?«, sagte ich ungläubig.

»Es wird schon alles gut, Bella«, versprach Alice, und Edward drückte meine Hand.

Und als ich ihnen der Reihe nach in die schönen Gesichter schaute, wusste ich, dass ich sie nicht umstimmen konnte.

Auf der Heimfahrt sprachen wir kaum ein Wort. Ich war frustriert. Ich war immer noch ein Mensch, obwohl ich davon überzeugt war, dass es anders besser wäre.

»Du wirst keinen Augenblick allein sein«, versprach Edward, als er mich nach Hause fuhr. »Irgendjemand wird immer bei dir sein. Emmett, Alice, Jasper …«

Ich seufzte.»Das ist doch lächerlich. Am Ende werden sie mich vor lauter Langeweile eigenhändig umbringen.«

Edward sah mich pikiert an.»Sehr witzig, Bella.«

Charlie war bester Laune, als wir zurückkamen. Er merkte, dass es zwischen Edward und mir Spannungen gab, und zog daraus die falschen Schlüsse. Als er mir zusah, wie ich sein Abendessen zusammenrührte, lächelte er selbstgefällig. Edward hatte sich für eine Weile entschuldigt, ich nahm an, dass er nachsehen wollte, ob die Luft rein war.

»Jacob hat wieder angerufen«, sagte Charlie, kaum dass Edward zurück war. Offenbar hatte er mit dieser Mitteilung extra gewartet. Ich verzog keine Miene, als ich ihm seinen Teller hinstellte.

»Ach ja?«

Charlie runzelte die Stirn.»Sei nicht so kleinlich, Bella. Er klang wirklich unglücklich.«

»Bezahlt Jacob dich eigentlich für die PR, oder machst du das alles freiwillig?«

Charlie grummelte etwas Unzusammenhängendes, bis das Essen ihn zum Schweigen brachte.

Ohne es zu wissen, hatte Charlie den wunden Punkt getroffen.

Mein Leben kam mir im Moment vor wie ein Würfelspiel – würde der nächste Wurf ein Full House bringen? Und wenn mir nun doch etwas zustieß? Wenn ich Jacob vorher nicht von seinen Schuldgefühlen befreite, wäre das mehr als kleinlich.

Doch in Charlies Gegenwart wollte ich Jacob nicht anrufen, ich hätte dann zu sehr aufpassen müssen, dass ich nichts Falsches sagte. Jacob war zu beneiden. Wie angenehm es sein musste, keine Geheimnisse vor demjenigen zu haben, mit dem man zusammenlebte.

Ich nahm mir also vor, bis zum nächsten Morgen zu warten. Höchstwahrscheinlich würde ich heute Nacht nicht umkommen, und zwölf Stunden schlechtes Gewissen konnten Jacob nicht schaden. Im Gegenteil.

Als Edward sich am Abend offiziell verabschiedete, fragte ich mich, wer wohl draußen im Platzregen stand und auf Charlie und mich aufpasste. Es tat mir leid für Alice oder wen immer es gerade traf, aber ein beruhigendes Gefühl war es doch. Ich fand es sogar ziemlich angenehm zu wissen, dass ich nicht allein war. Und Edward war in Rekordgeschwindigkeit zurück.

Wieder sang er mich in den Schlaf, und sogar im Schlaf spürte ich seine Nähe. So plagten mich in dieser Nacht keine Albträume.

Am nächsten Morgen fuhr Charlie, noch ehe ich aufgestanden war, mit Hilfssheriff Mark zum Fischen. Ich beschloss, Charlies Abwesenheit zum Verzeihen zu nutzen.

»Ich werde Jacob jetzt erlösen«, warnte ich Edward nach dem Frühstück.

»Ich wusste, dass du ihm vergeben würdest«, sagte er mit ungezwungenem Lächeln. »Langes Grollen gehört nicht zu deinen zahlreichen Stärken.«

Ich verdrehte die Augen, doch insgeheim freute ich mich. Ich hatte den Eindruck, dass Edward seine extreme Abneigung gegen die Werwölfe überwunden hatte.

Erst als ich gewählt hatte, schaute ich auf die Uhr. Es war noch ein wenig früh für einen Anruf, und ich hatte Sorge, Billy oder Jake zu wecken, aber noch vor dem zweiten Klingeln hob jemand ab, er konnte also nicht allzu weit vom Telefon entfernt gewesen sein.

»Hallo?«, hörte ich eine matte Stimme sagen.

»Jacob?«

»Bella!«, rief er. »Oh, Bella, es tut mir so leid!« Er sprach so schnell, dass er sich verhaspelte. »Ich schwöre dir, es war nicht so gemeint. Das war idiotisch von mir. Ich war so wütend – aber das ist keine Entschuldigung. Es war das Dümmste, was ich je in meinem Leben gesagt hab, und es tut mir leid. Bitte sei nicht mehr sauer, ja? Bitte. Ich biete dir lebenslange Knechtschaft – du brauchst mir nur zu verzeihen.«

»Ich bin nicht sauer. Ich verzeihe dir.«

»Danke«, sagte er voller Inbrunst. »Ich fasse es nicht, dass ich mich so bescheuert benommen hab.«

»Mach dir deswegen keine Gedanken – das bin ich gewohnt.« Er lachte erleichtert. »Komm doch vorbei«, bat er. »Ich will es wiedergutmachen.«

Ich runzelte die Stirn. »Wie denn?«

»Das kannst du dir aussuchen. Wir könnten von der Klippe springen«, schlug er vor und lachte wieder.

»Super Idee.«

»Ich pass auf dich auf«, versprach er. »Egal, was du vorhast.«

Ich schaute kurz zu Edward. Er sah ganz gelassen aus, aber ich war mir sicher, dass jetzt nicht der richtige Zeitpunkt war.

»Heute besser nicht.«

»*Er* ist nicht gerade begeistert von mir, oder?« Ausnahmsweise klang Jacob einmal eher beschämt als verbittert.

»Das ist nicht das Problem. Da ist … na ja, wir haben hier ein anderes Problem, das ein bisschen schwerwiegender ist als ein ungehobelter junger Werwolf …« Ich versuchte in scherzhaftem Ton zu reden, aber er ließ sich nicht täuschen.

»Was ist los?«, fragte er.

»Hm.« Ich wusste nicht recht, wie viel ich ihm erzählen durfte.

Edward streckte die Hand nach dem Telefon aus. Ich schaute ihn prüfend an. Äußerlich wirkte er ziemlich ruhig.

»Bella?«, sagte Jacob.

Edward seufzte und streckte die Hand noch weiter aus.

»Hättest du was dagegen, mit Edward zu sprechen?«, fragte ich schüchtern. »Er möchte mit dir reden.«

Jacob schwieg eine ganze Weile.

»Okay«, sagte er dann. »Das kann ja interessant werden.«

Ich reichte Edward das Telefon; ich hoffte, dass er meinen warnenden Blick sah.

»Hallo, Jacob«, sagte Edward betont höflich.

Dann hörte ich nichts. Ich biss mir auf die Lippe und versuchte, Jacobs Antwort zu erraten.

»Es war jemand hier – niemand, dessen Geruch ich kenne«, erklärte Edward. »Ist dein Rudel auf irgendetwas Neues gestoßen?«

Wieder entstand eine Pause, während Edward nickte, als wäre er nicht überrascht.

»Das ist der springende Punkt, Jacob. Ich werde Bella nicht aus den Augen lassen, bis ich mich darum gekümmert habe. Das meine ich nicht persönlich …«

Jacob unterbrach ihn, und ich hörte seine Stimme durch den Hörer. Es klang auf jeden Fall heftiger als zuvor. Vergeblich versuchte ich, etwas zu verstehen.

»Vielleicht hast du Recht …«, setzte Edward an, aber da redete Jacob schon wieder auf ihn ein. Immerhin schien keiner von beiden wütend zu sein.

»Das ist ein interessanter Vorschlag. Wir sind sicher bereit, neu zu verhandeln. Wenn Sam sich auch darauf einlässt.«

Jetzt sprach Jacob ruhiger. Während ich versuchte, Edwards Miene zu deuten, kaute ich auf dem Daumennagel herum.

»Danke«, sagte Edward.

Dann sagte Jacob etwas, worauf ein überraschter Ausdruck über Edwards Gesicht glitt.

»Eigentlich hatte ich vor, allein zu gehen«, sagte Edward dann. »Und sie hier bei den anderen zu lassen.«

Jacob sprach eine Tonlage höher, er schien Edward zu etwas überreden zu wollen.

»Ich werde versuchen unvoreingenommen darüber nachzudenken«, versprach Edward. »Soweit mir das möglich ist.«

Diesmal fiel Jacobs Antwort kürzer aus.

»Die Idee ist gar nicht so schlecht«, sagte Edward. »Wann? ... Nein, das geht. Ich würde die Spur ohnehin gern selbst verfolgen. Zehn Minuten ... Selbstverständlich.« Er reichte mir das Telefon. »Bella?«

Langsam nahm ich das Telefon, ich war verwirrt.

»Was war das denn?«, fragte ich Jacob. Ich merkte selbst, dass es ein bisschen beleidigt klang. Es war kindisch, aber ich fühlte mich ausgeschlossen.

»Ein Vertrag, glaube ich. Hey, du kannst mir einen Gefallen tun«, sagte Jacob. »Versuch deinen Blutsauger zu überzeugen, dass du im Reservat am sichersten aufgehoben bist, vor allem, wenn er weggeht. Wir haben hier alles im Griff.«

»Wolltest du ihn dazu überreden?«

»Ja. Es ist das Vernünftigste. Für Charlie wäre es wahrscheinlich auch gut, hier zu sein – sooft er es einrichten kann.«

»Dann sieh mal zu, dass Billy ihn einlädt«, sagte ich. Ich fand es schrecklich, dass Charlie in Gefahr war, nur weil alle es auf mich abgesehen hatten. »Und was noch?«

»Es ging nur darum, die Grenze ein bisschen zu verschieben, damit wir jeden fangen können, der zu nah an Forks herankommt. Ich bin mir nicht sicher, ob Sam da mitspielt, aber bis er wieder da ist, kümmere ich mich drum.«

»Was heißt das, ›kümmere ich mich drum‹?«

»Das heißt, wenn du einen Wolf um euer Haus herumlaufen siehst, dann erschieß ihn bitte nicht.«

»Natürlich nicht. Aber bitte mach nichts … Gefährliches.«

Er schnaubte. »Sei nicht albern. Ich kann auf mich aufpassen.«

Ich seufzte.

»Ich hab versucht ihn zu überreden, dich hierherkommen zu lassen. Er hat bloß Vorurteile, also lass dir nicht einreden, du wärst hier nicht sicher. Er weiß genauso gut wie ich, dass du hier in Sicherheit wärst.«

»Ich werd's mir merken.«

»Bis gleich«, sagte Jacob.

»Du kommst hierher?«

»Ja. Ich werde die Fährte deines Besuchers aufnehmen, damit wir ihn verfolgen können, falls er noch mal auftaucht.«

»Jake, es gefällt mir gar nicht, dass du …«

»Ach, Bella, *bitte*«, unterbrach er mich. Er lachte, dann legte er auf.

SPUREN

Mir kam das alles total kindisch vor. Warum musste Edward verschwinden, damit Jacob zu mir kommen konnte? Waren wir über solche Spielchen nicht hinaus?

»Ich habe nichts gegen ihn persönlich, Bella, aber so ist es einfacher für uns beide«, sagte Edward, als er schon an der Tür stand. »Ich gehe nicht weit weg. Dir kann nichts passieren.«

»*Deswegen* mache ich mir keine Sorgen.«

Er lächelte, dann sah er mich verschmitzt an. Er zog mich an sich und vergrub das Gesicht in meinem Haar. Als er ausatmete, spürte ich seinen kühlen Atem im Haar; ich bekam Gänsehaut im Nacken.

»Ich bin bald wieder da«, sagte er, dann lachte er laut, als hätte ich einen guten Witz erzählt.

»Was ist so lustig?«

Edward grinste nur und lief mit großen Sätzen in Richtung Wald.

Ich grummelte in mich hinein und machte mich daran, die Küche aufzuräumen. Ich hatte noch nicht das Wasser in die Spüle laufen lassen, da klingelte es schon. Ich hatte mich immer noch nicht daran gewöhnt, dass Jacob ohne Auto viel schneller war als mit. Dass alle so viel schneller waren als ich ...

»Komm rein, Jake!«, rief ich.

Ich war damit beschäftigt, das Geschirr in die Spüle zu räumen, und dachte nicht mehr daran, dass Jacob sich vollkommen lautlos bewegte. Deshalb fuhr ich zusammen, als seine Stimme plötzlich hinter mir war.

»Meinst du nicht, du solltest lieber abschließen? Oh, entschuldige.«

Ich hatte mich vor Schreck mit Spülwasser bespritzt.

»Derjenige, vor dem ich Angst habe, würde sich von einer verschlossenen Tür bestimmt nicht abhalten lassen«, sagte ich und wischte mir das T-Shirt mit einem Geschirrtuch ab.

»Da ist was dran«, sagte er.

Ich drehte mich um und betrachtete ihn kritisch. »Ist es so schwer für dich, etwas anzuziehen, Jacob?«, fragte ich. Jacob lief wieder einmal mit nacktem Oberkörper herum, er trug nur eine abgeschnittene Jeans. Insgeheim fragte ich mich, ob er womöglich so stolz auf seine neuen Muskeln war, dass er sie nicht verstecken wollte. Ich musste zugeben, dass sie beeindruckend waren – aber ich hatte ihn nie für eitel gehalten. »Ich weiß ja, dass du nie frierst, aber trotzdem.«

Er fuhr sich mit einer Hand durch das nasse Haar, es fiel ihm in die Augen.

»So ist es einfacher«, erklärte er.

»Was ist daran einfacher?«

Er lächelte von oben herab. »Es ist schon lästig genug, die Shorts mit sich rumzuschleppen, geschweige denn ein komplettes Outfit. Seh ich etwa aus wie ein Packesel?«

Ich runzelte die Stirn. »Wie meinst du das?«

Er sah mich überlegen an, als wäre es ganz offensichtlich. »Meine Klamotten lösen sich nicht in Luft auf, wenn ich mich verwandle – ich muss sie die ganze Zeit mit mir rumschleppen.

Entschuldige, wenn ich versuche, das Gepäck so leicht wie möglich zu halten.«

Ich wurde rot. »Daran hab ich gar nicht gedacht«, murmelte ich.

Er lachte und zeigte auf ein schwarzes Lederband, dünn wie Garn, das er dreimal um den linken Knöchel gewunden hatte. Bis dahin war mir nicht aufgefallen, dass auch seine Füße nackt waren. »Das trage ich nicht aus modischen Gründen – es nervt, mit den Jeans im Maul rumzulaufen.«

Ich wusste nicht, was ich darauf sagen sollte.

Er grinste. »Stört es dich, wenn ich halb nackt bin?«

»Nein.«

Jacob lachte wieder. Ich drehte ihm den Rücken zu und kümmerte mich um den Abwasch. Hoffentlich dachte er nicht, ich wäre wegen seiner Frage rot geworden – ich schämte mich nur wegen meiner eigenen Blödheit.

»Tja, ich muss mich wohl mal an die Arbeit machen.« Er seufzte. »Er soll mir nicht vorwerfen können, dass ich schludere.«

»Jake, du musst das nicht ...«

Er hob eine Hand, um mich zum Schweigen zu bringen. »Ich mach das hier freiwillig. Also, wo ist der Geruch des Eindringlings am stärksten?«

»Ich glaub, in meinem Zimmer.«

Er kniff die Augen zusammen. Ihm gefiel die Sache ebenso wenig wie Edward.

»Bin sofort wieder da.«

Mechanisch bürstete ich den Teller, den ich in der Hand hielt. Das Schaben der Plastikbürste auf dem Keramikteller war das einzige Geräusch. Ich lauschte, ob von oben etwas zu hören war, ob der Fußboden knarrte oder die Tür klickte. Aber nichts. Da fiel mir auf, dass ich den Teller schon viel länger schrubbte als nötig, und ich versuchte mich auf das zu konzentrieren, was ich tat.

»Huh!«, machte Jacob direkt hinter mir, und ich erschrak schon wieder zu Tode.

»Mann, Jake, lass den Quatsch!«

»'tschuldige. Hier …« Jacob nahm das Geschirrtuch und wischte das Wasser auf, das ich verspritzt hatte. »Ich mach's wieder gut. Du wäschst ab, ich spüle nach und trockne ab.«

»Okay.« Ich reichte ihm den Teller.

»War nicht schwer, die Fährte aufzunehmen. In deinem Zimmer stinkt's übrigens.«

»Ich werd mir mal ein Raumspray zulegen.«

Er lachte.

Ein paar Minuten lang arbeiteten wir einträchtig nebeneinander.

»Darf ich dich mal was fragen?«

Ich reichte ihm einen Teller. »Kommt ganz drauf an, was du wissen willst.«

»Ich will dich nicht nerven oder so – ich bin ehrlich neugierig«, sagte Jacob.

»Okay. Dann schieß los.«

Er schwieg einen Augenblick. »Wie ist das eigentlich … einen Vampir zum Freund zu haben?«

Ich verdrehte die Augen. »Super.«

»Im Ernst. Stört dich die Vorstellung gar nicht? Findest du es kein bisschen gruselig?«

»Nein, überhaupt nicht.«

Schweigend nahm er mir eine Schale aus der Hand. Ich schaute ihn vorsichtig an. Er hatte die Stirn gerunzelt und die Unterlippe vorgeschoben.

»Sonst noch was?«, fragte ich.

Er zog die Nase kraus. »Na ja … ich hab mich gefragt … ob du ihn … ob du ihn auch küsst?«

Ich lachte. »Ja.«

Er schauderte. »Igitt.«

»Jeder, wie er mag«, murmelte ich.

»Und mit den Reißzähnen hast du kein Problem?«

Ich schlug ihm auf den Arm und bespritzte ihn dabei mit Spülwasser. »Halt die Klappe, Jacob! Du weißt genau, dass er keine Reißzähne hat!«

»Aber so was Ähnliches«, murmelte er.

Ich presste die Lippen zusammen und schrubbte ein Fleischmesser heftiger als nötig.

»Kann ich dich noch was fragen?«, sagte er leise, als ich ihm das Messer reichte. »Wieder nur aus Neugier.«

»Sicher«, sagte ich bissig.

Er hielt das Messer unter den Wasserstrahl und drehte es in der Hand. Als er sprach, war seine Stimme nur ein Flüstern. »Du hast gesagt, in ein paar Wochen … Wann genau …?« Er konnte den Satz nicht beenden.

»Nach dem Abschluss«, flüsterte ich zurück und beobachtete aufmerksam sein Gesicht. Ob er jetzt wieder ausrastete?

»So bald schon«, sagte er lautlos und schloss die Augen. Es klang nicht wie eine Frage. Eher wie ein Wehklagen. Seine Armmuskeln spannten sich an und seine Schultern wurden starr.

»Au!«, schrie er. Der Schrei zerriss die Stille, und ich machte einen Satz in die Luft.

Er hatte mit der rechten Hand die Messerklinge fest umklammert – jetzt öffnete er die Hand und das Messer fiel klirrend auf die Anrichte. Eine lange tiefe Wunde klaffte in seiner Hand. Das Blut strömte ihm über die Finger und tropfte auf den Boden.

»Verflucht! Aua!«, jammerte er.

Ich merkte, wie mir schwindelig wurde und mein Magen sich umdrehte. Ich hielt mich mit einer Hand an der Anrichte fest, atmete tief durch den Mund und riss mich mit aller Kraft zusammen, um ihm helfen zu können.

»O nein, Jacob! So ein Mist! Komm, wir wickeln das hier um die Wunde!« Ich hielt ihm das Geschirrtuch hin und wollte seine Hand nehmen. Er drehte sich von mir weg.

»Es ist nichts, Bella, mach dir keine Sorgen.«

An den Rändern meines Blickfelds fing es an zu flimmern.

Ich atmete noch einmal tief durch. »Ich soll mir keine Sorgen machen, wenn du dir die Hand aufschneidest?!«

Er ignorierte das Geschirrtuch, das ich ihm zuschob. Er hielt die Hand unter den Wasserhahn und wusch die Wunde aus. Rotes Wasser lief an seiner Hand herunter. In meinem Kopf drehte sich alles.

»Bella«, sagte er.

Ich wandte den Blick von der Wunde und schaute ihm ins Gesicht. Er runzelte die Stirn, sah jedoch ruhig aus.

»Was ist?«

»Du siehst aus, als würdest du gleich ohnmächtig werden, und du beißt dir die Lippe kaputt. Lass das mal. Du kannst dich wieder entspannen. Ruhig atmen. Es ist alles in Ordnung.«

Ich atmete tief durch den Mund und löste die Zähne von der Unterlippe. »Spiel hier nicht den Helden.«

Er verdrehte die Augen.

»Los, ich fahr dich in die Notaufnahme.« Ich war zuversichtlich, dass ich das schaffen würde. Immerhin hatten die Küchenwände aufgehört zu schwanken.

»Nicht nötig.« Jake drehte den Wasserhahn zu und nahm mir das Geschirrtuch aus der Hand. Er wickelte es locker um seine Hand.

»Moment mal«, protestierte ich. »Ich will mir das erst mal angucken.« Ich klammerte mich fester an die Anrichte, für den Fall, dass mir beim Anblick der Wunde wieder schwummrig wurde.

»Hast du irgendeinen Abschluss in Medizin, den du mir bisher verheimlicht hast?«

»Ich will nur entscheiden, ob ich einen Aufstand machen soll, um dich ins Krankenhaus zu schleppen, oder nicht.«

Er sah mich mit gespieltem Entsetzen an. »Bitte keinen Aufstand!«

»Wenn du mir deine Hand nicht zeigst, mach ich garantiert einen Aufstand.«

Er holte tief Luft, dann seufzte er heftig. »Also gut.«

Er wickelte das Geschirrtuch ab, und als ich es nehmen wollte, legte er seine Hand in meine.

Es dauerte ein paar Sekunden, bis ich schaltete. Ich drehte seine Hand sogar um, obwohl ich mir sicher war, dass er sich in die Handfläche geschnitten hatte und nicht in den Handrücken. Schließlich kapierte ich, dass von der Wunde nur eine flammend rote, runzlige Linie übrig geblieben war.

»Aber ... es hat doch ... so doll geblutet.«

Er zog seine Hand zurück und sah mich finster an.

»Bei mir verheilen die Wunden schnell.«

»Das kann man wohl sagen«, sagte ich tonlos.

Ich hatte die lange Schnittwunde gesehen und das viele Blut, das in die Spüle geflossen war. Von dem rostig-salzigen Geruch war mir ganz elend geworden. Normalerweise hätte das genäht werden müssen. Es hätte Tage dauern müssen, bis es verkrustet wäre, und dann noch ein paar Wochen, bis nur noch die leuchtend rote Narbe zu sehen gewesen wäre, die er mir eben gezeigt hatte.

Er verzog den Mund zu einem halben Lächeln und schlug sich mit der Faust gegen die Brust. »Werwolf, weißt du noch?«

Er sah mich einen endlosen Augenblick lang an.

»Ach ja«, sagte ich schließlich.

Er lachte über meinen Gesichtsausdruck. »Das hab ich dir doch erzählt. Und du hast Pauls Narbe damals gesehen.«

Ich schüttelte den Kopf. »Es ist aber noch mal was anderes, wenn man sieht, wie es passiert.«

Ich kniete mich hin und holte das Scheuerpulver aus dem Schrank unter der Spüle. Dann gab ich etwas Scheuerpulver auf einen Lappen und schrubbte den Boden. Der beißende Geruch des Putzmittels vertrieb das letzte Schwindelgefühl aus meinem Kopf.

»Lass mich das machen«, sagte Jacob.

»Ich bin schon fast fertig. Wirf das Geschirrtuch in die Wäsche, ja?«

Als ich mir sicher war, dass der Fußboden nur noch nach Scheuerpulver roch, stand ich auf und schrubbte auch die rechte Hälfte der Spüle. Dann ging ich in die Waschküche, kippte einen Becher Waschpulver in die Maschine und schaltete sie ein. Jacob sah mich missbilligend an.

»Leidest du unter Waschzwang?«, fragte er, als ich fertig war.

Hm. Schon möglich. Aber wenigstens hatte ich diesmal eine gute Entschuldigung. »Wir sind hier ein bisschen empfindlich, was Blut angeht. Das verstehst du doch bestimmt.«

»Ach so.« Wieder rümpfte er die Nase.

»Warum soll ich es ihm nicht ein wenig leichter machen? Er hat es schwer genug.«

»Ja, klar. Warum nicht?«

Ich ging zur Spüle, zog den Stöpsel heraus und ließ das schmutzige Wasser abfließen.

»Kann ich dich noch was fragen, Bella?«

Ich seufzte.

»Wie ist das eigentlich – einen Werwolf als besten Freund zu haben?«

Darauf war ich nicht vorbereitet. Ich prustete los.

»Findest du es gruselig?«, fragte er, bevor ich antworten konnte.

»Nein. Wenn der Werwolf nett ist«, betonte ich, »gibt es nichts Besseres.«

Er grinste breit, seine weißen Zähne bildeten einen starken Kontrast zu der rotbraunen Haut. »Danke, Bella«, sagte er, dann fasste er meine Hand und umarmte mich – und wie immer brach er mir dabei fast die Knochen.

Ehe ich reagieren konnte, ließ er die Arme sinken und trat einen Schritt zurück.

»Bah«, sagte er mit gerümpfter Nase. »Deine Haare stinken noch schlimmer als dein Zimmer.«

»Tut mir leid«, murmelte ich. Jetzt verstand ich auf einmal, weshalb Edward vorhin gelacht hatte, als er das Gesicht in meinem Haar vergraben hatte.

»Einer der vielen Nachteile, wenn man sich mit Vampiren abgibt«, sagte Jacob achselzuckend. »Man stinkt. Aber das ist noch ein vergleichsweise harmloser Nachteil.«

Ich sah ihn wütend an. »Das empfindest nur du so, Jake.«

Er grinste. »Bis bald, Bella.«

»Gehst du schon?«

»Er wartet darauf, dass ich verschwinde. Ich kann ihn draußen hören.«

»Ach so.«

»Ich geh hinten raus«, sagte er, dann hielt er inne. »Warte mal – meinst du, du könntest heute Abend nach La Push kommen? Wir machen eine Party mit Lagerfeuer. Emily kommt, und du könntest Kim kennenlernen … Und ich weiß, dass Quil dich auch gern treffen würde. Es fuchst ihn ziemlich, dass du eher Bescheid wusstest als er.«

Ich musste grinsen. Ich konnte mir vorstellen, dass Quil sich darüber ärgerte – Jacobs kleine Freundin hatte sich schon mit den Werwölfen angefreundet, während Quil immer noch ahnungslos war. Dann seufzte ich. »Jake, ich weiß nicht recht. Im Moment ist die Lage etwas angespannt …«

»Na komm schon, glaubst du etwa, irgendeiner könnte an so vielen … an uns sechsen vorbeikommen?«

Er machte eine kurze Pause, bevor er über die letzten Worte stolperte. Vielleicht fiel es ihm genauso schwer, das Wort *Werwolf* auszusprechen, wie ich oft Schwierigkeiten mit dem Wort *Vampir* hatte.

Der Blick seiner großen dunklen Augen war flehend.

»Ich frag ihn mal«, sagte ich zweifelnd.

Er stieß einen kehligen Laut aus. »Ist er jetzt auch noch dein Wächter? Letzte Woche hab ich in den Nachrichten so einen Bericht gesehen, da ging's um Typen, die ihre Freundinnen einsperren und misshandeln, und …«

»Schluss jetzt!«, rief ich und schob ihn zur Tür. »Zeit, dass der Werwolf nach Hause geht!«

Er grinste. »Ciao, Bella. Vergiss nicht, um Erlaubnis zu fragen!«

Ehe ich etwas gefunden hatte, was ich nach ihm werfen konnte, war er schon zur Hintertür hinaus. Ich blieb in der Küche zurück und fluchte.

Wenige Sekunden später kam Edward langsam herein. Regentropfen funkelten wie Diamanten in seinem bronzefarbenen Haar. Er sah mich argwöhnisch an.

»Habt ihr euch gestritten?«, fragte er.

»Edward!«, juchzte ich und warf mich in seine Arme.

»Hallo.« Lachend umfasste er mich. »Versuchst du mich abzulenken? Das ist dir gelungen.«

»Nein, wir haben uns nicht gestritten. Nicht besonders. Wieso?«

»Ich habe mich nur gefragt, warum du auf ihn eingestochen hast. Nicht dass ich etwas dagegen hätte.« Er nickte zu dem Messer auf der Anrichte.

»Verflixt! Ich dachte, ich hätte alle Spuren beseitigt.«

Ich löste mich aus seiner Umarmung und lief zur Spüle, dann kippte ich Scheuermittel auf das Messer.

»Ich hab nicht auf ihn eingestochen«, erklärte ich, während ich schrubbte. »Er hatte vergessen, dass er ein Messer in der Hand hatte.«

Edward lachte leise. »Das ist nicht halb so lustig wie das, was ich mir vorgestellt hatte.«

»Sei mal freundlich.«

Er zog einen großen Briefumschlag aus der Jackentasche und warf ihn auf die Anrichte. »Ich habe dir deine Post mitgebracht.«

»Was Gutes?«

»Ich glaube schon.«

Sein Ton machte mich misstrauisch. Ich ging hin und sah nach.

Der Din-A4-Umschlag war in der Mitte geknickt. Ich riss ihn auf und wunderte mich darüber, wie schwer und edel das Papier war. Dann schaute ich auf den Absender.

»Dartmouth? Soll das ein Witz sein?«

»Sicher ist es eine Zusage. Meins sah genauso aus.«

»Meine Güte, Edward – was hast du bloß gemacht?«

»Ich habe deine Bewerbung abgeschickt, mehr nicht.«

»Ich bin zwar keine Dartmouth-Kandidatin, aber so blöd, dass ich dir das abkaufen würde, bin ich nun auch wieder nicht.«

»In Dartmouth sind sie offenbar sehr wohl der Meinung, dass du eine Dartmouth-Kandidatin bist.«

Ich atmete tief durch und zählte in Gedanken langsam bis zehn. »Das ist sehr großzügig von ihnen«, sagte ich schließlich. »Aber ob ich nun angenommen bin oder nicht, da wäre ja immer noch das kleine Problem der Studiengebühren. Die kann ich mir nicht leisten, und ich werde nicht zulassen, dass du den Gegenwert eines Sportwagens zum Fenster rauswirfst, nur damit ich so tun kann, als würde ich in Dartmouth studieren.«

»Ich brauche keinen weiteren Sportwagen. Und du brauchst ja auch nicht nur so zu tun, als ob«, murmelte er. »Ein Jahr an der Uni würde dich nicht umbringen. Vielleicht würde es dir sogar Spaß machen. Denk einmal darüber nach, Bella. Stell dir vor, wie Charlie und Renée sich freuen würden …«

Ehe ich es verhindern konnte, ließ seine Samtstimme ein Bild in meinem Kopf entstehen. Natürlich würde Charlie platzen vor Stolz – in ganz Forks würde sich niemand vor seiner Begeisterung retten können. Und Renée würde ausflippen vor Freude über meinen Erfolg – auch wenn sie schwören würde, dass es sie gar nicht überrasche …

Ich versuchte das Bild wegzuschieben. »Edward, ich mache mir schon Sorgen, ob ich bis zum Schulabschluss überlebe, geschweige denn bis zum Sommer oder Herbst.«

Er nahm mich wieder in die Arme. »Niemand kann dir etwas anhaben. Du hast alle Zeit der Welt.«

Ich seufzte. »Morgen überweise ich alles, was ich auf dem Konto hab, nach Alaska. Mehr brauche ich nicht als Alibi. Es ist so weit weg, dass Charlie vor Weihnachten nicht mit einem

Besuch rechnen wird. Und bis dahin fällt mir bestimmt irgendeine Ausrede ein. Weißt du«, sagte ich halb im Spaß, »diese ganze Heimlichtuerei nervt ganz schön.«

Edwards Miene wurde hart. »Es wird immer leichter. Nach ein paar Jahrzehnten sind alle tot, die du kanntest. Dann ist das Problem gelöst.«

Ich zuckte zusammen.

»Entschuldige, das war grob.«

Ich starrte auf den großen weißen Briefumschlag, ohne ihn zu sehen. »Aber leider wahr.«

»Wenn ich diese Sache aus der Welt schaffe, was auch immer es ist, würdest du dann wenigstens darüber *nachdenken* zu warten?«

»Nein.«

»Du bist und bleibst ein Dickkopf.«

»Stimmt.«

Die Waschmaschine rumpelte und blieb stotternd stehen.

»Mistding«, sagte ich leise. Ich legte das kleine Geschirrtuch, das die ansonsten leere Maschine aus dem Gleichgewicht gebracht hatte, anders hinein und startete sie neu.

»Da fällt mir was ein«, sagte ich. »Kannst du Alice mal fragen, was sie mit meinen Sachen gemacht hat, als sie mein Zimmer aufgeräumt hat? Ich finde nichts wieder.«

Er sah mich verwirrt an. »Alice hat dein Zimmer aufgeräumt?«

»Ja, das nehme ich jedenfalls an. Sie war ja hier, um meinen Schlafanzug und mein Kopfkissen und so weiter zu holen. Als sie mich als Geisel genommen hat.« Ich funkelte ihn an. »Sie hat alles aufgehoben, was rumlag, meine T-Shirts, meine Socken, und ich hab keine Ahnung, wo sie die Sachen hingeräumt hat.«

Edward sah immer noch verwirrt aus, dann erstarrte er plötzlich.

»Wann hast du bemerkt, dass die Sachen fehlen?«

»Als ich von der sogenannten Pyjama-Party zurückkam. Wieso?«

»Ich glaube nicht, dass Alice etwas weggeräumt hat. Weder deine Sachen noch dein Kissen. Die Sachen, die verschwunden sind, das waren doch alles Sachen, die du getragen und berührt hattest ... und auf denen du geschlafen hattest?«

»Ja. Was ist, Edward?«

Seine Miene war angespannt. »Sachen mit deinem Geruch.«

»Oh!«

Wir starrten uns lange an.

»Der Besucher«, murmelte ich.

»Er hat Spuren gesammelt ... Beweisstücke. Um zu beweisen, dass er dich gefunden hat?«

»Warum?«, flüsterte ich.

»Ich weiß es nicht. Aber ich schwöre dir, Bella, dass ich es herausfinden werde. Ganz gewiss.«

»Ich weiß«, sagte ich und legte den Kopf an seine Brust. Da spürte ich, dass sein Handy vibrierte.

Er holte es hervor und schaute auf das Display. »Der kommt genau richtig«, murmelte er, dann klappte er das Handy auf. »Carlisle, ich ...« Er verstummte und hörte zu. Ein paar Minuten lang sah er hochkonzentriert aus. »Ich werde es mir ansehen. Hör zu ...«

Er erzählte von meinen verschwundenen Sachen, doch es hörte sich nicht so an, als hätte Carlisle dafür eine Erklärung.

»Vielleicht gehe ich ...«, sagte Edward und brach ab, als sein Blick zu mir schweifte. »Vielleicht besser nicht. Lass Emmett nicht allein losziehen, du weißt ja, wie er sich aufführt. Bitte wenigstens Alice aufzupassen. Wir klären das später.«

Er klappte das Telefon zu. »Wo ist die Zeitung?«, fragte er.

»Öhm, ich weiß nicht genau. Wieso?«

»Ich muss etwas nachschauen. Hat Charlie sie schon weggeworfen?«

»Vielleicht …«

Edward verschwand.

Kurz darauf kam er zurück, neue Diamanten im Haar und eine nasse Zeitung in den Händen. Er breitete sie auf dem Tisch aus und überflog schnell die Schlagzeilen. Er beugte sich vor, um einen Artikel genauer zu studieren, und fuhr mit einem Finger über die Absätze, die ihn am meisten interessierten.

»Carlisle hat Recht … ja … sehr schlampig. Jung und verrückt? Oder ein Todeswunsch?«, sagte er leise.

Ich schaute ihm über die Schulter.

Die Schlagzeile der *Seattle Times* lautete: »Mordserie dauert an – Polizei ohne neue Hinweise«.

Die Geschichte war fast identisch mit der, über die Charlie sich vor ein paar Wochen aufgeregt hatte – die Gewalttaten, die Seattle an die Spitze der landesweiten Mordstatistik katapultiert hatten. Aber ganz identisch war die Geschichte doch nicht. Die Zahlen waren deutlich höher.

»Das wird ja immer schlimmer«, murmelte ich.

Er runzelte die Stirn. »Es ist völlig außer Kontrolle geraten. Das kann nicht das Werk eines einzigen neugeborenen Vampirs sein. Was geht da vor? Es ist, als hätten sie noch nie von den Volturi gehört. Was natürlich sein könnte. Niemand hat ihnen die Regeln erklärt … wer also ist ihr Schöpfer?«

»Die Volturi?«, wiederholte ich schaudernd.

»Gerade solche Wesen löschen sie für gewöhnlich aus – Unsterbliche, die uns der Öffentlichkeit preiszugeben drohen. Erst vor ein paar Jahren haben sie in Atlanta aufgeräumt, und dort war die Sache bei weitem nicht so eskaliert wie hier. Sie werden sich bald einschalten, sehr bald, sofern wir nicht dafür sorgen, dass sich die Lage entspannt. Es wäre mir wirklich lieber, wenn sie nicht gerade jetzt nach Seattle kämen. Wenn sie so nah sind … dann könnten sie auf die Idee kommen, nach dir zu sehen.«

Ich schauderte wieder. »Was können wir tun?«

»Bevor wir das entscheiden, müssen wir mehr herausfinden. Wenn wir mit den jungen Vampiren reden und ihnen die Regeln erklären würden, könnten wir vielleicht eine friedliche Lösung finden.« Er zog die Stirn in Falten, als ob er nicht recht daran glaubte. »Wir warten, bis Alice eine Ahnung hat, was da vorgeht … Wir werden erst einschreiten, wenn es unumgänglich ist. Schließlich sind wir nicht dafür verantwortlich. Aber es ist gut, dass wir Jasper haben«, sagte er, beinahe zu sich selbst. »Im Umgang mit neuen Geschöpfen wird er uns nützen.«

»Jasper? Wieso?«

Edward lächelte düster. »Er ist sozusagen Experte in Sachen junge Vampire.«

»Wieso Experte?«

»Das musst du ihn schon selber fragen – es ist eine komplizierte Geschichte.«

»Was für ein Chaos«, murmelte ich.

»So scheint es, nicht wahr? Als käme es im Moment von allen Seiten.« Er seufzte. »Denkst du nicht manchmal, dein Leben wäre einfacher, wenn du nicht in mich verliebt wärst?«

»Kann schon sein. Aber das wär ja gar kein richtiges Leben.«

»Für mich«, ergänzte er leise. »Und jetzt«, fuhr er mit dünnem Lächeln fort, »möchtest du mich sicher noch etwas fragen?«

Ich starrte ihn verdutzt an. »Ja?«

»Oder vielleicht auch nicht.« Er grinste. »Ich hatte den Eindruck, du hättest versprochen, mich zu fragen, ob du heute Abend zu einem Werwolf-Empfang gehen könntest.«

»Hast du schon wieder gelauscht?«

Er grinste. »Nur ein bisschen, ganz zum Schluss.«

»Tja, ich wollte dich aber gar nicht fragen. Ich finde, dass du so schon Sorgen genug hast.«

Er legte mir eine Hand unters Kinn und hob mein Gesicht an, so dass er mir in die Augen sehen konnte. »Würdest du gern hinfahren?«

»Ist nicht so wichtig. Vergiss es.«

»Du brauchst mich nicht um Erlaubnis zu bitten, Bella. Ich bin nicht dein Vater – zum Glück. Aber vielleicht solltest du Charlie fragen.«

»Du weißt doch, dass Charlie es erlauben würde.«

»Ich weiß wahrscheinlich ein bisschen besser als die meisten Menschen wie seine Antwort ausfallen wird, das ist wahr.«

Ich starrte ihn nur an, versuchte zu begreifen, was er wollte, und unterdrückte die Sehnsucht, nach La Push zu fahren – ich wollte mich von meinen Wünschen nicht hinreißen lassen. Es war idiotisch, mit einem Haufen großer dummer Wolfsjungs herumhängen zu wollen, während so viele beängstigende, unerklärliche Dinge vor sich gingen. Aber natürlich hatte ich gerade deshalb solche Lust zu fahren. Den Todesdrohungen nur ein paar Stunden zu entfliehen ... die waghalsige, nicht so erwachsene Bella zu sein, die sich mit Jacob kaputtlachen konnte, wenn auch nur für kurze Zeit. Aber das zählte jetzt nicht.

»Bella«, sagte Edward. »Ich habe dir gesagt, dass ich vernünftig sein und mich auf dein Urteil verlassen werde. Das habe ich ernst gemeint. Wenn du den Werwölfen vertraust, dann werde ich mir ihretwegen keine Sorgen machen.«

»Wow«, sagte ich – genau wie letzte Nacht.

»Und Jacob hat Recht – jedenfalls in einer Hinsicht –, ein Rudel Werwölfe dürfte selbst dich einen Abend lang beschützen können.«

»Bist du dir sicher?«

»Natürlich. Nur …«

Ich machte mich auf alles gefasst.

»Du hast doch hoffentlich nichts gegen ein paar Vorsichtsmaßnahmen einzuwenden? Erstens würde ich dich gern selbst bis zur Grenze fahren. Und dann nimm bitte ein Mobiltelefon mit, damit ich weiß, wann ich dich abholen kann.«

»Das klingt … sehr vernünftig.«

»Ausgezeichnet.«

Er lächelte mich an, und ich sah keine Spur von Sorge in seinen juwelengleichen Augen.

Wie nicht anders zu erwarten, hatte Charlie überhaupt nichts dagegen, dass ich zu einem Lagerfeuer nach La Push fuhr. Jacob stieß einen Freudenschrei aus, als ich ihm am Telefon die gute Nachricht verkündete. In seiner Begeisterung hatte er auch nichts gegen Edwards Sicherheitsvorkehrungen einzuwenden. Er versprach, um sechs Uhr an der Grenzlinie zu sein.

Nach einem kurzen inneren Kampf hatte ich beschlossen, mein Motorrad doch nicht zu verkaufen. Ich wollte es zurück nach La Push bringen, wo es hingehörte, und wenn ich es nicht mehr brauchte … dann würde ich darauf bestehen, dass Jacob für seine Arbeit auf irgendeine Weise entschädigt wurde. Dann konnte er es verkaufen oder einem Freund schenken. Mir war alles recht.

Heute schien mir eine günstige Gelegenheit, das Motorrad wieder in Jacobs Werkstatt zu bringen. In letzter Zeit war ich so düsterer Stimmung, dass mir jeder Tag so vorkam, als könnte er der letzte sein. Ich hatte keine Zeit, irgendetwas aufzuschieben, selbst wenn es bloß eine Kleinigkeit war.

Edward nickte nur, als ich ihm erklärte, was ich vorhatte, aber ich meinte etwas wie Bedenken in seinem Blick zu erkennen.

Offenbar war er darüber, dass ich Motorrad fuhr, ebenso wenig begeistert wie Charlie.

Ich fuhr hinter ihm her zu seinem Haus und in die Garage, wo ich das Motorrad abgestellt hatte. Erst als ich den Transporter in der Garage parkte und ausstieg, begriff ich, dass Edwards Bedenken diesmal wohl doch nichts mit der Sorge um mich zu tun hatten.

Neben meinem kleinen antiken Motorrad stand ein weiteres Fahrzeug, das meins völlig in den Schatten stellte. Man konnte es kaum als Motorrad bezeichnen, denn es schien mit meinem Fahrzeug, das mir plötzlich ganz schäbig vorkam, so gar nichts gemein zu haben.

Es war groß und glatt und silbern, und selbst wenn es einfach nur dastand, sah man, wie schnell es war.

»Was ist *das* denn?«

»Nichts«, murmelte Edward.

»Wie nichts sieht es aber gar nicht aus.«

Edward schien entschlossen, die Sache herunterzuspielen. »Nun ja, ich konnte nicht wissen, ob du Jacob verzeihen würdest oder er dir, und ich dachte mir, du würdest vielleicht trotzdem noch mit deinem Motorrad fahren wollen. Ich hatte den Eindruck, dass es dir Spaß macht. Ich dachte, wir könnten zusammen fahren, wenn du möchtest.« Er zuckte die Achseln.

Ich starrte das traumhaft schöne Motorrad an. Daneben sah meins aus wie ein verunglücktes Dreirad. Plötzlich wurde ich traurig – das war ein ganz passendes Bild dafür, wie ich neben Edward aussah.

»Ich könnte ja gar nicht mit dir mithalten«, flüsterte ich.

Edward legte mir eine Hand unters Kinn und drehte mein Gesicht zu sich herum. Mit einem Finger versuchte er meinen Mundwinkel anzuheben.

»Ich würde mich deinem Tempo anpassen, Bella.«

»Das wär dann aber kein großer Spaß für dich.«

»Doch, natürlich, solange wir zusammen sind.«

Ich biss mir auf die Lippe und stellte es mir kurz vor. »Edward, wenn du denken würdest, ich fahre zu schnell oder verliere die Kontrolle über das Ding, was würdest du dann machen?«

Er zögerte, während er nach der richtigen Antwort suchte. Ich wusste, was er machen würde: Er würde mich irgendwie retten, bevor ich einen Unfall baute.

Dann lächelte er. Es sah ganz natürlich aus, nur seine Augen waren ein kleines bisschen zu schmal.

»Es ist eine Sache zwischen dir und Jacob. Das hatte ich nicht bedacht.«

»Es ist nur, weißt du, für ihn bin ich nicht so ein Bremsklotz. Ich könnte es ja mal versuchen …«

Zweifelnd sah ich das silberne Motorrad an.

»Mach dir keine Gedanken«, sagte Edward, dann lachte er unbeschwert. »Ich habe gesehen, wie Jasper es bewundert hat. Vielleicht ist es ohnehin an der Zeit, dass er sich ein neues Fortbewegungsmittel sucht. Alice hat ja jetzt ihren Porsche.«

»Edward, ich …«

Mit einem schnellen Kuss schnitt er mir das Wort ab. »Ich habe gesagt, du sollst dir keine Gedanken machen. Aber würdest du mir einen Gefallen tun?«

»Jeden«, sagte ich schnell.

Er ließ mein Gesicht los und beugte sich über das große Motorrad, um etwas zu holen, was er dort versteckt hatte.

Er tauchte mit einem schwarzen, formlosen Ding wieder auf und mit einem roten, das leicht zu identifizieren war.

»Bitte, ja?«, sagte er mit dem schiefen Lächeln, bei dem ich jedes Mal dahinschmolz.

Ich nahm den roten Helm und wog ihn in den Händen. »Damit seh ich bestimmt total dämlich aus.«

»Nein, damit siehst du klug aus. Klug genug, etwas für deine Sicherheit zu tun.« Er hängte sich das schwarze Ding über den Arm und nahm mein Gesicht in die Hände. »Ich halte hier gerade etwas in den Händen, ohne das ich nicht leben kann. Du könntest dafür sorgen, dass es heil bleibt.«

»Na gut. Und was ist das andere?«, fragte ich skeptisch.

Er lachte und hielt eine Art gepolsterte Jacke hoch. »Das ist eine Motorradjacke. Ich habe mir sagen lassen, dass Schürfwunden ziemlich unangenehm sind, auch wenn ich persönlich damit keine Erfahrungen habe.«

Er hielt mir die Jacke hin. Mit einem tiefen Seufzer warf ich die Haare zurück und setzte mir den Helm auf. Dann zwängte ich mich in die Jacke. Edward machte den Reißverschluss zu und trat einen Schritt zurück. Ein Lächeln umspielte seine Mundwinkel.

Ich kam mir total unförmig vor.

»Sei ehrlich, bin ich sehr hässlich?«

Er trat noch einen Schritt zurück und schürzte die Lippen.

»So schlimm?«, murmelte ich.

»Nein, nein, Bella. Ehrlich gesagt …« Er suchte angestrengt nach dem richtigen Wort. »Du siehst … sexy aus.«

Ich lachte laut. »O ja, ganz bestimmt.«

»Sehr sexy sogar.«

»Das sagst du nur, damit ich sie anziehe«, sagte ich. »Aber ist schon gut. Du hast Recht, es ist klüger.«

Er nahm mich in die Arme und zog mich an seine Brust. »Du bist albern. Vermutlich ist das Teil deiner Ausstrahlung. Obwohl ich zugeben muss, dass der Helm auch seine Nachteile hat.«

Und dann nahm er mir den Helm ab, damit er mich küssen konnte.

Als Edward mich bald darauf nach La Push fuhr, merkte ich, dass es sich, obwohl es das erste Mal war, seltsam vertraut anfühlte. Es dauerte eine Weile, bis ich darauf kam, woher das Déjà-vu-Gefühl rührte.

»Weißt du, woran mich das erinnert?«, fragte ich. »Es ist genau wie früher, als ich noch klein war, wenn Renée mich für die Sommerferien zu Charlie brachte. Ich komme mir vor wie mit sieben.«

Edward lachte.

Ich sprach es nicht aus, aber der größte Unterschied zu damals war, dass Renée und Charlie sich besser verstanden hatten.

Auf halbem Weg nach La Push bogen wir ab, und da stand Jacob neben seinem selbstgebastelten roten Golf. Als ich ihm vom Beifahrersitz winkte, trat ein Lächeln auf sein bis dahin unbewegtes Gesicht.

Edward parkte den Volvo dreißig Meter entfernt.

»Ruf mich an, wenn du nach Hause möchtest«, sagte er. »Dann komme ich hierher.«

»Es wird bestimmt nicht spät«, sagte ich.

Edward holte mein Motorrad und meine neue Ausrüstung aus dem Kofferraum – ich war ziemlich beeindruckt gewesen, wie er das alles hineingehoben hatte. Aber für jemanden, der mit ausgewachsenen Lastwagen jonglieren konnte, von kleinen Motorrädern ganz zu schweigen, war es natürlich ein Kinderspiel.

Jacob beobachtete uns, machte jedoch keine Anstalten, näher zu kommen. Sein Lächeln war verschwunden, der Blick seiner schwarzen Augen unergründlich.

Ich klemmte mir den Helm unter den Arm, die Jacke hatte ich angelassen.

»Hast du alles?«, fragte Edward.

»Alles klar«, sagte ich.

Mit einem Seufzer beugte er sich zu mir. Ich hob den Kopf zu einem flüchtigen Abschiedskuss, aber da schlang Edward die Arme um mich und küsste mich so heftig wie vorhin in der Garage – schon bald schnappte ich nach Luft.

Edward lachte leise, dann ließ er mich los.

»Tschüss«, sagte er. »Die Jacke gefällt mir wirklich gut.«

Als ich mich von ihm abwandte, sah ich etwas in seinen Augen aufblitzen, das ich nicht sehen sollte. Ich wusste nicht genau, was es war. Sorge vielleicht. Einen kurzen Augenblick dachte ich, es sei Panik. Doch wahrscheinlich machte ich wieder einmal aus einer Mücke einen Elefanten.

Ich spürte seinen Blick im Rücken, als ich mit dem Motorrad zu der unsichtbaren Vampir-Werwolf-Grenze ging, auf Jacob zu.

»Was soll das?«, fragte Jacob. Misstrauen lag in seiner Stimme, als er das Motorrad verständnislos betrachtete.

»Ich dachte mir, ich bringe es dahin zurück, wo es hingehört«, sagte ich.

Darüber dachte er kurz nach, dann breitete sich ein Lächeln auf seinem Gesicht aus.

Ich merkte es sofort, als ich auf Werwolf-Gebiet war, denn da sprang Jacob aus dem Auto und war in drei schnellen Sätzen bei mir. Er nahm mir das Motorrad ab, stellte es auf den Ständer und hob mich mit eisernem Griff hoch.

Ich hörte, wie der Motor des Volvos aufheulte, und versuchte mich zu befreien.

»Lass mich los, Jake!«, keuchte ich.

Er lachte und ließ mich runter. Ich drehte mich um und wollte noch winken, aber da war der silberne Wagen schon um die Kurve.

»Sehr freundlich«, sagte ich leicht angesäuert.

Er machte große Unschuldsaugen. »Was ist?«

»Es ist verdammt nett von ihm, dass er das mitmacht; du solltest dein Glück nicht überstrapazieren.«

Er lachte wieder, noch lauter als eben. Ich versuchte zu verstehen, was daran so witzig sein sollte, während er um den Golf herumging und mir die Tür aufhielt.

»Bella«, sagte er schließlich, als er die Beifahrertür zuschlug, und gluckste immer noch vor sich hin. »Man kann nichts überstrapazieren, was man nicht hat.«

LEGENDEN

»Isst du den Hotdog noch?«, fragte Paul Jacob. Er schaute auf das letzte bisschen, das die Werwölfe vom Abendessen übrig gelassen hatten.

Jacob lehnte sich an meine Knie und spielte mit dem Hotdog, den er auf einen gerade gebogenen Drahtkleiderbügel gespießt hatte; die Flammen am Rand des Feuers leckten an der brutzeligen Wurst. Seufzend tätschelte Jacob seinen Bauch. Erstaunlicherweise war der trotz der vielen Hotdogs immer noch flach – beim zehnten hatte ich aufgehört zu zählen. Dazu kamen noch eine Riesentüte Chips und zwei Liter Cola.

»Eigentlich«, sagte Jake langsam, »bin ich so voll, dass ich kotzen könnte, aber ich glaube, ich kann ihn noch runterkriegen. Obwohl das kein großes Vergnügen wird.« Wieder seufzte er traurig.

Obwohl Paul mindestens so viel gegessen hatte wie Jacob, schaute er ihn wütend an und ballte die Hände.

»Quatsch!« Jacob lachte. »War doch nur Spaß, Alter. Hier.«
Er warf den selbstgebastelten Spieß über das Feuer. Ich rechnete damit, dass der Hotdog im Dreck landen würde, aber Paul fing ihn mühelos am richtigen Ende auf.

Allmählich bekam ich Komplexe – alle Leute, mit denen ich zusammen war, waren so extrem geschickt.

»Hey, danke«, sagte Paul, und schon war der kleine Wutanfall vergessen.

Das Feuer knisterte, es wurde allmählich kleiner. Plötzlich stoben vor dem schwarzen Himmel leuchtend orangefarbene Funken auf. Komisch, ich hatte gar nicht gemerkt, dass die Sonne untergegangen war. Ich hatte das Zeitgefühl verloren. Es war leichter als erwartet, mit meinen Quileute-Freunden zusammen zu sein.

Als Jacob und ich das Motorrad in die Werkstatt gebracht hatten – und er zugab, dass er auf die Idee mit dem Helm auch selbst hätte kommen können –, war ich etwas nervös geworden bei der Vorstellung, mit ihm am Lagerfeuer aufzutauchen. Ich hatte mich gefragt, ob ich für die Werwölfe wohl eine Verräterin war. Womöglich waren sie sauer auf Jacob, weil er mich eingeladen hatte, und ich verdarb ihnen das Fest.

Aber als Jacob mich aus dem Wald zu dem Treffpunkt auf der Klippe geführt hatte – wo das Feuer bereits heller leuchtete als die Sonne hinter den Wolken –, war alles ganz einfach gewesen. »Hey, Vampirmädchen!«, hatte Embry zur Begrüßung laut gerufen. Quil war aufgesprungen, hatte mir in die Hand geklatscht und mich auf die Wange geküsst. Emily drückte mir die Hand, als wir uns neben sie und Sam auf den kühlen Steinboden setzten.

Abgesehen von ein paar Frotzeleien – vor allem von Paul – über den Blutsauger-Gestank, den der Wind angeblich in die falsche Richtung wehte, behandelten sie mich wie eine von ihnen.

Nicht nur wir jungen Leute waren da. Auch Billy war gekommen; er schien ganz selbstverständlich den Vorsitz innezuhaben. Neben ihm auf einem ziemlich wackligen Klappstuhl saß Quils uralter weißhaariger Großvater, Old Quil. Sue Clearwater, die

Witwe von Charlies Freund Harry, hatte sich auf der anderen Seite von Billy einen Stuhl aufgestellt. Auch ihre beiden Kinder Leah und Seth waren da; sie saßen wie wir anderen auf dem Boden. Es wunderte mich, dass die drei dabei waren, aber offenbar waren sie jetzt eingeweiht. So, wie Billy und Old Quil mit Sue sprachen, schien sie Harrys Platz im Rat eingenommen zu haben. Waren ihre Kinder dadurch automatisch in die geheimste Gemeinschaft von La Push aufgenommen?

Ich stellte mir vor, wie schrecklich es für Leah sein musste, Sam und Emily gegenüberzusitzen. Ihr schönes Gesicht ließ keine Regung erkennen, aber sie hob den Blick nie von den Flammen. Ich sah Leahs makellose Züge und verglich sie unwillkürlich mit Emilys entstelltem Gesicht. Was dachte Leah, wenn sie Emilys Narben sah, jetzt, da sie wusste, woher sie stammten? Waren sie in ihren Augen die gerechte Strafe?

Der kleine Seth Clearwater war gar nicht mehr so klein. Mit seinem fröhlichen breiten Grinsen und seiner langen, schlaksigen Gestalt kam er mir vor wie eine jüngere Ausgabe von Jacob. Über die Ähnlichkeit musste ich erst lächeln, dann seufzen. War auch Seth dazu verdammt, eines Tages so ein Leben zu führen wie die anderen Jungs hier? Durfte er deshalb mit seiner Familie hier sein?

Das ganze Rudel war gekommen: Sam mit Emily, Paul, Embry, Quil und Jared mit Kim, dem Mädchen, auf das er geprägt worden war.

Mein erster Eindruck von Kim war, dass sie ganz nett war, etwas schüchtern und ein bisschen langweilig. Sie hatte ein breites Gesicht mit kräftigen Wangenknochen, und ihre Augen waren zu klein, um davon abzulenken. Sowohl ihre Nase als auch ihre Lippen waren nach den herkömmlichen Vorstellungen von Schönheit zu breit. Sie hatte glatte schwarze Haare, die in dünnen Strähnen in dem Wind flatterten, der hier oben auf der Klippe nie nachzulassen schien.

Das war der erste Eindruck. Doch nachdem ich sie ein paar Stunden zusammen mit Jared gesehen hatte, konnte ich sie nicht mehr langweilig finden.

Wie er sie anstarrte! Wie ein Blinder, der zum ersten Mal die Sonne sieht. Wie ein Kunstsammler, der einen unentdeckten da Vinci findet, wie eine Mutter, die das Gesicht ihres neugeborenen Kindes sieht.

Durch seine staunenden Augen nahm ich sie plötzlich anders wahr – ich sah, dass ihre Haut im Feuerschein schimmerte wie rötliche Seide, dass ihre Lippen in einer vollkommenen Doppelkurve geschwungen waren, wie makellos weiß ihre Zähne waren und wie lang ihre Wimpern, wie sie ihre Wangen streichelten, wenn sie den Blick senkte.

Manchmal wurde Kims Haut dunkler, wenn sie Jareds bewunderndem Blick begegnete, und dann schaute sie verlegen zu Boden, aber es fiel ihr sichtlich schwer, ihn nicht anzusehen, und sei es nur für einen Moment.

Wenn ich sie ansah, hatte ich das Gefühl, besser zu verstehen, was Jacob mir erzählt hatte. *Es ist schwer, einem solchen Liebeswerben zu widerstehen.*

Jetzt döste Kim an Jareds Brust ein, er hatte die Arme um sie geschlungen. Ich stellte mir vor, wie warm sie es dort hatte.

»Es wird spät«, sagte ich leise zu Jacob.

»Jetzt noch nicht«, flüsterte Jacob – was unnötig war, weil die Hälfte der Anwesenden sowieso so gute Ohren hatten, dass sie alles verstehen konnten. »Das Beste kommt noch.«

»Was ist denn das Beste? Wie du ein ganzes Rind auf einmal verschlingst?«

Jacob lachte sein leises, kehliges Lachen. »Nein. Das ist das

Finale. Wir haben uns nicht nur getroffen, um die Vorräte einer Woche zu vertilgen. Das hier ist offiziell eine Ratsversammlung. Für Quil ist es das erste Mal, er kennt die Geschichten noch nicht. Das heißt, er hat sie zwar schon mal gehört, aber jetzt wird er zum ersten Mal wissen, dass sie wahr sind. Da hört man im Allgemeinen besser zu. Auch für Kim, Seth und Leah ist es das erste Mal.«

»Geschichten?«

Jacob beugte sich zu mir zurück, wo ich an einem kleinen Felsvorsprung lehnte.

»Die Geschichten, die wir immer für Legenden gehalten hatten«, sagte er. »Die Geschichten über unsere Herkunft. Die erste Geschichte ist die von den Geisterkriegern.«

Jacobs leise geflüsterten Worte waren fast wie eine Einleitung. Sofort veränderte sich die Stimmung an dem fast erloschenen Feuer. Paul und Embry richteten sich auf. Jared stupste Kim an und zog sie sanft hoch.

Emily zückte einen Stift und einen Spiralblock, jetzt sah sie aus wie eine Studentin in einer wichtigen Vorlesung. Sam neben ihr drehte sich ein kleines bisschen herum, so dass er in dieselbe Richtung schaute wie Old Quil neben ihm – und plötzlich begriff ich, dass der Rat nicht drei, sondern vier Älteste hatte.

Leah Clearwater, deren Gesicht immer noch eine schöne, ausdruckslose Maske war, schloss die Augen – nicht aus Müdigkeit, sondern um sich besser konzentrieren zu können. Ihr Bruder beugte sich neugierig zu den Ältesten vor.

Das Feuer knisterte, und wieder sprühte eine Funkenwolke empor in die Nacht.

Billy räusperte sich und begann ohne weitere Einleitung mit seiner tiefen, vollen Stimme zu erzählen. Die Worte kamen klar und präzise, als könnte er sie auswendig, doch er sprach sie mit

Gefühl und einem unterschwelligen Rhythmus. Wie ein Gedicht, vom Dichter selbst vorgetragen.

»Die Quileute waren immer schon ein kleines Volk«, sagte Billy. »Und ein kleines Volk sind wir auch heute noch, aber wir sind nie verschwunden. Das kommt daher, dass wir immer etwas Magisches im Blut hatten. Es war nicht immer die Magie der Verwandlung – die kam erst später. Zunächst waren wir Geisterkrieger.«

Bisher war mir nie aufgefallen, dass Billy Blacks Stimme einen erhabenen Klang hatte, doch jetzt merkte ich, dass diese Autorität immer da gewesen war.

Emilys Stift glitt schnell über das Papier, während sie versuchte mitzukommen.

»Am Anfang ließ sich der Stamm in dieser Bucht nieder, wir wurden geschickte Schiffsbauer und Fischer. Doch der Stamm war klein und in der Bucht gab es viele Fische. Andere kamen und hatten es auf unser Land abgesehen, und wir waren zu wenige, um es zu halten. Ein größerer Stamm griff uns an, und wir nahmen unsere Schiffe und flohen.

Kaheleha war nicht der erste Geisterkrieger, doch an die Geschichten vor seiner Zeit erinnern wir uns nicht. Wir wissen nicht mehr, wer als Erster diese Macht entdeckte oder wie sie bis dahin eingesetzt wurde. Kaheleha war der erste große Geisterhäuptling in der Geschichte unseres Volkes.

In dieser Notlage machte Kaheleha sich die magischen Kräfte zu Nutze, um unser Land zu verteidigen. Er und all seine Krieger verließen das Schiff – nicht ihre Körper, sondern ihr Geist. Die Frauen wachten über ihre Körper und über die Wellen, und die Männer brachten ihren Geist zurück in die Bucht. Körperlich konnten sie dem feindlichen Stamm nichts anhaben, doch sie hatten andere Mittel. Die Geschichten erzählen uns, dass sie heftige Winde in das Lager ihrer Feinde blasen konnten, und sie konnten den Wind so heulen lassen, dass ihre Feinde große Angst bekamen. Die Geschichten erzählen auch, dass die Tiere die Geisterkrieger sehen und verstehen konnten; die Tiere hörten auf sie.

Kaheleha nahm seine Geisterarmee und richtete unter den Eindringlingen Verwüstung an. Die Angreifer hatten Rudel von großen Hunden mit dichtem Fell, die im eisigen Norden ihre Schlitten zogen. Den Geisterkriegern gelang es, die Hunde gegen ihre Besitzer zu wenden, und außerdem trieben sie scharenweise Fledermäuse in den Klippen zusammen. Mit den heulenden Winden verwirrten sie die Männer zusätzlich. Die Hunde und die Fledermäuse siegten. Die Überlebenden stoben auseinander und sagten, es liege ein Fluch über unserer Bucht. Die Hunde schossen davon, als die Geisterkrieger sie freiließen. Siegreich kehrten die Quileute zu ihren Körpern und ihren Frauen zurück.

Die anderen nahe angesiedelten Stämme, die Hoh und die Makah, schlossen Verträge mit den Quileute. Sie wollten mit unseren magischen Kräften nichts zu tun haben. Mit ihnen lebten wir in Frieden. Wenn ein Feind uns angreifen wollte, wurde er von den Geisterkriegern vertrieben.

Generationen später kam der letzte große Geisterhäuptling, Taha Aki. Er war als weiser und friedliebender Mann bekannt. Sein Volk lebte gut und zufrieden unter ihm. Aber es gab einen Mann, Utlapa, der nicht zufrieden war.«

Ein leises Zischen lief ums Feuer herum. Ich war zu langsam, um zu sehen, von wem es kam. Billy ging darüber hinweg und erzählte weiter.

»Utlapa war einer von Häuptling Taha Akis stärksten Geisterkriegern – er war ein mächtiger, aber auch ein gieriger Mann. Er fand, dass die Menschen ihre magischen Kräfte dafür einsetzen sollten, ihr Land zu vergrößern, die Hoh und die Makah zu unterwerfen und ein Reich aufzubauen.

Wenn die Krieger sich in Geister verwandelten, konnten sie die Gedanken der anderen lesen. Taha Aki wusste, wovon Utlapa träumte, und war zornig auf ihn. Er befahl Utlapa, das Volk zu verlassen und sich nie mehr in einen Geist zu verwandeln. Utlapa war stark, doch die Krieger des Häuptlings waren in der Überzahl. Ihm blieb nichts anderes übrig, als zu gehen. Der zornige Verstoßene versteckte sich im nahen Wald und wartete auf eine Gelegenheit, sich an dem Häuptling zu rächen.

Selbst in Friedenszeiten war der Häuptling sehr darauf bedacht, sein Volk zu beschützen. Oftmals ging er zu einem geheimen, heiligen Ort in den Bergen. Dort ließ er seinen Körper zurück und streifte durch die Wälder und entlang der Küste, um sicherzustellen, dass keine Bedrohung nahte.

Eines Tages, als Taha Aki zu seinem Erkundungsgang aufbrach, folgte Utlapa ihm. Erst hatte er vor, den Häuptling einfach zu töten, aber dieser Plan hatte seine Tücken. Bestimmt würden die Geisterkrieger versuchen ihn umzubringen, und sie würden ihm schneller auf den Fersen sein, als er fliehen konnte. Als er sich in den Felsen versteckt hielt und dem Häuptling zusah, wie er sich darauf vorbereitete, seinen Körper zu verlassen, reifte ein anderer Plan in ihm.

Taha Aki ließ seinen Körper an dem geheimen Ort zurück und flog mit dem Wind, um sein Volk zu bewachen. Utlapa wartete, bis er sichergehen konnte, dass der Häuptling in seiner Geistergestalt ein Stück zurückgelegt hatte.

Taha Aki merkte sofort, dass auch Utlapa in die Geisterwelt eingetreten war, und im selben Augenblick wusste er auch von Utlapas mörderischem Plan. Er sauste zurück zu seinem Geheimversteck, doch selbst der Wind war nicht schnell genug, um ihn zu retten. Als er zurückkam, war sein Körper schon verschwunden. Utlapas Körper lag verlassen da, aber Utlapa hatte Taha Aki keinen Ausweg gelassen: Mit Taha Akis Händen hatte er seinem eigenen, Utlapas, Körper die Kehle durchgeschnitten. Taha Aki folgte seinem Körper den Berg hinunter. Er schrie Utlapa an, aber Utlapa beachtete ihn gar nicht, als wäre er bloß der Wind.

Verzweifelt musste Taha Aki mit ansehen, wie Utlapa seinen Platz als Häuptling der Quileute einnahm. In den ersten Wochen war Utlapa sorgsam darauf bedacht, dass die anderen ihn für Taha Aki hielten. Dann begann er Neuerungen einzuführen. Als Erstes verbot Utlapa allen Kriegern, die Geisterwelt zu betreten. Er behauptete, er habe eine Vision gehabt, die von Gefahr kündete, in Wahrheit jedoch hatte er Angst. Er wusste, dass Taha Aki nur auf eine Gelegenheit wartete, seine Geschichte zu erzählen. Utlapa hatte auch Angst davor, selbst die Geisterwelt zu betreten, denn er wusste, dass Taha Aki sogleich seinen Körper zurückfordern würde. Daher waren seine Träume von einer siegreichen Schlacht mit den Geisterkriegern unmöglich geworden, und er versuchte sich damit zu bescheiden, über den Stamm zu herrschen. Er wurde aufsässig und versuchte sich Vorteile zu verschaffen, nach denen Taha Aki nie gestrebt hatte. Er weigerte sich, mit seinen Kriegern zusammenzuarbeiten, er nahm sich eine zweite junge Frau und dann eine dritte, obwohl Taha Akis Frau noch lebte – etwas, was in dem Stamm bis dahin undenkbar gewesen war. Taha Aki sah in hilflosem Zorn zu.

Schließlich versuchte Taha Aki seinen Körper zu töten, um den Stamm vor Utlapas Ausschweifungen zu bewahren. Er holte einen wilden Wolf aus den Bergen herab, doch Utlapa versteckte sich hinter seinen Kriegern. Als der Wolf einen jungen Krieger tötete, der den falschen Häuptling beschützte, empfand Taha Aki unbeschreibliche Trauer. Er schickte den Wolf wieder fort.

Die Geschichten erzählen, dass es nicht einfach war, ein Geisterkrieger zu sein. Es war eher furchterregend als schön, vom eigenen Körper befreit zu sein. Deshalb wandten die Krieger diese magischen Kräfte nur an, wenn es unbedingt nötig war. Die einsamen Streifzüge, die der Häuptling unternahm, um sein Volk zu bewachen, waren eine Last und ein Opfer. Körperlos zu sein, war verwirrend, unangenehm und erschreckend. Taha Aki war nun schon so lange ohne seinen Körper, dass er große Qualen litt. Er hatte das Gefühl, verdammt zu sein – ohne die Hoffnung, je in das ewige Land der Vorfahren einzutreten, für immer gefangen in diesem grauenvollen Nichts.

Der Wolf folgte Taha Akis Geist, der sich in seiner Qual durch den Wald schlug. Es war ein außergewöhnlich großer und schöner Wolf. Plötzlich war Taha Aki neidisch auf das Tier. Es hatte wenigstens einen Körper, wenigstens ein Leben. Selbst ein Leben als Tier erschien Taha Aki besser als diese furchtbare Leere.

Und dann hatte Taha Aki die Idee, die uns alle veränderte. Er bat den großen Wolf, ihm Platz zu machen, seinen Körper mit ihm zu teilen. Der Wolf war einverstanden. Erleichtert und dankbar trat Taha Aki in den Wolfskörper ein. Es war nicht sein menschlicher Körper, aber es war immer noch besser als die Leere der Geisterwelt.

So vereint kehrten der Mann und der Wolf in das Dorf an der Bucht zurück. Die Menschen liefen voller Angst davon und riefen die Krieger zu Hilfe. Die Krieger begegneten dem Wolf mit ihren Lanzen. Utlapa hielt sich natürlich versteckt.

Taha Aki griff seine Krieger nicht an. Langsam zog er sich von ihnen zurück, ließ seine Augen sprechen und versuchte die Lieder seines Volkes zu heulen. Allmählich begriffen die Krieger, dass der Wolf kein gewöhnliches Tier war und dass er unter dem Einfluss eines Geistes stand. Ein älterer Krieger, ein Mann namens Yut, beschloss den Befehl des falschen Häuptlings zu missachten, er versuchte sich mit dem Wolf zu verständigen.

Kaum hatte Yut die Geisterwelt betreten, verließ Taha Aki den Wolf – der geduldig auf seine Rückkehr wartete –, um mit Yut zu sprechen. Yut erfasste augenblicklich die Wahrheit und hieß seinen wahren Häuptling zu Hause willkommen.

In diesem Moment kam Utlapa, um nachzusehen, ob der Wolf besiegt war. Als er Yut reglos am Boden liegen sah, umringt von Kriegern, die ihn beschützten, wusste er, was los war. Er zog das Messer und stürmte los, um Yut zu töten, bevor er zu seinem Körper zurückkehren konnte.

»Verräter!«, schrie er, und die Krieger wussten nicht, was sie tun sollten. Der Häuptling hatte es verboten, die Geisterwelt zu betreten, und es war seine Entscheidung, wie jene zu bestrafen waren, die ihm nicht gehorchten.

Yut sprang wieder in seinen Körper, aber Utlapa setzte ihm das Messer an die Kehle und hielt ihm mit einer Hand den Mund zu. Taha Akis Körper war stark, und Yut war alt und schwach. Yut konnte die anderen noch nicht einmal warnen, ehe Utlapa ihn für immer zum Schweigen brachte.

Taha Aki sah zu, wie Yuts Geist in das ewige Land der Vorfahren glitt, das Taha Aki für immer verschlossen war. Er empfand eine gewaltige Wut, stärker als alles, was er je empfunden hatte. Er trat wieder in den großen Wolf ein, um Utlapa die Kehle herauszureißen. Doch als er sich mit dem Wolf vereinigte, geschah ein großes Wunder.

Taha Akis Wut war die Wut eines Menschen. Die Liebe zu seinem Volk und der Hass auf den Unterdrücker waren zu gewaltig für den Körper des Wolfs, zu menschlich. Der Wolf zitterte und verwandelte sich vor den Augen Utlapas und der erschrockenen Krieger in einen Mann.

Der Mann sah nicht aus wie Taha Aki. Er sah viel prächtiger aus. Er war der fleischgewordene Geist von Taha Aki. Die Krieger erkannten ihn jedoch sofort, denn sie waren mit Taha Akis Geist gewandert.

Utlapa versuchte zu fliehen, doch Taha Aki hatte die Kraft des Wolfs in seinem neuen Körper. Er fing den falschen Häuptling und erdrückte seinen Geist, bevor er aus dem gestohlenen Körper herausspringen konnte.

Als die Menschen begriffen, was geschehen war, jubelten sie. Taha Aki stellte die alte Ordnung wieder her, er arbeitete wieder zusammen mit seinem Volk und gab die jungen Ehefrauen ihren Familien zurück. Die einzige Veränderung, die er beibehielt, war das Verbot, die Geisterwelt zu betreten. Jetzt, da die Idee, jemandem das Leben zu rauben, einmal aufgetaucht war, war das zu gefährlich geworden. Die Geisterkrieger gab es nicht mehr.

Von nun an war Taha Aki mehr als nur Wolf oder Mann. Er wurde Taha Aki der Große Wolf oder Taha Aki der Geistermann genannt. Viele, viele Jahre führte er den Stamm, denn er alterte nicht. Wenn Gefahr drohte, nahm er die Wolfsgestalt an, um gegen den Feind zu kämpfen oder ihm Angst einzujagen. Das Volk lebte in Frieden. Taha Aki zeugte viele Söhne, und einige davon stellten fest, dass auch sie sich, wenn sie das Mannesalter erreicht hatten, in einen Wolf verwandeln konnten. Die Wölfe waren alle unterschiedlich, denn sie waren Geisterwölfe und spiegelten den Mann wider, der darin steckte.«

»Deshalb also ist Sam pechschwarz«, murmelte Quil grinsend. »Schwarze Seele, schwarzes Fell.«

Die Geschichte hatte mich so in Bann gezogen, dass es fast ein Schock war, in die Gegenwart zurückzukommen, in den Kreis um das verlöschende Feuer. Und ich erschrak, als mir klarwurde, dass der Kreis aus Taha Akis Urur…enkeln bestand.

Funken stoben in einer Salve vom Feuer auf, sie zitterten und tanzten und bildeten beinahe erkennbare Figuren.

»Und was sagt uns dein schokoladenbraunes Fell?«, flüsterte Sam Quil zu. »Wie süß du bist?«

Billy überging ihre Sticheleien. »Einige der Söhne blieben als Krieger bei Taha Aki und wurden fortan nicht mehr älter. Andere, denen die Verwandlung nicht gefiel, weigerten sich, dem Rudel von Wolfsmännern beizutreten. Diese begannen wieder zu altern, und so fand man heraus, dass die Wolfsmänner altern konnten wie alle anderen, wenn sie aufhörten, sich in Geisterwölfe zu verwandeln. Taha Aki hatte drei lange Leben gelebt. Nach dem Tod seiner ersten und zweiten Frau heiratete er eine dritte und fand in ihr seine wahre Gefährtin im Geiste. Zwar hatte er auch die anderen beiden geliebt, aber mit dieser war es etwas anderes. Er beschloss, sich nicht länger in seinen Geisterwolf zu verwandeln, damit er mit ihr zusammen sterben konnte.

So kam die Magie zu uns, aber das ist noch nicht das Ende der Geschichte …«

Er schaute zu Old Quil Ateara, der auf seinem Stuhl hin und her rutschte und die schmalen Schultern straffte. Billy trank einen Schluck Wasser aus einer Flasche und wischte sich über die Stirn. Emilys Stift glitt rasend schnell über das Papier.

»Das war die Geschichte der Geisterkrieger«, begann Old Quil mit seiner Fistelstimme. »Nun folgt die Geschichte vom Opfer der dritten Frau.

Viele Jahre nachdem Taha Aki beschlossen hatte, sich nicht länger in seinen Geisterwolf zu verwandeln – er war schon ein alter Mann –, kam es im Norden zu Auseinandersetzungen mit den Makah. Mehrere junge Frauen ihres Stammes waren verschwunden, und sie beschuldigten die Wölfe des Nachbarstammes, die sie fürchteten und denen sie misstrauten. In Wolfsgestalt konnten die Wolfsmänner noch immer die Gedanken der anderen Wölfe lesen, genau wie ihre Vorfahren es als Geister gekonnt hatten. Sie wussten, dass keiner von ihnen schuld an dem Verschwinden der Frauen war. Taha Aki versuchte den Häuptling der Makah zu besänftigen, aber auf Seiten der Makah gab es zu viel Angst. Taha Aki wollte nicht, dass es zu einem Krieg kam. Er war nicht länger ein Krieger, der sein Volk führen konnte. Er beauftragte seinen ältesten Wolfssohn, Taha Wi, den wahren Übeltäter zu finden, ehe es zum Kampf kam.

Zusammen mit den anderen fünf Wölfen seines Rudels durchkämmte Taha Wi die Berge auf der Suche nach Spuren der vermissten Makah. Dabei stießen die Wölfe auf etwas, das ihnen nie zuvor begegnet war – einen eigenartigen, süßlichen Geruch im Wald, der ihnen so in der Nase brannte, dass es schmerzte.«

Ich lehnte mich etwas näher an Jacob. Ich sah, wie es um seine Mundwinkel zuckte, und er legte mir den Arm fest um die Schultern.

»Sie wussten nicht, was für ein Wesen solch einen Geruch verströmte, doch sie folgten der Spur«, fuhr Old Quil fort. Seine zittrige Stimme klang nicht so erhaben wie Billys, doch es lag eine merkwürdige drängende Leidenschaft darin. Mein Herz setzte einen Schlag aus, als er schneller sprach.

»Als sie der Fährte folgten, fanden sie schwache Spuren menschlicher Gerüche und menschliches Blut. Sie waren sich sicher, dass sie dem Feind, den sie suchten, auf den Fersen waren.

Die Spur führte sie so weit, dass Taha Wi die Hälfte des Rudels, die drei Jüngeren, zurück zur Bucht schickte, damit sie Taha Aki Bericht erstatten konnten. Taha Wi und seine beiden Brüder kehrten nicht zurück. Die jüngeren Brüder suchten nach den älteren, doch sie fanden nur Schweigen. Taha Aki trauerte um seine Söhne. Er hätte ihren Tod gern gerächt, aber er war ein alter Mann. In Trauerkleidern ging er zu dem Häuptling der Makah und berichtete ihm, was geschehen war. Der Makah-Häuptling sah, dass sein Kummer echt war, und der Zwist zwischen den beiden Stämmen wurde beigelegt.

Ein Jahr darauf verschwanden in einer Nacht zwei Makah-Mädchen. Sofort riefen die Makah die Quileute-Wölfe um Hilfe an, und die Wölfe fanden im gesamten Makah-Dorf den süßlichen Gestank, den sie bereits kannten. Wieder gingen die Wölfe auf die Jagd.

Nur einer kehrte zurück. Es war Yaha Uta, der älteste Sohn von Taha Akis dritter Frau und der Jüngste im Rudel. Er brachte etwas mit, was man bei den Quileute noch nie gesehen hatte – die zerlegten Gliedmaßen einer merkwürdigen, kalten, steinernen Leiche. Alle, die von Taha Akis Blut waren, auch jene, die niemals Wölfe gewesen waren, konnten den durchdringenden Gestank des toten Wesens riechen. Das war der Feind der Makah.

Yaha Uta berichtete, was geschehen war: Er und seine Brüder hatten das Wesen, das von Menschengestalt, aber hart wie ein Granitfelsen war, zusammen mit den beiden Makah-Töchtern gefunden. Eins der Mädchen war bereits tot; weiß und blutleer lag sie am Boden. Die andere lag in den Armen des Wesens, sein Mund an ihrer Kehle. Vielleicht lebte sie noch, als Yaha Uta und seine Brüder die grauenhafte Szene erblickten, doch als sie näher kamen, biss das Wesen dem Mädchen schnell in den Hals und warf den leblosen Körper zu Boden. Seine weißen Lippen troffen von Blut, und seine Augen waren rotglühend.

Yaha Uta berichtete von der unglaublichen Kraft und der Schnelligkeit des Wesens. Einer seiner Brüder unterschätzte diese Kraft und fiel ihr schnell zum Opfer. Das Wesen riss ihn in Stücke, als wäre er eine Puppe. Yaha Uta und sein anderer Bruder waren vorsichtiger. Sie näherten sich dem Wesen von beiden Seiten und konnten es auf diese Weise in die Enge treiben. Zum allerersten Mal mussten sie bis an die Grenzen ihrer Wolfskräfte und ihrer Schnelligkeit gehen. Das Wesen war steinhart und eiskalt. Sie stellten fest, dass sie ihm nur mit den Zähnen etwas anhaben konnten. Während das Wesen gegen sie kämpfte, begannen sie kleine Stücke von ihm abzureißen. Aber das Wesen lernte schnell und passte sich ihrer Angriffstaktik geschickt an. So bekam es Yaha Utas Bruder zu fassen. Yaha Uta fand eine Öffnung in der Kehle des Wesens und stürzte sich darauf. Mit den Zähnen riss er dem Wesen den Kopf ab, doch die Hände hörten nicht auf, seinen Bruder zu zerfleischen.

Im verzweifelten Versuch, seinen Bruder zu retten, zerriss Yaha Uta das Wesen bis zur Unkenntlichkeit. Es war zu spät, doch am Ende war das Wesen zerstört.

Das glaubten sie jedenfalls. Yaha Uta breitete die stinkenden Überreste vor den Ältesten aus, damit sie sie untersuchen konnten. Eine abgetrennte Hand lag neben einem Stück des granitharten Arms. Als die Ältesten sie mit Stöcken hin und her schoben, berührten sich die beiden Teile und die Hand streckte sich nach dem Arm aus, als sollte er wieder ganz werden.

Entsetzt zündeten die Ältesten die Körperteile an. Eine stinkende, erstickende Rauchwolke verpestete die Luft. Als nur noch Asche übrig war, füllten sie diese in mehrere kleine Beutel und verstreuten sie über ein weites Gebiet – im Ozean, im Wald, in den Höhlen der Klippen. Einen Beutel trug Taha Aki um den Hals, damit er gewarnt wäre, falls das Wesen je versuchen sollte, wieder ganz zu werden.«

Old Quil hielt inne und schaute Billy an. Billy holte ein Lederband hervor, das er um den Hals hängen hatte. An dem Band hing ein kleiner Beutel, der mit den Jahren schwarz geworden war. Einige stießen erschreckte Schreie aus. Vielleicht war ich darunter.

»Sie nannten es das kalte Wesen, den Bluttrinker, und lebten mit der Angst, dass er womöglich nicht der Einzige seiner Art war. Sie hatten nur noch einen Wolfsmann bei sich, der sie beschützen konnte, den jungen Yaha Uta.

Sie mussten nicht lange warten. Das Wesen hatte eine Gefährtin, auch sie ein Bluttrinker, und sie kam zu den Quileute, um sich zu rächen.

In den Geschichten heißt es, dass die kalte Frau das Schönste war, was je ein Mensch erblickt hatte. Wie die Göttin der Morgenröte sah sie aus, als sie an jenem Tag ins Dorf kam; ausnahmsweise schien einmal die Sonne, sie spiegelte sich auf ihrer weißen Haut und ließ ihr goldenes Haar strahlen, das ihr bis zu den Knien ging. Ihr Gesicht war von magischer Schönheit, die Augen schwarz in dem weißen Gesicht. Einige warfen sich ihr demütig zu Füßen.

Mit hoher, durchdringender Stimme fragte sie etwas in einer Sprache, die niemand je gehört hatte. Die Leute waren perplex und wussten nichts zu sagen. Unter den Anwesenden war keiner von Taha Akis Blut, bis auf einen kleinen Jungen. Er klammerte sich an seine Mutter und schrie, der Geruch brenne ihm in der Nase. Einer der Ältesten, der auf dem Weg zum Rat war, hörte den Jungen und begriff, wer da gekommen war. Er schrie den Leuten zu, sie sollten wegrennen. Ihn tötete sie als Erstes.

Zwanzig Zeugen sahen die Ankunft der kalten Frau. Nur zwei konnten entkommen, weil sie sich dazu hinreißen ließ, ihren Durst am Blut zu stillen. Sie rannten zu Taha Aki, der mit den anderen Ältesten im Rat saß, mit seinen Söhnen und seiner dritten Frau.

Sobald Yaha Uta hörte, was geschehen war, verwandelte er sich in den Geisterwolf. Er ging los, um die kalte Frau allein zu töten. Taha Aki, seine dritte Frau, seine Söhne und die Ältesten folgten ihm.

Zunächst konnten sie die kalte Frau nicht finden, nur die Spuren ihres Angriffs. Leblose, zerstückelte Körper lagen auf dem Weg, manche blutleer. Dann hörten sie Schreie und liefen schnell zur Bucht.

Eine Handvoll Quileute waren zu den Schiffen gerannt, um zu fliehen. Wie ein Hai schwamm sie hinter ihnen her und zerbrach mit ihrer unglaublichen Kraft den Bug ihres Schiffes. Als das Schiff sank, fing sie alle ein, die versuchten wegzuschwimmen, und tötete sie.

Da sah sie den großen Wolf am Ufer und vergaß die fliehenden Schwimmer. Sie schwamm so schnell, dass ihre Gestalt kaum noch zu erkennen war, bis sie triefnass und in ihrer ganzen Schönheit vor Yaha Uta stand. Sie zeigte mit einem weißen Finger auf ihn und fragte wieder etwas Unverständliches. Yaha Uta wartete.

Es war ein harter Kampf. Sie war nicht so stark, wie ihr Gefährte gewesen war. Aber Yaha Uta war allein – niemand konnte ihren Zorn von ihm ablenken.

Als Yaha Uta verlor, stieß Taha Aki einen herausfordernden Schrei aus. Er humpelte los und verwandelte sich in einen uralten Wolf mit grauer Schnauze. Der Wolf war alt, aber er war immer noch Taha Aki, der Geistermann, und seine Wut machte ihn stark. Der Kampf begann aufs Neue.

Taha Akis dritte Frau hatte gerade mit angesehen, wie ihr Sohn vor ihren Augen gestorben war. Jetzt kämpfte ihr Mann, und sie hatte keinerlei Hoffnung, dass er gewinnen könnte. Sie hatte alles gehört, was die Zeugen des Gemetzels dem Rat berichtet hatten. Sie kannte auch die Geschichte von Yaha Utas erstem Sieg und wusste, dass er nur durch das Ablenkungsmanöver seines Bruders gewonnen hatte.

Die dritte Frau zog ein Messer aus dem Gürtel eines ihrer Söhne, die neben ihr standen. Es waren alles junge Söhne, noch keine Männer, und sie wusste, dass sie sterben würden, wenn ihr Vater unterlag.

Mit hoch erhobenem Messer stürmte sie auf die kalte Frau zu. Die kalte Frau lächelte und ließ sich von ihrem Kampf mit dem alten Wolf kaum ablenken. Sie hatte keine Angst vor der schwachen Frau oder vor dem Messer, das nicht einmal einen Kratzer auf ihrer Haut hinterlassen würde, und sie wollte Taha Aki gerade den Todesstoß versetzen.

Da tat die dritte Frau etwas, womit die kalte Frau nicht gerechnet hatte. Sie warf sich der Bluttrinkerin vor die Füße und stieß sich das Messer ins Herz.

Blut spritzte durch ihre Finger und traf die kalte Frau. Diese konnte der Verlockung des frischen Blutes, das aus dem Körper der dritten Frau trat, nicht widerstehen. Instinktiv wandte sie sich zu der Sterbenden, einen kurzen Moment ganz und gar überwältigt von ihrem Durst.

Da schlossen sich Taha Akis Zähne um ihren Hals.

Der Kampf war noch nicht zu Ende, aber jetzt stand Taha Aki nicht mehr allein da. Als zwei der jungen Söhne ihre Mutter sterben sahen, wurden sie so zornig, dass der Geisterwolf in ihnen zum Leben erwachte, obwohl sie noch keine Männer waren. Zusammen mit ihrem Vater überwältigten sie die kalte Frau.

Taha Aki kehrte nie zu seinem Stamm zurück. Er verwandelte sich nie wieder zurück in einen Mann. Einen ganzen Tag lag er neben dem leblosen Körper der dritten Frau. Wenn jemand sie berühren wollte, knurrte er, und schließlich ging er in den Wald und kehrte nie mehr zurück.

Von da an gab es kaum noch Zusammenstöße mit den kalten Wesen. Taha Akis Söhne bewachten den Stamm, bis ihre Söhne alt genug waren, um ihren Platz einzunehmen. Es gab niemals mehr als drei Wölfe. Das reichte. Gelegentlich kam ein Bluttrinker vorbei, doch er wurde immer überrumpelt, weil er nicht mit den Wölfen gerechnet hatte. Manchmal starb ein Wolf, doch ihre Zahl ging nie wieder so stark zurück wie damals. Sie hatten gelernt gegen die kalten Wesen zu kämpfen, und dieses Wissen gaben sie weiter, von Wolf zu Wolf, von Geist zu Geist, von Vater zu Sohn.

Die Zeit verging, und die Nachkommen von Taha Aki wurden nicht mehr zu Wölfen, wenn sie das Mannesalter erreicht hatten. Nur ganz selten, wenn ein kaltes Wesen in der Nähe war, kehrten die Wölfe zurück. Die kalten Wesen kamen immer einzeln oder zu zweit, und das Rudel blieb klein.

Dann tauchte ein größerer Zirkel auf, und eure Urgroßväter bereiteten sich auf einen Kampf vor. Doch ihr Anführer sprach mit Ephraim Black wie ein Mensch und versprach, den Quileute nichts zu tun. Seine merkwürdigen gelben Augen zeugten davon, dass diese Bluttrinker nicht so waren wie die anderen. Die Wölfe waren in der Unterzahl; die kalten Wesen hätten es nicht nötig gehabt, uns einen Vertrag anzubieten, denn sie hätten den Kampf sicher gewonnen. Ephraim stimmte dem Vertrag zu. Sie haben Wort gehalten, allerdings lockt ihre Gegenwart andere herbei. Und ihre Zahl hat ein größeres Rudel hervorgebracht, als der Stamm es je gesehen hat«, sagte Old Quil, und einen Augenblick lang schienen seine schwarzen Augen, die von zahllosen Falten umgeben waren, auf mir zu ruhen.»Außer natürlich zu Taha Akis Zeit«, sagte er und seufzte.»Und so tragen die Söhne unseres Stammes wieder die Last und bringen dasselbe Opfer wie ihre Väter vor ihnen.«

Lange Zeit sagte niemand etwas. Die fleischgewordenen Nachkommen von Magie und Legende starrten sich traurig über das Feuer hinweg an. Alle bis auf einen.

»Last«, sagte er leise und verächtlich.»Ich finde es cool.«

Quil schob die Unterlippe leicht vor.

Seth Clearwater nickte über das verlöschende Feuer hinweg. In seinen Augen spiegelte sich Bewunderung für die Beschützer des Stammes.

Billy kicherte leise vor sich hin, und der Zauber schien sich in der Glut aufzulösen. Plötzlich waren sie nur noch Freunde, die in einer Runde beisammensaßen. Jared schnippte ein Steinchen zu Quil, und alle lachten, als der zusammenzuckte. Jetzt fingen sie an sich leise zu unterhalten, es wurde gescherzt und gelacht.

Leah Clearwater ließ die Augen geschlossen. Ich meinte eine Träne auf ihrer Wange glitzern zu sehen, doch als ich noch einmal hinsah, war sie nicht mehr da.

Weder Jacob noch ich sagten etwas. Er war so ruhig neben mir, sein Atem ging so tief und gleichmäßig, dass ich fast dachte, er sei eingeschlafen.

Ich war mit den Gedanken tausend Jahre weit weg. Ich dachte nicht an Yaha Uta, die anderen Wölfe oder die wunderschöne kalte Frau – wie *sie* aussah, konnte ich mir nur zu gut vorstellen.

Nein, ich dachte an jemanden, der mit dem ganzen Zauber gar nichts zu tun hatte. Ich versuchte mir das Gesicht der namenlosen Frau vorzustellen, die den ganzen Stamm gerettet hatte, die dritte Frau.

Sie war nur eine ganz normale Frau ohne besondere Gaben gewesen, körperlich schwächer und langsamer als all die Geisterwesen in der Geschichte. Und doch war sie der Schlüssel gewesen, die Lösung. Sie hatte ihren Mann gerettet, ihre jungen Söhne, ihren Stamm.

Schade, dass sich niemand an ihren Namen erinnerte ...

Jemand rüttelte mich am Arm.

»He, Bella«, sagte Jacob an meinem Ohr. »Wir sind da.«

Ich blinzelte und wunderte mich, weil das Feuer nicht mehr da war. Ich starrte in die unerwartete Finsternis und versuchte mich zu orientieren. Es dauerte eine Weile, bis ich begriff, dass ich nicht mehr auf der Klippe war, dass Jacob und ich allein waren. Er hatte immer noch den Arm um mich gelegt, aber ich saß nicht mehr auf dem Boden.

Wie war ich in Jacobs Auto gekommen?

»So ein Mist!«, rief ich, als mir klarwurde, dass ich eingeschlafen war. »Wie spät ist es? Verdammt, wo ist das blöde Handy?« Hektisch fasste ich mir an die Taschen, fand jedoch nichts.

»Keine Panik. Wir haben noch nicht mal Mitternacht. Und ich hab ihn schon angerufen. Guck mal – er wartet schon.«

»Mitternacht?«, wiederholte ich. Ich war immer noch verwirrt. Ich starrte in die Finsternis und mein Herz schlug schneller, als ich den Volvo erkannte, der dreißig Meter entfernt parkte. Ich fasste an den Türgriff.

»Hier«, sagte Jacob und legte mir etwas Kleines, Viereckiges in die Hand. Mein Handy.

»Du hast Edward angerufen?«

Jetzt, da meine Augen sich an die Dunkelheit gewöhnt hatten, sah ich Jacobs strahlendes Lächeln. »Ich dachte mir, wenn ich brav bin, kann ich dich öfter sehen.«

»Danke, Jake«, sagte ich gerührt. »Vielen, vielen Dank. Und danke auch für die Einladung. Es war …« Mir fehlten die Worte. »Wow. Das war schon etwas Besonderes.«

»Dabei bist du noch nicht mal lange genug wach geblieben, um zu sehen, wie ich ein Rind verschlinge.« Er lachte. »Nein, freut mich, dass es dir gefallen hat. Es war … sehr schön für mich. Dich dabeizuhaben.«

Dann war da eine Bewegung in der Dunkelheit – etwas Blasses, das vor den schwarzen Bäumen schwebte. Oder lief es hin und her?

»Ja, er wird allmählich ungeduldig, was?«, sagte Jacob, als er merkte, dass ich abgelenkt war. »Geh ruhig. Aber komm bald wieder, ja?«

»Ganz bestimmt«, versprach ich und öffnete die Beifahrertür. Kalte Luft fegte mir über die Beine; ich zitterte.

»Schlaf gut, Bella. Und sei unbesorgt – ich halte heute Nacht für dich Wache.«

Ich verharrte mit einem Fuß auf dem Boden. »Nein, Jake. Ruh dich ein bisschen aus, mir passiert schon nichts.«

»Ja, ja«, sagte er, aber das klang eher beschwichtigend als zustimmend.

»Gute Nacht, Jake. Danke.«

»Gute Nacht, Bella«, flüsterte er, als ich in die Dunkelheit verschwand.

Edward erwartete mich an der Grenze.

»Bella«, sagte er, und das klang sehr erleichtert. Er nahm mich fest in die Arme.

»Hallo. Tut mir leid, dass es so spät geworden ist. Ich war eingeschlafen, und …«

»Ich weiß. Jacob hat es mir erklärt.« Er ging zum Wagen, ich
stakste taumelig neben ihm her. »Bist du müde? Ich kann dich
tragen.«

»Nein, schon gut.«

»Jetzt fahre ich dich nach Hause, und dann gehst du ins Bett.
War es schön?«

»Ja – es war beeindruckend, Edward. Schade, dass du nicht
dabei warst. Ich kann es gar nicht erklären. Jakes Vater hat uns
alte Legenden erzählt, und es war – wie Zauberei.«

»Davon musst du mir erzählen. Wenn du ausgeschlafen bist.«

»Das krieg ich bestimmt nicht mehr zusammen«, sagte ich,
und dann gähnte ich herzhaft.

Edward kicherte. Er hielt mir die Beifahrertür auf, hob mich
hinein und schnallte mich an.

Helle Lichter schalteten sich ein und strahlten uns an. Ich
winkte zu Jacobs Scheinwerfern, aber ich war mir nicht sicher,
ob er es sah.

In dieser Nacht – nachdem ich Charlie gute Nacht gesagt hatte,
der mir nicht halb so viel Ärger machte wie erwartet, weil Jacob
auch ihn angerufen hatte – fiel ich nicht direkt ins Bett. Stattdessen lehnte ich mich aus dem geöffneten Fenster und wartete
darauf, dass Edward zurückkam. Es war erstaunlich kalt, fast
winterlich. Auf den zugigen Klippen war mir das gar nicht aufgefallen – vermutlich lag das weniger an dem Feuer als daran,
dass ich neben Jacob gesessen hatte.

Eiskalte Tropfen klatschten mir ins Gesicht, als es anfing zu
regnen.

Es war so dunkel, dass ich außer den schwarzen Dreiecken der

Fichten, die im Wind schwankten, kaum etwas sehen konnte. Doch ich versuchte in dem Sturm noch etwas anderes zu erkennen. Eine blasse Silhouette, die sich wie ein Geist in der Finsternis bewegte ... oder vielleicht den Schatten eines riesigen Wolfs ... Doch meine Augen waren zu schwach.

Dann war da plötzlich eine Bewegung, direkt neben mir. Edward schlüpfte zum offenen Fenster herein, seine Hände noch kälter als der Regen.

»Ist Jacob da draußen?«, fragte ich und zitterte, als Edwards Arme mich umschlossen.

»Ja ... irgendwo. Und Esme ist auf dem Heimweg.«

Ich seufzte. »Es ist so kalt und nass. Es ist bescheuert, was ihr da macht.« Ich zitterte wieder.

Er lachte leise. »Nur dir kommt es kalt vor, Bella.«

Auch in meinem Traum war es in dieser Nacht kalt, vielleicht weil ich in Edwards Armen schlief. Doch im Traum stand ich draußen im Sturm, der Wind peitschte mir die Haare ins Gesicht und nahm mir die Sicht. Ich stand in der felsigen Halbmondbucht am First Beach und versuchte aus den sich schnell wandelnden Formen schlau zu werden, die in der Dunkelheit vom Ufer aus nur schwach zu erkennen waren. Zuerst blitzten nur ein schwarzer und ein weißer Schatten auf, sie huschten aufeinander zu und entfernten sich tänzelnd wieder voneinander. Und dann konnte ich plötzlich alles erkennen, als wäre der Mond durch die Wolken gebrochen.

Da war Rosalie mit nassen goldenen Haaren, die ihr bis zu den Knien reichten, und sie stürzte sich auf einen gigantischen Wolf mit graumelierter Schnauze, in dem ich Billy Black erkannte.

Ich rannte los, doch es ging mir wie meistens im Traum – ich kam nicht von der Stelle. Ich versuchte sie anzuschreien und ihnen zuzurufen, dass sie aufhören sollten, aber meine Stimme wurde vom Wind erstickt und es kam kein Ton heraus. Ich schwenkte die Arme, um ihre Aufmerksamkeit auf mich zu lenken. Etwas leuchtete in meiner rechten Hand, und da erst fiel mir auf, dass ich etwas festhielt.

Es war eine lange scharfe Klinge, alt und silberfarben, und daran klebte eine Kruste aus getrocknetem schwarzem Blut.

Ich zuckte zurück und riss die Augen auf – und sah mein stilles dunkles Zimmer. Als Erstes fiel mir auf, dass ich nicht allein war.

Ich drehte mich um und vergrub das Gesicht an Edwards Brust, denn ich wusste, dass der süße Duft seiner Haut das beste Mittel gegen Albträume aller Art war.

»Habe ich dich geweckt?«, flüsterte er. Ich hörte etwas rascheln, Papier, dann einen leisen Schlag, als etwas Leichtes auf den Holzfußboden fiel.

»Nein«, murmelte ich und seufzte zufrieden, als er mich fester in die Arme nahm. »Ich hab schlecht geträumt.«

»Möchtest du mir davon erzählen?«

Ich schüttelte den Kopf. »Zu müde. Vielleicht morgen früh, wenn ich es dann noch weiß.«

Ich merkte, wie er von leisem Lachen geschüttelt wurde.

»Einverstanden, morgen früh«, sagte er.

»Was hast du gelesen?«, murmelte ich, immer noch im Halbschlaf.

»*Sturmhöhe*«, sagte er.

Ich runzelte schläfrig die Stirn. »Ich dachte, du findest das Buch nicht gut.«

»Du hattest es hier liegenlassen«, sagte er, und seine leise Stimme schläferte mich wieder ein. »Außerdem … je mehr Zeit ich mit dir verbringe, desto mehr menschliche Regungen erscheinen mir verständlich. Ich stelle fest, dass ich auf eine

Weise mit Heathcliff fühle, die ich nicht für möglich gehalten hätte.«

»Mmm«, seufzte ich.

Er sagte noch etwas, aber da war ich schon wieder eingeschlafen.

Der nächste Morgen dämmerte perlgrau und still. Edward fragte mich nach meinem Traum, aber ich bekam ihn nicht mehr zu fassen. Ich wusste nur noch, dass ich gefroren hatte und dass ich froh gewesen war, Edward bei mir zu haben, als ich aufwachte. Er küsste mich, bis mein Puls raste, dann machte er sich auf den Weg, weil er sich zu Hause umziehen und seinen Wagen holen wollte.

Ich zog mich schnell an – die Auswahl war nicht groß. Der fremde Eindringling hatte meine Garderobe ernsthaft geschmälert. Wenn es nicht so unheimlich gewesen wäre, hätte ich mich richtig geärgert.

Ich wollte gerade zum Frühstück nach unten gehen, als mir die zerfledderte Ausgabe von *Sturmhöhe* auffiel, die aufgeschlagen auf dem Boden lag, wo Edward sie letzte Nacht fallen gelassen hatte.

Neugierig hob ich das Buch auf und versuchte mich daran zu erinnern, was er gesagt hatte. Irgendetwas darüber, dass er mit Heathcliff mitfühlte, ausgerechnet. Das konnte nicht sein, bestimmt hatte ich das nur geträumt.

Drei Wörter stachen mir ins Auge, und ich beugte mich hinunter, um mir den Abschnitt genauer anzusehen. Es war Heathcliff, der da sprach, und ich kannte die Stelle sehr gut.

Daran kannst du die Verschiedenheit unserer Gefühle erkennen: Wäre er an meiner und ich an seiner Stelle gewesen, ich hätte nie die Hand gegen ihn erhoben, auch dann nicht, wenn mein Hass so stark gewesen wäre, dass er mir das Leben in Galle verwandelt hätte. Du

266

kannst mich ungläubig ansehen, wenn es dir beliebt. Ich hätte sie nie seiner Gesellschaft beraubt, solange sie danach verlangt hätte. Im Augenblick, da ihre Liebe aufgehört hätte, würde ich ihm das Herz aus dem Leibe gerissen und sein Blut getrunken haben. Aber bis dahin – wenn du mir nicht glaubst, kennst du mich nicht – bis dahin wäre ich lieber langsam gestorben, als dass ich ihm nur ein Haar gekrümmt hätte.

Die drei Wörter, die mir ins Auge gestochen waren, lauteten »sein Blut getrunken«.

Ich schauderte.

Ja, bestimmt hatte ich nur geträumt, dass Edward etwas Positives über Heathcliff gesagt hatte. Und bestimmt hatte er auch gar nicht diese Seite gelesen. Das Buch konnte auf jeder beliebigen Seite aufgeklappt sein.

ZEIT

»Ich habe vorhergesehen …«, begann Alice in unheilvollem Ton.

Edward wollte ihr einen Rippenstoß versetzen, doch sie wich geschickt aus.

»Na schön«, grummelte sie. »Edward zwingt mich dazu. Aber ich habe wirklich vorhergesehen, dass du viel mehr Schwierigkeiten machen würdest, wenn ich dich überrasche.«

Die Schule war gerade aus, wir gingen zum Auto, und ich hatte nicht die leiseste Ahnung, wovon sie sprach.

»Kannst du dich mal deutlicher ausdrücken?«, fragte ich.

»Nur wenn du versprichst, dich wie ein erwachsener Mensch zu benehmen. Keine Wutanfälle.«

»Jetzt krieg ich aber Angst.«

»Also, wir feiern eine Party zum Schulabschluss. Im kleinen Rahmen. Kein Grund, an die Decke zu gehen. Doch ich habe gesehen, dass du sicher an die Decke gehen würdest, wenn ich dich mit der Party überraschen würde« – sie wich Edward aus, der ihr das Haar zausen wollte –, »und da hat Edward gesagt, ich müsse es dir erzählen. Aber es ist keine große Sache. Versprochen.«

Ich seufzte tief. »Hat es Sinn zu protestieren?«

»Absolut nicht.«

»Na gut, Alice. Ich komme. Und ich werde es von Anfang bis Ende nur grässlich finden. Versprochen.«

»So ist's recht! Übrigens, vielen Dank für das schöne Geschenk. Das wäre doch nicht nötig gewesen.«

»Ich hab dir doch gar nichts geschenkt!«

»Weiß ich doch. Aber du wirst mir etwas schenken.«

Verzweifelt versuchte ich mich zu erinnern, ob ich irgendeine
Idee für ein Geschenk gehabt hatte, die sie gesehen haben könnte.

»Erstaunlich«, murmelte Edward. »Wie kann man so winzig
und dabei so nervtötend sein?«

Alice lachte. »Ich bin eben ein Naturtalent.«

»Hättest du mit dieser Ankündigung nicht ein paar Wochen
warten können?«, fragte ich missmutig. »Jetzt hab ich ewig
lange Lampenfieber.«

Alice sah mich stirnrunzelnd an. »Bella«, sagte sie langsam.
»Weißt du, was heute für ein Tag ist?«

»Montag?«

Sie verdrehte die Augen. »Ja. Es ist Montag … der Vierte.«
Sie fasste mich am Ellbogen, drehte mich halb herum und zeigte
auf ein großes gelbes Plakat, das an der Turnhallentür klebte.
Dort stand in großen schwarzen Buchstaben das Datum des
Schulabschlusses. Genau heute in einer Woche.

»Wir haben den Vierten? Den vierten Juni? Bist du dir
sicher?«

Keiner von beiden antwortete. Alice schüttelte nur mit gespieltem Entsetzen den Kopf, während Edward die Augenbrauen
hochzog.

»Das kann doch nicht sein! Wie ist das passiert?« Ich versuchte in Gedanken zurückzurechnen, aber es blieb mir ein Rätsel, wo die Zeit geblieben war.

Es kam mir vor, als hätte mir jemand den Boden unter den
Füßen weggezogen. Die ganze Aufregung und Sorge in den
letzten Wochen … irgendwie war mir vor lauter Panik, dass mir

keine Zeit mehr blieb, die Zeit selbst abhandengekommen. Die Zeit, alles zu klären und zu planen, war verschwunden. Ich hatte keine Zeit mehr.

Und dabei war ich noch gar nicht so weit.

Ich wusste nicht, wie ich das alles schaffen sollte. Mich von Charlie und Renée verabschieden ... von Jacob ... von meinem Leben als Mensch.

Ich wusste genau, was ich wollte, und trotzdem hatte ich plötzlich entsetzliche Angst davor, es zu bekommen.

Theoretisch freute ich mich darauf, konnte es kaum erwarten, die Sterblichkeit gegen die Unsterblichkeit einzutauschen. Schließlich war das der Schlüssel, um ewig mit Edward zusammen zu sein. Außerdem waren bekannte und unbekannte Feinde hinter mir her. Ich wollte nicht als hilfloser Leckerbissen herumsitzen und darauf warten, dass einer von ihnen mich erwischte.

Theoretisch war alles ganz logisch.

Aber praktisch ... kannte ich ja nichts anderes als mein menschliches Leben. Die Zukunft dahinter war ein tiefer, dunkler Abgrund, den ich erst kennenlernen würde, wenn ich hineinsprang.

Als mir klarwurde, was für ein Datum wir hatten – ich musste es einfach unbewusst verdrängt haben –, kam ich mir plötzlich vor wie ein Schaf, das zur Schlachtbank geführt werden soll.

Ich nahm nur am Rande wahr, dass Edward mir die Wagentür aufhielt, dass Alice auf dem Rücksitz plapperte und dass der Regen gegen die Windschutzscheibe prasselte. Edward schien zu spüren, dass ich nur körperlich anwesend war; er versuchte nicht, mich aus meinen Gedanken zu reißen. Oder vielleicht versuchte er es doch und ich merkte es nur nicht.

Bei mir zu Hause führte Edward mich zum Sofa und zog mich

neben sich. Ich starrte aus dem Fenster in den verschwommenen grauen Nebel und fragte mich, wo die alte Entschlossenheit geblieben war. Wieso bekam ich jetzt plötzlich Panik? Ich hatte doch gewusst, dass der Termin näher rückte. Warum hatte ich jetzt, da es fast so weit war, auf einmal solche Angst?

Ich weiß nicht, wie lange er wartete, während ich stumm aus dem Fenster starrte. Doch der Regen verschwand schon in der Dunkelheit, als er es schließlich nicht mehr aushielt.

Er nahm mein Gesicht in seine kalten Hände und sah mich mit seinen goldenen Augen an.

»Würdest du mir bitte verraten, was du denkst? *Bevor* ich verrückt werde?«

Was sollte ich sagen? Dass ich feige war? Ich suchte nach Worten.

»Deine Lippen sind weiß. Bitte sprich zu mir, Bella.«

Ich atmete heftig aus. Wie lange hatte ich die Luft angehalten?

»Das Datum hat mich geschockt«, flüsterte ich. »Mehr nicht.«

Er wartete, Sorge und Zweifel spiegelten sich in seinem Gesicht.

Ich versuchte es zu erklären. »Ich weiß nicht, was ich machen soll … was ich Charlie sagen soll … wie ich …« Meine Stimme versagte.

»Es geht nicht um die Party, oder?«

Ich runzelte die Stirn. »Nein. Aber danke, dass du mich daran erinnerst.«

Während er mich forschend ansah, wurde der Regen lauter.

»Du bist noch nicht so weit«, flüsterte er.

»Doch«, log ich reflexartig. Ich merkte, dass er mich durchschaute, also atmete ich tief durch und sagte die Wahrheit. »Ich muss so weit sein.«

»Du musst gar nichts.«

Ich merkte, dass sich die Panik in meinem Blick spiegelte, während ich lautlos die Gründe aufzählte. »Victoria, Jane, Caius, wer auch immer in meinem Zimmer war …!«

»Umso mehr Grund, noch zu warten.«

»Das ist doch Unsinn, Edward!«

Er legte die Hände fester an mein Gesicht und sprach langsam und überlegt.

»Bella. Niemand von uns hatte eine Wahl. Du hast gesehen, was das angerichtet hat … vor allem bei Rosalie. Wir alle haben uns nach Kräften gemüht, mit etwas, worauf wir keinen Einfluss hatten, unseren Frieden zu machen. Ich werde nicht zulassen, dass es dir genauso geht. Du wirst eine Wahl haben.«

»Ich habe meine Wahl schon getroffen.«

»Du sollst das nicht auf dich nehmen, nur weil du meinst, dass ein Damoklesschwert über dir schwebt. Wir kümmern uns um die Probleme, und ich kümmere mich um dich«, sagte er. »Wenn das ausgestanden ist und nichts dich mehr drängt, dann kannst du dich mir anschließen, solltest du es dann immer noch wollen. Aber nicht aus Angst. Ich lasse nicht zu, dass du dich dazu gezwungen fühlst.«

»Carlisle hat es versprochen.« Ich widersprach aus reiner Gewohnheit. »Nach dem Abschluss.«

»Aber nicht, wenn du noch nicht so weit bist«, sagte er mit Bestimmtheit. »Und ganz gewiss nicht aus dem Gefühl einer Bedrohung heraus.«

Ich gab keine Antwort. Ich hatte nicht die Kraft zu streiten, im Moment fehlte mir die rechte Überzeugung.

»Na bitte.« Er küsste mich auf die Stirn. »Es gibt keinen Grund zur Sorge.«

Ich lachte, ein wackliges Lachen. »Nur die drohende Verdammnis.«

»Vertrau mir.«

»Tue ich ja.«

Er schaute mich immer noch prüfend an und wartete, dass meine Anspannung nachließ.

»Kann ich dich was fragen?«, sagte ich.

»Was du willst.«

Ich zögerte, biss mir auf die Lippe, dann stellte ich eine andere Frage als die, die ich auf dem Herzen hatte.

»Was schenke ich Alice zum Abschluss?«

Er kicherte. »Es sah so aus, als wolltest du für uns beide Konzertkarten besorgen ...«

»Ach ja!« Ich war so erleichtert, dass ich beinahe gelacht hätte. »Für das Konzert in Tacoma. Ich hab letzte Woche eine Anzeige in der Zeitung gesehen, und ich dachte, das könnte dir gefallen, weil du sagtest, dass du die CD magst.«

»Das ist eine tolle Idee. Danke.«

»Hoffentlich ist es noch nicht ausverkauft.«

»Der gute Wille zählt. Niemand weiß das besser als ich.« Ich seufzte.

»Du wolltest mich aber noch etwas anderes fragen«, sagte er. Ich runzelte die Stirn. »Nicht schlecht.«

»Mittlerweile bin ich geübt darin, deine Miene zu deuten. Schieß los.«

Ich schloss die Augen und lehnte mich an ihn, ich verbarg das Gesicht an seiner Brust. »Du willst nicht, dass ich ein Vampir werde.«

»Nein«, sagte er sanft, dann wartete er auf die Fortsetzung. »Das war keine Frage«, half er nach einer Weile nach.

»Na ja ... ich hab mir Sorgen gemacht ... *warum* du wohl so empfindest.«

»Sorgen gemacht?« Das klang überrascht.

»Kannst du mir sagen, warum? Die ganze Wahrheit, ohne Rücksicht auf meine Gefühle?«

Er zögerte einen Augenblick. »Wenn ich deine Frage beantworte, wirst du mir dann erklären, warum du fragst?«

Ich nickte, das Gesicht immer noch verborgen.

Er holte tief Luft, bevor er sprach. »Du hast etwas Besseres verdient, Bella. Ich weiß, dass du glaubst, ich hätte eine Seele, aber ich bin davon nicht recht überzeugt, und eine Seele aufs Spiel zu setzen ...« Er schüttelte langsam den Kopf. »Dass ich das zulassen soll – dich das werden zu lassen, was ich bin, nur um dich nie verlieren zu müssen – das ist das Selbstsüchtigste, was ich mir vorstellen kann. Ich wünsche es mir mehr als alles auf der Welt, um meiner selbst willen. Aber für dich wünsche ich mir so viel mehr. Wenn ich nachgebe, komme ich mir vor wie ein Verbrecher. Es ist das Selbstsüchtigste, was ich je tun werde, selbst wenn ich bis in alle Ewigkeit lebe. Wenn es eine Möglichkeit für mich gäbe, um deinetwillen ein Mensch zu werden – ganz gleich, um welchen Preis, ich wäre bereit.«

Ich rührte mich nicht, während seine Worte auf mich wirkten. Edward hielt sich für *selbstsüchtig*.

Ich merkte, wie sich langsam ein Lächeln auf meinem Gesicht ausbreitete.

»Also ... hast du keine Angst, dass du ... mich nicht mehr so sehr magst, wenn ich anders bin – wenn ich nicht mehr weich und warm bin und nicht mehr so rieche? Du willst wirklich bei mir bleiben, egal, was aus mir wird?«

Er atmete scharf aus. »Du hast dir Sorgen gemacht, ich könnte dich nicht mehr mögen?«, fragte er. Und bevor ich antworten konnte, brach er in Lachen aus. »Bella, dafür, dass du eigentlich ein einfühlsamer Mensch bist, liegst du manchmal erstaunlich daneben!«

Ich hatte gewusst, dass er es albern finden würde, trotzdem war ich erleichtert. Wenn er mich wirklich wollte, konnte ich alles andere ertragen … irgendwie. Selbstsüchtig war plötzlich ein schönes Wort.

»Du scheinst dir nicht im Klaren darüber zu sein, wie viel einfacher es dann für mich wird«, sagte er, und er klang immer noch amüsiert, »wenn ich mich nicht mehr fortwährend darauf konzentrieren muss, dich nicht umzubringen. Natürlich werde ich auch so manches vermissen. Das zum Beispiel …«

Er schaute mir in die Augen und strich mir über die Wange, und ich spürte, wie ich rot wurde. Er lachte zärtlich.

»Und deinen Herzschlag«, fuhr er fort, ernsthafter jetzt, aber immer noch mit einem leisen Lächeln. »Das ist das wichtigste Geräusch für mich. Ich habe mich so daran gewöhnt, dass ich ihn ganz bestimmt aus kilometerweiter Entfernung erkennen würde. Doch nichts davon ist wirklich von Bedeutung. Das hier zählt«, sagte er und nahm mein Gesicht in seine Hände. »Du. Dich behalte ich. Du wirst immer meine Bella sein, nur ein wenig langlebiger.«

Ich seufzte, schloss zufrieden die Augen und ruhte mich in seinen Händen aus.

»Wirst du mir jetzt eine Frage beantworten? Die ganze Wahrheit, ohne Rücksicht auf meine Gefühle?«, fragte er.

»Klar«, antwortete ich sofort und riss überrascht die Augen auf. Was er wohl wissen wollte?

Langsam sagte er: »Du willst nicht meine Frau werden.«

Mein Herz setzte erst aus, dann fing es an zu rasen. Kalter Schweiß bildete sich in meinem Nacken, meine Hände wurden eiskalt.

Er schaute mich ruhig an und wartete auf meine Antwort.

»Das war keine Frage«, flüsterte ich schließlich.

Er senkte den Blick, seine Wimpern warfen lange Schatten auf seine Wangen, dann ließ er mein Gesicht los und nahm meine eisige linke Hand. Er spielte mit meinen Fingern, während er sprach.

»Ich habe mir Sorgen gemacht, warum du so empfindest.«

Ich versuchte zu schlucken. »Das war auch keine Frage«, flüsterte ich.

»Bitte, Bella.«

»Die Wahrheit?«, fragte ich lautlos.

»Natürlich. Ich kann es ertragen, ganz gleich, was es ist.«

Ich holte tief Luft. »Du lachst mich bestimmt aus.«

Irritiert sah er mich an. »Auslachen? Das kann ich mir nicht vorstellen.«

»Wart's ab«, sagte ich leise, dann seufzte ich. Plötzlich überkam mich die Wut und ich lief knallrot an. »Also gut! Ich weiß genau, dass sich das für dich wie ein Witz anhört, aber für mich ist es so! Es ist einfach so ... so ... so *peinlich*!« Wieder verbarg ich das Gesicht an seiner Brust.

Es blieb eine Weile still.

»Ich kann dir nicht folgen.«

Ich legte den Kopf in den Nacken und sah ihn wütend an. Vor lauter Scham explodierte ich.

»So eine bin ich nicht, Edward. So eine, die direkt nach der Highschool zum Traualtar marschiert! Wie eine Provinztussi, die sich von ihrem Freund schwängern lässt und dann heiraten muss. Hast du eine Ahnung, was die Leute denken würden? Ist dir klar, in welchem Jahrhundert wir leben? Heutzutage heiratet man nicht mit achtzehn! Jedenfalls nicht, wenn man einigermaßen bei Verstand ist. Ich wollte nie so eine sein. So bin ich einfach nicht ...« Allmählich ging mir die Puste aus.

Es war unmöglich zu sagen, was in Edward vorging, als er über meine Worte nachdachte.

»Das ist alles?«, fragte er schließlich.

Ich blinzelte. »Reicht das nicht?«

»Es liegt also nicht daran, dass ... es dir mehr um die Unsterblichkeit geht als um mich?«

Und jetzt war ich diejenige, die einen Lachanfall bekam.

»Edward!«, brachte ich unter Kichern heraus. »Und dabei ... dachte ich immer ... du wärst viel ... klüger als ich!«

Er nahm mich in die Arme, und ich spürte, dass er in mein Lachen einstimmte.

»Edward«, sagte ich, als ich wieder richtig sprechen konnte. »Ewiges Leben ohne dich wäre völlig sinnlos. Ich will keinen Tag ohne dich sein!«

»Na, das ist gut zu hören«, sagte er.

»Aber ... das ändert nichts.«

»Es ist trotzdem schön, dich zu verstehen. Und ich verstehe deine Sicht der Dinge, Bella, wirklich. Doch ich würde mir sehr wünschen, dass du meine überdenken könntest.«

Inzwischen war ich wieder ernst, also nickte ich und versuchte nicht allzu missmutig zu gucken.

Der Blick seiner weichen goldenen Augen bekam etwas Hypnotisches, als er mich anschaute.

»Weißt du, Bella, ich war immer *so einer*. In meiner Welt war ich bereits ein Mann. Ich habe nicht nach einer Frau gesucht – nein, dafür war ich zu sehr darauf erpicht, Soldat zu werden; ich dachte nur an den vermeintlichen Ruhm des Krieges, den man den jungen Männern damals zu verkaufen suchte – doch wenn ich jemanden ...« Er machte eine Pause und legte den Kopf schräg. »Ich wollte sagen, wenn ich *jemanden* gefunden hätte, aber das ist nicht richtig. Wenn ich *dich* gefunden hätte, dann weiß ich ganz genau, was geschehen wäre. Ich war so einer, der – sobald ich gemerkt hätte, dass du die bist, die ich suche – niedergekniet wäre und um deine Hand angehalten hätte. Ich hätte dich für immer und ewig gewollt, auch damals, als dieser Ausdruck noch eine etwas andere Bedeutung hatte.«

Er sah mich mit seinem schiefen Lächeln an.

Mit weit aufgerissenen Augen sah ich ihn an, wie erstarrt.

»Das Atmen nicht vergessen, Bella«, sagte er lächelnd.

Ich atmete.

»Kannst du meine Sicht verstehen, Bella, wenigstens ein kleines bisschen?«

Und einen Moment lang konnte ich das tatsächlich. Ich sah mich in langem Rock und hochgeschlossener Spitzenbluse, die Haare aufgesteckt. Ich sah Edward, der in seinem leichten Anzug umwerfend aussah; er saß neben mir auf der Verandaschaukel, einen Strauß Feldblumen in der Hand.

Ich schüttelte den Kopf und schluckte. Das waren nur Bilder aus *Anne auf Green Gables*, die ich plötzlich im Kopf hatte.

»Es ist so, Edward«, sagte ich mit wackliger Stimme und wich seiner Frage aus, »dass in meiner Vorstellung Heirat und Ewigkeit nicht unbedingt etwas miteinander zu tun haben. Und da wir nun mal gerade in meiner Welt leben, sollten wir vielleicht mit der Zeit gehen, wenn du verstehst, was ich meine.«

»Aber«, wandte er ein, »schon bald wirst du die Zeit für immer hinter dir lassen. Warum also sollten die vergänglichen Sitten einer Kultur die Entscheidung dermaßen beeinflussen?«

Ich verzog den Mund. »Jetzt sind wir aber hier.«

Er lachte mich aus. »Du brauchst heute noch nicht ja oder nein zu sagen, Bella. Aber es ist doch gut, beide Seiten zu betrachten, oder?«

»Das heißt also, deine Bedingung …?«

»Gilt weiterhin. Ich verstehe deine Haltung, Bella, aber wenn du möchtest, dass ich dich selbst verwandle ...«

»Tam tam tadam«, summte ich leise. Es sollte der Hochzeitsmarsch sein, aber es klang eher wie ein Klagelied.

Die Zeit verging immer noch zu schnell.

Die Nacht verflog ohne Träume, und dann war schon der Morgen da und der Schulabschluss ließ sich nicht länger verdrängen. Ich musste für die Prüfungen noch jede Menge lernen, und ich wusste, dass ich in den paar Tagen, die mir noch blieben, nicht mal die Hälfte schaffen konnte.

Als ich zum Frühstück hinunterkam, war Charlie schon aus dem Haus. Er hatte die Zeitung auf dem Tisch liegen lassen, und das erinnerte mich daran, dass ich noch etwas erledigen musste. Ich hoffte, dass die Anzeige für das Konzert auch in dieser Ausgabe war; ich brauchte die Telefonnummer, um die blöden Karten zu bestellen. Das Geschenk kam mir jetzt, ohne den Überraschungseffekt, längst nicht mehr so toll vor. Natürlich war es naiv gewesen zu glauben, ich könnte Alice überraschen.

Ich wollte schon zum Veranstaltungsteil blättern, da fiel mein Blick auf die fette Schlagzeile des Aufmachers. Ich spürte, wie mich die Angst packte, als ich mich vorbeugte, um die Titelgeschichte zu lesen.

Seattle von grausamen Morden erschüttert

Vor nicht einmal zehn Jahren ging in Seattle der wohl schlimmste Serienmörder in der Geschichte der Vereinigten Staaten um. Gary Ridgway, der Green River Killer, wurde des Mordes an 48 Frauen überführt.

Und jetzt sehen wir uns mit der Möglichkeit konfrontiert, dass in diesem Moment eine noch schrecklichere Bestie in unserer geplagten Stadt ihr Unwesen treibt.

Die Polizei spricht im Zusammenhang mit den vielen Ermordeten und Vermissten der letzten Zeit nicht von einem Serienmörder. Jedenfalls noch nicht. Sie weigert sich zu glauben, dass ein solches Blutbad von einem Einzeltäter angerichtet worden sein könnte. Dieser Mörder – wenn es sich denn um eine einzige Person handelt – wäre dann allein in den letzten drei Monaten für 39 Fälle von Mord oder Verschwinden verantwortlich. Zum Vergleich: Ridgway brauchte 21 Jahre für seine 48 Morde. Wenn all diese Todesopfer auf das Konto eines einzigen Täters gehen, dann haben wir es hier mit dem brutalsten Serienmörder in der amerikanischen Geschichte zu tun.

Die Polizei neigt dagegen zu der Annahme, dass es sich um das Werk einer Bande handelt. Für diese Theorie sprechen die Zahl der Opfer und die Tatsache, dass es bei ihrer Auswahl kein Muster zu geben scheint. Von Jack the Ripper bis Ted Bundy galt: Die Opfer eines Serienmörders sind für gewöhnlich etwa gleich alt oder sie haben das gleiche Geschlecht oder die gleiche Hautfarbe – oder eine Kombination dieser drei Faktoren. Unter den Opfern der aktuellen Verbrechen findet sich alles von der 15-jährigen Schülerin Amanda Reed bis zu dem 67-jährigen pensionierten Briefträger Omar Jenks. 18 Opfer sind weiblich, 21 männlich. Sie sind ganz unterschiedlicher Herkunft und Hautfarbe: Es sind Weiße darunter, Afroamerikaner, Hispanoamerikaner und Asiaten.

Die Auswahl erscheint beliebig. Das Motiv liegt offenbar allein im Töten um des Tötens willen.

Weshalb also sollte man überhaupt an einen Serienmörder denken?

Es gibt genügend Parallelen in der Vorgehensweise, um zu belegen, dass die Verbrechen miteinander zusammenhängen. Alle Opfer waren so weit verbrannt, dass sie nur anhand ihrer Zähne identifiziert werden konnten. Die Tatsache, dass es jedes Mal zu einem größeren Brand kam, deutet darauf hin, dass irgendein Brandbeschleuniger im Spiel war, Benzin oder Spiritus; allerdings konnte bisher nichts dergleichen nachgewiesen werden. Alle Leichen wurden achtlos zurückgelassen, ohne dass der Täter sich die Mühe gemacht hätte, sie zu verstecken.

Noch schlimmer ist, dass die meisten Leichen Spuren brutaler Gewalt aufweisen: Knochen wurden durch enormen Druck zerquetscht und gebrochen. Die Rechtsmediziner nehmen an, dass diese Gewalttaten vor Eintreten des Todes stattgefunden haben, in Anbetracht der dürftigen Beweislage lässt sich darüber jedoch nichts Abschließendes feststellen.

Eine weitere Parallele, die auf einen Serienmörder hindeutet: Abgesehen von der Leiche selbst finden sich bei keinem der Verbrechen irgendwelche Spuren. Kein Fingerabdruck, keine Reifenspur, kein fremdes Haar am Tatort. Als die Opfer verschwanden, wurde kein Verdächtiger gesehen.

Und dann das Verschwinden selbst – man kann es kaum als unauffällig bezeichnen. Keines der Opfer ist als leichte Beute zu betrachten. Keine Obdachlosen oder jugendlichen Ausreißer, die man so leicht verschwinden lassen kann und die kaum je vermisst gemeldet werden. Die Opfer sind zu Hause verschwunden, aus einer Wohnung im dritten Stock, aus einem Fitnessclub, von einer Hochzeitsfeier. Der vielleicht unglaublichste Fall: Der 30-jährige Amateurboxer Robert Walsh ging mit seiner Freundin ins Kino; ein paar Minuten nach Beginn des Films merkte die Frau, dass er nicht auf seinem Platz saß. Nur drei Stunden später wurde seine Leiche gefunden, als die Feuerwehr zu einem brennenden Müllcontainer dreißig Kilometer entfernt gerufen wurde.

Und es gibt noch ein weiteres Muster: Alle Opfer sind in der Nacht verschwunden.

Das Alarmierendste ist, dass es immer schneller geht. Sechs Morde wurden im ersten Monat verübt, elf im zweiten. Allein in den letzten zehn Tagen gab es 22 Morde. Und die Polizei ist noch keinen Schritt weiter als nach der Entdeckung der ersten verkohlten Leiche.

Die Beweise sind ebenso widersprüchlich wie grauenhaft. Eine brutale neue Bande oder ein wild wütender Serienmörder? Oder etwas anderes, was die Polizei noch gar nicht in Betracht gezogen hat?

Nur eines ist unbestritten: Etwas Entsetzliches geschieht in Seattle.

Ich brauchte drei Anläufe, um den letzten Satz zu lesen, und ich merkte, dass es am Zittern meiner Hände lag.

»Bella?«

Ich war so vertieft, dass ich, obwohl Edward leise sprach und ich mit ihm gerechnet hatte, erschrocken herumfuhr.

Er lehnte in der Tür, die Augenbrauen zusammengezogen. Dann war er plötzlich bei mir und nahm meine Hand.

»Habe ich dich erschreckt? Entschuldige. Ich habe geklopft …«

»Nein, nein«, sagte ich schnell. »Hast du das hier gelesen?« Ich zeigte auf die Zeitung.

Er legte die Stirn in Falten.

»Heute habe ich noch nicht in die Zeitung geschaut. Aber ich wusste, dass es schlimmer werden würde. Wir müssen etwas unternehmen, und zwar bald.«

Das gefiel mir gar nicht. Ich fand es schrecklich, wenn einer von ihnen sich in Gefahr begab, und allmählich hatte ich richtig Angst vor demjenigen, der in Seattle sein Unwesen trieb. Aber die Vorstellung, die Volturi könnten herkommen, war nicht minder schrecklich.

»Was sagt Alice?«

»Das ist das Problem.« Die Falten auf seiner Stirn vertieften sich. »Sie kann nichts sehen ... obwohl wir schon mehrmals beschlossen haben, der Sache auf den Grund zu gehen. Sie verliert allmählich das Vertrauen. Sie hat das Gefühl, dass ihr in den letzten Tagen zu vieles entgeht, dass etwas nicht stimmt. Dass sie vielleicht ihre Gabe verliert.«

Ich sah ihn mit großen Augen an. »Kann das denn passieren?«

»Wer weiß? Darüber gibt es noch keine wissenschaftliche Untersuchung ... doch ich bezweifle es stark. Solche Gaben werden mit der Zeit eher stärker. Denk nur an Aro und Jane.«

»Was ist dann los?«

»Ich glaube, es ist ein Teufelskreis. Wir warten darauf, dass Alice etwas sieht, damit wir uns auf den Weg machen können ... und sie sieht nichts, weil wir erst losziehen, wenn sie etwas sieht. Vielleicht müssen wir einfach blind gehen.«

Ich schauderte. »Nein.«

»Möchtest du heute unbedingt zur Schule? Es sind nur noch ein paar Tage bis zu den Prüfungen, wir werden also nichts Neues mehr durchnehmen.«

»Ich glaube, ich könnte es einen Tag ohne Schule aushalten. Was hast du vor?«

»Ich möchte mit Jasper reden.«

Schon wieder Jasper. Es war merkwürdig. In der Familie Cullen bewegte Jasper sich immer ein wenig am Rand, er war Teil des Geschehens, stand jedoch nie mittendrin. Insgeheim ging ich davon aus, dass er nur wegen Alice dabei war. Ich glaubte, dass er Alice überallhin folgen würde und dass er sich diese Art zu leben niemals selbst ausgesucht hätte. Wahrscheinlich bereitete es ihm deshalb auch größere Schwierigkeiten, sich daran zu halten – er war nicht so überzeugt davon wie die anderen.

Jedenfalls hatte ich es noch nie erlebt, dass Edward auf Jasper angewiesen war. Wieder überlegte ich, was er wohl damit gemeint hatte, als er sagte, Jasper sei ein Experte. Ich wusste eigentlich nicht viel über Jaspers Vergangenheit, nur dass er in den Südstaaten gelebt hatte, bevor Alice ihn fand. Aus irgendeinem Grund war Edward Fragen nach seinem jüngsten Bruder immer ausgewichen. Und ich war von dem großen, blonden Vampir, der aussah wie ein nachdenklicher Filmstar, immer zu eingeschüchtert gewesen, um ihn direkt zu fragen.

Als wir zum Haus kamen, saßen Carlisle, Esme und Jasper vor dem Fernseher und schauten konzentriert die Nachrichten. Der Ton war so leise gestellt, dass ich kein Wort verstehen konnte. Alice hockte auf der untersten Stufe der großen Treppe; sie hatte das Gesicht in die Hände gelegt und sah mutlos aus. Als wir hineingingen, kam Emmett durch die Küchentür geschlendert, er wirkte ganz gelassen. Er machte sich nie wegen irgendwas Sorgen.

»Hi, Edward. Na, Bella, machst du blau?« Er grinste mich an.

»Wir beide«, sagte Edward.

Emmett lachte. »Ja, aber sie geht zum ersten Mal auf die Highschool. Sie könnte etwas verpassen.«

Edward verdrehte die Augen, dann beachtete er seinen Lieblingsbruder nicht weiter. Er warf Carlisle die Zeitung zu.

»Hast du schon gelesen, dass sie jetzt glauben, es sei ein Serienmörder?«, fragte er.

Carlisle seufzte. »Heute Morgen hatten sie zwei Experten auf CNN, die stundenlang darüber diskutiert haben.«

»Wir müssen etwas dagegen unternehmen.«

»Lasst uns sofort aufbrechen«, sagte Emmett begeistert. »Ich langweile mich zu Tode.«

Ein Zischen kam vom oberen Treppenabsatz.

»Immer ist sie so pessimistisch«, murmelte Emmett.

Edward war seiner Meinung. »Irgendwann müssen wir ja doch aufbrechen.«

Oben an der Treppe war Rosalie erschienen und kam langsam herab. Ihre Miene war starr und ausdruckslos.

Carlisle schüttelte den Kopf. »Ich mache mir Sorgen. Wir haben uns noch nie in so etwas eingemischt. Das geht uns nichts an. Schließlich sind wir nicht die Volturi.«

»Ich möchte aber nicht, dass die Volturi herkommen müssen«, sagte Edward. »Wir hätten dann viel weniger Zeit zu reagieren.«

»Und all die unschuldigen Menschen in Seattle«, murmelte Esme. »Wir können sie nicht so sterben lassen.«

»Ich weiß«, sagte Carlisle seufzend.

»Ach so«, sagte Edward scharf und wandte den Kopf leicht zu Jasper. »Daran hatte ich nicht gedacht. Jetzt verstehe ich. Du hast Recht, das wird es sein. Das ändert natürlich alles.«

Ich war nicht die Einzige, die ihn verständnislos anstarrte, aber ich war vielleicht die Einzige, die nicht verärgert aussah.

»Ich glaube, du solltest es den anderen erklären«, sagte Edward zu Jasper. »Was könnte das für einen Sinn haben?« Edward begann auf und ab zu gehen, gedankenverloren schaute er dabei zu Boden.

Ich hatte nicht gesehen, dass Alice aufgestanden war, jetzt stand sie plötzlich neben mir.

»Was faselt er da?«, fragte sie Jasper. »Was denkst du?«

Es schien Jasper nicht zu gefallen, plötzlich im Mittelpunkt zu stehen.

Er zögerte, sah alle im Kreis genau an – denn sie hatten sich um ihn geschart, um zu hören, was er zu sagen hatte –, dann ließ er den Blick auf meinem Gesicht ruhen.

»Du bist verwirrt«, sagte er zu mir. Seine tiefe Stimme klang ganz ruhig.

Das war keine Frage. Jasper wusste, wie ich mich fühlte, er kannte die Gefühle aller im Raum.

»Wir sind alle verwirrt«, grummelte Emmett.

»Du wirst noch ein bisschen Geduld haben müssen«, sagte Jasper. »Auch Bella sollte das alles verstehen. Sie ist jetzt eine von uns.«

Das überraschte mich. Ich hatte wenig mit Jasper zu tun, vor allem seit meinem letzten Geburtstag, als er versucht hatte mich umzubringen, und dass er so über mich dachte, war mir neu.

»Wie viel weißt du über mich, Bella?«, fragte Jasper.

Emmett seufzte demonstrativ und ließ sich aufs Sofa fallen, um übertrieben geduldig zu warten.

»Nicht viel«, gab ich zu.

Jasper starrte Edward wortlos an, und Edward erwiderte seinen Blick.

»Nein«, sagte Edward als Antwort auf Jaspers Gedanken. »Gewiss verstehst du, weshalb ich ihr diese Geschichte nicht erzählt habe. Doch ich glaube, jetzt muss sie sie erfahren.«

Jasper nickte gedankenverloren, dann krempelte er einen Ärmel seines weißen Pullis hoch.

Verwundert sah ich zu und fragte mich, was er da machte. Er hielt das Handgelenk unter die Lampe neben sich, nah an den Schein der Glühbirne, und fuhr mit dem Finger über einen erhabenen Halbmond auf der blassen Haut.

Es dauerte einen Moment, bis ich begriff, wieso mir das Zeichen seltsam bekannt vorkam.

»Oh«, sagte ich dann. »Jasper, du hast ja genauso eine Narbe wie ich.«

Ich streckte die Hand aus; auf meiner cremefarbenen Haut fiel der Silbermond noch mehr auf als auf seiner schneeweißen.

Jasper lächelte schwach. »Ich habe viele solcher Narben, Bella.«

Sein Gesichtsausdruck war unergründlich, als er den Ärmel des dünnen Pullis noch höher schob. Erst begriff ich nicht, was das Muster zu bedeuten hatte, das seine ganze Haut bedeckte. Lauter Mondsicheln waren kreuz und quer zu einem federartigen Muster angeordnet, Weiß auf Weiß, und es war nur deshalb zu erkennen, weil es im hellen Lichtschein wirkte wie ein Relief, die Umrisse warfen winzige Schatten. Und da begriff ich, dass das Muster aus vielen einzelnen Halbmonden wie dem auf seinem Handgelenk bestand … wie dem auf meiner Hand.

Ich schaute wieder auf meine einsame kleine Narbe – und dachte daran, wie sie entstanden war. Ich starrte auf den Abdruck von James' Zähnen, der für immer in meine Haut eingraviert war.

Dann sah ich ihn erschrocken an. »Jasper, was ist mit dir passiert?«

JASPERS GESCHICHTE

»Dasselbe, was mit deiner Hand passiert ist«, sagte Jasper ruhig.
»Nur tausende Male.« Er lachte ein bisschen traurig und strich
sich über den Arm. »Unser Gift ist das Einzige, was bei uns Narben hinterlässt.«

»Warum?«, fragte ich entsetzt. Ich kam mir taktlos vor, aber
ich konnte den Blick nicht von seiner mit feinen Narben über-
säten Haut wenden.

»Ich habe nicht ganz so eine … Erziehung genossen wie
meine Adoptivgeschwister. Ich habe vollkommen anders angefangen.« Seine Stimme klang jetzt hart.

Mit offenem Mund sah ich ihn an.

»Ehe ich dir meine Geschichte erzähle«, sagte Jasper, »musst
du wissen, Bella, dass an manchen Orten unserer Welt die Le-
benszeit der Alterslosen in Wochen gezählt wird, nicht in Jahrhunderten.«

Für die anderen war das alles nichts Neues. Sie wandten sich
wieder dem Fernsehen zu. Alice setzte sich leise zu Esmes Füßen. Doch Edward war genauso aufmerksam wie ich; ich spürte
seinen Blick auf meinem Gesicht, einen Blick, mit dem er jede
Gefühlsregung registrierte.

»Um das richtig zu verstehen, musst du die Welt aus einem
anderen Blickwinkel betrachten. Du musst dir vorstellen, wie sie

den Mächtigen erscheint, den Gierigen … den allzeit Durstigen. Manche Orte sind bei uns besonders begehrt. Solche, wo wir uns weniger beherrschen müssen, ohne entdeckt zu werden. Stell dir einmal eine Landkarte der westlichen Hemisphäre vor. Stell dir jedes Menschenleben als kleinen roten Punkt vor. Je mehr Rot, desto leichter können wir – jene von uns, die auf diese Weise leben – uns ernähren, ohne aufzufallen.«

Ich schauderte vor dem Bild in meinem Kopf, vor dem Wort *ernähren*. Aber Jasper hatte keine Angst, mich zu verschrecken, er war nicht so übertrieben rücksichtsvoll wie Edward. Ohne Unterbrechung erzählte er weiter.

»Nicht, dass sich die Zirkel im Süden des Landes groß darum scheren würden, was den Menschen auffällt und was nicht. Aber die Volturi halten sie in Schach. Sie sind die Einzigen, vor denen die Zirkel im Süden Angst haben. Ohne die Volturi wüsste bald alle Welt, dass es uns gibt.«

Ich runzelte die Stirn, als ich hörte, wie er den Namen aussprach – mit Respekt, beinahe Dankbarkeit. Dass man die Volturi als die Guten betrachten könnte, war schwer vorstellbar.

»Der Norden ist vergleichsweise zivilisiert. Die meisten von uns hier sind Nomaden, denen der Tag ebenso gefällt wie die Nacht; wir erlauben den ahnungslosen Menschen, Umgang mit uns zu haben – uns allen ist es wichtig, unerkannt zu bleiben. Die Welt im Süden ist eine völlig andere. Dort kommen die Unsterblichen nur des Nachts heraus. Tagsüber planen sie ihren nächsten Angriff oder versuchen den des Feindes vorauszusehen. Denn im Süden herrscht Krieg, ununterbrochen seit Jahrhunderten, ohne einen Augenblick des Waffenstillstands. Die Zirkel dort nehmen die Existenz der Menschen kaum wahr, höchstens wie Soldaten eine Rinderherde am Wegesrand wahrnehmen – als Nahrungsquelle. Nur der Volturi wegen verbergen sie sich vor der Herde.«

»Aber worum kämpfen sie?«, fragte ich.

Jasper lächelte. »Erinnerst du dich an die Karte mit den roten Punkten?«

Er wartete auf eine Antwort, also nickte ich.

»Sie kämpfen um die Gebiete mit dem meisten Rot. Irgendein Vampir kam eines Tages auf die Idee, dass er, wenn er der Einzige in, sagen wir, Mexico City wäre, jede Nacht unbemerkt zwei, drei Mal seinen Durst stillen könnte. Dann überlegte er sich, wie er die Konkurrenz ausschalten könnte. Andere hatten die gleiche Idee. Manche entwickelten effektivere Strategien als andere.

Doch die effektivste Strategie entwickelte ein ziemlich junger Vampir namens Benito. Er kam aus der Gegend nördlich von Dallas und machte zum ersten Mal von sich reden, als er zwei kleine Zirkel niedermetzelte, die sich das Revier um Houston teilten. Zwei Nächte darauf nahm er es mit einer viel stärkeren Gruppe von verbündeten Vampiren auf, die Monterrey in Nordmexiko für sich beanspruchten. Und wieder gewann er.«

»Wie hat er das gemacht?«, fragte ich mit verhaltener Neugier.

»Benito hatte sich eine Armee aus neugeborenen Vampiren geschaffen. Er war der Erste, der darauf kam, und am Anfang war er nicht zu bremsen. Ganz junge Vampire sind wild und unbeherrscht und kaum zu lenken. Mit einem einzelnen Neugeborenen kann man noch vernünftig reden, kann ihm beibringen, sich zu beherrschen, aber zehn, fünfzehn zusammen sind ein Albtraum. Ob sie aufeinander losgehen oder auf den Feind, ist reine Glückssache. Benito musste immer mehr Vampire erschaffen, da sie sich ständig untereinander bekämpften und er im Kampf gegen andere Zirkel mehr als die Hälfte seiner Krieger einbüßte.

Neugeborene sind zwar gefährlich, doch wenn man weiß, worauf es ankommt, kann man sie besiegen. Körperlich sind sie in ihrem ersten Jahr unglaublich stark, und wenn sie ihre Kräfte einsetzen dürfen, können sie einen älteren Vampir mit Leichtigkeit vernichten. Doch sie sind ihren Instinkten ausgeliefert und deshalb leicht berechenbar. Für gewöhnlich haben sie keinerlei taktisches Geschick, nur Muskelkraft und Schnelligkeit. Und am Anfang waren sie zudem zahlenmäßig überlegen.

Die Vampire in Südmexiko merkten, was los war, und sie griffen zum einzigen Verteidigungsmittel, das ihnen einfiel. Sie begannen selbst Armeen zu schaffen ... Dann war die Hölle los – und zwar im wörtlichen Sinn. Auch wir Unsterblichen haben unsere Geschichte, und dieses Kapitel wird immer unvergessen sein. Für die Menschen in Mexiko war es zu jener Zeit natürlich auch nicht angenehm.«

Ich schauderte.

»Als die Zahl der Toten epidemische Ausmaße erreichte – tatsächlich macht man in eurer Geschichtsschreibung eine Seuche für den Bevölkerungsrückgang verantwortlich –, schritten die Volturi schließlich ein. Die gesamte Wache rückte an und spürte jeden einzelnen Neugeborenen in der südlichen Hälfte Nordamerikas auf. Benito hatte sich in Puebla verschanzt und schuf so schnell er konnte eine Armee, um seine Beute einzunehmen – Mexico City. Ihn erledigten die Volturi als Erstes, dann knöpften sie sich die Übrigen vor.

Die Volturi töteten alle, die mit Neugeborenen zusammen gesehen wurden, auf der Stelle, und da alle versucht hatten sich mit eigenen Neugeborenenarmeen vor Benito zu schützen, gab es in Mexiko eine Zeit lang überhaupt keine Vampire mehr.

Ein Jahr lang räumten die Volturi in Mexiko auf. Das ist ein weiteres unvergessenes Kapitel unserer Geschichte, obwohl kaum Zeugen übrig geblieben sind, die davon berichten könnten. Ich habe einmal mit jemandem gesprochen, der aus der Ferne gesehen hat, was geschah, als sie Culiacán einen Besuch abstatteten.«

Jasper schauderte. Ich hatte ihn bisher noch nie ängstlich oder erschrocken gesehen. Eine Premiere.

»Immerhin sorgten sie dafür, dass sich die Eroberungswut nicht gen Norden ausbreitete. Der Rest der Welt blieb vernünftig. Wir haben es den Volturi zu verdanken, dass wir so leben können, wie wir leben. Doch als die Volturi wieder nach Italien abreisten, hatten die Überlebenden nichts Eiligeres zu tun, als im Süden ihre Ansprüche geltend zu machen. Es dauerte nicht lange, da kam es wieder zu Auseinandersetzungen zwischen einzelnen Zirkeln. Es gab viel böses Blut, wenn du den Ausdruck entschuldigst. Die Fehden häuften sich. Die Idee, neue Vampire zu schaffen, war verlockend, und viele konnten nicht widerstehen. Doch man hatte die Volturi nicht vergessen, und diesmal waren die Zirkel im Süden mehr auf der Hut. Die Neugeborenen wurden mit größerer Sorgfalt ausgewählt und besser ausgebildet. Sie wurden behutsam eingesetzt, und die meisten Menschen merkten nichts von der Anwesenheit der Vampire unter ihnen. Ihre Schöpfer gaben den Volturi keinen Anlass zur Rückkehr.

Die Kriege gingen weiter, aber in kleinerem Stil. Ab und an überspannte jemand den Bogen, dann gab es Spekulationen in den Zeitungen, die Volturi kamen zurück und räumten in der jeweiligen Stadt auf. Aber die anderen, die Vorsichtigen, ließen sie weitermachen ...«

Jasper starrte ins Leere.

»Und so wurdest du verwandelt.« Ich flüsterte es nur.

»Ja. Als ich noch ein Mensch war, lebte ich in Houston, Texas. Ich war fast siebzehn, als ich im Jahr 1861 der konföderierten Armee beitrat. Bei der Rekrutierung schummelte ich und gab mich für zwanzig aus. Ich war groß und kam damit durch.

Meine Militärlaufbahn war kurz, aber vielversprechend. Die Leute ... mochten mich und hörten auf mich. Mein Vater sagte, ich hätte Charisma. Jetzt weiß ich natürlich, dass noch mehr dahintersteckte. Warum auch immer, ich stieg schnell auf, nahm höhere Ränge ein als ältere Männer mit mehr Erfahrung. Die konföderierte Armee war noch jung und musste sich erst organisieren, darin lag natürlich auch eine Chance für mich. In der ersten Schlacht bei Galveston – eigentlich mehr ein Scharmützel – war ich der jüngste Major von Texas, und dabei lag mein richtiges Alter noch unter dem offiziellen.

Mir fiel die Aufgabe zu, Frauen und Kinder aus der Stadt zu evakuieren, als die Dampfschiffe der Nordstaaten mit einem Mörserschiff im Schlepptau den Hafen erreichten. Es dauerte einen Tag, bis sie so weit waren, dann machte ich mich auf den Weg nach Houston, um die erste Gruppe von Zivilisten zu begleiten.

An diese Nacht kann ich mich noch genau erinnern. Wir kamen nach Einbruch der Dunkelheit in der Stadt an. Sobald ich Gewissheit hatte, dass alle gut untergebracht waren, nahm ich mir ein Pferd und ritt zurück nach Galveston. Ich hatte keine Zeit zu verschnaufen.

Nur einen Kilometer hinter der Stadt begegneten mir drei Frauen, die zu Fuß unterwegs waren. Ich hielt sie für versprengte Zivilistinnen und stieg sofort ab, um ihnen meine Hilfe anzubieten. Doch als ich im fahlen Mondlicht ihre Gesichter sah, verstummte ich. Sie waren ohne jeden Zweifel die drei schönsten Frauen, die ich je gesehen hatte.

Ich weiß noch, dass ich mich über ihre Blässe wunderte. Selbst die kleine Schwarzhaarige, von eindeutig mexikanischem Aussehen, hatte im Mondlicht eine Haut wie Porzellan. Alle drei sahen jung aus, sie waren noch Mädchen. Ich wusste, dass sie keine Versprengten unserer Seite waren. An sie hätte ich mich erinnert.

›Er ist sprachlos‹, sagte das größte Mädchen mit wunderschöner, feiner Stimme – wie ein Windspiel. Sie hatte helles Haar und ihre Haut war schneeweiß.

Die andere war noch blonder und ihre Haut war ebenso weiß. Sie hatte das Gesicht eines Engels. Mit halb geschlossenen Augen beugte sie sich zu mir und atmete tief ein.

›Mmm‹, seufzte sie. ›Wunderbar.‹

Die Kleine, die zierliche Schwarzhaarige, legte eine Hand auf den Arm des Mädchens und sagte schnell etwas zu ihr. Ihre Stimme war zu leise und melodisch, um streng zu klingen, aber so war es eindeutig gemeint.

›Nicht ablenken lassen, Nettie‹, sagte sie.

Ich hatte schon immer ein gutes Gespür für zwischenmenschliche Beziehungen, und mir war sofort klar, dass die Schwarzhaarige das Sagen über die anderen beiden hatte. Wären sie Soldaten gewesen, hätte ich gesagt, sie hätte einen höheren Rang.

›Er sieht genau richtig aus – jung und stark, ein Offizier …‹ Die Schwarzhaarige hielt inne, und ich versuchte vergeblich etwas zu sagen. ›Und noch etwas … spürt ihr das auch?‹, fragte sie die beiden anderen. ›Er ist … unwiderstehlich.‹

›O ja‹, stimmte Nettie sofort zu und beugte sich wieder zu mir hin.

›Geduld‹, sagte die Schwarzhaarige. ›Den hier will ich behalten.‹

Nettie runzelte die Stirn, sie sah verärgert aus.

›Dann mach es lieber selber, Maria‹, sagte die größere Blonde. ›Wenn dir etwas an ihm liegt. Ich töte sie doppelt so oft, wie ich sie behalte.‹

›Ja, ich übernehme das‹, sagte Maria. ›Er gefällt mir wirklich. Schaff Nettie weg, ja? Ich möchte nicht die ganze Zeit aufpassen müssen, was hinter meinem Rücken passiert.‹

Obwohl ich nichts von dem verstand, was die schönen Mädchen sagten, stellten sich mir die Nackenhaare auf. Mein Instinkt sagte mir, dass Gefahr drohte, dass das Engelsmädchen es ernst gemeint hatte, als sie vom Töten sprach, aber meine Erziehung war stärker als mein Instinkt. Ich hatte gelernt, Frauen zu beschützen, nicht, sie zu fürchten.

›Komm, wir gehen auf die Jagd‹, sagte Nettie begeistert und nahm das große Mädchen bei der Hand. Sie wirbelten herum – sie waren so anmutig – und rannten in Richtung Stadt. Sie schienen beinahe zu fliegen, so schnell waren sie; ihre weißen Kleider flatterten hinter ihnen her wie Flügel. Ich blinzelte verblüfft, und da waren sie schon verschwunden. Ich drehte mich zu Maria um, die mich neugierig betrachtete.

Bis zu jenem Tag war ich überhaupt nicht abergläubisch. Bis zu jener Sekunde glaubte ich nicht an Geister oder dergleichen Unsinn. Aber plötzlich war ich mir nicht mehr so sicher.

›Wie heißt du, Soldat?‹, fragte Maria.

›Major Jasper Whitlock, Ma'am‹, stammelte ich. Es war mir unmöglich, zu einer Frau unhöflich zu sein, auch wenn sie ein Geist war.

›Ich hoffe wirklich, dass du überlebst, Jasper‹, sagte sie mit ihrer sanften Stimme. ›Bei dir habe ich ein gutes Gefühl.‹

Sie kam einen Schritt näher und neigte den Kopf, als wollte sie mich küssen. Ich stand wie erstarrt, obwohl alles in mir danach schrie wegzulaufen.«

Jasper verstummte, er sah nachdenklich aus. »Ein paar Tage später«, sagte er schließlich, und ich war mir nicht sicher, ob er seine Geschichte um meinetwillen kürzte oder ob es eine Reaktion auf die Anspannung war, die von Edward ausging, »wurde ich in mein neues Leben eingeführt.

Die drei Mädchen hießen Maria, Nettie und Lucy. Sie waren noch nicht lange zusammen – Maria war als Letzte dazugekommen – und alle drei waren Überlebende kurz zuvor verlorener Schlachten. Sie bildeten eine Zweckgemeinschaft. Maria wollte Rache, und sie wollte ihre Gebiete zurück. Die anderen beiden hatten es darauf abgesehen, ihre ... Jagdflächen zu vergrößern. Sie stellten ein Heer zusammen und kümmerten sich sorgfältiger darum als gewöhnlich. Das war Marias Idee. Sie wollte eine Elitetruppe, also suchte sie nach Menschen mit besonderen Anlagen. Wir wurden viel gründlicher ausgebildet als alle anderen. Sie zeigte uns, wie man kämpft und wie man für die Menschen unsichtbar bleibt. Wenn wir unsere Sache gut machten, gab es eine Belohnung ...«

Er machte eine Pause, hier ließ er wieder etwas aus.

»Aber sie hatte es eilig. Maria wusste, dass die Kraft der Neugeborenen etwa nach einem Jahr nachließ, und sie wollte handeln, solange sie stark waren. Als ich dazustieß, waren wir zu sechst. In den nächsten zwei Wochen kamen vier weitere hinzu. Wir waren alles Männer – Maria wollte Soldaten – und das erschwerte es ein wenig, nicht untereinander zu kämpfen. Meine ersten Schlachten kämpfte ich gegen meine neuen Kameraden. Ich war schneller als die anderen, geschickter im Kampf. Maria war zufrieden mit mir, auch wenn es sie ärgerte, dass sie die Krieger, die ich tötete, ersetzen musste. Ich wurde oft belohnt, und das machte mich noch stärker.

Maria konnte andere gut einschätzen. Sie ernannte mich zum

Befehlshaber – eine Art Beförderung. Das entsprach genau meinem Wesen. Von da an gab es nicht mehr so viele Verluste und schließlich waren wir etwa zwanzig. Für die heiklen Zeiten, in denen wir lebten, war das beträchtlich. Meine Fähigkeit, auch wenn ich sie noch nicht benennen konnte, die Stimmung um mich herum zu steuern, zahlte sich bereits aus. Schon bald arbeiteten wir auf eine für neugeborene Vampire völlig neue Weise zusammen. Selbst Maria, Nettie und Lucy kamen jetzt besser miteinander aus.

Maria fand Gefallen an mir, mit der Zeit verließ sie sich immer mehr auf mich. Und in mancherlei Hinsicht war ich ihr sehr ergeben. Es kam mir gar nicht in den Sinn, dass ein anderes Leben möglich wäre. Niemals hätte irgendeiner von uns an Marias Worten gezweifelt.

Sie bat mich, ihr Bescheid zu sagen, wenn meine Brüder und ich zum Kampf bereit seien, und ich wollte mich unbedingt beweisen. Schließlich stellte ich eine dreiundzwanzig Mann starke Armee zusammen – dreiundzwanzig unglaublich starke neue Vampire, die so diszipliniert und geschickt waren wie keine anderen vor ihnen. Maria war begeistert.

Wir schlichen uns nach Monterrey, in ihre alte Heimat, und sie ließ uns auf ihre Feinde los. Die bestanden zu der Zeit nur aus neun Neugeborenen und zwei älteren Vampiren, die das Kommando hatten. Wir besiegten sie schneller, als Maria geglaubt hätte, und verloren in der Schlacht nur vier Mann. Einen so klaren Sieg hatte es noch nie gegeben.

Und wir waren gut ausgebildet. Es gelang uns, kein Aufsehen zu erregen. Wir eroberten die Stadt, ohne dass ein Mensch es merkte.

Jetzt hatte Maria Blut geleckt. Es dauerte nicht lange, bis sie ein Auge auf andere Städte geworfen hatte. In diesem ersten

Jahr erweiterte sie ihre Herrschaft auf den größten Teil von Texas und Nordmexiko. Dann kamen die anderen aus dem Süden, um sie zu vertreiben.«

Er strich mit zwei Fingern über das Muster aus Narben auf seinem Arm.

»Es gab heftige Kämpfe. Maria begann zu fürchten, dass die Volturi zurückkommen könnten. Von den ursprünglich dreiundzwanzig war ich der Einzige, der die ersten achtzehn Monate überlebte. Mal gewannen wir, mal verloren wir. Schließlich wandten sich sogar Nettie und Lucy gegen Maria – aber den Kampf gewannen wir. Wir schafften es auch, Monterrey zu halten. Die Lage entspannte sich ein wenig, obwohl die Kämpfe weitergingen. Es ging jetzt kaum noch um Eroberung, sondern mehr um Rache. Viele hatten ihre Gefährten verloren, und das ist etwas, was unsereins nicht verzeiht ...

Maria und ich hielten immer etwa ein Dutzend Neugeborene bereit. Sie bedeuteten uns wenig – sie waren bloße Schachfiguren, austauschbar. Und wenn sie uns nicht mehr nützten, dann wurden sie tatsächlich ausgetauscht. Während der folgenden Jahre lebte ich dieses gewalttätige Leben. Ich war es schon lange leid, bevor sich etwas tat ...

Mehrere Jahrzehnte später freundete ich mich mit einem Neugeborenen an, der uns nützlich blieb und allen Widrigkeiten zum Trotz die ersten drei Jahre überlebte. Er hieß Peter. Ich mochte ihn; er war ... anständig, so muss man es wohl nennen. Er kämpfte nicht gern, obwohl er gut darin war.

Ihm kam die Aufgabe zu, auf die Neugeborenen aufzupassen – er war sozusagen der Babysitter. Damit war er rund um die Uhr beschäftigt.

Und dann war es wieder so weit: Die Neugeborenen verloren ihre Kraft, sie mussten ersetzt werden. Peter sollte mir dabei helfen, sie zu beseitigen. Einen nach dem anderen nahmen wir sie uns vor. Das waren immer sehr lange Nächte. Diesmal versuchte er mich davon zu überzeugen, dass in einigen von ihnen mehr steckte, doch Maria hatte uns angewiesen, sie alle zu töten. Also lehnte ich ab.

Wir hatten die Hälfte erledigt, und ich merkte, dass es Peter sehr zu schaffen machte. Ich überlegte, ob ich ihn wegschicken und die Arbeit allein erledigen sollte. Als ich das nächste Opfer rief, war er zu meiner Überraschung fast außer sich vor Wut. Ich machte mich auf das Schlimmste gefasst – er war ein guter Kämpfer, aber gegen mich hätte er keine Chance gehabt.

Ich hatte eine Frau aufgerufen, die das erste Jahr knapp überschritten hatte. Sie hieß Charlotte. Als sie kam, veränderten sich seine Gefühle, und das verriet ihn. Er schrie ihr zu, sie solle wegrennen, und lief dann hinter ihr her. Ich hätte sie einholen können, aber ich tat es nicht. Es widerstrebte mir, ihn zu vernichten. Maria nahm mir das übel.

Fünf Jahre darauf tauchte Peter plötzlich wieder auf. Er hatte einen günstigen Tag erwischt. Für Maria war meine ständig schlechter werdende Stimmung ein Rätsel. Sie selbst kannte solche Anwandlungen gar nicht, und ich fragte mich, weshalb ich anders war. Wenn sie in meiner Nähe war, merkte ich, dass ihre Gefühle sich gewandelt hatten – manchmal strahlte sie Angst aus und Bosheit ... dieselben Gefühle hatten mich auch gewarnt, bevor Nettie und Lucy zuschlugen. Ich bereitete mich darauf vor, meine einzige Verbündete zu töten, das Zentrum meines Daseins, als Peter auftauchte.

Peter erzählte mir von seinem neuen Leben mit Charlotte, er eröffnete mir Möglichkeiten, von denen ich nie geträumt hätte. In den fünf Jahren hatten sie keinen einzigen Kampf geführt, obwohl sie im Norden viele andere getroffen hatten. Andere, die in Frieden nebeneinander leben konnten, ohne sich gegenseitig abzuschlachten. Schon mit diesem einen Gespräch hatte er mich überzeugt. Ich war bereit zum Aufbruch, und eigentlich war ich erleichtert, Maria nicht töten zu müssen. Ich war genauso lange bei ihr, wie Carlisle und Edward zusammen sind, auch wenn das Band zwischen uns längst nicht so stark war. Wenn man nur für den Kampf lebt, für das Blut, dann sind die Beziehungen, die man knüpft, von schwacher Natur und werden schnell aufgegeben. Ohne einen Blick zurück ging ich fort.

Einige Jahre lang zog ich mit Peter und Charlotte umher und lernte eine neue, friedlichere Welt kennen. Doch die Niedergeschlagenheit verschwand nicht. Ich begriff nicht, was mit mir los war, bis Peter auffiel, dass es mir nach der Jagd jedes Mal schlechter ging. Darüber dachte ich nach. In den vielen blutigen Jahren war mir nahezu jede Menschlichkeit abhandengekommen. Ich war ein Albtraum, ein Monster der grässlichsten Art. Und doch spürte ich jedes Mal, wenn ich wieder einen Menschen tötete, eine vage Erinnerung an dieses andere Leben. Wenn ich sah, wie die Menschen vor Überraschung über meine Schönheit die Augen aufrissen, sah ich Maria und die beiden anderen vor mir, wie sie mir in meiner letzten Nacht als Jasper Whitlock erschienen waren. Für mich war diese flüchtige Erinnerung stärker als für andere, weil ich alles empfinden konnte, was die Opfer empfanden. Und während ich sie tötete, durchlebte ich ihre Gefühle.

Du hast gesehen, Bella, wie ich die Stimmung um mich herum beeinflussen kann, aber ich frage mich, ob dir klar ist, wie umgekehrt die Stimmungen in einem Raum mich beeinflussen. Jeden Tag stürmen die unterschiedlichsten Gefühle auf mich ein. Das erste Jahrhundert meines Lebens verbrachte ich in einer Welt blutrünstiger Rache. Hass war mein ständiger Begleiter.

Nachdem ich Maria verlassen hatte, wurde es etwas besser, aber ich musste immer noch die Angst und den Schrecken meiner Opfer spüren.

Es wurde mir alles zu viel und ich verließ Peter und Charlotte. Obwohl sie so anständig waren, empfanden sie nicht denselben Widerwillen wie ich. Sie wollten nur nicht mehr kämpfen. Ich dagegen war es leid zu töten – ganz gleich, wen, auch wenn es nur Menschen waren.

Und doch musste ich weiter töten. Was blieb mir anderes übrig? Ich versuchte es seltener zu tun, aber dann wurde der Durst zu groß und ich gab wieder nach. Nachdem ich meine Bedürfnisse ein Jahrhundert lang immer sofort befriedigen konnte, war Selbstbeherrschung für mich eine große Herausforderung. Und ist es immer noch.«

Jasper war von seiner Geschichte genauso gefangen wie ich. Ich war überrascht, als sein verzweifelter Gesichtsausdruck von einem friedlichen Lächeln abgelöst wurde.

»Ich war in Philadelphia. Es stürmte und ich war tagsüber draußen – auch wenn ich mich dabei noch immer nicht ganz wohl fühlte. Ich wusste, dass ich Aufsehen erregen würde, wenn ich im Regen stehen blieb, also ging ich in ein kleines, nur halb besetztes Lokal. Meine Augen waren so dunkel, dass sie niemandem auffallen würden, wenngleich das bedeutete, dass ich Durst hatte, und das machte mir ein wenig Sorgen.

Und da war sie – natürlich erwartete sie mich schon.« Er lachte leise. »Sobald ich hereinkam, sprang sie vom Barhocker und kam direkt auf mich zu. Ich erschrak. Ich wusste nicht, ob sie mich angreifen wollte. Eine andere Erklärung ließ das, was ich bisher erlebt hatte, nicht zu. Doch sie lächelte. Und solche Gefühle, wie sie sie ausstrahlte, hatte ich noch nie erlebt.

›Du hast mich lange warten lassen‹, sagte sie.«

Ich hatte nicht bemerkt, dass Alice wieder hinter mich getreten war.

»Und du hast den Kopf gesenkt wie ein richtiger Gentleman aus dem Süden und gesagt: ›Tut mir leid, Ma'am.‹« Alice lachte.

Jasper lächelte sie an. »Du hast mir die Hand gereicht, und ich nahm sie, ohne zu überlegen, was ich da tat. Zum ersten Mal seit hundert Jahren spürte ich Hoffnung.«

Während Jasper sprach, nahm er Alice' Hand.

Alice grinste. »Ich war einfach erleichtert. Ich dachte schon, du kommst nie mehr.«

Sie lächelten sich einen endlosen Augenblick lang an, dann schaute Jasper wieder zu mir, sein Blick war immer noch weich.

»Alice erzählte mir von ihren Visionen von Carlisle und seiner Familie. Ich konnte kaum glauben, dass ein solches Leben möglich war. Aber Alice stimmte mich optimistisch. Also machten wir uns auf den Weg zu ihnen.«

»Und ihr habt uns eine Heidenangst eingejagt«, sagte Edward mit einem Blick zu Jasper, bevor er sich zu mir wandte, um es zu erklären. »Emmett und ich waren gerade auf der Jagd. Da kommt Jasper, von oben bis unten mit Kriegsnarben bedeckt, und zieht diese kleine Verrückte hinter sich her« – er stieß Alice freundschaftlich in die Seite –, »die alle mit Namen begrüßt, alles über uns weiß und wissen will, welches Zimmer sie beziehen kann.«

Alice und Jasper lachten beide, Sopran und Bass.

»Als ich nach Hause kam, standen all meine Sachen in der Garage«, erzählte Edward.

Alice zuckte die Achseln. »Dein Zimmer hatte die beste Aussicht.«

Jetzt lachten sie alle zusammen.

»Das ist eine schöne Geschichte«, sagte ich.

Alle drei sahen mich an, als wäre ich verrückt geworden.

»Ich meine den Schluss«, lenkte ich ein. »Das Happy End mit Alice.«

»Alice hat alles verändert«, sagte Jasper. »In ihrer Nähe fühle ich mich wohl.«

Doch die lockere Stimmung verflog schon bald wieder.

»Eine Armee«, flüsterte Alice. »Warum hast du mir das nicht gesagt?«

Jetzt waren auch die anderen wieder ganz Ohr, alle schauten Jasper an.

»Ich dachte mir, dass ich die Zeichen falsch deute. Denn was für ein Motiv sollte es dafür geben? Warum sollte jemand in Seattle eine Armee zusammenstellen? Es gibt dort keine Geschichte, keine Rache. Auch Machtstreben scheidet als Motiv aus, niemand erhebt Anspruch auf die Stadt. Nomaden reisen hindurch, aber niemand kämpft um sie. Man braucht sie gegen niemanden zu verteidigen.

Aber ich kenne die Anzeichen, und es gibt keine andere Erklärung. In Seattle ist eine Armee von neugeborenen Vampiren entstanden. Weniger als zwanzig, schätze ich. Eine Schwierigkeit liegt darin, dass sie offensichtlich überhaupt nicht ausgebildet sind. Ihr Schöpfer hat sie einfach losgelassen. Es kann nur schlimmer werden, und es wird nicht mehr lange dauern, bis die Volturi einschreiten. Ehrlich gesagt wundert es mich, dass sie noch nichts unternommen haben.«

»Was können wir tun?«, fragte Carlisle.

»Wenn wir nicht wollen, dass die Volturi sich einmischen, müssen wir die Neugeborenen zerstören, und zwar sehr bald.« Jaspers Miene war hart. Jetzt, da ich seine Vergangenheit kannte, konnte ich mir vorstellen, wie schwer ihm diese Einschätzung fallen musste. »Ich kann euch alles Notwendige beibringen. Es wird in der Stadt nicht leicht werden. Die jungen Vampire geben sich keine Mühe, im Verborgenen zu bleiben, aber wir müssen das tun. Damit sind wir im Nachteil. Vielleicht können wir sie aus der Reserve locken.«

»Vielleicht ist das gar nicht nötig.« Edward klang niedergeschlagen. »Ist noch niemand auf den Gedanken gekommen, dass es weit und breit nur eine Bedrohung gibt, die eine Armee erforderlich machen könnte? Uns.«

Jaspers Augen wurden schmal; Carlisle riss die Augen erschrocken auf.

»Tanyas Familie ist auch in der Nähe«, sagte Esme langsam. Sie wollte nicht glauben, was Edward gesagt hatte.

»Die Neugeborenen machen aber nicht Anchorage unsicher, Esme. Ich fürchte, wir müssen die Möglichkeit in Betracht ziehen, dass sie es auf uns abgesehen haben.«

»Sie sind aber nicht hinter uns her«, sagte Alice, dann verstummte sie. »Oder … sie wissen es nicht. Noch nicht.«

»Was ist?«, fragte Edward gespannt. »Woran denkst du?«

»Es ist nur ein Flimmern«, sagte Alice. »Wenn ich zu sehen versuche, was los ist, bekomme ich kein klares Bild, nichts Konkretes. Aber ich habe immer diese merkwürdigen Blitze vor Augen. Zu wenig, um daraus Schlüsse zu ziehen. Es ist, als würde jemand immer wieder seine Meinung und seine Taktik ändern, so dass ich es nicht richtig erkennen kann …«

»Unschlüssigkeit?«, fragte Jasper ungläubig.

»Ich weiß nicht …«

»Da ist niemand unschlüssig«, sagte Edward wütend. »Da weiß jemand Bescheid. Dieser Jemand weiß, dass du erst etwas sehen kannst, wenn die Entscheidung gefallen ist. Er versteckt sich vor uns. Er nutzt die Lücken in deinen Visionen aus.«

»Wer könnte davon wissen?«, flüsterte Alice.

Edwards Augen waren hart wie Eis. »Aro kennt dich so gut, wie du dich selbst kennst.«

»Aber wenn sie sich entschlossen hätten zu kommen, würde ich das sehen ...«

»Es sei denn, sie wollen sich die Hände nicht schmutzig machen.«

»Eine Gefälligkeit«, sagte Rosalie. Es war das erste Mal, dass sie etwas sagte. »Jemand im Süden ... der schon einmal mit den Regeln in Konflikt geraten ist. Jemand, der hätte getötet werden sollen, erhält eine zweite Chance – wenn er dieses kleine Problem aus der Welt schafft. Das würde erklären, weshalb sich die Volturi so viel Zeit lassen.«

»Warum?«, fragte Carlisle, immer noch erschrocken. »Die Volturi haben doch keinen Grund ...«

»Sie hatten einen«, widersprach Edward ruhig. »Es wundert mich, dass es so schnell dazu gekommen ist, denn die anderen Gedanken waren stärker. Aro sah im Geiste mich an seiner einen Seite und Alice an seiner anderen. Gegenwart und Zukunft vereint, das ist fast gleichbedeutend mit Allwissenheit. Die Macht dieser Vorstellung hat ihn berauscht. Ich hätte nicht geglaubt, dass er diesen Plan so bald fallenlassen würde – der Wunsch war so stark. Aber da war auch der Gedanke, dass du, Carlisle, und unsere Familie stärker und größer werdet. Der Neid und die Angst – dass du ... nicht mehr hast als er, aber doch etwas, das er auch gern hätte. Er hat versucht nicht daran zu denken, aber er konnte es nicht ganz ausblenden. Der Gedanke, die Konkurrenz zu vernichten, war schon damals da; abgesehen von ihrem Zirkel ist unserer der größte, von dem sie wissen ...«

Ich starrte ihn entsetzt an. Davon hatte er mir nie erzählt, und ich wusste auch, warum. Jetzt sah ich Aros Traum vor mir.

Edward und Alice in Schwarz, mit wehenden Umhängen, wie sie mit kalten, blutroten Augen neben Aro herschwebten …

Carlisle unterbrach meinen Albtraum. »Sie sind zu sehr von ihrem Auftrag besessen. Niemals würden sie selbst die Regeln brechen. Das widerspricht allem, wofür sie sich einsetzen.«

»Sie werden hinterher aufräumen. Ein doppelter Verrat«, sagte Edward grimmig. »Nichts passiert!«

Jasper beugte sich vor und schüttelte den Kopf. »Nein, Carlisle hat Recht. Die Volturi brechen die Regeln nicht. Außerdem ist das nicht ihr Stil, viel zu schlampig. Wer da am Werk ist … der weiß nicht, was er tut. Ein Anfänger, darauf wette ich. Ich kann nicht glauben, dass die Volturi damit etwas zu tun haben. Aber das wird sich bald ändern.«

Alle schauten sich an, wie erstarrt.

»Dann los!« Emmett brüllte es fast. »Worauf warten wir noch?«

Carlisle und Edward wechselten einen langen Blick. Edward nickte kurz.

»Du wirst es uns beibringen müssen, Jasper«, sagte Carlisle schließlich. »Wie man sie zerstört.« Carlisle verzog keine Miene, aber ich sah, wie weh ihm der Gedanke tat. Wohl niemandem war Gewalt mehr zuwider als ihm.

Irgendetwas stimmte nicht, aber ich kam nicht darauf, was es war. Ich war geschockt, wie betäubt vor Angst. Doch darunter spürte ich, dass mir etwas Wichtiges entging. Etwas, das Ordnung in das Durcheinander bringen würde. Das es erklären würde.

»Wir werden Hilfe brauchen«, sagte Jasper. »Glaubt ihr, Tanyas Familie wäre bereit …? Wenn wir noch fünf reife Vampire dabeihätten, wäre es schon einfacher. Vor allem Kate und Eleazar wären sehr hilfreich. Mit ihnen zusammen dürfte es kaum ein Problem sein.«

»Wir werden sie fragen«, sagte Carlisle.

Jasper hielt ihm ein Mobiltelefon hin. »Wir haben keine Zeit zu verlieren.«

Ich hatte Carlisle noch nie so aus der Fassung erlebt. Er nahm das Telefon und ging damit zum Fenster. Er tippte eine Nummer ein, hielt das Telefon ans Ohr und legte eine Hand an die Fensterscheibe. Er sah gequält aus, als er in den nebligen Morgen starrte.

Edward nahm meine Hand und führte mich zu dem kleinen weißen Sofa. Ich setzte mich neben ihn und schaute ihn an, während er Carlisle beobachtete.

Carlisle sprach schnell und leise, er war kaum zu verstehen. Ich hörte, wie er Tanya begrüßte, dann schilderte er die Lage. Ich verstand nur so viel, dass die Vampire in Alaska über die Ereignisse in Seattle schon Bescheid wussten.

Dann veränderte sich Carlisles Ton.

»Ach so«, sagte er überrascht. »Wir wussten nicht … dass Irina so empfindet.«

Edward neben mir stöhnte auf und schloss die Augen. »Verdammt. Verdammt sei Laurent, möge er für immer in der Hölle schmoren.«

»Laurent?«, flüsterte ich, und das Blut wich mir aus dem Gesicht, aber Edward gab keine Antwort, er war ganz auf Carlisles Gedanken konzentriert.

Meine kurze Begegnung mit Laurent im Frühjahr war mir noch lebhaft in Erinnerung. Ich wusste noch jedes Wort, das er gesagt hatte, bevor Jacob und sein Rudel eingriffen.

Genau genommen bin ich hierhergekommen, um ihr einen Gefallen zu tun …

Victoria. Laurent war ihr erster Schachzug gewesen – sie hatte ihn als Kundschafter ausgeschickt, er sollte feststellen, wie schwer ich zu fassen wäre. Er hatte die Wölfe nicht überlebt.

Zwar hatte er nach James' Tod die alte Verbindung mit Victoria gepflegt, aber er hatte auch neue Beziehungen geknüpft. Er hatte bei Tanyas Familie in Alaska gelebt – bei der rotblonden Tanya –, den engsten Freunden, die die Cullens in der Welt der Vampire hatten, sie gehörten beinahe zur Familie. Laurent hatte vor seinem Tod fast ein Jahr bei ihnen verbracht.

Carlisle sprach nicht direkt in bittendem Ton. Zwar schien er Tanya überreden zu wollen, doch es klang auch eine gewisse Schärfe durch. Plötzlich gewann die Schärfe die Oberhand. »Das kommt überhaupt nicht in Frage«, sagte er hart. »Wir haben einen Vertrag. Sie haben ihn nicht gebrochen, und wir werden das auch nicht tun. Es tut mir leid, das zu hören … Selbstverständlich. Dann werden wir es eben allein versuchen müssen.«

Ohne eine Antwort abzuwarten, klappte Carlisle das Telefon zu. Dann starrte er wieder hinaus in den Nebel.

»Was ist los?«, fragte Emmett leise an Edward gewandt.

»Irina war mit unserem Freund Laurent stärker verbunden, als wir ahnten. Sie nimmt es den Wölfen sehr übel, dass sie ihn zerstört haben, um Bella zu retten. Sie will …« Er hielt inne und schaute mich an.

»Sag schon«, sagte ich so ruhig wie möglich.

Seine Augen wurden schmal. »Sie will Rache. Sie will das Rudel töten. Im Gegenzug für unsere Erlaubnis dazu würden sie uns helfen.«

»Nein!«, rief ich entsetzt.

»Keine Sorge«, sagte er tonlos. »Carlisle würde dem nie zustimmen.« Er zögerte, dann seufzte er. »Und ich auch nicht. Laurent hatte es verdient« – das klang fast wie ein Knurren – »und ich bin den Wölfen immer noch dankbar dafür.«

»Das ist nicht gut«, sagte Jasper. »Wir sind zwar geschickter als sie, aber zahlenmäßig sind wir nicht überlegen. Wir würden gewinnen, aber zu welchem Preis?« Schnell schaute er zu Alice, aber ebenso schnell wandte er den Blick wieder ab.

Am liebsten hätte ich laut geschrien, als mir klarwurde, was Jasper meinte.

Wir würden gewinnen, aber wir würden auch verlieren. Einige würden nicht überleben.

Ich schaute ihre Gesichter an – Jasper, Alice, Emmett, Rosalie, Esme, Carlisle … Edward – die Gesichter meiner Familie.

KLARE WORTE

»Das ist nicht dein Ernst«, sagte ich am Mittwochnachmittag. »Du spinnst komplett!«

»Von mir aus kannst du mich ruhig beschimpfen«, sagte Alice. »Die Party findet trotzdem statt.«

Ich starrte sie an, ich war so fassungslos, dass ich beinahe das Tablett fallen gelassen hätte.

»He, reg dich ab, Bella! Es gibt keinen Grund, die Party abzublasen. Außerdem habe ich die Einladungen schon verschickt.«

»Aber ... die ... du ... ich ... verrückt!«, stammelte ich.

»Du hast mein Geschenk schon gekauft«, erinnerte sie mich. »Du brauchst nur noch zu kommen.«

Ich versuchte mich zu beruhigen. »Bei dem, was hier zurzeit los ist, ist eine Party doch wohl kaum angesagt.«

»Hier ist vor allem der Schulabschluss los, und eine Party ist so was von angesagt, dass sie schon fast wieder out ist.«

»Alice!«

Sie seufzte und versuchte ernst zu sein. »Wir müssen zurzeit einiges regeln, und das wird eine Weile dauern. Solange wir ohnehin nur hier sitzen und warten, können wir uns ebenso gut amüsieren. Du machst nur einmal im Leben deinen Highschool-Abschluss – jedenfalls nur einmal zum ersten Mal. Du hast nur

310

dieses eine Leben als Mensch, Bella. Diese Gelegenheit kommt nie wieder.«

Edward, der die ganze Zeit geschwiegen hatte, warf ihr einen warnenden Blick zu. Sie streckte ihm die Zunge heraus. Sie hatte Recht – ihre leise Stimme war bei dem Geschnatter in der Cafeteria nicht zu hören. Und sowieso würde niemand verstehen, was ihre Worte zu bedeuten hatten.

»Was müssen wir denn alles regeln?«, fragte ich. Ich wollte mich nicht ablenken lassen.

Leise sagte Edward: »Jasper meint, wir könnten ein wenig Hilfe brauchen. Es gibt noch andere Möglichkeiten als Tanyas Familie. Carlisle versucht ein paar alte Freunde ausfindig zu machen, und Jasper sucht Peter und Charlotte. Er überlegt auch, ob er mit Maria reden soll … aber eigentlich wollen wir die Vampire aus dem Süden nicht hineinziehen.«

Alice schauderte leicht.

»Es dürfte nicht allzu schwer sein, sie für die Sache zu gewinnen«, fuhr er fort. »Einen Besuch aus Italien möchte niemand.«

»Aber diese Freunde – das sind doch keine … Vegetarier, oder?«, wandte ich ein und benutzte dabei den Begriff, mit dem die Cullens sich selbst scherzhaft bezeichneten.

»Nein«, sagte Edward ausdruckslos.

»Hier? In Forks?«

»Es sind Freunde«, sagte Alice beruhigend. »Keine Sorge, da kann nichts passieren. Und dann muss Jasper uns ein bisschen Nachhilfe in der Eliminierung von Neugeborenen geben …«

Edward bekam leuchtende Augen, und ein Lächeln huschte über sein Gesicht. Mein Magen fühlte sich plötzlich an, als wären lauter kleine Eissplitter darin.

»Wann wollt ihr los?«, fragte ich mit hohler Stimme. Die Vorstellung, dass womöglich nicht alle wiederkommen würden, war unerträglich. Wenn es nun Emmett traf, der so draufgängerisch war, dass er jede Vorsicht vergaß? Oder die liebe, mütterliche Esme, die so gar nichts Kämpferisches an sich hatte? Oder Alice, die so klein und zerbrechlich war? Oder … aber diesen Namen konnte ich nicht einmal denken, wollte es mir gar nicht erst vorstellen.

»In einer Woche«, sagte Edward beiläufig. »Das dürfte genügen.«

Die Eissplitter bewegten sich unangenehm in meinem Magen. Plötzlich wurde mir übel.

»Du siehst ganz grün aus, Bella«, sagte Alice.

Edward legte mir einen Arm um die Schultern und zog mich fest an sich. »Es wird uns nichts zustoßen, Bella. Vertraue mir.«

Na klar, dachte ich. Vertrauen. Er musste ja nicht zu Hause rumsitzen und bangen, ob sein Ein und Alles wieder zurückkehren würde.

Und dann hatte ich plötzlich eine Eingebung. Vielleicht musste ich gar nicht zu Hause rumsitzen. Eine Woche war lange genug.

»Ihr braucht doch Hilfe«, sagte ich langsam.

»Ja.« Gespannt legte Alice den Kopf schräg.

Ich sah nur sie an, als ich weitersprach. Meine Stimme war kaum mehr als ein Flüstern. »*Ich* könnte euch helfen.«

Edward machte sich ganz steif, seine Umarmung war auf einmal zu fest. Er atmete zischend aus.

Doch die Antwort kam von Alice, die ganz ruhig blieb. »Das wäre alles andere als hilfreich.«

»Warum?«, fragte ich und ich hörte selbst, dass es verzweifelt klang. »Acht sind besser als sieben. Und die Zeit reicht allemal.«

»Aber nicht, um dich auszubilden, Bella«, sagte sie kühl. »Weißt du noch, wie Jasper die jungen Vampire beschrieben hat? Du wärest keine gute Kämpferin. Du könntest deine Instinkte nicht beherrschen, und dadurch würdest du zur leichten Beute. Und dann würde Edward beim Versuch, dich zu beschützen, womöglich verletzt werden.« Sie verschränkte die Arme vor der Brust, sehr zufrieden mit ihrer unschlagbaren Logik.

Ich wusste, dass sie Recht hatte. Ich sank im Stuhl zusammen, sie hatte meine Hoffnung zunichtegemacht. Edward neben mir war wieder ganz entspannt.

Er flüsterte mir ins Ohr: »Nicht aus Angst, schon vergessen?«

»Oh«, sagte Alice und sah erst verdutzt aus, dann pikiert. »Ich hasse es, wenn Leute in letzter Minute absagen. Dann wären es jetzt also nur noch fünfundsechzig Partygäste ...«

»Fünfundsechzig!« Ich verschluckte mich fast. So viele Freunde hatte ich nie und nimmer. Kannte ich überhaupt so viele Leute?

»Wer hat abgesagt?«, fragte Edward, ohne auf mich zu achten.

»Renée.«

»Was?«, sagte ich atemlos.

»Sie wollte dich zum Abschluss überraschen, aber irgendwas ist ihr dazwischengekommen. Wenn du nach Hause kommst, hast du eine Nachricht auf dem Anrufbeantworter.«

Einen Augenblick fühlte ich mich einfach nur erleichtert. Egal, was meiner Mutter dazwischengekommen war, ich war unendlich dankbar dafür. Die Vorstellung, sie ausgerechnet jetzt hier in Forks zu haben ... daran wollte ich gar nicht denken. Mir würde der Schädel platzen.

Als ich nach Hause kam, blinkte das Lämpchen am Anrufbeantworter. Noch einmal spürte ich die Erleichterung, als ich hörte, dass Phil einen Unfall auf dem Baseballfeld gehabt hatte – beim Versuch, einen Slide zu demonstrieren, war er mit dem Catcher zusammengestoßen und hatte sich den Oberschenkel gebrochen; er war vollkommen auf meine Mutter angewiesen, und sie konnte ihn unter keinen Umständen allein lassen. Mitten in ihrer wortreichen Entschuldigung schnitt der Apparat ihr das Wort ab.

»Na, immerhin eine weniger«, sagte ich seufzend.

»Eine weniger was?«, fragte Edward.

»Eine weniger, um deren Leben ich diese Woche bangen muss.«

Er verdrehte die Augen.

»Warum nehmt ihr das nicht ernst, du und Alice?«, fragte ich.

»Es ist verdammt ernst.«

Er lächelte. »Zuversicht.«

»Na super«, grummelte ich. Ich nahm das Telefon und wählte Renées Nummer. Ich wusste, dass es ein langes Gespräch werden würde, aber ich wusste auch, dass ich nicht viel dazu beitragen musste.

Ich hörte nur zu, und wenn ich mal zu Wort kam, versuchte ich zu beschwichtigen: dass ich nicht enttäuscht sei und auch nicht sauer oder gekränkt. Sie solle sich darauf konzentrieren, für Phil zu sorgen. Ich ließ Phil gute Besserung ausrichten und versprach, ihr in allen Einzelheiten vom Schulabschluss zu berichten.

Edward hatte eine Engelsgeduld. Höflich wartete er, bis das Gespräch zu Ende war, spielte mit meinem Haar und lächelte jedes Mal, wenn ich ihn anschaute. Es war wohl ziemlich oberflächlich von mir, auf so etwas zu achten, während es so viel Wichtigeres zu bedenken gab, aber sein Lächeln raubte mir immer noch den Atem. Er war so schön, dass es mir manchmal schwerfiel, an etwas anderes zu denken und mich auf etwas anderes zu konzentrieren – auf Phils Beinbruch oder Renées Entschuldigungen oder feindliche Vampirarmeen. Ich war schließlich nur ein Mensch.

Kaum hatte ich aufgelegt, stellte ich mich auf die Zehenspitzen, um ihn zu küssen. Er umfasste meine Taille und hob mich auf die Anrichte, damit ich mich nicht so recken musste. So war es gut. Ich schlang die Arme um seinen Hals und schmolz an seiner kalten Brust dahin.

Wie immer löste er sich zu früh von mir.

Ich merkte, dass ich einen Schmollmund machte. Er lachte, als er sich aus meinen Armen und Beinen befreite. Er lehnte sich neben mir an die Anrichte und legte mir einen Arm leicht um die Schultern.

»Auch wenn du glaubst, ich hätte eine übermenschliche Selbstbeherrschung, stimmt das noch lange nicht.«

»Schade.« Ich seufzte.

Er seufzte auch.

»Morgen nach der Schule«, sagte er und wechselte schnell das Thema, »gehe ich mit Carlisle, Esme und Rosalie auf die Jagd. Nur für ein paar Stunden – wir bleiben in der Nähe. Alice, Jasper und Emmett werden dafür sorgen, dass dir nichts passieren kann.«

»Umpf«, sagte ich. Morgen standen die letzten beiden Abschlussprüfungen an, und wir hatten nur den halben Tag Schule. Ich hatte Mathe und Geschichte – meine beiden Problemfächer – und danach stand mir fast ein ganzer Tag ohne Edward bevor. Fast ein ganzer Tag, an dem ich mir nur Sorgen machen würde.

»Ich kann es nicht leiden, wenn ihr mich behandelt, als bräuchte ich einen Babysitter.«

»Das ist nur vorübergehend«, versprach er.

»Jasper wird sich zu Tode langweilen. Und Emmett macht sich bestimmt lustig über mich.«

»Sie werden sich schon benehmen.«

»Ganz bestimmt«, sagte ich.

Und da fiel mir ein, dass es noch eine andere Möglichkeit gab. »Weißt du … seit dem Lagerfeuer war ich nicht mehr in La Push.«

Ich sah ihn aufmerksam an. Seine Augen zogen sich ein kleines bisschen zusammen.

»Da wäre ich in Sicherheit«, sagte ich.

Er dachte kurz darüber nach. »Wahrscheinlich hast du Recht.« Sein Gesichtsausdruck war ruhig, ein wenig zu unbewegt. Fast hätte ich ihn gefragt, ob es ihm lieber wäre, wenn ich bliebe, aber dann stellte ich mir vor, wie Emmett mich aufziehen würde, und wechselte das Thema. »Hast du schon wieder Durst?«, fragte ich und strich ihm über die leichten Schatten unter den Augen. Seine Iris waren immer noch von einem satten Gold.

»Eigentlich nicht.« Er schien nicht recht mit der Sprache herauszuwollen, was mich überraschte. Ich wartete auf eine Erklärung.

»Wir wollen möglichst stark sein«, sagte er, immer noch zögerlich. »Wahrscheinlich werden wir unterwegs mehrmals jagen und nach großem Wild Ausschau halten.«

»Davon werdet ihr stärker?«

Er schaute mich forschend an, aber offenbar stand in meinem Gesicht nur Neugier geschrieben.

»Ja«, sagte er schließlich. »Noch stärker, wenn auch unwesentlich, macht uns Menschenblut. Jasper hat erwogen zu schummeln – auch wenn es ihm widerstrebt, aber er ist eben praktisch veranlagt –, doch er wird es nicht vorschlagen. Er weiß, was Carlisle dazu sagen würde.«

»Würde es helfen?«, fragte ich ruhig.

»Das spielt keine Rolle. Wir werden bleiben, was wir sind.«

Ich runzelte die Stirn. Wenn es half, die Chancen zu verbessern … und dann erschrak ich, als ich merkte, dass ich bereitwillig ein Menschenleben opfern würde, um Edward zu beschützen. Ich war entsetzt über mich selbst, konnte den Gedanken aber auch nicht ganz abschütteln.

Wieder lenkte er ab. »Deshalb sind sie ja auch so stark. Die Neugeborenen sind voller Menschenblut – voll von ihrem eigenen Blut, das auf die Verwandlung reagiert. Es steckt noch in den Zellen und macht sie stark. Mit der Zeit wird es vom Körper aufgezehrt und, wie Jasper gesagt hat, nach etwa einem Jahr hat sich die Kraft erschöpft.«

»Wie stark werde ich sein?«

Er grinste. »Stärker als ich.«

»Stärker als Emmett?«

Jetzt grinste er noch breiter. »Ja. Du musst mir einen Gefallen tun und ihn zum Armdrücken auffordern. Das würde ihm guttun.«

Ich lachte. Es klang so absurd.

Dann seufzte ich und sprang von der Anrichte, weil es sich nicht mehr länger aufschieben ließ. Ich musste büffeln, und zwar richtig. Zum Glück wollte Edward mir helfen, und er war ein toller Lehrer, weil er einfach alles wusste. Mein größtes Problem würde darin bestehen, mich auf die Klausuren zu konzentrieren. Wenn ich nicht aufpasste, schrieb ich am Ende noch einen Geschichtsaufsatz über die Vampirkriege in den Südstaaten.

Ich machte eine Pause, um Jacob anzurufen, und Edward wirkte genauso gelassen wie bei meinem Telefongespräch mit Renée. Er spielte wieder mit meinen Haaren.

Obwohl es Nachmittag war, weckte ich Jacob mit meinem Anruf, und er war erst etwas brummig. Aber als ich fragte, ob ich ihn am nächsten Tag besuchen könnte, hob seine Laune sich sofort. Die Quileute hatten schon Sommerferien, und er sagte, ich solle so früh wie möglich kommen. Ich war froh darüber, meinen Babysittern zu entgehen. Wenn ich mich mit Jacob traf, konnte ich wenigstens ein kleines bisschen meiner Würde retten. Ein Teil dieser Würde wurde zerstört, als Edward wieder darauf bestand, mich bis zur Grenze zu bringen – wie ein Kind, das von einer Betreuungsperson an eine andere übergeben wird.

»Und, wie sind die Klausuren gelaufen?«, fragte Edward auf der Hinfahrt, wohl um mich ein wenig abzulenken.

»Geschichte war locker, aber bei Mathe weiß ich nicht so recht. Es kam mir alles ganz logisch vor – das heißt wahrscheinlich, dass ich durchgefallen bin.«

Er lachte. »Du warst bestimmt gut. Und wenn du dir wirklich Sorgen machst, könnte ich Mr Varner bestechen, damit er dir eine Eins gibt.«

»Nein, danke.«

Er lachte wieder, dann bogen wir um die letzte Kurve und sahen das rote Auto. Er runzelte angestrengt die Stirn, dann hielt er seufzend.

»Was ist?«, fragte ich mit der Hand am Türgriff.

Er schüttelte den Kopf. »Nichts.« Mit schmalen Augen starrte er durch die Windschutzscheibe zu dem anderen Wagen. Diesen Blick kannte ich.

»Du belauschst Jacob doch nicht etwa, oder?«, sagte ich vorwurfsvoll.

»Man kann kaum weghören, wenn jemand so laut schreit.«

»Aha.« Darüber dachte ich einen Augenblick nach. »Was schreit er denn?«, flüsterte ich.

»Das wird er dir schon selbst erzählen, keine Sorge«, sagte Edward sarkastisch.

Ich hätte noch weiter gebohrt, wenn Jacob in diesem Moment nicht zweimal laut und ungeduldig gehupt hätte.

»Was bildet der sich ein?«, knurrte Edward.

»So ist er eben«, sagte ich seufzend und lief schnell hin, bevor Jacob Edward noch mehr reizen konnte.

Ich winkte Edward zum Abschied. Von weitem sah es so aus, als ob er sich über das Gehupe wirklich ärgerte ... oder über das, was Jacob gerade dachte. Aber meine Augen waren schwach und müde und täuschten mich andauernd.

Am schönsten hätte ich es gefunden, wenn Edward mitgekommen wäre. Ich hätte die beiden gern dazu gebracht, auszusteigen, sich die Hand zu reichen und sich zu vertragen – nicht als Vampir und Werwolf, sondern als Edward und Jacob. Es kam mir vor, als hätte ich wieder die beiden widerspenstigen Magnete in der Hand, als drückte ich sie zusammen in dem Versuch, die Natur selbst zu verändern ...

Seufzend stieg ich zu Jacob ins Auto.

»Hi, Bella!« Jacobs Ton war fröhlich, aber er sprach schleppend. Während der Fahrt nach La Push – er fuhr etwas schneller als ich, aber langsamer als Edward – sah ich ihn prüfend an.

Er wirkte verändert, irgendwie krank. Seine Lider waren schwer und sein Gesicht sah fahl aus. Seine zottigen Haare standen in alle Himmelsrichtungen ab, einige Strähnen gingen ihm bis zum Kinn.

»Geht's dir nicht gut, Jake?«

»Bin nur müde«, brachte er heraus, bevor ein Gähnen die Oberhand gewann. Dann fragte er: »Was möchtest du heute unternehmen?«

Ich sah ihn einen Augenblick lang an. »Lass uns erst mal zu euch fahren«, schlug ich vor. Er sah nicht so aus, als wäre er zu viel mehr im Stande. »Später können wir dann ja Motorrad fahren.«

»Klar«, sagte er und gähnte wieder.

Bei Jacob war niemand zu Hause, und das war merkwürdig. Mir wurde bewusst, dass Billy für mich schon fast zur Einrichtung gehörte.

»Wo ist dein Vater?«

»Der ist bei den Clearwaters. Seit Harrys Tod ist er oft da. Sue fühlt sich einsam.« Jacob setzte sich auf das alte Zweisitzer-Sofa und rückte zur Seite, um mir Platz zu machen.

»Das ist ja nett von ihm. Die arme Sue.«

»Ja ... Sie hat ziemlichen Ärger ...« Er zögerte. »Mit ihren Kindern.«

»Ja, es muss hart für Seth und Leah sein, den Vater zu verlieren.«

»Hm-hm«, sagte er gedankenverloren. Er griff nach der Fernbedienung und schaltete achtlos den Fernseher ein. Er gähnte.

»Was ist los mit dir, Jake? Du wirkst wie ein Zombie.«

»Ich hab letzte Nacht ungefähr zwei Stunden geschlafen, in der Nacht davor waren's vier«, sagte er. Langsam streckte er die langen Arme, und ich hörte die Gelenke knacken. Er legte den linken Arm hinter mir auf die Sofalehne und ließ sich ins Kissen sinken. »Ich bin total alle.«

»Wieso schläfst du denn nicht?«, fragte ich.

Er schnitt eine Grimasse. »Sam macht Theater. Er hat kein großes Vertrauen in deine Blutsauger. Ich schiebe jetzt schon seit zwei Wochen doppelte Schichten, und bisher hat mir keiner was getan, aber er glaubt es immer noch nicht. Also steh ich erst mal allein da.«

»Doppelte Schichten? Doch nicht etwa, weil du auf mich aufpasst? Jake, das ist Blödsinn! Du brauchst deinen Schlaf. Mir passiert schon nichts.«

»Es ist halb so wild.« Sein Blick war schlagartig wacher. »Sag mal, habt ihr eigentlich rausgefunden, wer damals in deinem Zimmer war? Gibt's irgendwas Neues?«

Die zweite Frage überging ich. »Nein, über meinen, öhm, Besucher wissen wir immer noch nichts.«

»Dann passe ich weiter auf«, sagte er, und die Augen fielen ihm zu.

»Jake ...«, jammerte ich.

»Hey, das ist das Mindeste, was ich tun kann. Ich hab dir doch versprochen, immer für dich da zu sein. Ich bin dein Knecht.«

»Ich will aber keinen Knecht!«

»Was willst du denn?«, fragte er, ohne die Augen zu öffnen.

»Ich will meinen Freund Jacob – und ich will ihn nicht halbtot, will nicht, dass er sich bei dem idiotischen Versuch ...«

Er schnitt mir das Wort ab. »Sieh es doch mal so – ich hoffe einfach, dass ich mal einen Vampir zu fassen kriege, den ich töten darf, okay?«

Ich gab keine Antwort. Da schaute er mich an, um zu sehen, wie ich reagierte.

»War nur ein Scherz, Bella.«

Ich starrte zum Fernseher.

»Und, hast du nächste Woche irgendwas Besonderes vor? Es ist immerhin dein Abschluss. Wow. Nicht schlecht.« Seine Stimme wurde ausdruckslos, und als er jetzt die Augen schloss, sah er regelrecht verhärmt aus – diesmal nicht vor Erschöpfung, sondern vor Abscheu. Mir wurde klar, dass der Abschluss für ihn immer noch eine schreckliche Bedeutung hatte – er wusste nicht, dass ich mein Vorhaben aufgeschoben hatte.

»Nichts *Besonderes*«, sagte ich vorsichtig und hoffte, dass er den beruhigenden Unterton hören würde, ohne dass ich groß etwas erklären musste. Ich wollte jetzt nicht darüber sprechen.

Erstens war er nicht in der Verfassung für schwierige Gespräche. Zweitens wusste ich, dass er meine Zweifel überinterpretieren würde. »Na ja, ich muss zu einer Abschlussparty. Zu meiner eigenen.« Ich stöhnte genervt. »Alice liebt Partys, und sie hat für den Abend die halbe Stadt zu sich nach Hause eingeladen. Es wird bestimmt grauenhaft.«

Während ich sprach, öffnete er die Augen und lächelte erleichtert. Jetzt sah er schon etwas besser aus. »Ich hab keine Einladung gekriegt. Ich bin tief gekränkt«, sagte er scherzhaft.

»Betrachte dich als eingeladen. Es soll ja meine Party sein, also kann ich einladen, wen ich will.«

»Danke vielmals«, sagte er sarkastisch, und die Augen fielen ihm wieder zu.

»Es wär so schön, wenn du kommen könntest«, sagte ich ohne Hoffnung. »Dann wäre es viel lustiger. Für mich jedenfalls.«

»Klar«, murmelte er. »Das wäre sehr ... vernünftig ...« Er verstummte.

Ein paar Sekunden später schnarchte er.

Armer Jacob. Ich betrachtete sein träumendes Gesicht, und was ich sah, gefiel mir. Im Schlaf verschwand jede Spur von Bitterkeit – er war wieder der Junge, der mein bester Freund gewesen war, bevor der ganze Werwolf-Quatsch dazwischenkam. Jetzt sah er viel jünger aus als sonst. Er sah wieder aus wie mein Jacob.

Ich kuschelte mich ins Sofa und hoffte, dass er ein wenig Schlaf nachholen konnte. Ich zappte durch die Kanäle, aber es gab nichts Interessantes. Bei einer Kochsendung blieb ich hängen, und während ich zuschaute, dachte ich, dass ich mich für Charlies Essen nie so ins Zeug legte. Jacobs Schnarchen wurde lauter. Im Gegenzug stellte ich den Fernseher auch lauter.

Ich war merkwürdig entspannt und wurde selbst fast schläfrig.

In diesem Haus fühlte ich mich sicherer als bei uns, wahrscheinlich weil hier noch nie jemand nach mir gesucht hatte. Ich rollte mich auf dem Sofa zusammen und überlegte, ob ich auch ein Nickerchen halten sollte. Vielleicht hätte ich das sogar getan, wenn Jacob nicht so wahnsinnig laut geschnarcht hätte. Anstatt zu schlafen, hing ich meinen Gedanken nach.

Die Klausuren lagen hinter mir, und die meisten waren ein Kinderspiel gewesen. Auch die einzige schwierige Klausur, die in Mathe, war geschafft, ob ich sie nun bestanden hatte oder nicht. Die Highschool war für mich vorbei. Und ich wusste nicht so recht, wie ich das finden sollte. Ich konnte es nicht losgelöst von der Tatsache sehen, dass auch mein Leben als Mensch bald vorbei sein sollte.

Ich fragte mich, wie lange Edward diese Ausrede *Nicht aus Angst* wohl noch benutzen wollte. Irgendwann musste ich ein Machtwort sprechen.

Pragmatisch betrachtet, konnte ich besser Carlisle bitten, mich zu verwandeln, sobald ich meinen Abschluss in der Tasche hatte. Forks war jetzt fast so etwas wie ein Kriegsgebiet. Nein, Forks *war* Kriegsgebiet. Und außerdem hätte ich dann eine geniale Ausrede, um nicht auf der Party erscheinen zu müssen. Ich lächelte in mich hinein. Einen alberneren Grund für eine Verwandlung konnte es kaum geben. Albern ... und doch so reizvoll.

Aber Edward hatte Recht – ich war noch nicht bereit.

Und ich wollte auch gar nicht pragmatisch sein. Ich wollte, dass Edward es machte und kein anderer. Das war ein vollkommen irrationaler Wunsch. Spätestens zwei Sekunden nach dem Biss, wenn das Gift durch meine Adern strömte, würde es mir garantiert völlig egal sein, wer mich da gebissen hatte. Es dürfte also eigentlich keine Rolle spielen.

Es war schwer zu erklären, weshalb es doch wichtig war. Es hatte etwas damit zu tun, dass *er* die Entscheidung treffen sollte – der Wunsch, mich bei sich zu behalten, sollte so stark sein, dass er meine Verwandlung nicht nur zuließ, sondern selbst vollzog. Es war kindisch, aber mir gefiel die Vorstellung, dass *seine* Lippen das Letzte wären, was ich als Mensch spüren würde. Noch peinlicher, viel zu peinlich, um es auszusprechen, war der Wunsch, *sein* Gift im Körper zu haben. Dadurch würde ich auf eine greifbare, messbare Weise zu ihm gehören.

Doch ich wusste, dass er sich von der Sache mit der Heirat nicht abbringen lassen würde – denn er wollte ja einen Aufschub, und bis jetzt ging seine Rechnung auf. Ich versuchte mir vorzustellen, wie ich meinen Eltern erzählen würde, dass ich diesen Sommer heiraten wollte. Wie ich es Angela und Ben erzählen würde. Es war unmöglich. Ich konnte mir nicht vorstellen, wie ich es sagen sollte. Da wäre es sogar leichter, ihnen zu erzählen, dass ich ein Vampir werden wollte. Und ich war mir sicher, dass zumindest meine Mutter – wenn ich ihr die ganze Wahrheit erzählen würde – gegen die Heirat mehr einzuwenden hätte als dagegen, dass ich ein Vampir werden wollte. Ich stellte mir vor, wie geschockt sie gucken würde, und verzog das Gesicht.

Dann hatte ich für den Bruchteil einer Sekunde wieder das merkwürdige Bild von Edward und mir auf der Verandaschaukel vor Augen, wir beide in Kleidern aus einer anderen Welt. Einer Welt, in der sich niemand wundern würde, wenn ich seinen Ring trüge. Einer einfacheren Welt, in der man Liebe auf einfachere Weise erklärte. Eins plus eins gleich zwei …

Jacob grunzte und drehte sich auf die Seite. Sein Arm fiel von der Sofalehne und drückte mich an seinen Körper.

Meine Güte, wie schwer er war! Und warm. Schon nach wenigen Sekunden kam ich vor Hitze fast um.

Ich versuchte unter seinem Arm wegzutauchen, ohne ihn zu wecken, aber ich musste ein Stück rutschen, und als sein Arm von meiner Schulter glitt, riss er die Augen auf. Er sprang auf und schaute sich ängstlich um.

»Was ist? Was ist los?«, fragte er verwirrt.

»Ich bin's nur, Jake. Tut mir leid, dass ich dich geweckt hab.«

Er drehte sich zu mir um und blinzelte. »Bella?«

»He, du Schlafmütze.«

»O Mann! Bin ich eingeschlafen? Entschuldige! Wie lange hab ich gepennt?«

»Ein paar Rezepte lang. Irgendwann hab ich nicht mehr mitgezählt.«

Er ließ sich neben mich aufs Sofa plumpsen. »Mann. Tut mir echt leid.«

Ich strich ihm übers Haar und versuchte die wirren Strähnen zu glätten. »Kein Problem. Ist doch gut, dass du ein bisschen schlafen konntest.«

Er gähnte und reckte sich. »Mit mir ist in den letzten Tagen wirklich nichts los. Kein Wunder, dass Billy immer auf Achse ist. Ich bin ein alter Langweiler.«

»Du bist schon in Ordnung«, sagte ich.

»Uff, lass uns mal rausgehen. Ich muss ein bisschen laufen, sonst penne ich wieder ein.«

»Jake, schlaf doch weiter. Das ist schon okay. Ich rufe Edward an und sage ihm, er soll mich abholen.« Während ich das sagte, griff ich in meine Taschen und merkte, dass sie leer waren. »Mist, ich muss mir dein Handy leihen. Ich hab seins wohl im Auto vergessen.« Ich machte Anstalten aufzustehen.

»Nein!«, sagte Jacob energisch und nahm meine Hand. »Nein, bleib noch. Du kommst doch so selten. Ich fasse es nicht, dass ich so viel Zeit vergeudet hab.«

Er zog mich vom Sofa und führte mich hinaus. Er musste den Kopf einziehen, als wir durch die Haustür gingen. Während Jacob geschlafen hatte, war es deutlich kühler geworden, ungewöhnlich kühl für die Jahreszeit – bestimmt kam ein Sturm auf. Es fühlte sich an wie Februar, nicht wie Juni.

Die fast winterliche Luft schien Jacob zu beleben. Vor dem Haus ging er eine Weile auf und ab und zog mich dabei immer mit sich.

»Ich bin so ein Blödmann«, murmelte er.

»Was ist denn passiert, Jake? Du bist eingeschlafen, na und?«

Ich zuckte die Achseln.

»Ich wollte mit dir reden. Ich fasse es nicht.«

»Dann redest du eben jetzt mit mir«, sagte ich.

Jacob sah mir kurz in die Augen, dann schaute er schnell in die Bäume. Ich hatte fast den Eindruck, dass er rot wurde, aber bei seiner dunklen Haut war das schwer zu sagen.

Plötzlich fiel mir wieder ein, was Edward gesagt hatte, als er mich abgesetzt hatte – dass Jacob mir schon erzählen würde, was in seinem Kopf schrie. Ich begann auf meiner Unterlippe zu kauen.

»Also«, sagte Jacob. »Eigentlich hatte ich mir das ein bisschen anders vorgestellt.« Er lachte, und es klang so, als ob er über sich selber lachte. »Sanfter. Ich wollte mich herantasten, aber« – er schaute zu den Wolken, die jetzt, am späten Nachmittag, schon recht dunkel waren – »dazu ist jetzt keine Zeit mehr.«

Er lachte nervös. Wir gingen immer noch langsam auf und ab.

»Wovon redest du?«, fragte ich.

Er atmete tief durch. »Ich möchte dir etwas sagen. Und du weißt es schon … aber ich glaube, ich muss es trotzdem aussprechen. Nur damit es keine Unklarheiten gibt.«

Ich blieb stehen, und er auch. Ich zog meine Hand weg und verschränkte die Arme vor der Brust. Plötzlich war ich mir sicher, dass ich nicht hören wollte, was er zu sagen hatte.

Jacob zog die Augenbrauen zusammen, ein Schatten fiel auf seine tiefliegenden Augen, die jetzt pechschwarz aussahen. Sein Blick bohrte sich in meinen.

»Ich bin in dich verliebt, Bella«, sagte Jacob mit fester Stimme. »Bella, ich liebe dich. Und ich wünsche mir, dass du dich für mich entscheidest anstatt für ihn. Ich weiß, dass du anders empfindest, aber ich muss es aussprechen, damit du weißt, dass du eine Alternative hast. Ich möchte nicht, dass es da irgendwelche Missverständnisse gibt.«

GEGENSPIELER

Einen langen Augenblick stand ich da und starrte ihn sprachlos an. Ich hatte nicht die leiseste Ahnung, was ich darauf sagen sollte. Als er sah, wie perplex ich war, guckte er nicht mehr so ernst.

»So«, sagte er und grinste. »Jetzt ist es raus.«

»Jake …« Es fühlte sich an, als hätte ich einen dicken Kloß im Hals. Ich versuchte ihn wegzuhusten. »Ich kann nicht … Ich meine, ich will nicht … Ich muss jetzt los.«

Ich wandte mich zum Gehen, doch er fasste mich bei den Schultern und drehte mich zu sich herum.

»Nein, warte. Ich weiß das, Bella. Aber sag mir eins, ja? Wäre es dir lieber, wenn ich verschwinde und wir uns nie wiedersehen? Ganz ehrlich.«

Ich konnte mich kaum auf die Frage konzentrieren, deshalb dauerte es eine Zeit, bis ich antworten konnte. »Nein«, gab ich schließlich zu.

Jacob grinste wieder. »Siehst du.«

»Aber ich will nicht aus demselben Grund mit dir zusammen sein wie du mit mir«, sagte ich dann.

»Dann erklär mir mal genau, wieso du gern mit mir zusammen bist.«

Ich überlegte gründlich. »Du fehlst mir, wenn du nicht da bist. Und wenn du glücklich bist«, fügte ich vorsichtig hinzu,

»dann bin ich auch glücklich. Aber dasselbe könnte ich über Charlie sagen, Jacob. Du gehörst für mich zur Familie. Ich habe dich lieb, aber ich bin nicht in dich verliebt.«

Er nickte unerschütterlich. »Aber du freust dich, wenn ich da bin.«

»Ja«, sagte ich seufzend. Er ließ sich einfach nicht entmutigen.

»Dann bleibe ich bei dir.«

»Masochist«, grummelte ich.

»Ja.« Er strich mir mit den Fingerspitzen über die Wange. Ich schlug ihm auf die Finger.

»Kannst du dich wenigstens benehmen?«, fragte ich ärgerlich.

»Nein, kann ich nicht. Es ist deine Entscheidung, Bella. Entweder nimmst du mich so, wie ich bin – schlechtes Benehmen inklusive –, oder du lässt's.«

Ich starrte ihn wütend an. »Das ist gemein.«

»Du bist aber auch gemein.«

Dazu fiel mir nichts mehr ein, und unwillkürlich wich ich einen Schritt zurück. Er hatte Recht. Wenn ich nicht so gemein – und gierig – wäre, dann würde ich ihm die Freundschaft aufkündigen und ihn stehenlassen. Es war unfair zu versuchen, ihn als Freund zu behalten, wenn es ihm wehtat. Ich war mir nicht sicher, was ich hier tat, aber ich war auf einmal überzeugt, dass es nicht richtig war.

»Stimmt«, flüsterte ich.

Er lachte. »Ich verzeihe dir. Versuch einfach, nicht allzu sauer auf mich zu sein. Denn ich habe gerade beschlossen, dass ich nicht aufgeben werde. Ein aussichtsloser Fall hat wirklich einen gewissen Reiz.«

»Jacob.« Ich starrte in seine dunklen Augen und versuchte ihn dazu zu bewegen, mich ernst zu nehmen. »Ich liebe *ihn*, Jacob. Er ist mein Leben.«

»Mich liebst du aber auch«, sagte er. Er hob eine Hand, als ich widersprechen wollte. »Nicht auf dieselbe Weise, ich weiß. Aber dein ganzes Leben ist er nicht. Nicht mehr. Vielleicht war er das einmal, aber dann ist er gegangen. Und jetzt muss er mit den Folgen dieser Entscheidung klarkommen – mit mir.«

Ich schüttelte den Kopf. »Du bist unmöglich.«

Plötzlich wurde er ernst. Er hielt mein Kinn so fest, dass ich seinem eindringlichen Blick nicht ausweichen konnte.

»Ich werde kämpfen, Bella«, sagte er, »solange dein Herz schlägt. Vergiss nicht, dass du eine Wahl hast.«

»Ich will aber keine Wahl haben«, sagte ich und versuchte vergeblich mich zu befreien. »Und die Schläge meines Herzens sind gezählt. Die Zeit ist fast abgelaufen.«

Seine Augen wurden schmal. »Umso mehr Grund zu kämpfen – härter zu kämpfen, jetzt, solange es noch geht«, flüsterte er.

Er hielt mein Kinn immer noch fest – so fest, dass es wehtat – und plötzlich sah ich die Entschlossenheit in seinem Blick.

»N…«, wollte ich protestieren, aber zu spät.

Er presste die Lippen auf meine und erstickte meinen Protest. Er küsste mich wild und wütend und hielt mich dabei fest im Nacken, so dass ich keine Chance hatte zu entkommen. Ich drückte mit aller Kraft gegen seine Brust, aber das schien er gar nicht zu merken. Trotz der Wut war sein Mund weich, und seine Lippen verschmolzen auf warme, unbekannte Weise mit meinen.

Ich versuchte sein Gesicht wegzuschieben, aber wieder vergeblich. Diesmal schien er es immerhin zu merken, aber das stachelte ihn nur noch mehr an. Gewaltsam öffnete er meine Lippen, und ich spürte seinen heißen Atem in meinem Mund. Instinktiv ließ ich die Arme sinken und machte mich ganz steif. Ich öffnete die Augen und wehrte mich nicht mehr, spürte nichts ... wartete nur darauf, dass er aufhörte.

Das funktionierte. Seine Wut schien zu verpuffen und er löste sich von mir, um mich anzusehen. Dann legte er die Lippen wieder sanft auf meine, einmal, zweimal ... dreimal. Ich stellte mir vor, ich wäre eine Statue, und wartete, bis er endlich von mir abließ.

»Bist du jetzt fertig?«, fragte ich tonlos.

»Ja«, seufzte er. Ein Lächeln breitete sich auf seinem Gesicht aus, er schloss die Augen.

Ich riss den Arm nach hinten und ließ ihn vorschnellen. Mit aller Kraft schlug ich ihm mit der Faust auf den Mund.

Es gab ein krachendes Geräusch.

»Au! Au!«, schrie ich und hüpfte verzweifelt auf und ab, die Hand an die Brust gepresst. Sie war gebrochen, das spürte ich.

Jacob starrte mich erschrocken an. »Alles okay?«

»Nein, verdammt! *Du hast mir die Hand gebrochen!*«

»Bella, *du* hast dir die Hand gebrochen. Jetzt hör auf hier rumzuhüpfen und lass mich mal gucken.«

»Fass mich nicht an! Ich will sofort nach Hause!«

»Ich hole den Wagen«, sagte er ruhig. Er rieb sich noch nicht mal das Kinn, wie die Helden im Film das immer machten. Ich Schwächling.

»Nein, danke«, zischte ich. »Ich laufe lieber.« Ich wandte mich zur Straße. Bis zur Grenze waren es nur ein paar Kilometer. Sobald ich nicht mehr in Jacobs Nähe war, würde Alice mich sehen. Und dann würde sie jemanden losschicken, der mich abholte.

»Komm schon, ich fahre dich«, sagte Jacob. Und er besaß doch tatsächlich die Dreistigkeit, mir den Arm um die Taille zu legen.

Ich riss mich los.

»Na gut!«, brüllte ich. »Dann fahr mich eben! Ich bin gespannt, was Edward mit dir macht! Ich hoffe, er bricht dir den Hals, du aufdringlicher, abscheulicher, dämlicher HUND!«

Jacob verdrehte die Augen. Er begleitete mich zur Beifahrertür und half mir beim Einsteigen. Als er sich ans Steuer setzte, pfiff er.

»Hab ich dir überhaupt nicht wehgetan?«, fragte ich, wütend und verärgert.

»Machst du Witze? Wenn du nicht so geschrien hättest, hätte ich wahrscheinlich gar nicht kapiert, dass du versucht hast mich zu schlagen. Ich bin zwar nicht aus Stein, aber so weich bin ich nun auch nicht.«

»Jacob Black, ich hasse dich.«

»Das ist gut. Hass ist ein leidenschaftliches Gefühl.«

»Leidenschaft kannst du haben«, sagte ich leise. »Mord, das ultimative Verbrechen aus Leidenschaft.«

»Na, komm schon«, sagte er fröhlich – er sah aus, als würde er gleich wieder anfangen zu pfeifen. »Das war doch bestimmt besser, als einen Stein zu küssen.«

»Nicht halb so gut«, sagte ich hartherzig.

Er verzog den Mund. »Das sagst du jetzt nur so.«

»Tu ich nicht.«

Das schien ihm einen kleinen Dämpfer zu versetzen, aber gleich danach hellte sich seine Miene wieder auf. »Du bist einfach nur sauer. Ich hab ja keine Erfahrung in diesen Dingen, aber ich fand es ziemlich unglaublich.«

»Bah«, machte ich.

»Heute Nacht wirst du an mich denken. Wenn er glaubt, du schläfst, wirst du die Alternativen abwägen.«

»Wenn ich heute Nacht an dich denke, dann höchstens, weil ich einen Albtraum habe.«

Er verlangsamte das Tempo und starrte mich mit seinen dunklen Augen ernst an. »Denk einfach darüber nach, wie es sein könnte, Bella«, sagte er leise drängend. »Für mich bräuchtest du nichts zu verändern. Du weißt, dass Charlie sich freuen würde, wenn du dich für mich entscheiden würdest. Ich könnte dich genauso gut beschützen wie dein Vampir – vielleicht sogar besser. Und ich würde dich glücklich machen, Bella. Ich könnte dir so viel geben, was er dir nicht geben kann. Ich wette, er könnte dich nicht mal so küssen – weil er dir dann wehtun würde. Ich würde dir nie wehtun, Bella, niemals.«

Ich hielt meine verletzte Hand hoch.

Er seufzte. »Das war nicht meine Schuld. Das hättest du dir denken können.«

»Jacob, ohne ihn kann ich nicht glücklich sein.«

»Du hast es ja noch nie versucht«, sagte er. »Als er dich verlassen hat, hast du deine ganze Energie darauf verwendet, an ihm festzuhalten. Wenn du ihn loslassen würdest, könntest du glücklich sein. Mit mir.«

»Ich will mit niemand anderem glücklich sein als mit ihm«, sagte ich.

»Du wirst nie so auf ihn zählen können wie auf mich. Einmal hat er dich schon verlassen, er könnte es wieder tun.«

»Nein«, sagte ich mit zusammengebissenen Zähnen. Der Schmerz der Erinnerung traf mich wie ein Peitschenschlag. Es tat so weh, dass ich mich rächen wollte. »Du hast mich auch schon mal verlassen«, sagte ich mit kalter Stimme und dachte an die Wochen, als er sich vor mir versteckt hatte, an das, was er mir in dem Wald an seinem Haus gesagt hatte …

»Hab ich nicht«, widersprach er heftig. »Sie haben mir gesagt, ich dürfte es dir nicht erzählen – und dass es für dich gefährlich wäre, wenn wir zusammen wären. Aber ich habe dich nie verlassen, nie! Nachts bin ich um dein Haus herumgestrichen – genau wie jetzt. Weil ich wissen musste, dass es dir gutgeht.«

Ich hatte nicht vor, ihn zu bemitleiden.

»Bring mich jetzt nach Hause. Meine Hand tut weh.«

Er seufzte und fuhr in normaler Geschwindigkeit weiter, den Blick auf die Straße gerichtet.

»Denk mal drüber nach, Bella.«

»Nein«, sagte ich störrisch.

»O doch. Heute Nacht. Und ich werde an dich denken, während du an mich denkst.«

»Ein Albtraum, wie gesagt.«

Er grinste mich an. »Du hast den Kuss erwidert.«

Ich schnappte nach Luft, ballte die Hände unwillkürlich zu Fäusten – und stöhnte, weil die gebrochene Hand wehtat.

»Alles okay?«, fragte er.

»Hab ich nicht!«

»Ich glaube, den Unterschied merke ich schon.«

»Offenbar nicht – ich hab den Kuss nicht erwidert, ich hab versucht dich loszuwerden, du Idiot.«

Er lachte ein leises, kehliges Lachen. »Bisschen zickig, was? Pass auf, dass du dich nicht zu sehr verteidigst, sonst wird's unglaubwürdig.«

Ich holte tief Luft. Es hatte keinen Sinn, mit ihm zu streiten, er drehte mir das Wort im Munde herum. Ich konzentrierte mich auf meine Hand, versuchte die Finger zu strecken und festzustellen, wo sie gebrochen waren. Ein stechender Schmerz fuhr mir in die Knöchel. Ich stöhnte.

»Tut mir wirklich leid mit deiner Hand«, sagte Jacob, und es klang fast aufrichtig. »Wenn du mich das nächste Mal schlägst, nimm lieber einen Baseballschläger oder eine Brechstange, ja?«

»Da kannst du Gift drauf nehmen«, murmelte ich.

334

Ich hatte nicht darauf geachtet, wohin wir fuhren, bis wir in unsere Straße einbogen.

»Wo bringst du mich hin?«, fragte ich.

Er sah mich verständnislos an. »Ich dachte, du wolltest nach Hause.«

»Hm, zu Edward kannst du mich wohl nicht bringen, oder?« Ich knirschte mit den Zähnen.

Er verzog schmerzhaft das Gesicht, und ich sah, dass ihm das mehr ausmachte als alles andere, was ich gesagt hatte.

»Hier ist dein Zuhause, Bella«, sagte er ruhig.

»Schon, aber gibt es hier irgendwo einen Arzt?«, fragte ich und hob wieder die Hand.

»Ach so.« Er überlegte einen Augenblick. »Ich fahr dich ins Krankenhaus. Oder Charlie fährt dich.«

»Ich will aber nicht ins Krankenhaus. Das ist peinlich und überflüssig.«

Unschlüssig ließ er den Motor laufen. Charlies Streifenwagen stand in der Einfahrt.

Ich seufzte. »Fahr nach Hause, Jacob.«

Ungeschickt stieg ich aus und ging zur Haustür. Der Motor verstummte, und ich war weniger überrascht als wütend, dass Jacob schon wieder an meiner Seite war.

»Was hast du jetzt vor?«, fragte er.

»Ich werde die Hand mit Eis kühlen und dann rufe ich Edward an und sage ihm, er soll mich abholen, damit Carlisle sich um meine Hand kümmern kann. Wenn du dann immer noch da bist, mach ich mich auf die Suche nach einer Brechstange.«

Er gab keine Antwort. Er öffnete die Haustür und hielt sie mir auf.

Schweigend gingen wir am Wohnzimmer vorbei, wo Charlie auf dem Sofa lag.

»Hallo, ihr zwei«, sagte er und setzte sich auf. »Schön, dich hier mal wieder zu sehen, Jacob.«

»Hi, Charlie«, sagte Jacob lässig und blieb stehen. Ich ging weiter in die Küche.

»Was hat sie denn?«, fragte Charlie.

»Sie glaubt, sie hat sich die Hand gebrochen«, hörte ich Jacob sagen. Ich ging zum Eisschrank und nahm einen Behälter mit Eiswürfeln heraus.

»Wie hat sie das geschafft?« Ich fand, dass Charlie als mein Vater etwas besorgter und weniger belustigt klingen müsste.

Jacob lachte. »Sie hat mich geschlagen.«

Charlie lachte mit, und ich schlug den Behälter mit den Eiswürfeln wütend gegen den Rand der Spüle. Klirrend fielen die Eiswürfel in die Spüle. Ich nahm mit der gesunden Hand einige heraus und wickelte sie auf der Anrichte in ein Geschirrtuch.

»Warum hat sie dich geschlagen?«

»Weil ich sie geküsst habe«, sagte Jacob, ohne sich zu schämen.

»Herzlichen Glückwunsch«, sagte Charlie.

Ich biss die Zähne zusammen und ging zum Telefon. Ich wählte die Nummer von Edwards Handy.

»Bella«, sagte er nach dem ersten Klingeln. Es klang mehr als erleichtert – geradezu entzückt. Im Hintergrund hörte ich den Motor des Volvos – er saß also schon im Wagen, das war gut. »Du hattest das Telefon vergessen ... Tut mir leid. Hat Jacob dich nach Hause gebracht?«

»Ja«, grummelte ich. »Kannst du herkommen und mich abholen?«

»Bin schon unterwegs«, sagte er sofort. »Was ist los?«

»Ich möchte, dass Carlisle sich meine Hand ansieht. Ich glaube, sie ist gebrochen.«

Im Wohnzimmer war es jetzt still, und ich fragte mich, wann Jacob Reißaus nehmen würde. Bei der Vorstellung, wie unbehaglich ihm zu Mute sein musste, grinste ich.

»Was ist passiert?«, fragte Edward. Seine Stimme klang jetzt tonlos.

»Ich hab Jacob geschlagen«, gestand ich.

»Gut«, sagte Edward. »Auch wenn es mir leidtut, dass du dich dabei verletzt hast.«

Ich lachte, weil er genauso erfreut klang wie Charlie eben.

»Schade, dass ich *ihn* nicht verletzt hab«, sagte ich frustriert. »Er hat überhaupt nichts abgekriegt.«

»Das lässt sich leicht ändern«, erbot er sich.

»Ich hatte gehofft, dass du das sagen würdest.«

Einen Augenblick schwieg er. »Das passt gar nicht zu dir«, sagte er, jetzt plötzlich misstrauisch. »Was hat er gemacht?«

»Er hat mich geküsst«, sagte ich.

Am anderen Ende hörte ich nur das Geräusch eines beschleunigenden Motors.

Im Wohnzimmer sagte Charlie zu Jake: »Vielleicht ist es besser, wenn du jetzt gehst.«

»Wenn du nichts dagegen hast, bleibe ich noch ein bisschen.«

»Dann wird das deine Beerdigung«, sagte Charlie leise.

»Ist der Hund immer noch da?«, fragte Edward nach einer Weile am Telefon.

»Ja.«

»Ich biege jetzt um die Ecke«, sagte er unheilvoll, und die Verbindung wurde unterbrochen.

Als ich lächelnd auflegte, hörte ich, wie sein Auto die Straße entlanggesaust kam. Er brachte den Wagen ruckartig zum Stehen, die Bremsen protestierten laut. Ich ging zur Tür.

»Was macht deine Hand?«, fragte Charlie, als ich am Wohnzimmer vorbeikam. Er sah beklommen aus. Jacob lümmelte sich neben ihm auf dem Sofa, er schien sich pudelwohl zu fühlen.

Ich nahm die Eispackung ab, um Charlie die Hand zu zeigen. »Sie wird immer dicker.«

»Vielleicht solltest du dich lieber an Leute in deiner Gewichtsklasse halten«, sagte Charlie.

»Vielleicht«, sagte ich. Dann öffnete ich die Haustür. Edward wartete schon.

»Zeig mal«, murmelte er.

Vorsichtig untersuchte er meine Hand, so sanft, dass es überhaupt nicht wehtat. Seine Hände waren fast so kalt wie das Eis, sehr angenehm.

»Ich glaube, du hast Recht, sie ist gebrochen«, sagte er. »Ich bin stolz auf dich. Du musst einiges an Kraft aufgewendet haben.«

»So viel, wie ich habe.« Ich seufzte. »Hat offenbar nicht so ganz gereicht.«

Er drückte einen zärtlichen Kuss auf meine Hand. »Überlass das nur mir«, sagte er. Und dann rief er: »Jacob!« Seine Stimme klang immer noch ruhig und gelassen.

»Na, na«, sagte Charlie beschwichtigend.

Ich hörte, wie Charlie sich vom Sofa hievte. Jacob war als Erster im Flur, ganz leise, aber Charlie folgte ihm auf dem Fuß. Jacob sah wachsam und gespannt aus.

»Ich will hier keine Raufereien, klar?« Charlie sah nur Edward an, als er das sagte. »Ich kann mir auch meinen Sheriffstern anstecken, dann wirkt das Ganze noch offizieller.«

»Das wird nicht nötig sein«, sagte Edward beherrscht.

»Warum verhaftest du nicht mich, Dad?«, schlug ich vor. »Ich bin hier doch diejenige, die Kinnhaken verteilt.«

Charlie hob eine Augenbraue. »Möchtest du Anzeige erstatten, Jake?«

»Nein.« Jake grinste, er war einfach unverbesserlich. »Das nehm ich jederzeit gern in Kauf.«

Edward verzog das Gesicht.

»Dad, hast du nicht irgendwo einen Baseballschläger? Den würde ich mir gern mal kurz ausleihen.«

Charlie sah mich ungerührt an. »Bella, es reicht jetzt.«

»Komm, wir fahren zu Carlisle, damit er sich deine Hand ansieht, bevor du noch im Gefängnis landest.« Edward legte einen Arm um mich und führte mich zur Tür.

»Gut«, sagte ich und lehnte mich an ihn. Jetzt, wo Edward da war, verrauchte meine Wut allmählich. Ich fühlte mich getröstet und spürte die Hand nicht mehr so sehr.

Wir waren schon auf dem Gehweg, als ich Charlie aufgeregt hinter mir flüstern hörte.

»Was machst du da? Spinnst du?«

»Nur eine Sekunde, Charlie«, sagte Jacob. »Keine Panik, bin gleich zurück.«

Ich drehte mich um und sah, dass Jacob hinter uns herkam. Er machte dem verdutzten Charlie die Tür vor der Nase zu.

Zuerst beachtete Edward ihn gar nicht und ging mit mir zum Auto. Er half mir beim Einsteigen, machte die Tür zu, dann wandte er sich zu Jacob.

Ängstlich lehnte ich mich zum Seitenfenster hinaus. Im Haus sah ich Charlie, wie er durch die Vorhänge im Wohnzimmer spähte.

Jacob stand lässig da, die Arme hatte er vor der Brust verschränkt, doch sein Kinn war entschlossen vorgereckt.

Edward sprach so sanft und ruhig, dass seine Worte umso drohender klangen. »Ich werde dich jetzt nicht umbringen, das würde Bella zu sehr aufregen.«

»Hmpf«, machte ich.

Edward drehte sich leicht zu mir um und lächelte. »Morgen früh würde es dir leidtun«, sagte er und strich mir mit den Fingern über die Wange.

Dann wandte er sich wieder zu Jacob. »Aber wenn du sie noch einmal verletzt zurückbringst – und dabei ist es mir ganz gleich, wessen Schuld es ist, ob sie stolpert oder einen Meteoriten auf den Kopf bekommt –, wenn du sie mir nicht in demselben Zustand zurückbringst, in dem ich sie verlassen habe, dann läufst du fortan auf drei Beinen. Hast du mich verstanden, du Bastard?«

Jacob verdrehte die Augen.

»Als ob ich noch mal zu ihm fahren würde«, murmelte ich.

Edward fuhr fort, als hätte er nichts gehört. »Und wenn du sie noch ein Mal küsst, dann breche ich dir wirklich den Kiefer«, sagte er, und er sprach immer noch mit tödlicher Samtstimme.

»Und wenn sie es will?«, sagte Jacob hochmütig.

»Ha!«, sagte ich verächtlich.

»Wenn sie es will, dann habe ich nichts dagegen einzuwenden«, sagte Edward gleichmütig. »Aber vielleicht wartest du lieber, bis sie es sagt, anstatt auf deine Deutung ihrer Körpersprache zu vertrauen – aber es ist ja dein Gesicht.«

Jacob grinste.

»Das hättest du wohl gern«, murmelte ich.

»Allerdings«, sagte Edward leise.

»Anstatt in meinem Kopf rumzuschnüffeln«, sagte Jacob verärgert, »solltest du dich lieber mal um ihre Hand kümmern.«

»Nur eins noch«, sagte Edward langsam. »Ich werde auch um sie kämpfen. Das sollst du wissen. Ich nehme nichts für selbstverständlich, und ich werde doppelt so hart kämpfen wie du.«

»Gut so«, knurrte Jacob. »Gegen einen Verlierer zu kämpfen, macht ja auch keinen Spaß.«

»Sie ist mein.« Edwards Stimme klang plötzlich düster, nicht mehr so beherrscht wie vorher. »Ich habe nicht behauptet, dass ich fair kämpfen werde.«

»Ich auch nicht.«

»Dann viel Glück.«

Jacob nickte. »Ja, auf dass der Bessere gewinnt.«

»Das hört sich gut an ... Hündchen.«

Jacob verzog kurz das Gesicht, dann riss er sich zusammen und lächelte mich an Edward vorbei an. Ich schaute grimmig zurück.

»Ich hoffe, deiner Hand geht es bald wieder besser. Tut mir wirklich leid, dass du dich verletzt hast.«

Kindisch, wie ich war, wandte ich den Blick ab.

Ich schaute nicht wieder auf, und als Edward sich ans Steuer setzte, wusste ich nicht, ob Jacob zurück ins Haus gegangen war oder ob er immer noch dastand und mich beobachtete.

»Wie geht es dir?«, fragte Edward, als wir losfuhren.

»Ich bin stocksauer.«

Er lachte. »Ich meinte deine Hand.«

Ich zuckte die Schultern. »Hab schon Schlimmeres erlebt.«

»Stimmt«, sagte er und runzelte die Stirn.

Edward fuhr ums Haus herum in die Garage. Dort waren Emmett und Rosalie; Rosalies makellose Beine, die selbst in Jeans zur Geltung kamen, schauten unter Emmetts riesigem Jeep hervor. Emmett saß neben ihr, mit einer Hand fasste er unter den Jeep. Es dauerte einen Moment, bis ich begriff, dass er den Wagenheber spielte.

Neugierig sah Emmett zu, wie Edward mir beim Aussteigen half. Sein Blick blieb an der Hand hängen, die ich an die Brust gepresst hielt.

Emmett grinste. »Mal wieder gestolpert, Bella?«

Ich sah ihn wütend an. »Nein, Emmett. Ich hab einem Werwolf mit der Faust ins Gesicht geschlagen.«

Emmett blinzelte, dann brüllte er vor Lachen.

Als Edward mich an den beiden vorbeiführte, sagte Rosalie: »Die Wette gewinnt Jasper.« Es klang zufrieden.

Sofort hörte Emmett auf zu lachen und taxierte mich.

»Was für eine Wette?«, fragte ich und blieb stehen.

»Komm, wir bringen dich zu Carlisle«, drängte Edward. Er starrte Emmett an und schüttelte kaum sichtbar den Kopf.

»Was für eine Wette?«, fragte ich und schaute ihn an.

»Vielen Dank, Rosalie«, murmelte er, verstärkte den Griff um meine Taille und zog mich zum Haus.

»Edward …«, sagte ich.

»Es ist albern«, sagte er. »Emmett und Jasper wetten gern.«

»Emmett erzählt es mir bestimmt.« Ich wollte umkehren, aber sein Griff war eisern.

Er seufzte. »Sie haben gewettet, wie viele … Ausrutscher dir im ersten Jahr passieren werden.«

»Ach so.« Als ich kapierte, schnitt ich eine Grimasse, um mein Entsetzen zu verbergen. »Sie haben gewettet, wie viele Menschen ich umbringe?«

»Ja«, gab er widerstrebend zu. »Und Rosalie glaubt, bei deinem Temperament hat Jasper die besseren Karten.«

Mir wurde ein wenig schwummerig. »Dann hat Jasper also gewettet, dass es viele sind.«

»Es würde ihm bessergehen, wenn es dir schwerfiele, dich einzufinden. Er ist es leid, immer das schwächste Glied zu sein.«

»Klar. Das kann ich verstehen. Ich kann gern ein paar zusätzliche Morde einplanen, wenn es Jasper glücklich macht. Warum nicht?«, plapperte ich mit monotoner Stimme. Ich sah schon die Schlagzeilen vor mir, Listen mit Namen.

Er drückte mich. »Darüber brauchst du dir jetzt noch nicht den Kopf zu zerbrechen. Und wenn du nicht willst, brauchst du dir darüber niemals den Kopf zu zerbrechen.«

Ich stöhnte, und Edward, der glaubte, es sei wegen meiner Hand, führte mich schnell zum Haus.

Die Hand war tatsächlich gebrochen, aber es war nicht so schlimm, nur ein feiner Riss in einem Knöchel. Ich wollte keinen Gips, und Carlisle sagte, eine Schiene würde genügen, wenn ich verspräche, sie konsequent zu tragen. Ich versprach es.

Edward merkte, dass ich mit den Nerven am Ende war, als Carlisle mir sorgfältig die Schiene anlegte. Er fragte mich mehrmals, ob ich Schmerzen hätte, aber ich versicherte ihm, dass das nicht der Fall sei.

Als ob ich mir darüber auch noch Sorgen machen könnte.

Seit Jasper von seiner Vergangenheit erzählt hatte, schwirrten mir seine Geschichten über neugeborene Vampire im Kopf herum. Durch die Wette von Jasper und Emmett bekamen diese Bilder plötzlich eine ganz neue Schärfe. Ich fragte mich, worum sie wohl gewettet hatten. Was könnte für jemanden, der schon alles hatte, noch interessant sein?

Ich hatte immer gewusst, dass ich mich verändern würde. Ich hoffte, ich würde so stark sein, wie Edward sagte. Stark und schnell und vor allem schön. Dann könnte ich endlich mit dem Gefühl neben Edward stehen, dass dort mein Platz wäre.

Die Gedanken an meine anderen Eigenschaften hatte ich weitgehend verdrängt. Dass ich wild sein würde und blutrünstig. Vielleicht konnte ich mich nicht beherrschen und tötete Menschen, die ich nicht kannte und die mir nichts getan hatten. Menschen wie die Opfer in Seattle, die eine Familie und Freunde gehabt hatten und eine Zukunft. Menschen, die ein Leben gehabt hatten. Und ich wäre dann das Monster, das ihnen alles nahm.

Aber in Wahrheit hatte ich davor gar nicht so große Angst – denn ich hatte volles Vertrauen in Edward, ich war mir sicher, dass er mich davon abhalten würde, etwas zu tun, was ich später bereuen würde. Ich wusste, dass er mit mir in die Antarktis ziehen und Pinguine jagen würde, wenn ich ihn darum bäte. Und ich würde alles tun, um anständig zu bleiben. Ein anständiger Vampir. Bei diesem Gedanken hätte ich kichern müssen, wäre da nicht diese neue Sorge.

Denn wenn ich wirklich so sein sollte – wie die albtraumhaften Bilder der Neugeborenen, die Jasper mir in den Kopf gepflanzt hatte –, könnte ich dann überhaupt noch ich selbst sein? Wenn es all mein Sinnen und Trachten war, Menschen zu töten, was passierte dann mit den Wünschen, die ich *jetzt* hatte?

Edward war so besessen von dem Gedanken, dass ich in meiner Zeit als Mensch nichts verpassen sollte. Normalerweise kam mir das albern vor. Es gab nicht viele menschliche Erfahrungen, die ich zu vermissen fürchtete. Solange ich mit Edward zusammen sein konnte, was sollte mir da fehlen?

Ich starrte in sein Gesicht, während er zusah, wie Carlisle meine Hand verarztete. Es gab nichts auf der Welt, was ich mehr wollte als ihn. Würde sich das, konnte sich das ändern?

Gab es eine menschliche Erfahrung, auf die ich *nicht* verzichten wollte?

EIN MEILENSTEIN

»Ich hab nichts anzuziehen!«, jammerte ich.

Sämtliche Kleidungsstücke, die ich besaß, waren über mein Bett verteilt; meine Schränke und Schubladen waren ausgeräumt. Ich starrte in die leeren Fächer, als könnte doch noch etwas Brauchbares auftauchen.

Mein khakifarbener Rock hing über der Lehne des Schaukelstuhls und wartete darauf, dass ich etwas fand, das dazu passte. Etwas, worin ich schön und erwachsen aussah. Etwas für einen *besonderen Anlass*. Aber nichts.

Ich musste bald los, und noch immer stand ich in meinem geliebten alten Jogginganzug da. Wenn ich nichts Besseres fand – und gerade sah es gar nicht so aus –, würde ich darin meinen Schulabschluss feiern.

Finster betrachtete ich den Kleiderstapel auf dem Bett.

Das Gemeine war, dass ich genau wusste, was ich angezogen hätte, wenn es da gewesen wäre – die entführte rote Bluse. Ich schlug mit der gesunden Hand gegen die Wand.

»Mieser, blöder, diebischer Vampir!«, schimpfte ich.

»Was habe ich gemacht?«, fragte Alice.

Sie stand lässig am offenen Fenster, als wäre sie schon die ganze Zeit da gewesen.

»Klopf, klopf«, sagte sie grinsend.

»Ist es so schwer zu warten, bis ich die Tür aufmache?«
Sie warf eine flache weiße Schachtel aufs Bett. »Ich wollte nur auf einen Sprung vorbeischauen. Ich dachte mir, du brauchst vielleicht was zum Anziehen.«

Ich sah die große Schachtel an, die auf dem Kleiderstapel lag, und verzog das Gesicht.

»Gib's zu«, sagte Alice. »Ich habe dir das Leben gerettet.«

»Du hast mir das Leben gerettet«, murmelte ich. »Danke.«

»Schön, dass ich ausnahmsweise mal etwas richtig mache. Du weißt ja gar nicht, wie ärgerlich das ist – wenn einem andauernd etwas entgeht, so wie mir in letzter Zeit. Ich komme mir so nutzlos vor. So ... normal.« Bei dem Wort schüttelte sie sich vor Abscheu.

»Ich kann mir gar nicht vorstellen, wie schrecklich das sein muss. Normal zu sein, igitt.«

Sie lachte. »Das hier ist wenigstens eine kleine Entschädigung dafür, dass ich deinen blöden Dieb verpasst habe – jetzt muss ich nur noch herausfinden, was mir in Seattle entgeht.«

In dem Moment, als sie die beiden Situationen in einem Atemzug nannte, da klickte es bei mir. Das, was sich seit Tagen nicht greifen ließ, die wichtige Verbindung, die ich bisher nicht hatte herstellen können, war auf einen Schlag ganz klar. Ich schaute Alice an und merkte, wie meine Züge erstarrten.

»Willst du es nicht auspacken?«, fragte sie. Als ich mich nicht rührte, seufzte sie und nahm selbst den Deckel von der Schachtel. Sie holte etwas heraus und hob es hoch, aber ich konnte mich nicht darauf konzentrieren. »Hübsch, oder? Ich habe Blau genommen, weil Edward die Farbe am liebsten an dir mag.«

Ich hörte nicht zu.

»Es ist derselbe«, flüsterte ich.

»Was?«, fragte sie. »So was hast du doch noch gar nicht. Verflixt und zugenäht, du hast doch nur einen einzigen Rock!«

»Nein, Alice! Vergiss die Klamotten, hör mir zu!«

»Gefällt es dir nicht?« Enttäuschung verdüsterte ihre Miene.

»Alice, kapierst du nicht? Es ist derselbe! Derjenige, der hier eingebrochen und meine Sachen geklaut hat, und die neuen Vampire in Seattle. Sie gehören zusammen!«

Die Kleider glitten ihr aus den Fingern und fielen wieder in die Schachtel.

Jetzt war Alice ganz bei der Sache, ihre Stimme wurde scharf. »Warum glaubst du das?«

»Weißt du noch, was Edward gesagt hat? Dass jemand die Lücken in deinen Visionen ausnutzt, damit du die Neugeborenen nicht sehen kannst? Und was du vorher gesagt hast – dass der Zeitpunkt zu gut gewählt war – wie sorgsam der Dieb darauf bedacht war, nicht mit mir in Kontakt zu kommen, als wüsste er, dass du das sehen könntest. Ich glaube, da hattest du Recht, Alice, er wusste es. Und ich glaube, auch er hat die Lücken ausgenutzt. Ist es wahrscheinlich, dass zwei verschiedene Personen zum einen so viel über dich wissen, dass sie das schaffen, und sich zum anderen genau gleichzeitig dazu entschlossen haben? Nein, unmöglich. Es handelt sich um ein und dieselbe Person. Derjenige, der die Armee zusammenstellt, hat auch meinen Geruch geklaut.«

Alice war es nicht gewohnt, überrascht zu werden. Sie stand so lange reglos da, dass ich im Kopf anfing zu zählen. Ganze zwei Minuten lang rührte sie sich nicht. Dann sah sie mich wieder an.

»Du hast Recht«, sagte sie, und ihre Stimme klang hohl. »Natürlich hast du Recht. Und wenn du es so sagst ...«

»Edward lag daneben«, flüsterte ich. »Es war ein Test ... um zu sehen, ob es funktioniert. Ob er problemlos kommen und gehen kann, wenn er nichts macht, worauf du achtest. Wie zum Beispiel mich zu töten … Und er hat meine Sachen nicht zum Beweis mitgenommen, dass er mich gefunden hat. Er hat meinen Geruch gestohlen … damit *andere* mich finden können.« Mit schreckensgeweiteten Augen sah sie mich an. Ich hatte Recht und ich sah ihr an, dass sie es auch wusste.

»O nein«, sagte sie tonlos.

Ich rechnete schon lange nicht mehr damit, dass meine Gefühle irgendwie nachvollziehbar waren. Und als ich begriff, dass jemand eine Armee von Vampiren geschaffen hatte – die Armee, die schon Dutzende von Menschen in Seattle abgeschlachtet hatte –, nur um *mich* zu töten, da war ich auf einmal erleichtert.

Teilweise lag es daran, dass ich endlich das unangenehme Gefühl los war, etwas Entscheidendes zu übersehen.

Doch es gab noch einen wichtigeren Grund.

»Tja«, flüsterte ich. »Dann können sich ja jetzt alle zurücklehnen. Niemand versucht die Cullens zu vernichten.«

»Wenn du glaubst, das würde irgendetwas ändern, bist du schiefgewickelt«, sagte Alice mit zusammengebissenen Zähnen. »Wer es auf eine von uns abgesehen hat, muss es mit uns allen aufnehmen.«

»Danke, Alice. Aber wenigstens wissen wir jetzt, auf wen sie es abgesehen haben. Das hilft uns doch sicher weiter, oder?«

»Vielleicht«, sagte sie leise. Sie ging in meinem Zimmer auf und ab.

Bumm, bumm – jemand hämmerte mit der Faust an meine Tür.

Ich zuckte zusammen. Alice schien es gar nicht zu bemerken.

»Bist du noch nicht fertig? Wir kommen zu spät!« Charlie

klang nervös. Er hatte eine ähnliche Abneigung gegen Feierlich-
keiten wie ich. Und er hasste es, sich schick machen zu müssen.

»Fast. Einen Moment noch«, sagte ich heiser.

Er schwieg eine Weile. »Weinst du?«

»Nein. Ich bin nur aufgeregt. Geh weg!«

Ich hörte ihn die Treppe hinunterstapfen.

»Ich muss los«, flüsterte Alice.

»Wieso?«

»Edward kommt. Wenn er das hört …«

»Los, geh!«, drängte ich. Edward würde ausrasten, wenn er
das erfuhr. Ich konnte es sowieso nicht lange vor ihm verheimlichen, aber vielleicht musste er es nicht ausgerechnet auf der
Abschlussfeier erfahren.

»Zieh dich um«, befahl sie und huschte zum Fenster hinaus.

Benommen gehorchte ich.

Eigentlich hatte ich noch irgendwas Besonderes mit meinen
Haaren anstellen wollen, aber dafür war jetzt keine Zeit mehr.
Also hingen sie glatt und langweilig herunter wie an jedem an-
deren Tag auch. Egal. Ich schaute nicht in den Spiegel, also
wusste ich nicht, wie mir die Kombination aus Rock und Pulli
von Alice stand. Auch das war egal. Ich warf die hässliche gelbe
Polyesterrobe, die wir zum Abschluss tragen mussten, über den
Arm und lief schnell die Treppe hinunter.

»Hübsch siehst du aus«, sagte Charlie, nervös vor unterdrück-
ter Aufregung. »Hast du das neu?«

»Ja«, murmelte ich und versuchte mich zu konzentrieren.
»Danke. Hat Alice mir geschenkt.«

Edward kam kurz nachdem seine Schwester gegangen war.
Nicht genug Zeit, um mich zusammenzureißen. Aber da wir mit
Charlie im Streifenwagen saßen, hatte Edward keine Gelegen-
heit, mich auszufragen.

Als Charlie letzte Woche erfahren hatte, dass ich mit Edward zur Abschlussfeier fahren wollte, hatte er sich quergestellt. Und ich konnte ihn verstehen – an diesem Tag hatten die Eltern auch ein Wörtchen mitzureden. Ich hatte bereitwillig eingelenkt, und Edward hatte fröhlich vorgeschlagen, er könnte ja mit uns zusammen fahren. Da Carlisle und Esme einverstanden waren, konnte Charlie nichts dagegen einwenden, widerwillig hatte er zugestimmt. Und jetzt saß Edward im Polizeiauto meines Vaters auf der Rückbank, hinter der Trennwand aus Plexiglas. Er sah belustigt aus, was vermutlich daran lag, dass auch Charlie belustigt aussah und jedes Mal grinste, wenn er Edward heimlich im Rückspiegel betrachtete. Ein eindeutiges Zeichen dafür, dass Charlie etwas dachte, was er besser für sich behielt, weil er es sonst mit mir zu tun bekommen würde.

»Alles klar bei dir?«, flüsterte Edward, als er mir auf dem Parkplatz vor der Schule aus dem Wagen half.

»Bisschen nervös«, sagte ich, und das war nicht einmal gelogen.

»Du bist so schön«, sagte er.

Er sah aus, als wollte er noch mehr sagen, aber Charlie schob sich wie zufällig zwischen uns und legte mir einen Arm um die Schultern.

»Freust du dich?«, fragte er.

»Eigentlich nicht«, gab ich zu.

»Bella, heute ist ein großer Tag. Du hast deinen Abschluss. Jetzt gehst du in die Welt hinaus. Aufs College. Von nun an stehst du auf eigenen Füßen ... Du bist jetzt nicht mehr mein kleines Mädchen.« Am Ende schluckte er ein bisschen.

»Dad«, stöhnte ich. »Werd bloß nicht sentimental.«

»Wer ist hier sentimental?«, brummte er. »Warum freust du dich denn nicht?«

»Ich weiß nicht. Ich glaube, ich kann es noch gar nicht richtig fassen.«

»Gut, dass Alice eine Party organisiert hat. Du brauchst etwas, was dich aufheitert.«

»O ja. Eine Party ist genau das, was ich brauche.«

Charlie lachte über meinen Ton und drückte meine Schulter. Edward schaute nachdenklich in die Wolken.

Charlie durfte uns nur bis zum Hintereingang der Turnhalle begleiten, dann musste er wie alle Eltern zum Haupteingang gehen.

In der Turnhalle herrschte ein wildes Durcheinander. Verzweifelt versuchten die Schulsekretärin Ms Cope und der Mathematiklehrer Mr Varner, uns in alphabetischer Reihenfolge aufzustellen.

»Mr Cullen, nach vorn«, brüllte Mr Varner zu Edward gewandt.

»Hey, Bella!«

Ich schaute auf und sah Jessica Stanley, die weiter hinten in der Reihe stand und mir lächelnd zuwinkte.

Edward gab mir einen flüchtigen Kuss und stellte sich seufzend zu den Cs. Alice war nicht dabei. Was hatte sie vor? Wollte sie die Abschlussfeier sausenlassen? Das hatte ich wirklich schlecht geplant. Ich hätte das Rätsel erst nach der Abschlussfeier lösen sollen.

»Hier, Bella!«, rief Jessica wieder.

Ich ging an der Schlange entlang, um mich hinter Jessica einzureihen, und fragte mich, weshalb sie wohl plötzlich so freundlich zu mir war. Als ich näher kam, sah ich fünf Plätze weiter hinten Angela, die Jessica genauso neugierig betrachtete wie ich.

Noch ehe ich in Hörweite war, plapperte Jessica los. »... einfach Wahnsinn. Ich meine, es kommt mir vor, als hätten wir uns gerade erst kennengelernt, und jetzt gehen wir schon ab. Kannst du glauben, dass es vorbei ist? Ich könnte schreien!«

»Ich auch«, murmelte ich.

»Das ist alles so unglaublich. Weißt du noch, dein erster Tag hier? Wir waren praktisch von Anfang an Freundinnen. Vom ersten Augenblick an. Irre. Und jetzt gehe ich nach Kalifornien und du nach Alaska, und du wirst mir so fehlen! Du musst versprechen, dass wir uns ab und zu treffen! Ich freu mich so auf deine Party. Super. In letzter Zeit haben wir uns so selten gesehen und jetzt ziehen wir alle weg …«

So quasselte sie immer weiter, und ich war mir sicher, dass das plötzliche Wiederaufleben unserer Freundschaft nichts mit mir persönlich zu tun hatte – es war nur allgemeine Schulabschluss-Nostalgie plus Dankbarkeit für die Einladung zu meiner Party. Ich versuchte ihr so gut es ging zuzuhören, während ich mir die Robe überzog. Und ich merkte, dass ich froh war, mich im Guten von Jessica verabschieden zu können.

Denn ein Abschied war es, auch wenn Eric in seiner Abschlussrede sagte, ein Ende sei immer auch ein Anfang und dergleichen banalen Quatsch. Für mich galt es vielleicht noch mehr als für die anderen, aber wir alle ließen heute etwas hinter uns.

Es ging alles so schnell. Als würde jemand einen Film vorspulen. Sollten wir so schnell laufen? Und Eric ratterte seine Rede vor lauter Nervosität nur so herunter, dass die Wörter und Sätze ineinanderflossen und unverständlich wurden. Einen nach dem anderen begann Direktor Greene uns aufzurufen, ohne große Pausen zwischen den einzelnen Namen, in der ersten Reihe gab es schon Gedrängel. Die arme Ms Cope geriet mit den Abschlusszeugnissen ganz durcheinander, die sie dem Direktor überreichen sollte, der sie wiederum den Schülern aushändigte.

Ich sah, wie Alice plötzlich auftauchte, über die Bühne tänzelte und ihr Zeugnis entgegennahm. Sie sah hochkonzentriert aus. Dann war Edward dran, er sah nur verwirrt aus, nicht bestürzt. Die beiden waren die Einzigen, die selbst in dem hässlichen gelben Teil noch schön aussahen. Sie stachen aus der Menge heraus, ihre Schönheit und Anmut waren von einer anderen Welt. Wie hatte ich nur je auf die Maskerade hereinfallen können? Zwei Engel mit Flügeln wären weniger auffällig.

Ich hörte, wie Mr Greene mich aufrief, erhob mich und wartete darauf, dass sich die Reihe vor mir in Bewegung setzte. Hinten in der Turnhalle hörte ich Jubelrufe, und als ich mich umdrehte, sah ich Jacob, der Charlie hochzog, und beide johlten mir zu. Ich konnte so gerade Billys Kopf neben Jacobs Ellbogen erkennen. Ich brachte so etwas wie ein Lächeln in ihre Richtung zu Stande.

Mr Greene war mit dem Verlesen der Namen fertig, dann fuhr er dümmlich grinsend mit dem Verteilen der Zeugnisse fort, als wir in einer Reihe an ihm vorbeigingen.

»Herzlichen Glückwunsch, Miss Stanley«, murmelte er, als Jess ihr Zeugnis nahm.

»Herzlichen Glückwunsch, Miss Swan«, murmelte er und drückte mir das Zeugnis in die gesunde Hand.

»Danke«, sagte ich.

Und das war's.

Ich stellte mich neben Jessica zu den anderen Schülern. Jess hatte ganz rote Augen, immer wieder tupfte sie sich mit dem Ärmel ihrer Robe das Gesicht ab. Es dauerte einen Moment, bis ich begriff, dass sie heulte.

Mr Greene sagte irgendwas, was ich nicht verstand, und alle um mich herum schrien und kreischten. Dann regnete es gelbe Hüte. Zu spät nahm ich meinen ab, ich ließ ihn einfach zu Boden fallen.

»Oh, Bella«, plapperte Jess über das allgemeine Stimmengewirr hinweg. »Ich fasse es nicht, dass wir fertig sind.«

»Ich fasse es nicht, dass es vorbei ist«, murmelte ich. Sie schlang mir die Arme um den Hals. »Du musst mir versprechen, dass wir in Kontakt bleiben.«

Ich erwiderte ihre Umarmung und antwortete ausweichend: »Ich bin so froh, dass wir uns kennengelernt haben, Jessica. Die zwei Jahre waren eine schöne Zeit.«

»O ja«, sagte sie und schniefte. Dann ließ sie die Arme sinken. »Lauren!«, kreischte sie, winkte mit hoch erhobenen Armen und schob sich durch die gelbe Menge. Die Eltern kamen nach vorn, und wir wurden immer mehr zusammengedrückt.

Ich erspähte Angela und Ben, aber sie waren von ihren Familien umringt. Ich konnte ihnen später noch gratulieren.

Ich reckte den Hals und hielt nach Alice Ausschau.

»Herzlichen Glückwunsch«, flüsterte Edward mir ins Ohr. Er schlang mir die Arme um die Taille. Er klang verhalten; er hatte auf diesen Meilenstein in meinem Leben nicht gerade hingefiebert.

»Öh, danke.«

»Du siehst aber immer noch ein wenig nervös aus«, bemerkte er.

»Ein bisschen, stimmt.«

»Worüber machst du dir jetzt noch Sorgen? Über die Party? So schlimm wird es schon nicht.«

»Wahrscheinlich hast du Recht.«

»Wen suchst du?«

Offenbar hielt ich nicht ganz so unauffällig Ausschau, wie ich gedacht hatte. »Alice – wo ist sie?«

»Sie ist weggerannt, kaum dass sie ihr Zeugnis hatte.«

Plötzlich war sein Ton verändert. Verwirrt schaute er zum

Hinterausgang der Turnhalle. Da sagte ich es einfach – wahrscheinlich hätte ich vorher darüber nachdenken sollen, aber das war nun mal nicht meine Art.

»Machst du dir Sorgen wegen Alice?«, fragte ich.

»Öh …« Darauf wollte er nichts sagen.

»Woran hat sie eigentlich gedacht? Um dich herauszuhalten, meine ich.«

Er schaute mich an, sein Blick war plötzlich misstrauisch. »Sie hat das ›Glory Hallelujah‹ ins Arabische übersetzt. Als sie damit fertig war, hat sie mit koreanischer Gebärdensprache weitergemacht.«

Ich lachte nervös. »Ja, damit waren ihre Gedanken dann wohl beschäftigt.«

»Du weißt, was sie mir verheimlicht«, sagte er mir auf den Kopf zu.

»Na klar«, sagte ich und lächelte schwach. »Ich bin ja drauf gekommen.«

Er wartete verunsichert.

Ich schaute mich um. Bestimmt bahnte Charlie sich gerade einen Weg durch die Menge.

»Wie ich Alice kenne«, flüsterte ich schnell, »will sie es bis nach der Party vor dir verheimlichen. Aber mir soll's recht sein, wenn die Party abgesagt wird – wie auch immer, bitte dreh nicht durch, ja? Es ist auf jeden Fall besser, wenn wir so viel wie möglich wissen. Das wird uns schon irgendwie weiterhelfen.«

»Wovon redest du?«

Da sah ich Charlies Kopf zwischen den anderen Köpfen auftauchen, er suchte mich. Jetzt hatte er mich entdeckt, er winkte.

»Reg dich nicht auf, ja?«

Edward nickte, sein Mund war zu einem grimmigen Strich verzogen.

Schnell flüsterte ich ihm zu, was ich mir zusammengereimt hatte. »Ich glaube, du lagst daneben, als du meintest, jetzt komme es von allen Seiten. Ich glaube, es kommt nur von *einer* Seite ... und ich glaube, ich bin das Ziel. Es hängt alles miteinander zusammen, anders kann es nicht sein. Es ist eine einzige Person, die die Lücken in Alice' Visionen ausnutzt. Der Eindringling in meinem Zimmer – das war nur ein Test, um zu sehen, ob man an ihr vorbeikommt. Und derjenige, der andauernd seine Meinung ändert, das ist derselbe, und die Neugeborenen und dass meine Sachen geklaut wurden – das hängt alles miteinander zusammen. Mein Geruch ist für sie bestimmt.«

Er wurde so weiß im Gesicht, dass ich kaum zu Ende sprechen konnte.

»Aber keiner will euch was tun, verstehst du? Das ist doch gut – Esme und Alice und Carlisle, keinem von ihnen droht Gefahr!«

Seine Augen wurden riesengroß vor Panik und Entsetzen, er sah wie betäubt aus. Genau wie Alice begriff er sofort, dass ich Recht hatte.

Ich legte ihm eine Hand an die Wange. »Nicht aufregen«, sagte ich flehend.

»Bella!«, schrie Charlie und schob sich an den eng zusammengedrängten Familien um uns herum vorbei.

»Herzlichen Glückwunsch, Kleines!« Er schrie immer noch, obwohl er jetzt direkt neben meinem Ohr stand. Er nahm mich fest in die Arme und schob Edward dabei geschickt zur Seite.

»Danke«, sagte ich leise. Edwards Gesichtsausdruck machte mir immer noch Sorgen. Er hatte sich noch nicht wieder gefasst. Er hatte die Hände halb nach mir ausgestreckt, als wollte er mich schnappen und mit mir davonrennen. Ich hatte mich kaum besser in der Gewalt als er. Wegrennen hätte ich jetzt auch nicht schlecht gefunden.

»Jacob und Billy mussten schon wieder los – hast du sie gesehen?«, fragte Charlie. Er trat einen Schritt zurück, hielt mich aber bei den Schultern. Edward hatte er den Rücken zugewandt – bestimmt um ihn auszuschließen, was in dieser Situation aber sogar ganz günstig war. Edwards Mund stand offen und seine Augen waren vor Angst geweitet.

»Ja«, sagte ich und versuchte mich auf Charlie zu konzentrieren. »Und gehört hab ich sie auch.«

»Nett von ihnen, dass sie gekommen sind, oder?«, sagte er.

»Mm-hmm.«

Na gut, es war also eine ganz schlechte Idee gewesen, Edward davon zu erzählen. Alice hatte Recht gehabt, ihre Gedanken zu verbergen. Ich hätte warten sollen, bis wir allein waren oder vielleicht mit dem Rest seiner Familie zusammen. Und weitab von zerbrechlichen Gegenständen wie Fenstern … Autos … Schulgebäuden. Beim Anblick seines Gesichts bekam ich wieder Angst, schlimmer denn je. Er dagegen schien die Angst überwunden zu haben – jetzt sah er nur noch wütend aus, wahnsinnig wütend.

»Wohin sollen wir zum Essen gehen?«, fragte Charlie. »Such dir aus, was du möchtest.«

»Ich kann uns was kochen.«

»Sei nicht albern. Sollen wir ins Lodge gehen?«, fragte er hoffnungsvoll.

Ich mochte Charlies Lieblingsrestaurant nicht so besonders, aber was spielte das jetzt für eine Rolle? Ich würde sowieso nichts runterkriegen.

»Klar, ins Lodge, cool«, sagte ich.

Charlies Lächeln wurde noch breiter, dann seufzte er. Er drehte sich halb zu Edward, ohne ihn richtig anzusehen.

»Kommst du auch mit, Edward?«

Ich starrte ihn flehend an. Edward riss sich gerade noch rechtzeitig zusammen, bevor Charlie sich ganz umdrehte, um zu sehen, weshalb er keine Antwort bekam.

»Nein, danke«, sagte Edward steif, seine Miene war hart und kalt.

»Bist du mit deinen Eltern verabredet?«, fragte Charlie verunsichert. Sonst war Edward immer höflicher, als Charlie es verdiente; er wunderte sich über die plötzliche Feindseligkeit.

»Ja. Wenn ihr mich bitte entschuldigen wollt ...« Edward machte auf dem Absatz kehrt und ging durch die sich auflösende Menge davon. Er ging ein kleines bisschen zu schnell – er war so außer sich, dass er fast vergaß die Fassade aufrechtzuerhalten.

»Was habe ich gesagt?«, fragte Charlie mit schuldbewusster Miene.

»Mach dir keine Gedanken, Dad«, sagte ich. »Ich glaube nicht, dass es was mit dir zu tun hat.«

»Habt ihr euch schon wieder gestritten?«

»Niemand hat sich hier gestritten. Kümmere dich um deine eigenen Angelegenheiten.«

»Du *bist* meine Angelegenheit.«

Ich verdrehte die Augen. »Los, wir gehen essen.«

Im Lodge war es rappelvoll. In meinen Augen war es ein überteuerter und ziemlich heruntergekommener Laden, aber in Forks gab es nichts anderes, was einem schicken Restaurant auch nur nahekam, deshalb war es die Adresse für besondere Anlässe. Mürrisch starrte ich auf einen deprimiert aussehenden ausgestopften Elchkopf, während Charlie Rippchen aß und über die Rückenlehne hinweg mit den Eltern von Tyler Crowley sprach. Es war laut – alle kamen gerade von der Abschlussfeier, die meisten quatschten wie Charlie über die Gänge und Tische hinweg.

Ich saß mit dem Rücken zum Eingang und widerstand dem Drang, mich umzudrehen und nach dem zu suchen, dessen Blick ich auf mir spürte. Ich war mir sicher, dass ich nichts sehen würde. Genauso sicher war ich mir, dass er mich keine Sekunde aus den Augen ließ, nicht jetzt, da er Bescheid wusste.

Das Essen zog sich hin. Charlie quasselte nach allen Seiten und aß zu langsam. Ich stocherte in meinem Hamburger herum, und als ich sicher war, dass Charlie nicht auf mich achtete, stopfte ich ein paar Stücke in die Serviette. Mir kam das Ganze endlos vor, aber jedes Mal, wenn ich auf die Uhr schaute – und das tat ich häufiger als nötig –, hatten die Zeiger sich kaum bewegt.

Endlich bekam Charlie sein Wechselgeld zurück und legte ein wenig Trinkgeld auf den Tisch. Ich stand auf.

»Hast du es eilig?«, fragte er.

»Ich möchte Alice bei den Vorbereitungen helfen«, behauptete ich.

»Na gut.« Er drehte sich um, um sich von allen zu verabschieden. Ich ging schon vor zum Streifenwagen.

Ich lehnte an der Beifahrertür und wartete darauf, dass Charlie sich endlich loseiste. Auf dem Parkplatz war es fast dunkel und so bewölkt, dass man nicht sehen konnte, ob die Sonne schon untergegangen war oder nicht. Die Luft fühlte sich schwer an, als würde es bald regnen.

Da bewegte sich etwas im Schatten.

Ich zuckte zusammen, dann seufzte ich erleichtert, als Edward aus der Finsternis auftauchte.

Wortlos zog er mich fest an seine Brust. Mit seiner kühlen Hand hob er mein Kinn und drückte seine Lippen fest auf meine. Ich spürte, wie angespannt sein Kiefer war.

»Wie geht es dir?«, fragte ich, sobald er mir eine Atempause gönnte.

»Nicht so besonders«, murmelte er. »Aber ich habe mich jetzt wieder im Griff. Entschuldige, dass ich mich vorhin gehenließ.«

»Es war meine Schuld. Ich hätte es dir erst hinterher erzählen sollen.«

»Nein«, widersprach er. »Das muss ich wissen. Es ist unglaublich, dass ich es nicht vorher durchschaut habe!«

»Du hast viel im Kopf.«

»Du etwa nicht?«

Plötzlich küsste er mich wieder, so dass ich nicht antworten konnte. Doch schon nach einer Sekunde gab er mich frei.

»Charlie kommt.«

»Ich hab ihm gesagt, er soll mich zu euch fahren.«

»Ich fahre hinter euch her.«

Das ist aber nicht nötig, wollte ich sagen, doch da war er schon weg.

»Bella?«, rief Charlie vom Eingang des Restaurants und schaute suchend in die Dunkelheit.

»Hier bin ich.«

Charlie schlenderte zum Wagen und murmelte etwas von übertriebener Ungeduld.

»Und, wie fühlst du dich jetzt?«, fragte er, als wir die Landstraße Richtung Norden fuhren. »Das war ein großer Tag.«

»Es ist ein gutes Gefühl«, log ich.

Er lachte, er durchschaute mich. »Machst du dir Sorgen wegen der Party?«, fragte er.

»Ja«, log ich wieder.

Diesmal merkte er es nicht. »Du warst noch nie ein Partytyp.«

»Woher ich das wohl hab«, sagte ich leise.

Charlie kicherte. »Du siehst echt hübsch aus. Dumm, dass ich nicht daran gedacht habe, dir etwas zu kaufen. Tut mir leid.«

»Sei nicht albern, Dad.«

»Das ist nicht albern. Ich hab oft das Gefühl, dass ich nicht genug für dich tue.«

»Quatsch. Du machst das super. Du bist der weltbeste Vater. Und …« Es fiel mir nicht leicht, mit Charlie über Gefühle zu reden, aber nachdem ich mich geräuspert hatte, sprach ich weiter. »Und ich bin echt froh, dass ich zu dir gezogen bin. Das war die beste Idee meines Lebens. Also keine Sorge – du hast nur einen Moralischen, das ist an so einem Tag ganz normal. Das gibt sich wieder.«

Er schnaubte. »Kann schon sein. Aber ich glaube, hier und da habe ich doch versagt. Guck dir deine Hand an!«

Ich schaute verdutzt auf meine Hände. Die rechte Hand lag leicht in der dunklen Schiene, an die ich kaum noch dachte. Der gebrochene Knöchel tat fast gar nicht mehr weh.

»Ich hätte nie gedacht, dass ich dir beibringen müsste, wie man jemandem eins aufs Maul gibt. Das war wohl ein Fehler.«

»Ich dachte, du stehst auf Jacobs Seite.«

»Egal, auf wessen Seite ich stehe, wenn dich jemand gegen deinen Willen küsst, solltest du dich wehren können, ohne dich dabei zu verletzen. Du hast nicht auf den Daumen geachtet, stimmt's?«

»Nein, Dad. Das ist ja irgendwie rührend von dir, aber ich glaub nicht, dass es was genützt hätte. Jacobs Kopf ist nämlich echt hart.«

Charlie lachte. »Dann box ihn nächstes Mal in den Magen.«

»Nächstes Mal?«, fragte ich ungläubig.

»Ach, sei nicht zu hart zu ihm. Er ist noch jung.«

»Er ist unmöglich.«

»Trotzdem ist er dein Freund.«

»Ich weiß.« Ich seufzte. »Ich weiß wirklich nicht, wie ich mich richtig verhalten soll, Dad.«

Charlie nickte langsam. »Ja. Was für den einen richtig ist, kann für den anderen ganz falsch sein. Also ... viel Glück beim Rausfinden.«

»Danke«, sagte ich trocken.

Charlie lachte wieder, dann runzelte er die Stirn. »Wenn es auf der Party zu hoch hergeht ...«, setzte er an.

»Keine Bange, Dad. Carlisle und Esme sind auch da. Wenn du willst, kannst du bestimmt mitkommen.«

Charlie verzog das Gesicht, als er durch die Windschutzscheibe in die Nacht blinzelte. Er war ähnlich partyversessen wie ich.

»Wo muss man noch abbiegen?«, fragte er. »Die sollten ihre Auffahrt mal beleuchten – im Dunkeln ist sie ja unmöglich zu finden.«

»Ich glaube, hinter der nächsten Kurve ist es.« Ich verzog den Mund. »Du hast Recht – es ist wirklich schwer zu finden. Alice hat gesagt, sie hat mit der Einladung eine Wegbeschreibung verschickt, aber vielleicht verfahren sich ja trotzdem alle.« Die Vorstellung heiterte mich auf.

»Vielleicht«, sagte Charlie, als er um die Kurve bog. »Vielleicht aber auch nicht.«

Genau dort, wo die Auffahrt der Cullens sein musste, riss die schwarzsamtene Nacht vor unseren Augen plötzlich auf. Jemand hatte die beiden Bäume links und rechts mit zahllosen funkelnden Lichtern geschmückt, die unmöglich zu übersehen waren.

»Alice«, sagte ich genervt.

»Mannomann«, sagte Charlie, als wir auf die Auffahrt kamen. Die beiden Bäume am Anfang waren nicht die einzigen, die beleuchtet waren. Alle fünf Meter führte uns ein weiterer Lichterbaum bis zu dem großen weißen Haus. Den ganzen Weg, fünf Kilometer lang.

»Die macht wohl keine halben Sachen, was?«, fragte Charlie beeindruckt.

»Willst du wirklich nicht mit reinkommen?«

»Ganz bestimmt nicht. Viel Spaß wünsche ich dir.«

»Danke, Dad.«

Er lachte in sich hinein, als ich ausstieg und die Tür zuschlug. Ich sah, wie er, immer noch grinsend, wegfuhr. Seufzend ging ich die Treppen hoch, um die Party über mich ergehen zu lassen.

EIN BÜNDNIS

»Bella?«

Das war Edwards Stimme hinter mir. Als ich mich umdrehte, kam er leichtfüßig die Verandatreppe heraufgesprungen, die Haare vom Rennen zerzaust. Wie zuvor auf dem Parkplatz nahm er mich sofort in die Arme und küsste mich.

Der Kuss beunruhigte mich. Allzu drängend presste er seine Lippen auf meine – als hätte er Angst, dass uns nicht mehr genug Zeit bliebe.

Darüber durfte ich jetzt nicht nachdenken. Nicht, wenn ich mich die nächsten paar Stunden wie ein normaler Mensch benehmen wollte. Ich befreite mich aus seiner Umarmung.

»Komm, bringen wir die blöde Party hinter uns«, murmelte ich und wich seinem Blick aus.

Er nahm mein Gesicht in seine Hände und wartete, bis ich aufschaute.

»Ich passe auf, dass dir nichts passiert.«

Ich berührte seine Lippen mit den Fingern meiner gesunden Hand. »Um mich selbst mache ich mir gar nicht so viele Sorgen.«

»Warum wundert mich das bloß nicht?«, sagte er leise zu sich selbst. Er holte tief Luft, dann lächelte er ein wenig. »Sollen wir jetzt feiern?«, fragte er.

Ich stöhnte.

Er machte die Tür auf und hielt mich dabei fest im Arm. Einen Augenblick stand ich wie erstarrt, dann schüttelte ich langsam den Kopf.

»Unglaublich.«

Edward zuckte die Achseln. »So ist sie eben.«

Das Innere des Hauses war in einen Nachtclub verwandelt worden – in so einen, wie es sie eher im Fernsehen gab als im wirklichen Leben.

»Edward!«, rief Alice, die neben einer gigantischen Box stand. »Ich brauche deinen Rat.« Sie wies auf einen riesigen Stapel CDs. »Sollen wir ihnen Vertrautes, Kuscheliges bieten? Oder« – sie wies auf einen anderen Stapel – »lieber etwas für ihren Musikgeschmack tun?«

»Lieber Altvertrautes«, riet Edward. »Man kann niemanden zu seinem Glück zwingen.«

Alice nickte ernst und legte die anspruchsvolleren CDs in eine Kiste zurück. Sie hatte sich umgezogen, jetzt trug sie ein paillettenbesetztes Tank-Top und eine rote Lederhose. Die zuckenden roten und lila Lichter hatten auf ihrer nackten Haut einen eigenartigen Effekt.

»Ich glaube, ich bin underdressed.«

»Du bist genau richtig«, sagte Edward.

»Das geht schon«, sagte Alice.

»Danke.« Ich seufzte. »Meint ihr ehrlich, dass die Leute kommen?« Die Hoffnung in meiner Stimme war unüberhörbar. Alice schnitt mir eine Grimasse.

»Sie werden alle kommen«, sagte Edward. »Sie können es gar nicht erwarten, das geheimnisumwitterte Haus der Cullens endlich einmal von innen zu sehen.«

»Na super«, stöhnte ich.

Für mich gab es nichts zu tun. Ich bezweifelte, dass ich – selbst wenn ich keinen Schlaf mehr brauchte und mich wesentlich schneller bewegen konnte – jemals so etwas zu Stande bringen könnte wie Alice.

Edward ließ mich keine Sekunde aus den Augen und schleppte mich mit sich, als er erst Jasper und dann Carlisle ausfindig machte, um ihnen von meiner Erkenntnis zu berichten. In stummem Entsetzen hörte ich zu, wie sie den Angriff auf die Armee in Seattle planten. Außer Tanyas Familie hatten sie niemanden erreichen können, und ich merkte, dass Jasper wegen der zahlenmäßigen Unterlegenheit besorgt war. Im Gegensatz zu Edward gab er sich keine Mühe, seine Sorge zu verbergen. Es war deutlich, dass er nur ungern ein solches Risiko einging.

Ich konnte nicht einfach hierbleiben und darauf warten und hoffen, dass sie wieder nach Hause kamen. Ich würde den Verstand verlieren.

In diesem Moment klingelte es.

Ganz plötzlich war alles auf unwirkliche Weise normal. Carlisle, der eben noch gestresst ausgesehen hatte, zeigte ein warmes, herzliches Lächeln. Alice stellte die Musik laut und tanzte zur Tür.

Es waren meine Kleinstadtfreunde, die alle entweder zu aufgeregt oder zu schüchtern gewesen waren, um einzeln zu kommen. Als Erste kam Jessica herein, Mike folgte ihr auf dem Fuß. Tyler, Conner, Austin, Lee, Samantha … als Letzte Lauren, ihr Blick kritisch und neugierig zugleich. Neugierig waren sie alle, und als sie dann den riesigen Raum sahen, der wie ein Nobelclub hergerichtet war, waren sie überwältigt. Die Cullens hatten alle ihre Plätze eingenommen, um das übliche Theater zu spielen. Heute Abend kam ich mir vor, als würde ich genauso schauspielern wie sie.

Ich ging zu Jess und Mike, um sie zu begrüßen, und hoffte, dass die Nervosität in meiner Stimme nach Lampenfieber und Vorfreude klang. Ehe ich die anderen begrüßen konnte, klingelte es schon wieder – Angela und Ben. Ich ließ die Tür gleich offen, denn direkt dahinter kamen Eric und Katie.

Jetzt blieb mir keine Zeit mehr, in Panik zu geraten. Ich musste mit allen Smalltalk machen und mich darauf konzentrieren, eine aufmerksame Gastgeberin zu sein. Obwohl es eine Party von Alice, Edward und mir zusammen sein sollte, war nicht zu leugnen, dass ich diejenige war, die am meisten mit Glückwünschen und Dank überhäuft wurde. Vielleicht wirkten die Cullens unter dem Discolicht doch nicht so ganz echt. Oder vielleicht wirkte der Raum in dem Licht zu schummrig und unheimlich. Keine angenehme Umgebung für den Durchschnittsmenschen, und wenn man dann noch neben jemandem wie Emmett stand .... Ich sah, wie Emmett Mike über das Buffet hinweg angrinste, das rote Licht wurde von seinen Zähnen reflektiert, und Mike wich automatisch einen Schritt zurück.

Wahrscheinlich hatte Alice es mit Absicht so inszeniert, dass ich im Mittelpunkt stand – weil sie dachte, ich würde das genießen. Sie konnte es einfach nicht lassen – immer musste sie versuchen, aus mir so einen Menschen zu machen, wie die Menschen ihrer Meinung nach zu sein hatten.

Die Party war ein voller Erfolg, obwohl durch die Anwesenheit der Cullens eine Spannung in der Luft lag – aber vielleicht gab das der Sache auch gerade den besonderen Kick. Die Musik war mitreißend, die Lichter wirkten fast hypnotisch. Das Essen war allem Anschein nach auch gut, es fand reißenden Absatz. Schon bald war der Raum gut gefüllt, aber es wurde nie zu eng. Der gesamte Abschlussjahrgang schien da zu sein, außerdem noch ziemlich viele jüngere Schüler. Alle bewegten sich zu dem

Beat, der unter ihren Füßen dröhnte, und waren kurz davor zu tanzen.

Es war längst nicht so schlimm, wie ich gedacht hatte. Ich machte es so wie Alice und redete eine Weile mit jedem. Alle waren gutgelaunt und leicht zufriedenzustellen. Ich war davon überzeugt, dass diese Party das Coolste war, was man in Forks je erlebt hatte. Alice war nahe dran zu schnurren – keiner der Gäste würde diesen Abend vergessen.

Ich machte eine Runde durch den Raum und landete wieder bei Jessica. Sie plapperte aufgeregt, und ich brauchte nicht so genau hinzuhören, weil es nicht sehr wahrscheinlich war, dass sie mir so bald eine Frage stellen würde. Edward war an meiner Seite – er wollte mich immer noch nicht allein lassen. Eine Hand hatte er mir um die Taille gelegt, und hin und wieder zog er mich zu sich heran, eine Reaktion auf Gedanken, die ich bestimmt nicht hören wollte.

Deshalb wurde ich sofort misstrauisch, als er den Arm sinken ließ und sich davonmachte.

»Warte hier«, flüsterte er mir ins Ohr. »Ich bin gleich wieder da.«

Anmutig bewegte er sich durch die dichte Menge, ohne irgendjemanden zu berühren, und er war so schnell verschwunden, dass ich ihn gar nicht fragen konnte, was er vorhatte. Ich starrte ihm mit zusammengekniffenen Augen nach, während Jessica sich an meinen Arm hängte und über die Musik hinwegbrüllte und gar nichts merkte.

Ich sah, wie er in den dunklen Schatten an der Küchentür trat, den die Lichter nur ab und zu streiften. Er beugte sich zu jemandem hinunter, aber wegen der vielen Köpfe zwischen uns konnte ich nichts erkennen.

Ich stellte mich auf die Zehenspitzen und reckte den Hals.

Genau in diesem Moment zuckte ein roter Lichtstrahl über seinen Rücken und spiegelte sich in den Pailletten von Alice' Shirt. Ihr Gesicht wurde nur eine halbe Sekunde lang erleuchtet, aber das reichte.

»Entschuldige mich mal kurz, Jess«, murmelte ich und zog meinen Arm weg. Ich wartete ihre Reaktion nicht ab, schaute nicht mal, ob ich sie mit meiner abrupten Art beleidigt hatte.

Ich zwängte mich durch die Menge und wurde ein wenig hin- und hergeschoben. Jetzt tanzten ein paar Leute. Schnell lief ich zur Küchentür.

Edward war verschwunden, aber Alice stand immer noch im Schatten. Ihr Gesicht war ausdruckslos – sie sah aus wie jemand, der gerade Zeuge eines schrecklichen Unfalls gewesen ist. Mit einer Hand hielt sie sich am Türrahmen fest, als würde sie sonst umkippen.

»Was ist, Alice? Was hast du gesehen?« Flehend rang ich die Hände.

Sie sah mich nicht an, sie starrte in die Ferne. Ich folgte ihrem Blick und sah, dass sie zu Edward auf der gegenüberliegenden Seite des Raums schaute. Sein Gesicht war wie versteinert. Er wandte sich ab und verschwand in die Schatten unter der Treppe.

Da klingelte es, Stunden nach dem letzten Mal, und Alice schaute verwirrt auf. Kurz darauf sah sie wütend aus.

»Wer hat den Werwolf eingeladen?«, fauchte sie mich an.

Ich sah sie finster an. »Das war ich.«

Ich dachte allerdings, ich hätte die Einladung wieder zurückgenommen – nicht dass ich auch nur im Traum geglaubt hätte, Jacob würde hierherkommen.

»Na, dann kümmere du dich auch bitte um ihn. Ich muss mit Carlisle reden.«

»Nein, Alice, warte!« Ich versuchte sie am Arm zu fassen, aber da war sie schon weg und ich griff ins Leere.

»Mist«, fluchte ich.

Ich wusste, was passiert war. Alice hatte das gesehen, worauf sie gewartet hatte, und ich hatte das Gefühl, die Anspannung nicht einmal so lange ertragen zu können, wie es dauern würde, die Tür zu öffnen. Wieder schrillte die Klingel, zu lange, jemand hielt den Knopf gedrückt. Entschlossen drehte ich mich mit dem Rücken zur Tür und suchte den Raum nach Alice ab.

Ich konnte nichts sehen. Ich drängelte mich zur Treppe.

»Hi, Bella!«

Jacob sprach in eine Pause zwischen zwei Musikstücken hinein, und als ich meinen Namen hörte, schaute ich gegen meinen Willen auf.

Ich verzog das Gesicht.

Da stand nicht nur ein Werwolf, sondern gleich drei von der Sorte. Jacob hatte sich selbst hereingelassen, links und rechts flankiert von Quil und Embry. Die beiden sahen furchtbar nervös aus, sie sahen sich hektisch im Raum um, als hätten sie soeben ein Geisterhaus betreten. Embry hielt mit zitternder Hand die Tür fest, halb war er nach hinten gewandt, bereit zur Flucht.

Jacob winkte mir zu, er wirkte gelassener als die anderen beiden, rümpfte jedoch angewidert die Nase. Ich winkte zurück – zum Abschied – und kehrte ihm den Rücken zu, um weiter nach Alice zu suchen. Ich quetschte mich durch eine Lücke zwischen Conner und Lauren.

Da kam er aus dem Nichts, legte mir eine Hand auf die Schulter und zog mich in den Schatten neben der Küche. Ich tauchte unter seiner Berührung weg, aber er packte mein gesundes Handgelenk und zog mich aus der Menge.

»Das ist ja eine freundliche Begrüßung«, bemerkte er.

Ich riss mich los und sah ihn wütend an. »Was willst du hier?«

»Du hast mich eingeladen, hast du das vergessen?«

»Für den Fall, dass der Kinnhaken missverständlich war: Damit hab ich dich wieder ausgeladen.«

»Sei kein Spielverderber. Ich hab dir auch ein Geschenk mitgebracht.«

Ich verschränkte die Arme vor der Brust. Ich wollte jetzt nicht mit Jacob streiten. Ich wollte wissen, was Alice gesehen hatte und was Edward und Carlisle dazu meinten. Suchend schaute ich an Jacob vorbei.

»Tausch es wieder um, Jacob. Ich muss jetzt ...«

Da stellte er sich direkt vor mich und zwang mich, ihn anzusehen.

»Ich kann es nicht umtauschen. Es ist nichts Gekauftes – ich hab es selbst gemacht. Hat echt lange gedauert.«

Wieder versuchte ich an ihm vorbeizuschauen, aber ich konnte keinen von den Cullens sehen. Wo waren sie hin? Ich suchte den schummrigen Raum ab.

»Na komm, Bella! Tu nicht so, als ob ich nicht da wäre!«

»Tu ich gar nicht.« Sie waren nirgends zu sehen. »Hör mal, Jake, ich hab gerade anderes im Kopf.«

Er legte mir eine Hand unters Kinn und hob mein Gesicht an. »Könnte ich um ein paar Sekunden Ihrer ungeteilten Aufmerksamkeit bitten, Miss Swan?«

Ich zuckte vor seiner Berührung zurück. »Behalt deine Flossen bei dir, Jacob«, zischte ich.

»Verzeihung!«, sagte er sofort und hob die Hände. »Tut mir wirklich leid. Ich meine, auch wegen neulich. Ich hätte dich nicht so küssen sollen. Das war ein Fehler. Ich hab wohl ... na ja, ich hab mir wohl eingebildet, du wärst auch in mich verliebt.«

»Eingebildet – das ist das richtige Wort.«

»Komm, sei nicht so. Du könntest wenigstens meine Entschuldigung annehmen.«

»Okay. Angenommen. Aber jetzt muss ich wirklich ...«

»Schon klar«, murmelte er, und seine Stimme klang plötzlich so verändert, dass ich nicht weiter nach Alice suchte, sondern ihm ins Gesicht schaute. Er starrte zu Boden und verbarg seine Augen, die Unterlippe war leicht vorgeschoben.

»Du möchtest wohl lieber mit deinen richtigen Freunden zusammen sein«, sagte er in demselben resignierten Ton. »Hab schon verstanden.«

Ich stöhnte. »Oh, Jake, du weißt, dass das ungerecht ist.«

»Ach ja?«

»Das müsstest du jedenfalls wissen.« Ich beugte mich vor, spähte nach oben und versuchte ihm in die Augen zu sehen. Er blickte auf, schaute jedoch über meinen Kopf hinweg.

»Jake?«

Er sah mich immer noch nicht an.

»Hey, du hast doch gesagt, du hättest was für mich gemacht, oder? Also, wo ist mein Geschenk?« Es war ein ziemlich trauriger Versuch, Begeisterung vorzutäuschen, aber er wirkte. Jacob verdrehte die Augen, dann schnitt er mir eine Grimasse.

Ich spielte das erbärmliche Spiel weiter und streckte eine Hand aus. »Ich warte.«

»Sicher«, brummte er sarkastisch. Aber dann fasste er in die Hintertasche seiner Jeans und zog ein Täschchen aus buntem, locker gewebtem Stoff heraus. Es war mit Lederbändern zugebunden. Er legte es in meine Hand.

»Oh, das ist aber hübsch, Jake. Danke!«

Er seufzte. »Das Geschenk ist da drin, Bella.«

»Ach so.«

Die Bänder bereiteten mir ein wenig Schwierigkeiten. Wieder

seufzte er, nahm mir das Täschchen aus der Hand, zog einmal kurz am richtigen Band und schon war es offen. Ich streckte die Hand danach aus, aber er drehte das Täschchen um und schüttelte etwas Silbernes heraus. Einzelne Metallteile klirrten leise aneinander.

»Das Armband hab ich nicht selbst gemacht«, gestand er. »Nur den Anhänger.«

An einem der Glieder des silbernen Armbands hing eine kleine geschnitzte Holzfigur. Ich nahm sie zwischen die Finger, um sie genauer zu betrachten. Es war verblüffend, wie fein sie gearbeitet war – es war ein kleiner Wolf, der ganz realistisch aussah. Und das Holz hatte sogar die passende Farbe, rotbraun, wie Jacobs Haut.

»Wie schön«, flüsterte ich. »Den hast du selbst gemacht? Unglaublich«

Er zuckte die Achseln. »Das hat Billy mir beigebracht. Er ist aber besser darin als ich.«

»Das kann ich mir kaum vorstellen«, murmelte ich und drehte den winzigen Wolf in der Hand hin und her.

»Gefällt er dir wirklich?«

»Ja! Er ist wunderschön, Jake.«

Er lächelte und sah einen Moment lang glücklich aus, aber dann wurde seine Miene bitter. »Na ja, ich hab mir gedacht, dann denkst du vielleicht ab und zu mal an mich. Man weiß ja, wie das geht, aus den Augen, aus dem Sinn.«

Ich überging diese Bemerkung. »Komm, hilf mir mal, es umzubinden.«

Ich hielt ihm meinen linken Arm hin, denn der rechte war ja noch verbunden. Jacob bekam den Verschluss mit Leichtigkeit zu, obwohl er für seine großen Hände viel zu filigran aussah.

»Meinst du, du trägst es?«, fragte er.

»Na klar.«

Er grinste – das war das fröhliche Lächeln, das ich so gern sah. Ich lächelte zurück, aber dann ließ ich den Blick wieder durch den Raum wandern und suchte nervös nach Edward oder Alice.

»Warum bist du so fahrig?«, fragte Jacob.

»Ach, nur so«, log ich und versuchte mich zu konzentrieren. »Vielen Dank für das Geschenk. Es ist wirklich toll.«

»Bella?« Er zog die Brauen zusammen, seine Augen lagen in tiefen Schatten. »Irgendwas ist da doch im Busch, oder?«

»Jake, ich … nein, es ist nichts.«

»Lüg mich nicht an, das kannst du sowieso nicht. Erzähl mir lieber, was los ist. Wir müssen das wissen.« Jetzt sprach er auf einmal im Plural.

Vermutlich hatte er Recht, die Wölfe mussten wissen, was los war. Aber ich wusste ja selbst noch nicht genau Bescheid. Ich musste erst mit Alice reden.

»Jacob, ich werd's dir erzählen. Aber erst muss ich selbst herausfinden, was los ist, okay? Ich muss zu Alice.«

Jetzt kapierte er. »Die Hellseherin hat was gesehen.«

»Ja, genau in dem Moment, als ihr gekommen seid.«

»Geht es um den Blutsauger in deinem Zimmer?«, sagte er so leise, dass die Musik ihn übertönte.

»Es hat damit zu tun«, sagte ich.

Darüber dachte er eine Weile nach, dann legte er den Kopf schräg und sah mich prüfend an. »Du verschweigst mir doch irgendwas … irgendwas Wichtiges.«

Was hatte es für einen Sinn, weiter zu lügen? Er kannte mich zu gut. »Ja.«

Er starrte mich kurz an, dann wandte er sich zu seinen Rudelbrüdern, die wie bestellt und nicht abgeholt im Eingang standen, und schaute ihnen in die Augen. Daraufhin setzten sie sich in Bewegung, geschickt schlängelten sie sich durch die Menge hindurch, beinahe als wollten sie mittanzen. Kurz darauf standen sie links und rechts neben Jacob, drei hohe Gestalten vor mir.

»Jetzt erzähl«, sagte Jacob.

Embry und Quil schauten zwischen Jacob und mir hin und her, irritiert und misstrauisch.

»Jacob, ich weiß selbst noch nicht genau Bescheid.« Ich schaute mich wieder im Raum um, diesmal auf der Suche nach Rettung. Sie hatten mich in jeder Hinsicht in die Ecke gedrängt.

»Dann erzähl das, was du weißt.«

Wie auf Kommando verschränkten alle drei die Arme vor der Brust. Es sah ein bisschen albern aus, vor allem aber wirkte es bedrohlich.

Und dann sah ich Alice, wie sie die Treppe herunterkam, ihre weiße Haut leuchtete in dem violetten Licht.

»Alice!«, rief ich erleichtert.

Obwohl meine Stimme von den dröhnenden Bässen eigentlich hätte verschluckt werden müssen, schaute sie sofort zu mir. Ich winkte wild und sah, wie sich ihr Gesichtsausdruck veränderte, als sie die drei Werwölfe sah, die mich umzingelt hatten. Ihre Augen wurden schmal. Doch davor hatte sie nervös und ängstlich ausgesehen. Ich biss mir auf die Lippe, als sie zu mir lief.

Jacob, Quil und Embry wichen zurück, sie schienen sich unwohl zu fühlen. Alice legte mir einen Arm um die Taille.

»Ich muss mit dir reden«, flüsterte sie mir ins Ohr.

»Öhm, Jake, bis später dann …«, murmelte ich, als wir langsam an ihnen vorbeigingen.

Jacob streckte seinen langen Arm aus, um uns den Weg zu versperren, und stützte sich mit der Hand an der Wand ab. »He, immer schön mit der Ruhe.«

Alice starrte ihn mit großen, ungläubigen Augen an. »Wie bitte?«

»Erzähl uns, was los ist«, sagte er grollend.

Da tauchte buchstäblich aus dem Nichts Jasper auf. Eben noch hatten Alice und ich an der Wand gestanden und Jacob hatte uns in Schach gehalten, und jetzt stand Jasper plötzlich auf der anderen Seite von Jacobs Arm. Er sah furchterregend aus. Langsam nahm Jacob den Arm weg. Das war das Beste, was er tun konnte, wenn ihm sein Arm lieb war.

»Wir haben ein Recht, es zu erfahren«, murmelte Jacob. Er starrte Alice immer noch wütend an. Jasper stellte sich zwischen die beiden, und die drei Werwölfe sahen aus, als ob sie sich auf alles gefasst machten.

»Hey, hey«, sagte ich und kicherte leicht hysterisch. »Wir sind hier auf einer Party, ja?«

Niemand achtete auf mich. Jacob funkelte Alice an, während Jasper Jacob mit Blicken durchbohrte. Alice sah plötzlich nachdenklich aus.

»Es ist gut, Jasper. Eigentlich hat er Recht.«

Jasper gab seine Angriffshaltung nicht auf.

Ich hatte das Gefühl, dass mir jeden Moment der Kopf platzen könnte, so angespannt war ich. »Was hast du gesehen, Alice?«

Sie starrte Jacob einen Moment an, dann wandte sie sich zu mir. Offenbar hatte sie sich entschlossen, die Werwölfe einzuweihen.

»Die Entscheidung ist gefallen.«

»Ihr fahrt nach Seattle?«

»Nein.«

Ich spürte, wie die Farbe aus meinem Gesicht wich. Mir drehte sich der Magen um. »Sie kommen hierher«, stieß ich hervor.

Die drei Quileute-Jungs sahen uns schweigend an und beobachteten unser Mienenspiel. Wie angewurzelt standen sie da, und doch waren sie nicht reglos. Allen dreien zitterten die Hände.

»Ja.«

»Nach Forks«, flüsterte ich.

»Ja.«

»Und sie wollen zu …?«

Sie nickte, sie hatte die Frage verstanden. »Einer trug deine rote Bluse bei sich.«

Ich versuchte zu schlucken.

Jasper guckte missbilligend. Ich sah ihm an, dass es ihm gegen den Strich ging, vor den Werwölfen darüber zu sprechen, aber er musste etwas loswerden. »So weit dürfen wir sie nicht kommen lassen. Wir sind zu wenige, um die Stadt zu verteidigen.«

»Ich weiß«, sagte Alice, und auf einmal sah sie verzweifelt aus. »Aber es ist gleichgültig, wo wir sie aufhalten. Wir werden ohnehin nicht genug sein; einige werden hierher kommen und suchen.«

Mein geflüstertes »Nein!« ging im Partylärm unter. Alle um uns herum, meine Freunde und Nachbarn und Lieblingsfeinde aßen und lachten, bewegten sich zur Musik und ahnten nicht, dass ihnen eine schreckliche Gefahr drohte, vielleicht sogar der Tod. Und alles nur meinetwegen.

»Alice«, sagte ich lautlos. »Ich muss weg, ich muss von hier verschwinden.«

»Das würde nichts nützen. Wir haben es nicht mit einem Tracker zu tun. Sie würden trotzdem zuerst hierher kommen.«

»Dann muss ich zu ihnen!« Wäre meine Stimme nicht so heiser und gepresst gewesen, hätte ich wahrscheinlich gekreischt. »Wenn sie haben, was sie suchen, hauen sie vielleicht ab, ohne noch andere zu verletzen!«

»Bella!«, protestierte Alice.

»Moment mal«, sagte Jacob leise und eindringlich. »Wer oder was kommt hierher?«

Alice sah ihn mit eisigem Blick an. »Unseresgleichen. Und es sind viele.«

»Warum?«

»Sie haben es auf Bella abgesehen. Mehr wissen wir nicht.«

»Und es sind zu viele für euch?«, fragte er.

»Wir haben einige Vorteile, du Hund«, sagte Jasper entrüstet. »Es wird ein ausgeglichener Kampf sein.«

»Nein«, sagte Jacob, und ein eigenartiges grimmiges Lächeln breitete sich auf seinem Gesicht aus. »Der wird nicht ausgeglichen sein.«

»Ausgezeichnet!«, zischte Alice.

Immer noch starr vor Entsetzen sah ich ihr ins Gesicht, ihr Ausdruck hatte sich verändert. Sie frohlockte, die Verzweiflung in ihrem makellosen Gesicht war wie weggewischt.

Sie grinste Jacob an und er grinste zurück.

»Jetzt kann ich natürlich nichts mehr sehen«, sagte sie zufrieden. »Das ist unpraktisch, aber alles in allem kann ich damit leben.«

»Wir müssen uns abstimmen«, sagte Jacob. »Es wird nicht einfach. Trotzdem ist es eher unsere Aufgabe als eure.«

»So weit würde ich nicht gehen wollen, aber wir brauchen eure Hilfe. Wir werden nicht wählerisch sein.«

»Moment mal«, fuhr ich dazwischen.

Alice stand auf Zehenspitzen, Jacob beugte sich zu ihr hinab, beide hatten erwartungsvoll leuchtende Gesichter, beide rümpften die Nase. Ungeduldig sahen sie mich an.

»Abstimmen?«, sagte ich mit zusammengebissenen Zähnen.

»Du hast doch nicht ernsthaft gedacht, du könntest uns da raushalten?«, fragte Jacob.

»Natürlich haltet ihr euch da raus!«

»Das sieht deine Hellseherin aber anders.«

»Alice – sag ihnen, dass das nicht geht! Sie kommen dabei um!«

Jacob, Quil und Embry prusteten los.

»Bella«, sagte Alice beschwichtigend, »für sich allein könnte jeder von uns umkommen. Aber zusammen ...«

»... ist es überhaupt kein Problem«, sagte Jacob. Quil lachte wieder.

»Wie viele?«, fragte Quil eifrig.

»Nein!«, rief ich.

Alice sah mich nicht einmal an. »Das wechselt – heute waren es einundzwanzig, aber es werden weniger.«

»Warum?«, fragte Jacob neugierig.

»Das ist eine lange Geschichte«, sagte Alice und schaute sich plötzlich im Raum um. »Und hier ist nicht der richtige Ort dafür.«

»Heute Nacht dann?«, drängte Jacob.

»Ja«, sagte Jasper. »Wir planen schon ein ... Strategietreffen. Wenn ihr an unserer Seite kämpfen wollt, müsst ihr noch einiges wissen.«

Bei dieser Bemerkung machten die Wölfe grimmige Gesichter.

»Nein!«, stöhnte ich.

»Das wird merkwürdig«, sagte Jasper nachdenklich. »So eine Zusammenarbeit habe ich nie in Betracht gezogen. Das ist bestimmt das erste Mal.«

»Zweifellos«, sagte Jacob. Er hatte es jetzt eilig. »Wir müssen zurück zu Sam. Um wie viel Uhr?«

»Wie lange seid ihr auf?«

Alle drei verdrehten die Augen. »Um wie viel Uhr?«, wiederholte Jacob.

»Um drei?«

»Wo?«

»Etwa fünfzehn Kilometer nördlich der Hoh Forest Ranger Station. Wenn ihr von Westen kommt, könnt ihr unserem Geruch folgen.«

»Wir werden da sein.« Sie wandten sich zum Gehen.

»Warte mal, Jake!«, rief ich ihm nach. »Bitte! Tu's nicht!«

Er blieb kurz stehen, drehte sich um und grinste mich an, während Quil und Embry ungeduldig zur Haustür gingen. »Sei nicht albern, Bella. Du machst mir ein viel besseres Geschenk, als ich dir gemacht hab.«

»Nein!«, rief ich wieder. Mein Schrei ging im Klang einer elektrischen Gitarre unter.

Er gab keine Antwort, er beeilte sich, seine Gefährten einzuholen, die schon vorausgegangen waren. Hilflos sah ich zu, wie Jacob verschwand.

EINWEISUNG IN DEN KAMPF

»Das war bestimmt die längste Party in der Geschichte der Menschheit«, beschwerte ich mich auf dem Heimweg.

Edward widersprach nicht. »Jetzt ist sie ja vorbei«, sagte er und strich mir beruhigend über den Arm.

Ich war die Einzige, die beruhigt werden musste. Edward war jetzt guter Dinge – alle Cullens waren guter Dinge.

Alle hatten mir gut zugeredet; Alice hatte mir den Kopf getätschelt, als ich gegangen war, und dann hatte sie Jasper bedeutungsvoll angesehen, bis er mich mit einem tiefen Frieden erfüllt hatte; Esme küsste mich auf die Stirn und versprach mir, es würde schon alles gut werden; Emmett lachte ausgelassen und fragte, wieso ich die Einzige sein sollte, die mit Werwölfen kämpfen durfte … Die Spannung war von ihnen abgefallen, und nach den bangen letzten Wochen waren sie jetzt fast euphorisch. Statt Zweifel herrschte Zuversicht. Die Party war in richtig feierlicher Stimmung ausgeklungen.

Nur für mich nicht.

Schlimm genug – entsetzlich –, dass die Cullens für mich kämpfen wollten. Dass ich das zulassen musste, war mir schon zu viel. Fast unerträglich.

Und jetzt auch noch Jacob. Er und seine törichten, übereifrigen Brüder – die meisten von ihnen jünger als ich. Sie waren nur übergroße, allzu starke Kinder, und sie freuten sich auf den Kampf wie auf ein Picknick am Strand. Ich ertrug es nicht, dass auch sie sich in Gefahr begaben. Meine Nerven lagen blank. Ich wusste nicht, wie lange ich noch den Drang unterdrücken konnte loszuschreien.

Jetzt flüsterte ich, um meine Stimme zu beherrschen. »Du nimmst mich heute Nacht mit.«

»Bella, du bist erschöpft.«

»Glaubst du etwa, ich könnte schlafen?«

Er runzelte die Stirn. »Es ist ein Experiment. Ich bin mir nicht sicher, ob die Zusammenarbeit gelingen wird. Da möchte ich dich nicht mittendrin haben.«

Umso mehr wollte ich mitkommen. »Wenn du mich nicht mitnimmst, frage ich Jacob.«

Er kniff die Augen zusammen. Das war ein Schlag unter die Gürtellinie, und ich wusste es. Doch ich wollte auf keinen Fall zu Hause bleiben.

Er gab keine Antwort, wir waren jetzt vor Charlies Haus angekommen. Das Verandalicht brannte.

»Bis gleich in meinem Zimmer«, sagte ich leise.

Auf Zehenspitzen schlich ich hinein. Charlie schlief im Wohnzimmer, er ragte über das kleine Sofa hinaus und schnarchte so laut, dass nicht einmal eine Kettensäge ihn geweckt hätte.

Ich rüttelte ihn fest an der Schulter.

»Dad! Charlie!«

Er knurrte mit geschlossenen Augen vor sich hin.

»Ich bin wieder da – wenn du weiter so schläfst, kriegst du Rückenschmerzen. Los, geh mal ins Bett.«

Ich musste ihn noch ein paar Mal rütteln, und er machte die Augen nur halb auf, aber ich schaffte es, ihn vom Sofa zu bekommen. Ich half ihm nach oben in sein Zimmer. In voller

Montur warf er sich auf die Bettdecke und schnarchte sofort weiter.

Der würde mich so bald nicht vermissen.

Edward wartete in meinem Zimmer, während ich mir das Gesicht wusch und Jeans und eine Flanellbluse anzog. Unglücklich sah er mir vom Schaukelstuhl aus zu, als ich die neuen Klamotten, die Alice mir geschenkt hatte, in den Schrank hängte.

»Komm«, sagte ich, nahm seine Hand und zog ihn aufs Bett. Dann schmiegte ich mich an seine Brust. Vielleicht hatte er Recht und ich war tatsächlich müde genug, um zu schlafen. Ich musste aufpassen, dass er sich nicht ohne mich davonstahl.

Er wickelte meine Decke um mich und nahm mich fest in den Arm.

»Hab keine Angst.«

»Warum sollte ich?«

»Bella, es wird gutgehen. Das habe ich im Gefühl.«

Ich biss die Zähne zusammen.

Er wirkte immer noch erleichtert. Außer mir dachte niemand daran, dass Jacob und seinen Freunden etwas zustoßen könnte. Nicht mal Jacob und seine Freunde selbst. Sie am allerwenigsten.

Edward merkte, dass ich kurz davor war, zusammenzubrechen. »Hör zu, Bella. Es wird ganz einfach. Die Neugeborenen werden völlig überrumpelt sein. Sie wissen noch nicht mal, dass es Werwölfe gibt – wie du früher. Ich habe schon gesehen, wie sie sich in einer Gruppe verhalten; es ist genauso, wie Jasper es beschrieben hat. Ich bin davon überzeugt, dass die Jagdtechnik der Werwölfe bei den Neugeborenen hervorragend funktionieren wird. Und wenn wir die Gruppe erst einmal zerschlagen haben, werden wir mit ihnen eher zu wenig zu tun haben als zu viel. Dann muss vielleicht mal jemand aussetzen«, scherzte er.

»Kinderspiel«, murmelte ich tonlos an seiner Brust.

»Schsch.« Er streichelte mir die Wange. »Du wirst schon sehen. Mach dich jetzt nicht verrückt.«

Er begann mein Schlaflied zu summen, aber diesmal beruhigte es mich nicht.

Menschen – eigentlich Vampire und Werwölfe, aber trotzdem –, die ich liebte, sollten verletzt werden. Und das nur meinetwegen. Schon wieder. Warum konnte sich der Fluch, der ja offensichtlich auf mir lag, nicht auf mich beschränken? Am liebsten hätte ich in den Himmel geschrien: *Mich willst du doch – hier bin ich! Nimm mich doch einfach!*

Ich überlegte, wie ich das erreichen könnte – dass sich der Fluch nur auf mich beschränkte. Das würde nicht leicht werden. Ich musste warten, den rechten Augenblick abpassen ...

Ich schlief nicht ein. Die Zeit verging erstaunlich schnell, und als Edward uns beide hochzog, war ich immer noch hellwach und angespannt.

»Willst du wirklich nicht hierbleiben und schlafen?«

Ich sah ihn wütend an.

Er seufzte, dann nahm er mich auf den Rücken und sprang mit mir aus dem Fenster.

Wir rasten durch den schwarzen, stillen Wald, und selbst in seiner Art zu rennen lag ein Jubeln. Es war genauso, wie wenn er nur zum Spaß rannte, nur um den Wind im Haar zu spüren. Unter anderen Umständen hätte es mich glücklich gemacht.

Als wir auf das große offene Feld kamen, war seine Familie schon da, sie unterhielten sich ganz entspannt. Ab und zu schallte Emmetts dröhnendes Lachen durch die Luft. Edward ließ mich runter, und Hand in Hand gingen wir zu den anderen.

Der Mond war hinter den Wolken versteckt, und es war so dunkel, dass ich erst nach einer Weile begriff, wo wir waren – auf der Baseball-Lichtung. Genau hier war vor über einem Jahr mein erster ausgelassener Abend mit den Cullens von James und seinem Zirkel unterbrochen worden. Es war ein merkwürdiges Gefühl, wieder hier zu sein – als wäre dieses Treffen erst vollständig, wenn James, Laurent und Victoria dazukämen. Aber James und Laurent würden nie zurückkommen. Dieses Muster würde sich nicht wiederholen. Vielleicht waren alle Muster durchbrochen worden.

Ja, hier war jemand von seinem üblichen Schema abgewichen.

Konnte es sein, dass es die Volturi waren?

Ich bezweifelte es.

Victoria war mir immer wie eine Naturgewalt vorgekommen – wie ein Hurrikan, der geradewegs auf die Küste zusteuert, unausweichlich, unerbittlich und doch berechenbar. Vielleicht war es ein Fehler, dass ich sie immer als so unflexibel angesehen hatte. Eine gewisse Anpassungsfähigkeit musste ich ihr schon zugestehen.

»Weißt du, was ich denke?«, sagte ich zu Edward.

Er lachte. »Nein.«

Fast musste ich lächeln.

»Was denkst du?«

»Ich glaube, dass das *alles* miteinander zusammenhängt. Nicht nur die beiden, sondern alle drei.«

»Jetzt komme ich nicht mehr mit.«

»Seit du wieder da bist, sind drei schlimme Sachen passiert.« Ich zählte sie an den Fingern ab. »Die Neugeborenen in Seattle. Der Fremde in meinem Zimmer. Und – als Allererstes – Victoria, die mich gesucht hat.«

Er kniff die Augen zusammen, während er darüber nachdachte. »Wie kommst du darauf?«

»Weil ich es genauso sehe wie Jasper – die Volturi hängen an ihren Regeln. Außerdem würden sie ihre Sache bestimmt besser machen.« Und wenn sie mich tot sehen wollten, dann wäre ich jetzt schon tot, fügte ich in Gedanken hinzu. »Weißt du noch, als du letztes Jahr versucht hast Victoria aufzuspüren?«

»Ja.« Er zog die Stirn in Falten. »Ich war nicht sehr erfolgreich.«

»Alice sagte, du warst in Texas. Bist du ihr dorthin gefolgt?« Er zog die Augenbrauen zusammen. »Ja. Hmmm ...«

»Siehst du – dort könnte sie auf die Idee gekommen sein. Aber sie weiß nicht, was sie tut, deshalb sind die Neugeborenen außer Rand und Band.«

Er schüttelte den Kopf. »Aber nur Aro weiß genau über Alice' Visionen Bescheid.«

»Aro weiß bestimmt am besten Bescheid, aber wissen Tanya und Irina und eure übrigen Freunde in Denali nicht genug? Laurent hat so lange bei ihnen gelebt. Und wenn er mit Victoria so eng befreundet war, dass er ihr einen Gefallen tun wollte, warum sollte er ihr dann nicht auch alles anvertrauen, was er wusste?«

Edward runzelte die Stirn. »Das in deinem Zimmer war aber nicht Victoria.«

»Kann sie nicht neue Freunde gewonnen haben? Überleg doch mal, Edward. Wenn Victoria die Sache in Seattle angezettelt hat, dann hat sie viele neue Freunde gewonnen. Sie hat sie selbst erschaffen.«

Eine Weile sah er sehr konzentriert aus.

»Hmm«, sagte er schließlich. »Es ist eine Möglichkeit. Zwar halte ich die Volturi noch immer für wahrscheinlicher ... Aber deine Theorie ... die hat etwas. Victorias Persönlichkeit. Das würde genau passen. Von Anfang an hatte sie einen bemerkenswerten Selbsterhaltungsinstinkt – vielleicht ist das eine ihrer besonderen Gaben. So oder so könnten wir ihr, wenn sie diese

Taktik anwendet, nicht viel anhaben. Sie könnte sich schön im Hintergrund halten und die Neugeborenen ihr Unwesen treiben lassen. Und die Volturi könnten ihr vielleicht auch nichts anhaben. Möglicherweise rechnet sie damit, dass wir am Ende gewinnen, wenn auch nicht ohne größere Verluste. Aber von ihrer kleinen Armee bliebe niemand übrig, der gegen sie aussagen könnte. Ich glaube sogar«, fuhr er nach kurzem Nachdenken fort, »dass sie die Überlebenden, sollte es welche geben, selbst umbringen würde … Hmm. Aber wenn deine Theorie stimmt, dann müsste sie zumindest einen etwas reiferen Freund haben. Derjenige, der deinen Vater am Leben ließ, das war auf keinen Fall ein Neugeborener …«

Er dachte lange darüber nach, dann lächelte er mich plötzlich an. »Es ist sehr gut möglich. Aber wie dem auch sei, solange wir nicht genau Bescheid wissen, müssen wir mit allem rechnen. Du bist heute sehr scharfsichtig«, sagte er dann. »Ich bin beeindruckt.«

Ich seufzte. »Vielleicht ist das nur eine Reaktion auf diesen Ort. Hier habe ich das Gefühl, als wäre sie in der Nähe … als könnte sie mich jetzt sehen.«

Ich sah, wie seine Kiefermuskeln sich anspannten. »Sie wird dir nichts tun, Bella.«

Trotzdem ließ er den Blick sehr genau über die dunklen Bäume schweifen. Während er die Schatten absuchte, nahm sein Gesicht einen eigenartigen Ausdruck an. Er bleckte die Zähne und in seine Augen trat ein seltsames Leuchten – eine wilde, grimmige Hoffnung.

»Und doch, was gäbe ich darum, sie in der Nähe zu wissen«, murmelte er. »Victoria und all die anderen, die je daran gedacht haben, dir etwas anzutun. Wenn ich die Gelegenheit hätte, dem Treiben diesmal eigenhändig ein Ende zu setzen.«

Ich schauderte vor der grausamen Sehnsucht in seiner Stimme und verschränkte meine Finger noch fester mit seinen – wie gern wäre ich stark genug, unsere Hände für immer miteinander zu verbinden.

Jetzt waren wir fast bei seiner Familie angekommen, und plötzlich fiel mir auf, dass Alice nicht so optimistisch aussah wie die anderen. Sie stand ein wenig abseits, sah Jasper zu, wie er die Arme streckte, als wollte er sich aufwärmen, und zog einen Schmollmund.

»Was hat sie denn?«, flüsterte ich.

Edward lachte leise, er war jetzt wieder ganz der Alte. »Die Werwölfe sind unterwegs, deshalb kann sie jetzt nicht sehen, was geschehen wird. Es ist unangenehm für sie, blind zu sein.«

Obwohl Alice am weitesten von uns entfernt war, hörte sie seine leise Stimme. Sie blickte auf und streckte ihm die Zunge heraus. Wieder lachte er.

»Hi, Edward«, sagte Emmett. »Hi, Bella. Lässt er dich auch mal trainieren?«

Edward stöhnte. »Ich bitte dich, Emmett, bring sie nicht auf solche Gedanken.«

»Wann werden unsere Gäste eintreffen?«, fragte Carlisle und sah Edward an.

Edward konzentrierte sich einen Moment, dann seufzte er. »In anderthalb Minuten. Aber ich werde dolmetschen müssen. Sie vertrauen uns nicht genug, um in Menschengestalt zu erscheinen.«

Carlisle nickte. »Es ist schwer für sie. Ich bin dankbar, dass sie überhaupt kommen.«

Ich starrte Edward mit weit aufgerissenen Augen an. »Sie kommen als Wölfe?«

Er nickte und beobachtete mich ganz genau. Ich schluckte

388

und dachte an die beiden Male, als ich Jacob in Wolfsgestalt gesehen hatte – einmal auf der Lichtung mit Laurent und einmal auf dem Waldweg, wo Paul wütend auf mich geworden war … beides entsetzliche Erinnerungen.

Ein merkwürdiges Leuchten trat in Edwards Augen, als wäre ihm gerade etwas in den Sinn gekommen, was gar nicht so unangenehm war. Bevor ich ihn genauer ansehen konnte, wandte er sich schnell ab und schaute wieder zu Carlisle und den anderen.

»Macht euch auf einiges gefasst – sie haben uns nicht alles gesagt.«

»Wie meinst du das?«, fragte Alice.

»Scht«, machte er und starrte an ihr vorbei in die Finsternis. Plötzlich öffnete sich der lockere Kreis der Cullens zu einer Linie mit Jasper und Emmett am einen Ende. Daran, wie sich Edward neben mir vorbeugte, merkte ich, dass er gern neben ihnen gestanden hätte. Ich hielt seine Hand noch fester.

Ich schaute angestrengt in den Wald, ohne etwas zu erkennen.

»Verdammt«, flüsterte Emmett. »Habt ihr so was schon mal gesehen?«

Esme und Rosalie sahen sich mit großen Augen an.

»Was ist?«, flüsterte ich, so leise ich konnte. »Ich sehe nichts.«

»Das Rudel ist gewachsen«, flüsterte Edward mir ins Ohr.

Hatte ich ihm noch nicht erzählt, dass Quil dabei war? Ich strengte mich an, die sechs Wölfe in der Dämmerung zu erkennen. Schließlich leuchtete etwas in der Dunkelheit – ihre Augen, höher als erwartet. Ich hatte vergessen, wie riesig die Wölfe waren. Wie Pferde, nur viel massiger durch die Muskeln und das Fell – und mit Zähnen wie Messer, unübersehbar.

Ich sah nur ihre Augen. Und als ich mich anstrengte, Einzelheiten zu erkennen, sah ich, dass es mehr als sechs Paar Augen waren. Eins, zwei, drei … Schnell zählte ich sie durch. Zweimal.

Es waren zehn.

»Faszinierend«, murmelte Edward fast unhörbar.

Carlisle trat einen Schritt vor, langsam und bedächtig. Er bewegte sich behutsam, um die Wölfe nicht zu erschrecken.

»Willkommen«, sagte er zu den unsichtbaren Wölfen.

»Vielen Dank«, sagte Edward in merkwürdig ausdruckslosem Ton, und ich hörte sofort, dass die Worte von Sam kamen. Ich schaute auf das höchste Augenpaar, das ganz in der Mitte der Reihe leuchtete, das war der größte Wolf. Es war unmöglich, die Gestalt des großen schwarzen Wolfs in der Dunkelheit auszumachen.

Edward sprach wieder in demselben distanzierten Ton, er sprach Sams Worte. »Wir werden zuschauen und zuhören, mehr nicht. Mehr lässt unsere Selbstbeherrschung nicht zu.«

»Das ist mehr als genug«, sagte Carlisle. »Mein Sohn Jasper« – er zeigte dorthin, wo Jasper kampfbereit stand – »ist auf diesem Gebiet erfahren. Er wird uns lehren, wie sie kämpfen und wie man sie besiegt. Gewiss könnt ihr das auf eure eigenen Jagdtechniken übertragen.«

»Sind sie anders als ihr?«, fragte Edward für Sam.

Carlisle nickte. »Sie sind alle noch ganz neu – erst seit wenigen Monaten in dieser Art von Leben. In gewisser Weise sind es Kinder. Sie haben keinerlei Erfahrung und keine Strategie, nur rohe Gewalt. Heute Nacht sind es zwanzig. Zehn für uns, zehn für euch – das dürfte nicht schwierig sein. Vielleicht werden es noch weniger. Die Neuen bekämpfen sich auch gegenseitig.«

Ein Raunen ging durch die dunkle Reihe der Wölfe, ein leises Grummeln, in dem Begeisterung mitschwang.

»Wenn nötig, sind wir bereit, mehr als die Hälfte zu übernehmen«, übersetzte Edward, diesmal in nicht ganz so neutralem Ton.

Carlisle lächelte. »Wir werden sehen, wie es sich entwickelt.«

»Wisst ihr, wann und wie sie kommen werden?«

»Sie werden in vier Tagen über die Berge kommen, am späten Vormittag. Wenn sie näher kommen, werden wir ihnen mit Alice' Hilfe den Weg abschneiden.«

»Wir danken euch für die Informationen. Wir werden jetzt zuschauen.«

Ein Augenpaar nach dem anderen senkte sich ein Stück, begleitet von einem Seufzen.

Zwei Herzschläge lang war es still, dann trat Jasper auf das freie Feld zwischen Vampiren und Wölfen. Ihn konnte ich gut erkennen – seine helle Haut leuchtete in der Dunkelheit wie die Augen der Wölfe. Jasper schaute Edward unschlüssig an, und als Edward nickte, wandte Jasper den Werwölfen den Rücken zu. Man sah ihm an, dass er sich nicht wohl in seiner Haut fühlte.

»Carlisle hat Recht.« Jasper sprach nur zu uns, offenbar versuchte er, die Zuhörer hinter sich zu ignorieren. »Sie werden kämpfen wie Kinder. Zweierlei müsst ihr immer im Hinterkopf haben: Lasst niemals zu, dass sie die Arme um euren Körper legen, und geht nicht direkt auf sie los. Darauf sind sie nämlich vorbereitet und auf nichts anderes. Solange ihr von der Seite kommt und in Bewegung bleibt, werden sie zu verwirrt sein, um angemessen zu reagieren. Emmett?«

Mit einem breiten Grinsen trat Emmett vor.

Jasper zog sich auf die eine Seite des freien Feldes zurück, das zwischen den nunmehr verbündeten Feinden lag, und winkte Emmett vor.

»Also, Emmett zuerst. Er ist das beste Beispiel für einen Neugeborenen beim Angriff.«

Emmett kniff die Augen zusammen. »Ich werde *versuchen*, dir nichts zu brechen«, murmelte er.

Jasper grinste. »Ich will damit sagen, dass Emmett sich ganz auf seine Kraft verlässt. Sein Angriff ist für gewöhnlich sehr direkt. Auch die Neugeborenen werden nicht sehr raffiniert kämpfen. Jetzt geh einfach drauflos, Emmett.«

Jasper wich noch ein paar Schritte zurück und spannte die Muskeln an.

»Okay, Emmett – fang mich mal.«

Und dann konnte ich Jasper nicht mehr sehen – er war nur noch ein verschwommener Fleck, als Emmett auf ihn losging wie ein Bär und grinsend knurrte. Auch Emmett war unglaublich schnell, aber kein Vergleich zu Jasper. Jasper schien körperlos wie ein Geist – immer wenn es so aussah, als hätten Emmetts Pranken ihn gepackt, hatten sie nichts als Luft erwischt. Edward neben mir beugte sich gespannt vor und sah sich die Rauferei an.

Dann erstarrte Emmett.

Jasper hatte ihn von hinten gepackt, seine Zähne waren ganz nah an Emmetts Kehle.

Emmett fluchte.

Anerkennendes Gemurmel von den zuschauenden Wölfen.

»Noch mal«, sagte Emmett. Jetzt grinste er nicht mehr.

»Ich bin dran«, protestierte Edward. Meine Finger klammerten sich um seine.

»Sofort.« Lächelnd trat Jasper zurück. »Erst möchte ich Bella etwas zeigen.«

Ängstlich sah ich zu, wie er Alice nach vorn winkte.

»Ich weiß, dass du dir Sorgen um sie machst«, erklärte er, als sie fröhlich in den Ring tanzte. »Ich möchte dir zeigen, weshalb das unnötig ist.«

Obwohl ich wusste, dass Jasper Alice niemals verletzen würde, konnte ich kaum mit ansehen, wie er sie in geduckter Haltung belauerte. Alice stand reglos da, nach Emmett wirkte sie wie ein

Püppchen, sie lächelte. Jasper schob sich nach vorn, dann schlich er sich an ihre linke Seite.

Alice schloss die Augen.

Mein Herz setzte einen Schlag aus, als Jasper auf Alice zuging. Jasper sprang und verschwand. Plötzlich war er auf Alice' rechter Seite. Sie schien sich nicht bewegt zu haben.

Jasper wirbelte herum und stürzte sich wieder auf sie, nur um genau wie beim ersten Mal geduckt hinter ihr zu landen. Die ganze Zeit stand Alice mit geschlossenen Augen da und lächelte.

Jetzt schaute ich genauer hin.

Und ich sah, dass sie sich doch bewegte – ich hatte es bloß nicht gesehen, weil ich nur auf Jaspers Angriff geachtet hatte. Genau in dem Moment, als Jasper dorthin sprang, wo sie eben noch gestanden hatte, machte sie einen kleinen Schritt nach vorn. Und während Jasper dort zupacken wollte, wo eben noch ihre Taille gewesen war, machte sie noch einen Schritt nach vorn.

Jasper kam näher heran, und Alice bewegte sich schneller. Sie tanzte – sie kreiste und drehte und wand sich um sich selbst. Jasper war ihr Partner, er sprang durch ihre kunstvollen Muster hindurch, ohne sie je zu berühren, als wäre jede Bewegung einstudiert. Schließlich lachte Alice.

Ganz unvermittelt saß sie auf Jaspers Rücken, die Lippen an seinem Hals.

»Ich hab dich«, sagte sie und küsste ihn auf die Kehle.

Jasper kicherte und schüttelte den Kopf. »Du bist wirklich ein kleines Gruselmonster.«

Wieder ging ein Raunen durch die Reihe der Wölfe. Diesmal klang es argwöhnisch.

»Es ist gut, wenn wir ihnen ein bisschen Respekt beibringen«, murmelte Edward belustigt. Dann sprach er lauter. »Jetzt ich.«

Er drückte meine Hand, ehe er sie losließ.

Alice nahm seinen Platz neben mir ein. »Gut, was?«, sagte sie stolz.

»O ja«, sagte ich, ohne Edward aus den Augen zu lassen, der lautlos auf Jasper zuglitt. Er bewegte sich geschmeidig und wachsam wie eine Raubkatze.

»Ich habe dich im Blick, Bella«, flüsterte sie plötzlich, so leise, dass ich sie kaum verstehen konnte, obwohl ihre Lippen an meinem Ohr waren.

Mein Blick huschte zu ihr und dann wieder zurück zu Edward, der ganz auf Jasper konzentriert war. Beide waren mit Scheinangriffen beschäftigt, während Edward Jasper langsam näher kam.

Alice klang vorwurfsvoll.

»Sollten deine Pläne konkretere Gestalt annehmen, werde ich ihn warnen«, sagte sie drohend, immer noch ganz leise. »Es nützt gar nichts, wenn du dich in Gefahr begibst. Glaubst du, einer von ihnen würde aufgeben, wenn du stirbst? Sie würden trotzdem weiterkämpfen, das würden wir alle. Du kannst gar nichts ändern, also sei brav, ja?«

Ich verzog das Gesicht und versuchte sie zu ignorieren.

»Ich hab dich im Blick«, sagte sie wieder.

Edward war jetzt ganz nah bei Jasper, und dieser Kampf war ausgeglichener als die beiden zuvor. Jasper hatte Edward ein Jahrhundert Erfahrung voraus, und er versuchte so weit wie möglich seinem Instinkt zu folgen, aber seine Gedanken verrieten ihn immer den Bruchteil einer Sekunde bevor er handelte. Edward war ein wenig schneller, aber er war mit Jaspers Technik nicht vertraut. Immer wieder gingen sie aufeinander los, und keiner von beiden konnte sich einen Vorteil verschaffen, die ganze Zeit knurrten sie sich an. Es war schwer hinzuschauen, aber noch schwerer, den Blick abzuwenden. Sie bewegten sich so schnell, dass ich gar nicht richtig erkennen konnte, was sie machten. Hin und wieder fielen mir die aufmerksamen Augen der Wölfe auf. Ich hatte das Gefühl, dass sie von dem, was hier passierte, mehr begriffen als ich – vielleicht mehr als gut war.

Schließlich räusperte Carlisle sich.

Jasper lachte und trat einen Schritt zurück. Edward richtete sich auf und grinste ihn an.

»Weiter im Takt«, sagte Jasper. »Sagen wir, dieser Kampf ist unentschieden.«

Sie wechselten sich immer ab, jetzt war Carlisle dran, dann Rosalie, Esme und wieder Emmett. Als Jasper Esme angriff, linste ich nur durch die Wimpern hindurch und zuckte bei jedem Angriff zusammen. Das konnte ich am wenigsten ertragen. In der zweiten Runde führte Jasper alles langsamer vor, wenn auch nicht so langsam, dass ich irgendetwas begriffen hätte, und erklärte ein bisschen mehr.

»Seht ihr, was ich hier mache?«, fragte er. »Ja, genau«, sagte er aufmunternd. »Konzentriert euch auf die Seiten. Vergesst nicht, worauf sie zielen werden. Immer in Bewegung bleiben.«

Edward war ganz bei der Sache, er schaute zu und hörte auch auf das, was den anderen verborgen war.

Meine Lider wurden immer schwerer, ich konnte dem Training kaum noch folgen. In letzter Zeit hatte ich sowieso nicht gut geschlafen, und jetzt war ich seit fast vierundzwanzig Stunden auf den Beinen. Ich lehnte mich an Edward und ließ die Augen zufallen.

»Wir sind gleich fertig«, flüsterte er.

Kurz darauf wandte sich Jasper zum ersten Mal an die Wölfe. Es war ihm anzusehen, wie unwohl er sich dabei fühlte. »Morgen üben wir weiter. Ihr seid herzlich eingeladen zuzuschauen.«

»Ja«, antwortete Edward mit Sams kühler Stimme. »Wir werden hier sein.«

Dann seufzte Edward, tätschelte mir den Arm und wandte sich zu seiner Familie.

»Die Wölfe glauben, es wäre hilfreich, wenn sie sich mit unseren Gerüchen vertraut machen könnten – damit sie später keine Fehler begehen. Wenn ihr ganz stillhaltet, ist es leichter für sie.«

»Selbstverständlich«, sagte Carlisle zu Sam. »Wenn es euch nützt.«

Von den Wölfen kam ein düsteres, kehliges Grummeln, dann erhoben sie sich alle.

Jetzt hatte ich die Augen weit aufgerissen, vergessen war die Erschöpfung.

Die Nacht war schon nicht mehr ganz so schwarz – die Sonne erhellte die Wolken bereits, wenn auch der Horizont, weit hinter den Bergen, noch nicht zu sehen war. Als die Wölfe näher kamen, konnte ich plötzlich ihre Gestalt erkennen … und ihre Farben.

Sam schritt natürlich voran. Unglaublich groß, schwarz wie die tiefste Nacht, ein Monster aus einem Albtraum – und tatsächlich waren Sam und die anderen mir, nachdem ich sie damals auf der Lichtung gesehen hatte, mehr als einmal in meinen Albträumen erschienen.

Jetzt, da ich sie alle sehen und jedem Augenpaar einen Körper zuordnen konnte, schienen es mehr als zehn zu sein. Es war ein überwältigendes Rudel.

Aus dem Augenwinkel sah ich, dass Edward meine Reaktion genau beobachtete.

Sam ging auf Carlisle zu, das Rudel hinter sich. Jasper erstarrte, aber Emmett, der auf der anderen Seite neben Carlisle stand, grinste lässig.

Sam schnüffelte an Carlisle und schien dabei leicht zurückzuzucken. Dann machte er bei Jasper weiter.

Ich ließ den Blick über die wachsamen Wölfe schweifen. Bestimmt könnte ich ein paar der Neuen erkennen. Da war ein hellgrauer Wolf, der viel kleiner war als die anderen; er stellte angewidert die Nackenhaare auf. Dann war da noch einer in der Farbe von Wüstensand, der neben den anderen staksig und ungelenk wirkte. Ein leises Winseln entfuhr ihm, als Sam ihn allein zwischen Carlisle und Jasper zurückließ.

Mein Blick blieb an dem Wolf hängen, der direkt hinter Sam stand. Sein Fell war rötlich braun, länger als das der anderen und ziemlich struppig. Er war fast so groß wie Sam, der zweitgrößte von allen. Er stand gelassen da; was für die anderen eine Tortur war, schien er nicht so ernst zu nehmen.

Der riesige rotbraune Wolf schien meinen Blick zu spüren und schaute mich mit vertrauten schwarzen Augen an.

Ich starrte zurück und versuchte das, was ich bereits wusste, zu erfassen. Ich merkte, wie sich Erstaunen und Faszination in meinem Gesicht spiegelten.

Der Wolf öffnete das Maul und bleckte die Zähne. Es hätte zum Fürchten aussehen können, wenn nicht seine Zunge seitlich herausgehangen hätte. So sah es eher aus, als ob er grinste.

Ich kicherte.

Jacobs Grinsen wurde noch breiter, und ich sah seine scharfen Zähne. Er trat vor und achtete nicht auf die anderen Wölfe, die ihm folgten. Er trottete an Edward und Alice vorbei und blieb einen halben Meter vor mir stehen. Ganz kurz huschte sein Blick zu Edward.

Edward stand reglos wie eine Statue, er sah mich immer noch prüfend an.

Jacob kauerte sich auf die Vorderbeine und senkte den Kopf,

bis er mit meinem auf gleicher Höhe war. Jetzt sah auch er mich prüfend an.

»Jacob?«, flüsterte ich.

Das Grollen tief in seiner Brust klang wie ein Glucksen. Ich streckte die Hand aus und berührte mit zitternden Fingern das rotbraune Fell an einer Seite seines Kopfes. Er schloss die Augen und legte den großen Kopf in meine Hand. Ein Summen ertönte in seiner Kehle.

Sein Fell war gleichzeitig weich und rau, und es fühlte sich warm an. Neugierig fuhr ich mit den Fingern hindurch, ertastete es, streichelte seinen Hals dort, wo die Farbe dunkler wurde. Ich hatte nicht gemerkt, wie nah ich ihm gekommen war; ohne Vorwarnung leckte mir der Wolf übers Gesicht, vom Kinn bis zum Haaransatz. »Igitt! Jake, das ist ja eklig!«, rief ich, machte einen Satz zurück und schlug nach ihm, wie ich es auch getan hätte, wenn er ein Mensch wäre. Er wich mir aus, und der kläffende Husten, der aus seinem Maul kam, war offensichtlich ein Lachen.

Ich wischte mir das Gesicht am Ärmel meiner Bluse ab. Gegen meinen Willen musste ich auch lachen.

Erst jetzt merkte ich, dass alle uns beobachteten, die Cullens und die Werwölfe – die Cullens mit verdutztem und leicht angewidertem Gesicht. Wie die Wölfe guckten, war schwer zu sagen. Ich fand, dass Sam unglücklich aussah.

Und dann schaute ich Edward an, er sah nervös und enttäuscht aus. Mir wurde klar, dass er sich eine andere Reaktion erhofft hatte – dass ich zum Beispiel kreischend weglaufen würde.

Jacob lachte wieder.

Jetzt zogen sich die anderen Wölfe zurück, ohne den Blick von den Cullens zu lösen. Jacob blieb bei mir und sah ihnen nach. Schon bald verschwanden sie in dem finsteren Wald. Nur zwei verharrten zögernd bei den Bäumen und schauten sich besorgt nach Jacob um.

Seufzend trat Edward, ohne Jacob zu beachten, an meine andere Seite und nahm meine Hand.

»Können wir gehen?«, fragte er mich.

Bevor ich antworten konnte, starrte er über mich hinweg zu Jacob.

»Ich bin mir noch nicht über alle Einzelheiten im Klaren«, sagte er und beantwortete damit eine Frage in Jacobs Kopf.

Jacob grummelte mürrisch.

»Es ist ein wenig komplizierter«, sagte Edward. »Mach dir deswegen keine Gedanken; ich sorge dafür, dass nichts passieren kann.«

»Worüber redet ihr?«, fragte ich.

»Nur über Strategiefragen«, sagte Edward.

Jacob schaute von Edward zu mir und wieder zurück. Dann rannte er plötzlich in Richtung Wald. Als er davonsauste, fiel mir zum ersten Mal das schwarze Stück Stoff an seinem Hinterbein auf.

»Warte«, rief ich und streckte automatisch eine Hand nach ihm aus. Aber er war im Nu im Wald verschwunden, die anderen beiden Wölfe liefen hinter ihm her.

»Warum ist er weggelaufen?«, fragte ich gekränkt.

»Er kommt zurück«, sagte Edward. Er seufzte. »Er möchte lieber für sich selbst sprechen.«

Ich schaute zu der Stelle am Waldrand, wo die Wölfe verschwunden waren, und lehnte mich wieder an Edward. Ich stand kurz vor einem Zusammenbruch, aber ich hielt mich auf den Beinen.

Jetzt kam Jacob wieder hervor, diesmal auf zwei Beinen. Seine breite Brust war nackt, das Haar wirr und zottig. Er trug nur schwarze Shorts und lief barfuß auf dem kalten Boden. Er kam allein, aber ich vermutete, dass seine Freunde sich in den Bäumen versteckt hielten.

Er brauchte nicht lange, um das Feld zu überqueren, obwohl er einen weiten Bogen um die Cullens machte, die in einem lockeren Kreis standen und sich leise unterhielten.

»Also gut, Blutsauger«, sagte Jacob, als er ein paar Meter von uns entfernt war. Offenbar wollte er jetzt das Gespräch fortsetzen, das ich nicht mitbekommen hatte. »Was ist daran so kompliziert?«

»Ich muss alle Möglichkeiten in Betracht ziehen«, sagte Edward ungerührt. »Was ist, wenn jemand an euch vorbeikommt?«

Jacob schnaubte verächtlich. »Okay, dann lass sie im Reservat. Collin und Brady sollen sowieso da bleiben. Dort kann ihr nichts passieren.«

Ich schaute ihn wütend an. »Redet ihr über mich?«

»Ich will nur wissen, was er während des Kampfs mit dir vorhat«, erklärte Jacob.

»Was er mit mir *vorhat?*«

»Du kannst nicht in Forks bleiben, Bella«, sagte Edward beschwichtigend. »Dort wissen sie, wo sie dich finden können. Wenn nun einer an uns vorbeikommt?«

Mein Magen sackte nach unten und das Blut wich mir aus dem Gesicht. »Und Charlie?«, sagte ich atemlos.

»Der wird bei Billy sein«, versicherte Jacob schnell. »Und wenn mein Vater einen Mord begehen müsste, um ihn herzuholen. Aber wahrscheinlich ist das gar nicht nötig. Es ist doch diesen Samstag, oder? Da ist ein Spiel.«

»Diesen Samstag?«, fragte ich, und mir schwirrte der Kopf. Mir war so schwindelig, dass ich meine wirren Gedanken nicht mehr ordnen konnte. Ich sah Edward geknickt an. »So ein Mist! Das war's dann mit meinem Geschenk für dich.«

Edward lachte. »Der gute Wille zählt«, erinnerte er mich. »Du kannst die Karten ja weiterverschenken.«

Ich wusste auch schon, an wen. »Angela und Ben«, sagte ich sofort. »Dann sind sie wenigstens aus der Stadt.«

Er berührte meine Wange. »Du kannst nicht alle evakuieren«, sagte er sanft. »Wenn wir dich verstecken, ist das nur eine Vorsichtsmaßnahme. Ich habe dir ja gesagt, dass es keine Probleme geben wird. Es sind so wenige, dass wir uns schnell langweilen werden.«

»Aber was ist denn nun, kann sie in La Push bleiben?«, fragte Jacob ungeduldig.

»Sie ist zu viel hin- und hergefahren«, sagte Edward. »Sie hat überall Spuren hinterlassen. Alice sieht nur ganz junge Vampire näher kommen, aber da muss jemand sein, der sie erschaffen hat. Hinter alldem steckt jemand mit Erfahrung. Wer auch immer das ist, das Ganze könnte auch ein Ablenkungsmanöver sein. Alice wird es sehen, wenn er« – an dieser Stelle schaute Edward mich an – »oder sie schließlich auftaucht, aber möglicherweise haben wir dann gerade alle Hände voll zu tun. Vielleicht legt derjenige es genau darauf an. Ich kann sie nicht irgendwo lassen, wo sie schon oft gewesen ist. Es muss unbedingt ein Versteck sein, das schwer zu finden ist, für alle Fälle. Es ist zwar sehr unwahrscheinlich, aber ich möchte kein Risiko eingehen.«

Ich starrte Edward an, während er sprach, und runzelte die Stirn. Er tätschelte mir den Arm.

»Ich bin nur übervorsichtig«, versprach er.

Jacob zeigte zu dem dichten Wald östlich von uns, zu dem riesigen Gebiet der Olympic Mountains.

»Dann versteck sie doch dort«, schlug er vor. »Da gibt es

hunderttausend Möglichkeiten – und falls nötig, wären wir in wenigen Minuten dort.«

Edward schüttelte den Kopf. »Ihr Duft ist zu stark, und in Verbindung mit meinem ist er besonders auffällig. Selbst wenn ich sie trüge, würden wir eine Spur hinterlassen. Unsere Spur findet sich überall im ganzen Gebiet, aber in Verbindung mit Bellas Duft würde sie ihre Aufmerksamkeit erregen. Wir wissen nicht genau, welchen Weg sie nehmen werden, weil sie es selbst noch nicht wissen. Sollten sie auf Bellas Geruch stoßen, ehe sie uns finden ...«

Beide verzogen im selben Moment das Gesicht.

»Du siehst, wo das Problem liegt.«

»Aber es muss doch eine Möglichkeit geben«, sagte Jacob leise. Er starrte zum Wald und schürzte die Lippen.

Ich begann zu schwanken. Edward legte mir einen Arm um die Taille, zog mich näher zu sich heran und stützte mich.

»Ich muss dich nach Hause bringen – du bist erschöpft. Und Charlie wird auch bald aufwachen ...«

»Warte mal«, sagte Jacob und seine Augen leuchteten. »Du ekelst dich vor meinem Geruch, oder?«

»Hmm, nicht übel.« Edward war schon wieder zwei Schritte weiter. »Das wäre eine Möglichkeit.« Es wandte sich zu seiner Familie. »Jasper?«, rief er.

Jasper schaute neugierig auf. Er kam herüber, dicht gefolgt von Alice. Sie sah schon wieder genervt aus.

»Also gut, Jacob.« Edward nickte ihm zu.

Jacob wandte sich zu mir. Die unterschiedlichsten Gefühle spiegelten sich in seinem Gesicht. Einerseits fiebrige Erwartung angesichts seiner neuen Idee, andererseits Unbehagen so nah bei seinen verbündeten Feinden. Und dann war es an mir, misstrauisch zu sein, als er die Arme nach mir ausstreckte.

Edward atmete tief durch.

»Wir wollen ausprobieren, ob ich deine Fährte so verwischen kann, dass man sie nicht mehr findet«, erklärte Jacob.

Argwöhnisch starrte ich auf seine ausgebreiteten Arme.

»Du musst dich von ihm tragen lassen, Bella«, sagte Edward. Er sagte es ganz ruhig, aber ich konnte hören, dass es ihm gegen den Strich ging.

Ich runzelte die Stirn.

Jacob verdrehte ungeduldig die Augen, beugte sich zu mir herab und hob mich hoch.

»Stell dich nicht so an«, murmelte er.

Doch er schaute schnell zu Edward, genau wie ich. Edward sah ganz beherrscht aus.

»Auf mich hat Bellas Duft eine so viel stärkere Wirkung«, sagte er zu Jasper, »deshalb wäre es besser, wenn es jemand anders ausprobiert.«

Jacob drehte sich um und ging schnell in den Wald. Ich sagte kein Wort, bis die Dunkelheit uns umfing. Ich schmollte, ich fühlte mich unwohl in Jacobs Armen. Es war mir zu vertraulich – bestimmt musste er mich nicht ganz so fest halten – und ich fragte mich unwillkürlich, wie es für ihn wohl war. Es erinnerte mich an den letzten Nachmittag in La Push, und daran wollte ich nicht denken. Ich verschränkte die Arme und ärgerte mich, als die Schiene an der Hand die Erinnerung lebendiger werden ließ.

Wir gingen nicht weit, Jacob machte einen großen Bogen und kam aus einer anderen Richtung wieder auf die Lichtung, vielleicht ein halbes Fußballfeld von unserem Ausgangspunkt entfernt. Dort stand Edward allein, und Jacob ging auf ihn zu.

»Jetzt kannst du mich runterlassen.«

»Ich will es nicht riskieren, das Experiment zu verderben.«

Er ging jetzt noch langsamer und hielt mich noch fester im Arm.

»Du nervst«, sagte ich leise.

»Danke.«

Wie aus dem Nichts standen plötzlich Jasper und Alice neben Edward. Jacob ging noch einen Schritt weiter, dann ließ er mich fünf Schritte von Edward entfernt hinunter. Ohne Jacob noch eines Blickes zu würdigen, ging ich zu Edward und nahm seine Hand.

»Und?«, fragte ich.

»Solange du nichts berührst, Bella, kann ich mir beim besten Willen nicht vorstellen, dass jemand nah genug an euren Pfad kommt, um dich zu erschnuppern«, sagte Jasper und verzog das Gesicht. »Dein Geruch war kaum zu erahnen.«

»Ein voller Erfolg«, sagte Alice und rümpfte die Nase.

»Und das hat mich auf eine Idee gebracht«, sagte Jasper.

»Eine gute«, fügte Alice zuversichtlich hinzu.

»Sehr geschickt«, sagte Edward.

»Wie hältst du das bloß aus?«, flüsterte Jacob mir zu.

Edward achtete nicht auf Jacob und sah mich an, während er es erklärte. »Wir werden – oder besser gesagt du wirst – eine falsche Fährte zu dieser Lichtung hinterlassen, Bella. Die Neugeborenen sind auf der Jagd, dein Geruch wird sie anstacheln, sie werden jede Vorsicht fahrenlassen und genau dorthin kommen, wo wir sie haben wollen. Alice sieht schon, dass es funktionieren wird. Dann werden sie *unsere* Spur wittern, sich aufteilen und versuchen, uns von zwei Seiten zu erwischen. Die Hälfte wird durch den Wald gehen, dort verliert Alice dann plötzlich ihre Gabe …«

»Ja!«, zischte Jacob.

Edward lächelte ihn an, ein Lächeln unter Kameraden.

Mir wurde ganz elend. Wie konnten sie nur so wild darauf sein? Wie sollte ich es aushalten, sie beide in Gefahr zu wissen? Das konnte ich nicht.

Und das würde ich auch nicht.

»Vergiss es«, sagte Edward plötzlich, und es klang empört.

Ich zuckte zusammen, plötzlich fürchtete ich, er könnte meinen Entschluss gehört haben. Doch sein Blick war auf Jasper gerichtet.

»Ich weiß, ich weiß«, sagte Jasper schnell. »Ich habe es auch gar nicht richtig in Betracht gezogen.«

Alice trat ihm auf den Fuß.

»Wenn Bella wirklich auf der Lichtung wäre«, erklärte Jasper ihr, »würde das die Neugeborenen rasend machen. Sie könnten sich auf nichts anderes mehr konzentrieren als auf Bella. Dann wäre es wirklich einfach, sie zu erledigen …«

Edward sah Jasper so wütend an, dass der sofort zurückruderte.

»Aber natürlich wäre das zu gefährlich für sie. Es war nur so ein Gedanke«, sagte er schnell. Doch er sah mich aus dem Augenwinkel an, und Wehmut lag in seinem Blick.

»Nein«, sagte Edward, und das klang sehr entschieden.

»Du hast Recht«, sagte Jasper. Er nahm Alice bei der Hand und ging mit ihr zurück zu den anderen. »Die besten zwei von drei?«, hörte ich ihn fragen, und sie machten mit dem Training weiter.

Jacob starrte ihm empört nach.

Edward nahm seinen Bruder in Schutz. »Jasper betrachtet die Dinge vom militärischen Standpunkt aus«, sagte er ruhig. »Er geht alle Möglichkeiten durch – er ist nicht gefühlskalt, nur gründlich.«

Jacob schnaubte verächtlich.

Er war so mit Feuereifer bei der Planung, dass er unbewusst näher gekommen war. Jetzt stand er nur einen Meter von Edward entfernt, und für mich war die Spannung, die in der Luft lag, geradezu körperlich spürbar. Wie eine atmosphärische Störung, eine unangenehme explosive Kraft.

Edward ging wieder zur Tagesordnung über. »Ich bringe sie Freitagnachmittag her, um die falsche Fährte zu legen. Anschließend kannst du dazukommen und sie zu einer Stelle bringen, die ich kenne. Sie liegt fernab vom Geschehen und ist leicht zu verteidigen, obwohl es dazu natürlich nicht kommen wird. Ich begebe mich auf einem anderen Weg dorthin.«

»Und dann? Soll sie da allein mit einem Handy sitzen und warten?«, fragte Jacob skeptisch.

»Hast du eine bessere Idee?«

Jacob wirkte plötzlich selbstgefällig. »Habe ich, ja.«

»Ah … Noch ein Punkt für dich, Hund.«

Schnell wandte Jacob sich zu mir; er zeigte sich von seiner freundlichsten Seite und bezog mich in das Gespräch ein. »Wir haben versucht Seth zu überreden, mit den beiden Jüngeren in La Push zu bleiben. Er ist noch zu jung, aber er stellt sich stur und weigert sich. Deshalb wäre es gut, wenn wir eine andere Aufgabe für ihn hätten – er wird unser Handy sein.«

Ich versuchte so zu gucken, als hätte ich es kapiert. Aber keiner fiel darauf herein.

»Solange Seth Clearwater in Wolfsgestalt ist, steht er in Verbindung zum Rudel«, erklärte Edward. »Die Entfernung ist kein Problem?«, fragte er Jacob.

»Nein.«

»Fünfhundert Kilometer?«, fragte Edward. »Das ist beeindruckend.«

Jacob blieb freundlich. »Das ist das Weiteste, was wir bisher ausprobiert haben«, erklärte er mir. »Immer noch klar und deutlich zu verstehen.«

Ich nickte geistesabwesend; mir schwindelte bei der Vorstellung, dass jetzt auch der kleine Seth Clearwater schon ein Werwolf war, und ich konnte mich kaum konzentrieren. Ich sah sein fröhliches Lächeln vor mir, mit dem er so sehr aussah wie Jacob früher, er konnte höchstens fünfzehn sein. Plötzlich bekam seine Begeisterung bei der Ratsversammlung am Lagerfeuer eine ganz neue Bedeutung ...

»Das ist eine gute Idee.« Es fiel Edward offenbar nicht leicht, das zuzugeben. »Wenn Seth dort ist, habe ich ein besseres Gefühl. Ich weiß nicht, ob ich Bella dort allein lassen könnte. Aber was für eine Vorstellung! Dass wir Werwölfen vertrauen!«

»Dass wir jetzt mit Vampiren kämpfen anstatt gegen sie!« Jacob klang genauso angewidert wie Edward.

»Nun ja, ihr bekommt immerhin die Gelegenheit, gegen ein paar Vampire zu kämpfen«, sagte Edward.

Jacob lächelte. »Deshalb sind wir hier.«

SELBSTSÜCHTIG

Edward trug mich in seinen Armen nach Hause, weil er dachte, ich wäre zu müde, um mich an ihm festzuhalten. Unterwegs musste ich eingeschlafen sein.

Als ich aufwachte, lag ich in meinem Bett, und das trübe Licht fiel in einem merkwürdigen Winkel in mein Zimmer. Fast als wäre es Nachmittag.

Ich gähnte und reckte mich, dann tastete ich vergeblich nach ihm.

»Edward?«, murmelte ich.

Jetzt fanden meine Finger etwas Kühles, Glattes. Seine Hand.

»Bist du jetzt wirklich wach?«, sagte er leise.

»Mmm«, seufzte ich. »Hat es schon mal so ausgesehen?«

»Du warst sehr unruhig – du hast den ganzen Tag geredet.«

»Den ganzen *Tag*?« Ich blinzelte und schaute wieder zum Fenster.

»Es war eine lange Nacht für dich«, sagte er beruhigend. »Du hattest einen Tag im Bett verdient.«

Ich setzte mich auf, in meinem Kopf drehte sich alles. Das Licht fiel tatsächlich von Westen in mein Zimmer. »Wahnsinn.«

»Hunger?«, sagte er. »Was hältst du von Frühstück im Bett?«

»Ich mach das schon.« Ich stöhnte und reckte mich wieder. »Ich muss mal aufstehen und mich bewegen.«

Er hielt meine Hand, während ich in die Küche ging, und ließ mich nicht aus den Augen, als könnte ich umkippen. Oder vielleicht dachte er, ich würde schlafwandeln.

Ich machte keine großen Umstände und warf nur ein paar Waffeln in den Toaster. Ich sah mein Spiegelbild im Chrom des Toasters.

»Oje, wie seh ich denn aus!«

»Es war eine lange Nacht«, sagte Edward wieder. »Du hättest hierbleiben und schlafen sollen.«

»Ganz bestimmt! Dann hätte ich ja alles verpasst! Du musst dich langsam mal damit abfinden, dass ich jetzt zur Familie gehöre.«

Er lächelte. »Daran könnte ich mich wahrscheinlich gewöhnen.«

Ich setzte mich hin, um zu frühstücken, und er setzte sich neben mich. Als ich die erste Waffel essen wollte, sah ich, dass er auf meine Hand starrte. Ich schaute hinunter – ich trug immer noch das Armband, das Jacob mir auf der Party überreicht hatte.

»Darf ich?«, fragte Edward und streckte die Hand nach dem kleinen hölzernen Wolf aus.

Ich schluckte geräuschvoll. »Öhm, klar.«

Er fasste unter das Armband und hielt die kleine Figur auf seiner schneeweißen Hand. Einen ganz kurzen Augenblick lang hatte ich Angst. Schon mit der kleinsten Bewegung seiner Finger könnte er sie zerdrücken.

Aber natürlich würde er das niemals tun. Ich schämte mich für den Gedanken. Er wog den kleinen Wolf nur kurz in der Hand, dann ließ er ihn fallen. Er baumelte leicht an meinem Handgelenk.

Ich versuchte, Edwards Gesichtsausdruck zu deuten. Für mich

sah er nur nachdenklich aus, alle anderen Gefühle verbarg er, falls da welche waren.

»Jacob Black darf dir also Geschenke machen.«

Das war weder eine Frage noch ein Vorwurf, nur eine Feststellung. Aber ich wusste, dass er auf meinen letzten Geburtstag anspielte und darauf, wie ich mich über die Geschenke aufgeregt hatte. Ich hatte keine Geschenke haben wollen, schon gar nicht von Edward. Es war nicht ganz nachvollziehbar gewesen, und natürlich hatte sowieso keiner auf mich gehört ...

»Du hast mir auch schon was geschenkt«, erinnerte ich ihn.

»Du weißt, dass ich am liebsten selbstgemachte Geschenke habe.«

Er schien zu überlegen. »Und was ist mit gebrauchten Sachen? Ist dagegen etwas einzuwenden?«

»Was meinst du damit?«

»Dieses Armband«, er malte einen Kreis um mein Handgelenk, »wirst du das oft tragen?«

Ich zuckte die Achseln.

»Weil du ihn nicht verletzen willst«, sagte er scharfsinnig.

»Ja, kann schon sein.«

»Wäre es dann nicht nur recht und billig«, fragte er und schaute auf meine Hand, er drehte sie mit der Handfläche nach oben und fuhr mit den Fingern über die Adern in meinem Handgelenk, »wenn auch ich ein kleines Symbol hätte?«

»Ein Symbol?«

»Einen Talisman – etwas, was dich an *mich* erinnert.«

»Du bist in all meinen Gedanken. Ich brauche nichts, was mich an dich erinnert.«

»Wenn ich dir etwas schenken würde, würdest du es dann tragen?«, fragte er drängend.

»Etwas Gebrauchtes?«, fragte ich.

»Ja, etwas, was ich schon seit einiger Zeit habe.« Er lächelte sein Engelslächeln.

Wenn das seine einzige Reaktion auf Jacobs Geschenk war, wollte ich sie gern hinnehmen. »Wenn es dich glücklich macht.«

»Merkst du nicht, wie ungerecht das ist?«, fragte er, und jetzt klang er vorwurfsvoll. »Ich schon.«

»Was ist ungerecht?«

Er machte die Augen schmal. »Alle können dir etwas schenken, ohne dass du gleich an die Decke gehst. Alle, nur ich nicht. Ich hätte dir so gern etwas zum Schulabschluss geschenkt, aber ich habe es nicht getan. Weil ich wusste, dass du dich darüber furchtbar aufgeregt hättest. Ich finde das sehr ungerecht. Hast du eine Erklärung dafür?«

»Ganz einfach.« Ich zuckte die Achseln. »Du bist mir wichtiger als alle anderen. Und du hast mir dich geschenkt. Das ist schon mehr, als ich verdient habe, und wenn du mir noch mehr schenkst, wird das Ungleichgewicht noch größer.«

Darüber dachte er eine Weile nach, dann sagte er: »Es ist absurd, wie du mich verklärst.«

Ungerührt aß ich mein Frühstück. Wenn ich ihm sagen würde, dass er das falsch sah, würde er sowieso nicht zuhören.

Edwards Mobiltelefon summte.

Er schaute auf die Nummer, ehe er es aufklappte. »Was ist, Alice?«

Er hörte zu, und ich wartete auf seine Reaktion. Auf einmal war ich nervös. Aber was Alice sagte, schien ihn nicht weiter zu überraschen. Er seufzte nur ein paarmal.

»So etwas hatte ich mir schon gedacht«, sagte er und schaute mich an, die Augenbrauen missbilligend hochgezogen. »Sie hat im Schlaf geredet.«

Ich wurde rot. Was hatte ich bloß gesagt?

»Ich werde mich darum kümmern«, versprach er.

Als er das Telefon zuklappte, starrte er mich wütend an. »Hast du mir irgendetwas zu sagen?«

Ich dachte einen Augenblick nach. Nach Alice' Warnung in der letzten Nacht konnte ich mir denken, weshalb sie angerufen hatte. Und wenn ich an die unruhigen Träume dachte, die ich heute gehabt hatte – Träume, in denen ich Jasper hinterhergejagt war und in dem Labyrinth aus Bäumen die Lichtung gesucht hatte, wo ich Edward zu finden glaubte ... Edward, und die Monster, die hinter mir her waren, aber um sie kümmerte ich mich nicht, weil ich meine Entscheidung schon getroffen hatte –, dann konnte ich mir auch denken, was Edward gehört hatte, während ich schlief.

Ich verzog den Mund und wich seinem Blick aus. Er wartete.

»Jaspers Idee hat was«, sagte ich schließlich.

Er stöhnte.

»Ich will euch helfen. Irgendwas muss ich einfach tun«, sagte ich.

»Du hilfst uns aber nicht, indem du dich in Gefahr begibst.«

»Jasper sieht das anders. Und auf diesem Gebiet ist er der Experte.«

Edward sah mich wütend an.

»Du kannst mir nicht verbieten mitzukommen«, drohte ich. »Ich werd mich nicht da draußen im Wald verstecken, während ihr alle euer Leben für mich aufs Spiel setzt.«

Plötzlich musste er ein Lächeln unterdrücken. »Alice sieht dich aber nicht auf der Lichtung, Bella. Sie sieht dich hilflos im Wald umherirren. Du würdest uns gar nicht finden; es würde nur länger dauern, bis ich dich hinterher wiederfinde.«

Ich versuchte so gelassen zu bleiben wie er. »Das liegt nur daran, dass Alice Seth Clearwater nicht berücksichtigt hat«, sagte ich freundlich. »Denn andernfalls hätte sie ja gar nichts sehen können. Aber es scheint ja so, als wollte Seth genauso gern dabei sein wie ich. Ich kann ihn bestimmt locker dazu überreden, mir den Weg zu zeigen.«

Erst sah er ärgerlich aus, dann atmete er tief durch und nahm sich zusammen. »Das hätte funktionieren können ... wenn du mir nichts davon erzählt hättest. Jetzt werde ich Sam bitten, Seth entsprechend zu instruieren. Selbst wenn er wollte, wird er sich über ein solches Verbot nicht hinwegsetzen können.«

Ich lächelte ihn immer noch freundlich an. »Aber weshalb sollte Sam einen solchen Befehl erteilen? Wenn ich ihm sage, wie hilfreich es wäre, wenn ich dabei sein könnte? Ich wette, Sam würde lieber mir einen Gefallen tun als dir.«

Wieder musste er sich zusammenreißen. »Da hast du vielleicht Recht. Aber ich bin überzeugt, dass Jacob nur zu gern einen solchen Befehl erteilen würde.«

Ich runzelte die Stirn. »Jacob?«

»Jacob ist Sams Stellvertreter. Hat er dir das nie erzählt? Auch seine Befehle müssen befolgt werden.«

Jetzt hatte er gewonnen, und so wie er lächelte, wusste er das auch. In diesem Fall würde Jacob ausnahmsweise auf Edwards Seite sein, da war ich mir sicher. Und tatsächlich hatte Jacob mir nie davon erzählt.

Edward nutzte meine Sprachlosigkeit aus und redete in verdächtig ruhigem Ton weiter.

»Letzte Nacht bekam ich einen faszinierenden Einblick in die Gedanken des Rudels. Es war besser als jede Soap. Ich hatte keine Ahnung, wie vielschichtig die Dynamik bei so einem großen Rudel ist. Der Wille des Einzelnen gegen die kollektive Seele ... wirklich faszinierend.«

Es war offensichtlich, dass er mich nur ablenken wollte. Ich warf ihm einen wütenden Blick zu.

»Jacob hat dir vieles verheimlicht«, sagte er grinsend.

Ich gab keine Antwort, starrte ihn nur weiter an, konzentrierte mich auf unsere ursprüngliche Diskussion und wartete auf eine Gelegenheit, darauf zurückzukommen.

»Ist dir gestern Nacht zum Beispiel der kleinere graue Wolf aufgefallen?«

Ich nickte steif.

Er kicherte. »Sie nehmen all ihre Legenden so ernst. Nun zeigt sich, dass ihre Geschichten sie nicht auf alles vorbereitet haben.«

Ich seufzte. »Okay, ich hab angebissen. Wovon redest du?«

»Bisher waren sie ganz selbstverständlich davon ausgegangen, dass nur ein direkter Nachkomme des ursprünglichen Wolfs die Kraft hätte, sich zu verwandeln.«

»Dann hat sich also jemand verwandelt, der kein direkter Nachkomme ist?«

»Das nicht. Ein direkter Nachkomme ist sie schon.«

Ich blinzelte und riss die Augen auf. »*Sie?*«

Er nickte. »Du kennst sie. Sie heißt Leah Clearwater.«

»Leah ein Werwolf?«, kreischte ich. »Seit wann das denn? Wieso hat Jacob mir nichts davon erzählt?«

»Manches darf er nicht weitererzählen – zum Beispiel, wie viele sie sind. Wie gesagt, wenn Sam einen Befehl erteilt, ist das Rudel außer Stande, diesen Befehl zu missachten. Jacob war sehr darauf bedacht, in meiner Gegenwart an etwas anderes zu denken. Seit gestern Nacht ist das natürlich alles dahin.«

»Ich kann es nicht fassen. Leah Clearwater!« Ich musste daran denken, wie Jacob mir von Leah und Sam erzählt hatte.

Da hatte er so gewirkt, als hätte er schon zu viel gesagt – nachdem er davon gesprochen hatte, dass Sam Leah jeden Tag ins Gesicht schauen müsse und dass er all seine Versprechen gebrochen habe ... Leah auf der Klippe, die Träne auf ihrer Wange, als Old Quil von der Last sprach, an der die Söhne der Quileute zu tragen hätten ... Und Billy, der so oft bei Sue war, weil sie Schwierigkeiten mit ihren Kindern hatte ... Und diese Schwierigkeiten bestanden in Wirklichkeit darin, dass die beiden sich in Werwölfe verwandelt hatten!

Ich hatte bisher nicht viele Gedanken an Leah Clearwater verschwendet; sie tat mir leid, weil ihr Vater gestorben war und wegen der merkwürdigen Geschichte, die Jacob mir erzählt hatte – dass Sam auf ihre Cousine Emily geprägt worden war und Leah damit das Herz gebrochen hatte.

Und jetzt gehörte sie zu Sams Rudel, hörte seine Gedanken ... und konnte ihre eigenen nicht verbergen.

Es ist furchtbar, hatte Jacob gesagt. *Die anderen erfahren alles, was einem peinlich ist.*

»Die arme Leah«, flüsterte ich.

Edward schnaubte. »Sie macht den anderen das Leben ganz schön schwer. Ich bin mir nicht sicher, ob sie dein Mitgefühl verdient.«

»Wie meinst du das?«

»Es ist schwer genug für die Wölfe, all ihre Gedanken miteinander teilen zu müssen. Die meisten reißen sich zusammen und versuchen, es für alle leichter zu machen. Wenn auch nur einer absichtlich boshaft ist, wird es für die anderen zur Qual.«

»Grund genug hat sie ja«, murmelte ich. Ich war immer noch auf ihrer Seite.

»Oh, ich weiß«, sagte er. »Das Prägen gehört zu dem Merkwürdigsten, was ich je gesehen habe, und ich habe schon vieles gesehen.« Er schüttelte verwundert den Kopf. »Es ist unmöglich zu beschreiben, wie Sam an seine Emily gebunden ist – oder vielleicht sollte ich eher sagen, dass er *ihr* Sam ist. Er hatte wirklich keine Wahl. Es erinnert mich an den *Sommernachtstraum*, wo durch den Zauber der Elfen alles durcheinandergerät ... es ist wirklich wie Zauberei.« Er lächelte. »Fast so stark wie meine Gefühle für dich.«

»Die arme Leah«, sagte ich wieder. »Aber was meinst du mit boshaft?«

»Sie erinnert die anderen immer wieder an Geschichten, die sie lieber vergessen möchten«, erklärte er. »Wie an die von Embry zum Beispiel.«

»Was ist mit Embry?«, fragte ich überrascht.

»Seine Mutter kam vor siebzehn Jahren aus dem Makah-Reservat, als sie mit Embry schwanger war. Sie ist keine Quileute. Alle nahmen an, sein Vater sei bei den Makah geblieben. Doch dann schloss Embry sich dem Rudel an.«

»Und?«

»Also kommen als sein Vater an erster Stelle Quil Ateara senior, Joshua Uley oder Billy Black in Frage, die zu diesem Zeitpunkt natürlich alle verheiratet waren.«

»Nein!«, sagte ich entsetzt. Edward hatte Recht – das war wirklich wie eine Soap.

»Jetzt fragen sich Sam, Jacob und Quil, wer von ihnen einen Halbbruder hat. Alle drei würden gern glauben, dass es Sam ist, denn sein Vater war ihm sowieso nie ein richtiger Vater. Doch ein gewisser Zweifel bleibt natürlich. Jacob hat es nie über sich gebracht, Billy danach zu fragen.«

»Wahnsinn. Wie hast du in einer Nacht so viel rauskriegen können?«

»Die Gedanken des Rudels sind faszinierend. Sie denken

zusammen und gleichzeitig einzeln. Es gibt unendlich viel darin zu lesen!«

Er klang ein wenig bedauernd, wie jemand, der ein gutes Buch liest und es an der spannendsten Stelle beiseitelegen muss. Ich lachte.

»Ja, das Rudel ist faszinierend«, sagte ich. »Fast so wie du, wenn du versuchst vom Thema abzulenken.«

Er setzte wieder eine höfliche Miene auf – ein perfektes Poker-face.

»Ich muss mit auf die Lichtung kommen, Edward.«

»Nein«, sagte er mit Bestimmtheit.

In diesem Moment kam mir ein Gedanke.

Es ging nicht so sehr darum, dass ich mit auf die Lichtung musste – ich musste einfach nur dort sein, wo Edward war.

Gemein, schimpfte ich mich. *Selbstsüchtig, selbstsüchtig, selbstsüchtig! Tu's nicht!*

Ich achtete nicht auf meine innere Stimme. Aber ich konnte ihn nicht ansehen, während ich sprach. Mein Blick war auf den Tisch geheftet, weil ich so ein schlechtes Gewissen hatte.

»Weißt du, Edward«, flüsterte ich. »Es ist so … ich bin schon einmal verrückt geworden. Ich kenne meine Grenzen. Und ich halte es nicht aus, wenn du mich noch mal verlässt.«

Ich schaute nicht auf, um zu sehen, wie er darauf reagierte. Ich wollte gar nicht sehen, was ich ihm mit meinen Worten antat. Ich hörte, wie er ganz kurz einatmete, und ich hörte die Stille, die darauf folgte. Ich starrte auf die Tischplatte aus dunklem Holz und hätte die Worte am liebsten zurückgenommen. Und gleichzeitig wusste ich, dass ich das wahrscheinlich nicht tun würde. Nicht wenn ich damit durchkam.

Plötzlich war ich in seinen Armen, seine Hände streichelten mein Gesicht, meine Arme. *Er* tröstete *mich*. Mir wurde ganz schwindelig vor schlechtem Gewissen. Doch mein Überlebensinstinkt war stärker. Und ich brauchte Edward, um zu überleben.

»Du weißt, dass das nicht passieren wird, Bella«, sagte er leise. »Ich werde nicht weit weg sein, und es ist schnell vorbei.«

»Ich halte das nicht aus«, beharrte ich, den Blick immer noch gesenkt. »Wenn ich nicht weiß, ob du wiederkommst oder nicht. Wie soll ich das ertragen, ganz egal, wie schnell es vorbei ist?«

Er seufzte. »Es wird ganz leicht, Bella. Du hast keinen Grund zur Sorge.«

»Überhaupt keinen?«

»Keinen.«

»Und niemandem wird etwas passieren?«

»Niemandem«, versprach er.

»Es gibt also gar keinen Grund dafür, dass ich auf der Lichtung sein müsste?«

»Natürlich nicht. Alice hat mir soeben erzählt, dass es jetzt nur noch neunzehn sind. Wir werden ganz leicht mit ihnen fertig.«

»Stimmt – du hast gesagt, es wäre so einfach, dass jemand aussetzen könnte.« Ich wiederholte seine Worte von letzter Nacht. »War das dein Ernst?«

»Ja.«

Es kam mir zu einfach vor – er musste doch merken, worauf ich hinauswollte.

»So einfach, dass *du* aussetzen könntest?«

Nach einem langen Moment des Schweigens schaute ich ihn schließlich an.

Jetzt hatte er wieder das Pokerface aufgesetzt.

Ich holte tief Luft. »Also, entweder oder. Entweder ist es gefährlicher, als du zugeben willst, dann wäre es besser, wenn ich dabei wäre, um euch zu helfen. Oder … es wird so einfach, dass sie auch ohne dich zurechtkommen. Wie ist es also?«

Er schwieg.

Ich wusste, woran er dachte – an dasselbe wie ich. Carlisle. Esme. Emmett. Rosalie. Jasper. Und … ich zwang mich, den letzten Namen zu denken. Und Alice.

Ich überlegte, ob ich ein Monster war. Nicht so eins, für das er sich hielt, sondern ein richtiges Monster. Eins, das anderen wehtat. Das notfalls über Leichen ging, um den eigenen Willen durchzusetzen.

Ich wollte ihn in Sicherheit wissen, bei mir. Gab es Grenzen für das, was ich dafür tun würde, was ich dafür opfern würde? Ich wusste es nicht.

»Du bittest mich, sie ohne meine Hilfe kämpfen zu lassen?«, fragte er leise.

»Ja.« Ich wunderte mich selbst, wie ruhig das herauskam. Mir war dabei so elend zu Mute. »Oder du nimmst mich mit. Eins von beidem, wenn ich nur bei dir bin.«

Er holte tief Luft und atmete dann langsam aus. Er nahm mein Gesicht in seine Hände und zwang mich, ihn anzusehen. Er schaute mir lange in die Augen. Ich fragte mich, was er in meinem Blick suchte und was er schließlich fand. War mir das schlechte Gewissen anzusehen, das mir Übelkeit verursachte?

Er schien gegen ein Gefühl anzukämpfen, das ich nicht erraten konnte, dann holte er sein Handy heraus.

»Alice«, sagte er und seufzte. »Könntest du herkommen und eine Weile auf Bella aufpassen?« Er zog eine Augenbraue hoch, eine an mich gerichtete Warnung, nicht zu widersprechen. »Ich muss mit Jasper reden.«

Offenbar war sie einverstanden. Er legte das Telefon weg und schaute mich wieder an.

»Was willst du Jasper sagen?«, flüsterte ich.

»Ich werde ihn fragen … ob ich aussetzen kann.«

Es war ihm anzusehen, wie schwer ihm diese Worte fielen.

»Es tut mir leid.«

Es tat mir wirklich leid. Ich fand es furchtbar, ihn dazu zu bringen. Aber nicht so furchtbar, dass ich mir ein Lächeln hätte abringen und ihm sagen können, er solle ohne mich losziehen. Auf keinen Fall.

»Du brauchst dich nicht zu entschuldigen«, sagte er und lächelte ein klein wenig. »Du sollst mir immer sagen, wie es dir geht, Bella. Wenn du es nur so ertragen kannst …« Er zuckte die Achseln. »Du bist für mich die Nummer eins.«

»So habe ich es aber nicht gemeint – dass du dich für mich und gegen deine Familie entscheiden sollst.«

»Ich weiß. Das hast du ja auch gar nicht verlangt. Du hast mir zwei Möglichkeiten aufgezeigt, mit denen du leben kannst, und ich habe mich für die entschieden, mit der *ich* leben kann. So etwas nennt man einen Kompromiss.«

Ich beugte mich vor und lehnte die Stirn an seine Brust. »Danke«, flüsterte ich.

»Jederzeit«, sagte er und küsste mein Haar. »Alles, was du willst.«

Eine lange Zeit saßen wir reglos da. Ich verbarg das Gesicht an seinem T-Shirt. Zwei Stimmen stritten in meinem Innern. Die erste wollte gut und tapfer sein, die zweite wollte die erste zum Verstummen bringen.

»Wer ist die dritte Frau?«, fragte er unvermittelt.

»Hä?«, machte ich, um Zeit zu gewinnen. Ich war mir nicht bewusst, dass ich schon wieder davon geträumt hatte.

»Letzte Nacht hast du irgendwas von der dritten Frau gemurmelt. Alles andere klang einigermaßen logisch, aber daraus wurde ich nicht schlau.«

»Ach so. Hm, ja. Das war nur eine von den Geschichten, die neulich am Lagerfeuer erzählt wurden.« Ich zuckte die Achseln. »Ist mir wohl irgendwie in Erinnerung geblieben.«

Edward lehnte sich zurück und legte den Kopf schräg. Offenbar irritierte ihn der nervöse Unterton in meiner Stimme.

Bevor er fragen konnte, erschien Alice mit grimmiger Miene in der Küchentür.

»Du wirst den ganzen Spaß verpassen«, schimpfte sie.

»Hallo, Alice«, sagte er. Er legte mir einen Finger unters Kinn und hob mein Gesicht an, um mir einen Abschiedskuss zu geben.

»Ich komme nachher wieder«, versprach er. »Ich werde die Sache mit den anderen besprechen, wir müssen neu planen.«

»Gut.«

»Da gibt es nicht viel zu planen«, sagte Alice. »Ich habe es ihnen schon erzählt. Emmett freut sich.«

Edward seufzte. »Das kann ich mir vorstellen.«

Er ging zur Tür hinaus, und jetzt stand ich Alice gegenüber. Sie funkelte mich an.

»Es tut mir leid«, sagte ich. »Glaubst du, dadurch wird es für euch gefährlicher?«

Sie schnaubte verächtlich. »Du machst dir zu viele Sorgen, Bella. Pass auf, dass dir keine grauen Haare wachsen.«

»Warum regst du dich dann so auf?«

»Edward ist immer furchtbar griesgrämig, wenn er seinen Willen nicht bekommt. Ich stelle mir nur vor, wie die nächsten paar Monate mit ihm werden.« Sie verzog das Gesicht. »Wenn es dich davor bewahrt, den Verstand zu verlieren, ist es die Sache vermutlich wert. Aber es wäre schön, wenn du deinen Pessimismus zügeln könntest. Er ist absolut überflüssig.«

»Würdest du Jasper gehen lassen, ohne selbst mitzukommen?«, wollte ich wissen.

»Das ist etwas anderes.«

»Klar.«

»Jetzt verschwinde erst mal ins Bad«, befahl sie. »In einer Viertelstunde kommt Charlie nach Hause, und wenn du so fertig aussiehst, lässt er dich so bald nicht wieder ausgehen.«

Ich hatte tatsächlich einen ganzen Tag verloren. Wie unnötig. Gut, dass ich meine Zeit bald nicht mehr mit Schlafen vergeuden musste.

Als Charlie nach Hause kam, sah ich wieder ganz vorzeigbar aus – gekämmt und vollständig angezogen – und deckte gerade in der Küche den Tisch für sein Abendessen. Alice saß dort, wo sonst immer Edward saß, und das schien Charlies Laune zu heben.

»He, Alice! Wie geht's dir?«

»Danke, Charlie, gut.«

»Na, bist du endlich auch aufgestanden?«, sagte er, als ich mich neben ihn setzte, dann wandte er sich wieder zu Alice. »Alles redet von der Party, die deine Eltern gestern gegeben haben. Da habt ihr ja bestimmt noch einiges aufzuräumen.«

Alice zuckte die Schultern. Wie ich sie kannte, war das längst erledigt.

»Das war die Sache wert«, sagte sie. »Es war ein rauschendes Fest.«

»Wo ist Edward?«, fragte Charlie ein wenig brummig. »Hilft er beim Aufräumen?«

Alice seufzte, und ihr Gesicht nahm einen tragischen Ausdruck an. Das war bestimmt nur gespielt, aber so überzeugend, dass ich mir nicht ganz sicher war. »Nein. Er ist unterwegs und plant das Wochenende mit Emmett und Carlisle.«

»Wollen sie schon wieder wandern?«

Alice nickte, sie sah plötzlich ganz unglücklich aus. »Ja. Alle gehen mit, nur ich nicht. Am Ende des Schuljahres machen wir immer eine Rucksacktour, aber dieses Jahr hatte ich mir überlegt, lieber shoppen zu gehen, als zu wandern, und keiner von den anderen bleibt mit mir zu Hause. Ich bin ganz allein.«

Sie verzog den Mund und sah so verzweifelt aus, dass Charlie sich instinktiv vorbeugte und eine Hand ausstreckte, als wollte er ihr helfen. Ich schaute sie misstrauisch an. Was hatte sie vor?

»Alice, du könntest doch so lange bei uns wohnen«, bot Charlie an. »Es gefällt mir gar nicht, dass du ganz allein in dem großen Haus bist.«

Sie seufzte. Irgendetwas zerquetschte mir unterm Tisch den Fuß.

»Aua!«, rief ich.

Charlie drehte sich zu mir um. »Was ist?«

Alice sah mich genervt an. Offenbar fand sie mich extrem begriffsstutzig.

»Hab mir den Zeh gestoßen«, murmelte ich.

»Ach so.« Er wandte sich wieder zu Alice. »Was hältst du davon?«

Sie trat mir wieder auf den Fuß, diesmal nicht ganz so fest.

»Öhm, Dad, wir haben hier doch gar nicht so viel Platz. Alice möchte bestimmt nicht bei mir auf dem Fußboden schlafen …«

Charlie legte die Stirn in Falten. Alice setzte wieder ihre verzweifelte Miene auf.

»Dann wär's vielleicht besser, wenn Bella zu dir kommt«, schlug er vor. »Nur so lange, bis deine Familie wieder da ist.«

»Ach, würdest du das tun, Bella?« Alice lächelte mich strahlend an. »Es macht dir doch nichts aus, mit mir shoppen zu gehen, oder?«

»Gern«, sagte ich. »Shoppen gehen. Na gut.«

»Wann ziehen sie los?«, fragte Charlie.

Alice verzog wieder das Gesicht. »Morgen.«

»Wann soll ich kommen?«, fragte ich.

»Am besten nach dem Abendessen«, sagte sie, dann legte sie nachdenklich einen Finger ans Kinn. »Samstag hast du doch noch nichts vor, oder? Da will ich zum Shoppen mal woandershin fahren, und das dauert sicher den ganzen Tag.«

»Aber nicht nach Seattle«, sagte Charlie und zog die Augenbrauen zusammen.

»Natürlich nicht«, sagte Alice sofort, obwohl wir beide wussten, dass Seattle am Samstag ziemlich sicher sein würde. »Ich dachte an Olympia …«

»Das ist doch was für dich, Bella«, sagte Charlie gutgelaunt. »Da kannst du ein bisschen Stadtluft schnuppern.«

»Ja, Dad. Das wird bestimmt toll.«

Und so hatte Alice mich im Handumdrehen für die Schlacht freigestellt.

Bald darauf kam Edward zurück. Er wirkte nicht im mindesten überrascht, als Charlie ihm einen schönen Ausflug wünschte. Er behauptete, sie würden am nächsten Morgen zeitig aufbrechen, und verabschiedete sich früher als gewöhnlich. Alice ging zusammen mit ihm.

Kurz nachdem sie weg waren, stand ich auf.

»Du kannst doch unmöglich müde sein«, sagte Charlie.

»Ein bisschen schon«, log ich.

»Kein Wunder, dass du nicht gern auf Partys gehst«, murmelte er. »Wenn du so lange brauchst, um dich davon zu erholen.«

Oben lag Edward quer auf meinem Bett.

»Wann treffen wir uns mit den Wölfen?«, fragte ich leise und legte mich zu ihm.

»In einer Stunde.«

»Das ist gut. Jake und seine Freunde brauchen ein bisschen Schlaf.«

»Aber nicht so viel wie du«, sagte er.

Ich wechselte schnell das Thema, weil ich befürchtete, dass er mich überreden wollte, zu Hause zu bleiben. »Hat Alice dir erzählt, dass sie mich schon wieder entführt?«

Er grinste. »Das tut sie aber gar nicht.«

Verwirrt starrte ich ihn an, und er lachte leise über mein verdutztes Gesicht.

»Ich bin der Einzige, der dich als Geisel nehmen darf, hast du das vergessen?«, sagte er. »Alice geht mit den anderen auf die Jagd.« Er seufzte. »Ich muss dieses Mal nicht mit.«

»Dann entführst *du* mich also?«

Er nickte.

Ich dachte kurz darüber nach. Kein Charlie, der lauschte und mich kontrollierte. Und kein Haus voller Vampire mit ihren allzu guten Ohren … Nur er und ich – ganz allein.

»Ist das in Ordnung?«, fragte er, durch mein Schweigen verunsichert.

»Ja … klar, bis auf eins.«

»Was denn?« Er sah mich besorgt an. Es war verrückt, aber er schien immer noch nicht zu wissen, wie sehr ich ihm verfallen war. Vielleicht musste ich das mal deutlicher machen.

»Warum hat Alice Charlie nicht erzählt, ihr würdet schon *heute* Abend aufbrechen?«, fragte ich.

Er lachte erleichtert.

Diesmal machte mir der Weg zu der Lichtung mehr Spaß als letzte Nacht. Ich hatte immer noch ein schlechtes Gewissen und ich hatte immer noch Angst, aber ich war nicht mehr völlig panisch. Ich funktionierte. Ich konnte wieder an die Zukunft denken und fast glauben, dass es gut ausgehen würde. Edward schien es gar nicht so schlimm zu finden, dass er den Kampf verpasste … und deshalb konnte ich kaum an seinen Worten zweifeln, als er sagte, es würde ein Kinderspiel werden. Würde er daran nicht glauben, würde er seine Familie bestimmt nicht im Stich lassen. Vielleicht hatte Alice Recht und ich machte mir zu viele Sorgen.

Wir kamen als Letzte auf der Lichtung an.

Jasper und Emmett kämpften schon miteinander – so, wie sie lachten, waren es nur Aufwärmübungen. Alice und Rosalie saßen auf dem harten Boden und schauten zu. Esme und Carlisle standen ein paar Meter abseits und redeten, sie hatten die Köpfe zusammengesteckt und die Hände ineinander verschränkt und achteten nicht auf die anderen.

Diese Nacht war viel heller als die letzte, der Mond schien durch die dünnen Wolken und ich sah sofort die drei Wölfe, die um den Platz herumstanden und den Kampf aus verschiedenen Perspektiven beobachteten.

Diesmal sah ich Jacob sofort; auch wenn er bei unserem Kommen nicht aufgeschaut hätte, hätte ich ihn erkannt.

»Wo sind die anderen Wölfe?«, fragte ich Edward.

»Sie brauchen nicht alle hier zu sein. Einer würde genügen, aber Sam traut uns nicht genug, um nur Jacob zu schicken, obwohl der dazu bereit war. Quil und Embry sind seine … man könnte sie wohl als seine Eskorte bezeichnen.«

»Jacob vertraut dir.«

Edward nickte. »Er glaubt uns, dass wir nicht versuchen werden, ihn zu töten. Mehr aber auch nicht.«

»Machst du heute Nacht mit?«, fragte ich zögernd. Ich wusste, wie schwer es ihm fiel auszusetzen – fast so schwer, wie es mir fallen würde, allein zurückzubleiben. Vielleicht sogar noch schwerer.

»Wenn es nötig ist, werde ich Jasper helfen. Er möchte Übungen mit verschieden großen Gruppen machen und ihnen beibringen, wie man mit mehreren Angreifern gleichzeitig fertigwird.«

Er zuckte die Achseln.

Und da wurde meine Zuversicht schon wieder von Panik erschüttert.

Sie waren immer noch in der Unterzahl. Und ich machte es noch schlimmer.

Ich starrte auf den Kampfplatz und versuchte meine Angst zu verbergen.

Aber für jemanden, der sich etwas vormachen und sich davon überzeugen wollte, dass schon alles gutgehen würde, war das nicht das Richtige. Schon bald zwang ich mich, den Blick von den Cullens zu wenden – ich wollte den spielerischen Kampf nicht sehen, der in wenigen Tagen echt und gefährlich sein würde –, und da fing Jacob meinen Blick auf und lächelte.

Es war dasselbe Wolfsgrinsen wie in der letzten Nacht, um seine Augen bildeten sich die gleichen Lachfältchen, wie wenn er ein Mensch war.

Ich konnte mir kaum noch vorstellen, dass ich mich vor gar nicht allzu langer Zeit vor den Werwölfen gefürchtet hatte, dass sie mir Albträume bereitet hatten.

Ohne zu fragen, wusste ich, wer von den beiden anderen Embry und wer Quil war. Embry war eindeutig der dünnere, graue Wolf mit den dunklen Flecken auf dem Rücken, der geduldig dasaß und wartete, während Quil, der von einem tiefen

Schokoladenbraun war, im Gesicht etwas heller, die ganze Zeit zuckte, als würde er für sein Leben gern mitkämpfen. Selbst jetzt waren sie keine Monster. Sie waren Freunde.

Und sie sahen nicht annähernd so unverwundbar aus wie Emmett und Jasper, die schneller reagierten als eine Kobra, während das Mondlicht auf ihre granitharte Haut fiel. Die Werwölfe schienen gar nicht zu begreifen, in was für eine Gefahr sie sich begaben. Sie hatten immer noch etwas Menschliches, sie konnten bluten und sterben ...

Edwards Zuversicht beruhigte mich immerhin teilweise, denn ich spürte deutlich, dass er nicht ernsthaft besorgt um seine Familie war. Aber würde es ihm etwas ausmachen, wenn den Wölfen etwas zustieß? Und wenn ihm das gleichgültig war, hatte er dann überhaupt Grund zur Sorge? Edwards Zuversicht konnte mich nur im Hinblick auf die Cullens beruhigen.

Ich versuchte Jacobs Lächeln zu erwidern und den Kloß im Hals hinunterzuschlucken. Offenbar wirkte ich nicht sehr überzeugend.

Leichtfüßig sprang Jacob auf – seine Beweglichkeit passte so gar nicht zu seinem massigen Körper – und zockelte zu Edward und mir herüber.

»Hallo, Jacob«, grüßte Edward höflich.

Jacob beachtete ihn nicht und schaute mich mit seinen dunklen Augen an. Genau wie gestern senkte er den Kopf zu mir und legte ihn schräg. Dann winselte er leise.

»Mir geht es gut«, antwortete ich, bevor Edward übersetzen konnte. »Ich mach mir nur Sorgen, weißt du.«

Jacob starrte mich immer noch an.

»Er möchte wissen, warum«, sagte Edward leise.

Jacob knurrte – nicht drohend, sondern verärgert, und Edwards Lippen zuckten.

»Was ist?«, fragte ich.

»Er findet, dass ich auf unzulässige Weise verkürze. Eigentlich hat er gedacht: Du spinnst. Wieso solltest du dir Sorgen machen? Ich habe leicht gekürzt, weil ich das unhöflich fand.«

Ich lächelte ein wenig, aber ich war zu nervös, um es richtig lustig zu finden. »Es gibt einiges, worüber ich mir Sorgen machen kann«, sagte ich zu Jacob. »Zum Beispiel einen Haufen dämlicher Wölfe, die sich in Gefahr bringen.«

Jacob lachte sein hustendes Lachen.

Edward seufzte. »Jasper braucht Hilfe. Schaffst du es ohne Dolmetscher?«

»Das geht schon.«

Einen Augenblick sah Edward mich nachdenklich an, sein Blick war schwer zu deuten. Dann drehte er sich um und ging hinüber zu Jasper.

Ich setzte mich auf den Boden. Er war kalt und unbequem.

Jacob entfernte sich einen Schritt, drehte sich dann nach mir um und winselte leise. Wieder machte er einen halben Schritt.

»Geh ruhig ohne mich«, sagte ich. »Ich will nicht zugucken.«

Wieder legte Jacob den Kopf schräg, dann ließ er sich mit einem grollenden Seufzen neben mir nieder.

»Du kannst wirklich gehen«, sagte ich. Statt einer Antwort legte er den Kopf auf die Vorderpfoten.

Ich starrte zu den hellen Silberwolken hinauf, ich wollte den Kampf nicht sehen. Meine Phantasie brauchte nicht noch mehr Nahrung. Eine frische Brise wehte über die Lichtung und ich zitterte.

Jacob rückte näher und schmiegte sein warmes Fell an meine linke Seite.

»Öh, danke«, murmelte ich.

Kurz darauf lehnte ich mich an seine breite Schulter. So war es schon viel bequemer.

Langsam zogen die Wolken über den Himmel, und während sie sich vor den Mond schoben, wurde es mal dunkler, mal heller. Geistesabwesend begann ich mit den Fingern sein Nackenfell zu kämmen. Jetzt war in seiner Kehle das gleiche merkwürdige Summen wie gestern zu hören. Es war ein behaglicher Laut. Rauer und wilder als das Schnurren einer Katze, aber mit dem gleichen zufriedenen Klang.

»Ich hatte nie einen Hund«, sagte ich nachdenklich. »Ich wollte immer einen haben, aber Renée ist allergisch gegen Hundehaare.«

Jacob lachte, sein Körper bebte unter mir.

»Machst du dir gar keine Sorgen wegen Samstag?«, fragte ich.

Er drehte den riesigen Kopf so zu mir, dass ich sehen konnte, wie er die Augen verdrehte.

»Wenn ich doch auch so zuversichtlich wäre.«

Er legte mir den Kopf ans Bein und fing wieder an zu summen. Und da ging es mir tatsächlich ein kleines bisschen besser.

»Morgen haben wir also eine ganz schöne Wanderung vor uns.«

Er machte ein grollendes Geräusch, es klang begeistert.

»Das könnte eine wirklich lange Wanderung werden«, sagte ich warnend. »Edward hat ein anderes Verhältnis zu Entfernungen als normale Menschen.«

Wieder lachte Jacob hustend.

Ich ließ mich tiefer in sein warmes Fell sinken und legte den Kopf an seinen Hals.

Es war schon seltsam. Obwohl Jacob in dieser grotesken Ge-stalt war, erinnerte mich das Zusammensein mit ihm jetzt viel mehr an früher – an die unbeschwerte Freundschaft von damals –, als wenn wir uns von Mensch zu Mensch trafen. Wie eigenartig, dass sich die alte Vertrautheit ausgerechnet jetzt wieder einstellte, wo ich doch gedacht hatte, ich hätte sie durch seine Verwandlung verloren.

Auf der Lichtung gingen die Todesspiele weiter, und ich starrte hinauf zum verschwommenen Mond.

EIN KOMPROMISS

Alles war bereit.

Ich hatte für meinen zweitägigen Besuch bei »Alice« gepackt, meine Tasche wartete auf dem Beifahrersitz des Transporters. Die Konzertkarten hatte ich Angela, Ben und Mike geschenkt. Mike wollte Jessica mitnehmen, genau wie ich gehofft hatte. Billy hatte das Boot von Old Quil Ateara geliehen und Charlie zum Fischen auf offener See eingeladen, ehe das Spiel am Nachmittag losging. Collin und Brady, die beiden jüngsten Werwölfe, blieben zu Hause, um La Push zu beschützen – dabei waren sie noch Kinder, beide erst dreizehn. Trotzdem war Charlie in La Push bestimmt sicherer als alle, die in Forks blieben.

Ich hatte getan, was in meiner Macht stand. Ich versuchte mich damit abzufinden und verdrängte alles, was ich nicht beeinflussen konnte, zumindest für diese Nacht. So oder so würde die Sache in achtundvierzig Stunden ausgestanden sein. Dieser Gedanke hatte fast etwas Tröstliches.

Edward hatte gesagt, ich solle keine Angst haben, und ich gab mir große Mühe.

»Könnten wir wenigstens diese eine Nacht einmal alles vergessen und nur an uns beide denken?«, hatte er gesagt und mich mit seinem unbeschreiblichen Blick angesehen. »Irgendwie kommt das immer zu kurz. Dabei gibt es für mich nichts Wichtigeres, als mit dir zusammen zu sein. Nur mit dir.«

Es war nicht schwer, diese Bitte zu erfüllen, obwohl ich fürchtete, dass das mit dem Vergessen so eine Sache war. Aber jetzt, da ich wusste, dass diese Nacht nur uns gehörte, hatte ich anderes im Kopf, und das half.

Es hatte sich einiges verändert.

Zum Beispiel war ich bereit.

Ich war bereit, mich seiner Familie und seiner Welt anzuschließen. Dessen war ich mir ganz sicher, das hatte ich aus all dem gelernt, was ich jetzt empfand, Angst, Schuldgefühle und Leid. Als ich, an einen Werwolf gelehnt, zu dem wolkenverhangenen Mond geschaut hatte, hatte ich alles noch einmal genau überdenken können, und ich wusste, dass ich nicht noch einmal in Panik geraten würde. Wenn wir das nächste Mal solch einer Bedrohung gegenüberstanden, würde ich bereit sein. Dann wollte ich eine Hilfe sein, kein Klotz am Bein. Er sollte sich nie wieder zwischen mir und seiner Familie entscheiden müssen. Wir würden ein Team sein, wie Alice und Jasper. Beim nächsten Mal konnte er auf mich zählen.

Ich wollte warten, bis das Damoklesschwert nicht mehr über mir schwebte, damit Edward zufrieden war. Aber eigentlich war das nicht nötig. Ich war bereit.

Nur eins fehlte noch.

Eins fehlte, denn manches hatte sich nicht verändert, zum Beispiel die Tatsache, dass ich ihn immer noch verzweifelt liebte. Ich hatte genug Zeit gehabt, darüber nachzudenken, was Jaspers und Emmetts Wette bedeutete – darüber, was ich zusammen mit meiner Menschlichkeit aufgeben konnte und was ich auf keinen Fall aufgeben wollte. Und ich wusste, dass ich *eine* menschliche Erfahrung unbedingt noch machen wollte, ehe ich verwandelt wurde.

Also hatten wir heute Nacht einiges zu besprechen. Nach allem, was ich in den letzten beiden Jahren erlebt hatte, glaubte ich nicht mehr an das Wort »unmöglich«. Jetzt brauchte es schon mehr, um mich aufzuhalten.

Na gut, ganz so einfach würde es wohl nicht werden. Aber ich wollte es versuchen.

Bei aller Entschlossenheit war ich natürlich doch nervös, als ich die lange Auffahrt zu seinem Haus entlangfuhr – ich hatte keine Ahnung, wie ich mein Vorhaben umsetzen sollte, und deshalb hatte ich ziemlichen Bammel. Er saß auf dem Beifahrersitz und bemühte sich sehr, über mein Schneckentempo nicht zu grinsen. Es wunderte mich, dass er nicht darauf bestanden hatte, selbst zu fahren, aber heute Abend schien ihm mein Tempo nichts auszumachen.

Als wir bei ihm zu Hause ankamen, war es schon dunkel. Trotzdem war die Wiese hell erleuchtet von dem Licht, das aus allen Fenstern schien.

Kaum hatte ich den Motor ausgeschaltet, hielt Edward mir schon die Tür auf. Er hob mich mit einem Arm aus dem Wagen, holte meine Tasche heraus und nahm sie über die Schulter. Seine Lippen legten sich auf meine, und ich hörte, wie er die Wagentür mit dem Fuß zustieß.

Ohne die Lippen von meinen zu lösen, trug er mich ins Haus.

Hatte die Haustür schon offen gestanden? Ich wusste es nicht. Aber jetzt waren wir jedenfalls drinnen und mir war schwindelig. Ich musste mich daran erinnern zu atmen.

Dieser Kuss erschreckte mich nicht. Es war nicht wie früher, als ich seine Angst selbst durch die Beherrschung hindurch spüren konnte. Jetzt waren seine Lippen überschwänglich statt ängstlich – er schien sich über die Aussicht, dass wir eine ganze

Nacht für uns hatten, genauso zu freuen wie ich. Minutenlang standen wir im Eingang und küssten uns; er war nicht so zurückhaltend wie sonst, kalt und drängend lag sein Mund auf meinem.

Vorsichtiger Optimismus machte sich in mir breit. Vielleicht war das, was ich wollte, leichter zu haben, als ich dachte.

Aber nein, natürlich würde es kein bisschen leichter werden. Mit einem leisen Lachen schob er mich weg und hielt mich auf Armeslänge.

»Willkommen zu Hause«, sagte er mit weichem Blick.

»Das klingt gut«, sagte ich atemlos.

Sanft stellte er mich auf die Füße. Ich schlang die Arme um ihn, ich wollte keinen Abstand zwischen uns.

»Ich habe etwas für dich«, sagte er im Plauderton.

»Ja?«

»Du hast doch gesagt, etwas Gebrauchtes sei erlaubt.«

»Ah ja, stimmt. Das hab ich wohl gesagt.«

Er kicherte über mein Widerstreben.

»Es ist oben in meinem Zimmer. Soll ich es holen?«

In seinem Schlafzimmer? »Klar«, sagte ich und kam mir ziemlich durchtrieben vor, als ich seine Hand nahm. »Ich komme mit.«

Offenbar konnte er es gar nicht abwarten, mir das Geschenk zu überreichen, denn die menschliche Geschwindigkeit reichte ihm nicht aus. Wieder hob er mich hoch, und dann flogen wir fast die Treppe hinauf. An der Tür ließ er mich runter und flitzte ins Zimmer.

Ehe ich auch nur einen Fuß vor den anderen setzen konnte, war er schon zurück, aber ich ging einfach an ihm vorbei zu dem großen goldenen Bett, setzte mich auf den Rand und rutschte dann in die Mitte. Ich rollte mich zusammen und schlang die Arme um die Knie.

»Na gut«, brummte ich. Jetzt war ich dort, wo ich hinwollte, da konnte ich mir ein leichtes Widerstreben leisten. »Dann gib mal her.«

Edward lachte.

Er setzte sich neben mich aufs Bett, und mein Herz begann unregelmäßig zu pochen. Hoffentlich verbuchte er das als Reaktion darauf, dass er mir etwas schenkte.

»Es ist gebraucht«, erinnerte er mich ernsthaft. Er nahm meinen linken Arm von meinem Bein und berührte ganz kurz das silberne Armband. Dann gab er mir meinen Arm zurück.

Ich betrachtete das Armband. Gegenüber von dem Wolf hing jetzt ein funkelnder herzförmiger Kristall. Er bestand aus zahllosen Facetten, und sogar im schwachen Schein der Lampe glitzerte er. Ich stieß einen kleinen Schreckenslaut aus.

»Es hat meiner Mutter gehört.« Er zuckte entschuldigend die Achseln. »Ich habe noch mehr von derlei Tand geerbt. Einiges habe ich Esme und Alice geschenkt. Es hat also keine große Bedeutung.«

Ich lächelte, jetzt tat es mir ein bisschen leid, dass er sich für sein Geschenk beinahe entschuldigen musste.

»Aber ich dachte mir, es wäre ein passendes Symbol«, sagte er. »Es ist hart und kalt.« Er lachte. »Und in der Sonne glitzert es regenbogenfarben.«

»Die wichtigste Gemeinsamkeit hast du vergessen«, murmelte ich. »Es ist wunderschön.«

»Mein Herz ist genauso stumm«, sagte er nachdenklich. »Und es gehört auch dir.«

Ich drehte das Handgelenk so, dass das Herz funkelte. »Danke schön. Für beides.«

»Nein, ich danke dir. Ich bin froh, dass du mein Geschenk ohne weiteres annimmst. Das ist eine gute Übung für dich.« Er grinste und seine Zähne blitzten.

Ich schmiegte mich an ihn, barg den Kopf unter seinem Arm und kuschelte mich an seine Seite. So ähnlich musste es sich wohl anfühlen, mit Michelangelos David zu kuscheln, nur dass diese makellose Marmorgestalt mich in die Arme nahm und näher an sich zog.

Jetzt schien mir der Moment gekommen, um den Anfang zu machen.

»Ich würde gern etwas mit dir besprechen. Und ich fände es gut, wenn du versuchen könntest, aufgeschlossen zu sein.«

Er zögerte kurz. »Ich werde mir Mühe geben«, sagte er dann. Es klang vorsichtig.

»Ich werde keine Regeln brechen«, versprach ich. »Es geht hier nur um uns beide.« Ich räusperte mich. »Also … ich fand es sehr erfreulich, dass wir uns neulich so leicht auf einen Kompromiss einigen konnten. Und ich habe mir überlegt, dass ich dasselbe in einer anderen Sache versuchen möchte.« Ich fragte mich, wieso ich so förmlich sprach. Wahrscheinlich waren das die Nerven.

»Worüber möchtest du verhandeln?«, fragte er mit einem Lächeln in der Stimme.

Verzweifelt überlegte ich, wie ich anfangen sollte.

»Hör mal, wie dein Herz flattert«, murmelte er. »Wie die Flügel eines Kolibris. Geht es dir gut?«

»Ja, super.«

»Dann sprich weiter«, sagte er aufmunternd.

»Ja, also zunächst möchte ich mit dir über diese lächerliche Bedingung reden, über die Sache mit der Heirat.«

»Lächerlich nur in deinen Augen. Was ist damit?«

»Ich hab mich gefragt, ob … können wir darüber noch verhandeln?«

Edward runzelte die Stirn, jetzt war er ernst. »Ich habe bereits die denkbar größten Zugeständnisse gemacht – wider besseres Wissen habe ich zugestimmt, dass dir das Leben geraubt wird. Und das sollte mich doch zu dem einen oder anderen Zugeständnis von deiner Seite berechtigen.«

»Nein.« Ich schüttelte den Kopf und versuchte ganz gelassen zu wirken. »Das ist alles längst beschlossene Sache. Wir reden hier nicht über meine … Verwandlung. Ich möchte ein paar andere Einzelheiten festklopfen.«

Er sah mich misstrauisch an. »Als da wären?«

Ich zögerte. »Lass uns erst mal deine Bedingungen klären.«

»Du weißt, was ich will.«

»Heiraten.« Ich ließ es wie ein Schimpfwort klingen.

»Ja.« Er lächelte breit. »Das wäre das Eine.«

Vor Schreck entglitten mir die Gesichtszüge. »Was denn noch?«

»Nun ja«, sagte er mit berechnender Miene. »Wenn du meine Frau bist, dann gehört alles, was mir gehört, auch dir … wie zum Beispiel das Studiengeld. Dartmouth wäre dann kein Problem mehr.«

»Sonst noch was? Nicht, dass das nicht schon abwegig genug wäre.«

»Gegen ein wenig mehr *Zeit* hätte ich auch nichts einzuwenden.«

»Nein. Ganz ausgeschlossen. Jetzt wirst du schon wortbrüchig.«

Er seufzte sehnsüchtig. »Noch ein oder zwei Jahre?«

Ich schüttelte den Kopf, die Lippen stur zusammengepresst. »Sonst noch was?«

»Das ist alles. Es sei denn, du möchtest über Autos reden …«

Er grinste breit, als ich ihm eine Grimasse schnitt, dann nahm er meine Hand und spielte mit meinen Fingern.

»Mir war nicht klar, dass du noch etwas anderes möchtest, als in ein Monster verwandelt zu werden. Ich bin ausgesprochen neugierig.« Er sprach leise und sanft. Wäre mir der nervöse Unterton nicht so vertraut gewesen, hätte ich ihn sicher nicht bemerkt.

Ich schwieg und starrte auf unsere Hände. Ich wusste immer noch nicht, wie ich anfangen sollte. Ich spürte seinen Blick auf mir, und ich hatte Angst aufzuschauen. Die Hitze brannte mir im Gesicht.

Er strich mir mit seinen kühlen Fingern über die Wange. »Du wirst ja rot«, sagte er überrascht. Ich hielt den Blick gesenkt. »Bitte, Bella, spann mich nicht so auf die Folter.«

Ich biss mir auf die Lippe.

»Bella.« Das klang jetzt vorwurfsvoll, und ich dachte daran, wie quälend es für ihn war, wenn ich meine Gedanken für mich behielt.

»Na ja, ich mache mir ein bisschen Sorgen … wie es danach ist«, gestand ich und sah ihn endlich an.

Ich spürte, wie er sich anspannte, aber seine Stimme blieb samten und zärtlich. »Weswegen machst du dir Sorgen?«

»Ihr alle seid so felsenfest davon überzeugt, dass ich danach nichts anderes mehr im Kopf haben werde, als alle in der Stadt abzuschlachten«, sagte ich. Er zuckte bei meinen brutalen Worten zusammen. »Und ich fürchte, dass ich bei dem ganzen Gemetzel mich selbst verlieren könnte … und dass ich … dass ich dich dann vielleicht nicht mehr so *will* wie jetzt.«

»Bella, diese Phase geht vorüber«, versicherte er mir.

Er begriff nicht, worauf ich hinauswollte.

»Edward«, sagte ich nervös und starrte auf eine Sommer-
sprosse an meinem Handgelenk. »Es gibt etwas, was ich noch
tun möchte, solange ich ein Mensch bin.«

Er wartete darauf, dass ich weitersprach. Aber ich sagte nichts
mehr. Mein Gesicht glühte.

»Alles, was du willst«, sagte er eifrig und völlig ahnungslos.

»Versprichst du es?«, sagte ich leise. Ich wusste, dass ich ihn
damit nicht festnageln konnte, aber es war zu verlockend.

»Ja«, sagte er. Ich schaute auf, sein Blick war ernst und verwirrt. »Sag mir, was du willst, und du bekommst es.«

Ich kam mir so unglaublich blöd und unbeholfen vor. Ich war
zu unschuldig – und das war natürlich genau der Punkt. Ich
hatte nicht die leiseste Ahnung, wie man es anstellte, verführerisch zu sein. Ich musste es so versuchen, wie ich war – knallrot
und total verunsichert.

»Dich«, sagte ich so leise, dass man es kaum verstehen
konnte.

»Mich hast du doch schon.« Er lächelte, immer noch ahnungslos, und versuchte meinen Blick festzuhalten, als ich wieder wegschaute.

Ich holte tief Luft und rutschte ein Stück zu ihm hin. Jetzt
kniete ich auf dem Bett. Dann schlang ich die Arme um seinen
Hals und küsste ihn.

Er erwiderte meinen Kuss bereitwillig, wenn auch verwirrt.
Seine Lippen lagen zärtlich auf meinen, und ich merkte, dass er
mit den Gedanken woanders war – er versuchte herauszufinden,
was ich im Sinn hatte. Ich entschied, dass ich ihm auf die
Sprünge helfen musste.

Meine Hände zitterten ein wenig, als ich meine Arme von seinem Hals löste. Meine Finger wanderten zu seinem Hemdkra-
gen. Das Zittern war nicht gerade hilfreich, als ich versuchte, die

Knöpfe schnell aufzumachen, bevor er mich daran hindern konnte.

Seine Lippen erstarrten, und ich konnte es in seinem Kopf fast klicken hören, als er meine Worte und meine Taten zusammenbrachte.

Sofort schob er mich von sich und sah mich missbilligend an.

»Bella, bitte sei vernünftig.«

»Du hast es versprochen – alles, was ich will«, erinnerte ich ihn ohne Hoffnung.

»Darüber müssen wir gar nicht erst diskutieren.« Er sah mich wütend an, dann machte er die beiden Knöpfe wieder zu, die ich aufbekommen hatte.

Ich schlug die Zähne zusammen.

»O doch«, sagte ich. Ich fasste mir an die Bluse und riss den obersten Knopf auf.

Er packte meine Handgelenke und drückte sie mir an den Körper.

»O nein«, sagte er klipp und klar.

Wütend starrten wir uns an.

»Du wolltest es ja wissen«, sagte ich.

»Ich dachte, es wäre etwas halbwegs Realistisches.«

»Dann kannst du also alles verlangen, was du willst, und wenn es noch so lächerlich ist – wie *heiraten* –, und ich darf noch nicht mal darüber reden, was ich …«

Während ich tobte, hielt er mit einer Hand meine Hände fest, mit der anderen Hand hielt er mir den Mund zu.

»Nein.« Sein Gesichtsausdruck war hart.

Ich atmete tief durch, um mich zu beruhigen. Und als die Wut verflogen war, empfand ich etwas anderes.

Es dauerte einen Moment, bis ich begriff, weshalb ich den Blick wieder gesenkt hatte und wieder rot wurde – weshalb ich ein unangenehmes Gefühl im Bauch hatte und meine Augen feucht wurden, weshalb ich plötzlich am liebsten weggelaufen wäre.

Das Gefühl, zurückgewiesen worden zu sein, durchströmte mich so heftig, dass ich nichts dagegen tun konnte.

Ich wusste, dass es idiotisch war. Er hatte mir immer wieder versichert, dass es ihm nur um meine Sicherheit ging. Aber ich hatte mich ihm noch nie so ausgeliefert. Finster schaute ich auf die Bettdecke, golden wie seine Augen, und versuchte den instinktiven Gedanken zu verdrängen, dass ich nicht begehrt wurde und nicht begehrenswert war.

Edward seufzte. Er nahm die Hand von meinem Mund und legte sie unter mein Kinn, dann hob er mein Gesicht so an, dass ich ihn ansehen musste.

»Was ist los?«

»Nichts«, sagte ich leise.

Er schaute mich lange und prüfend an, während ich vergeblich versuchte, seinem Blick auszuweichen. Er zog die Stirn in Falten, entsetzt sah er mich an.

»Habe ich dich verletzt?«, fragte er.

»Nein«, log ich.

Ehe ich mich's versah, war ich in seinen Armen, das Gesicht zwischen seiner Schulter und seiner Hand, während er mir mit dem Daumen über die Wange strich.

»Du weißt, warum ich nein sagen muss«, flüsterte er. »Du weißt, dass ich dich auch will.«

»Ja?«, flüsterte ich voller Zweifel zurück.

»Natürlich, du verrücktes, schönes, überempfindliches Mädchen.« Er lachte kurz auf, dann sagte er niedergeschlagen: »Wollen sie dich nicht alle? Es kommt mir vor, als würden sie hinter mir Schlange stehen und sich gegenseitig wegdrängeln

und nur darauf warten, dass ich endlich einen Fehler mache ...
Du bist einfach zu begehrenswert.«

»Wer ist hier verrückt?« Ich bezweifelte, dass ungeschickt
plus unsicher plus linkisch für irgendjemanden begehrenswert
ergab.

»Muss ich erst eine Unterschriftenaktion machen, damit du
mir glaubst? Soll ich dir die Namen nennen, die ganz oben auf
der Liste stehen würden? Ein paar kennst du, einige würden
dich vielleicht überraschen.«

Ich schüttelte an seiner Brust den Kopf und verzog das Gesicht. »Du willst bloß ablenken. Bleiben wir beim Thema.«

Er seufzte.

»Unterbrich mich bitte, wenn ich irgendwas falsch verstanden habe.« Ich versuchte es ganz nüchtern zu sagen. »Du verlangst, dass ich dich heirate« – ich konnte das Wort nicht aussprechen, ohne angewidert zu gucken –, »du willst meine
Studiengebühren zahlen, ich soll mir mehr Zeit lassen und mir
am liebsten auch noch ein schnelleres Auto zulegen.« Ich hob
die Augenbrauen. »War's das? Ich finde das ganz schön heftig.«

»Nur das Erste ist eine Forderung.« Er konnte sich das Grinsen kaum verkneifen. »Das andere sind nur Wünsche.«

»Und meine einsame kleine Forderung ist ...«

»Forderung?«, fuhr er dazwischen, jetzt auf einmal wieder
ernst.

»Ja, Forderung.«

Seine Augen wurden schmal.

»Wenn ich heirate, muss ich mich ganz schön verbiegen.
Ohne Gegenleistung spiele ich da nicht mit.«

Er beugte sich zu mir herab und flüsterte mir mit seidiger
Stimme ins Ohr: »Nein. Es geht jetzt noch nicht. Später, wenn
du nicht mehr so zerbrechlich bist. Hab Geduld, Bella.«

Ich versuchte, ganz beherrscht und mit fester Stimme zu sprechen. »Aber das ist ja gerade das Problem. Wenn ich nicht mehr so zerbrechlich bin, bin ich auch nicht mehr dieselbe. Dann bin ich eine andere! Ich weiß gar nicht, wer ich dann bin.«

»Du wirst immer noch Bella sein«, versprach er.

Ich runzelte die Stirn. »Wie kann das sein, wenn ich so jenseits von Gut und Böse bin, dass ich sogar Charlie umbringen würde, dass ich bei der erstbesten Gelegenheit Jacobs oder Angelas Blut trinken würde?«

»Das geht vorüber. Und ich bezweifle, dass du das Blut dieses Hundes würdest trinken wollen.« Er tat so, als würde es ihn bei der Vorstellung schütteln. »Selbst als Neugeborene wirst du einen besseren Geschmack haben.«

Ich überging seinen Versuch, vom Thema abzulenken. »Aber das wird immer mein größtes Verlangen sein, oder?«, sagte ich. »Blut, Blut und noch mehr Blut!«

»Die Tatsache, dass du noch am Leben bist, beweist doch, dass das nicht stimmt«, sagte er.

»Mehr als achtzig Jahre später«, erinnerte ich ihn. »Aber ich meinte es körperlich. Ich weiß, dass ich nach einer Weile wieder ich selbst sein kann. Aber rein körperlich – ich werde immer Durst haben, mehr als alles andere.«

Er gab keine Antwort.

»Also werde ich doch eine andere sein«, folgerte ich, als er nicht widersprach. »Denn im Moment gibt es nichts, was ich körperlich mehr begehre als dich. Weder Essen noch Wasser oder Sauerstoff. Mein Kopf hilft mir, die Prioritäten etwas vernünftiger zu setzen. Aber rein körperlich …«

Ich drehte den Kopf zur Seite und küsste ihn in die Hand.

Er holte tief Luft. Zu meiner Überraschung klang es ein wenig unsicher.

»Bella, ich könnte dich umbringen«, flüsterte er.

»Das glaube ich nicht.«

Er nahm die Hand von meinem Gesicht und langte nach etwas hinter sich, was ich nicht sehen konnte. Irgendetwas krachte gedämpft, und das Bett unter uns wackelte. Als er mir die Hand wieder hinhielt, war etwas Dunkles darin; er öffnete sie, und ich schaute es an. Es war eine Metallblume, eine der Rosen, mit denen die schmiedeeisernen Pfosten und der Himmel des Betts verziert waren. Edward schloss kurz die Hand, drückte die Finger leicht zusammen und öffnete die Hand dann wieder.

Wortlos zeigte er mir den zerdrückten schwarzen Metallklumpen. Es war ein Abdruck seiner Hand, wie ein Stück Knete in einer Kinderhand. Kurz darauf zerbröselte der Klumpen zu schwarzem Sand.

Ich starrte ihn wütend an. »Das habe ich nicht gemeint. Ich weiß, wie stark du bist. Dafür brauchst du nicht die Möbel zu demolieren.«

»Was hast du denn gemeint?«, fragte er düster; er warf den Eisensand in eine Ecke des Zimmers, wie Regen prasselte er an die Wand.

Er sah mich aufmerksam an, als ich es zu erklären versuchte.

»Jedenfalls nicht, dass du körperlich nicht in der Lage wärst, mich zu verletzen, wenn du wolltest ... eher dass du mir gar nicht wehtun *willst* ... und dass ich deshalb glaube, du könntest es gar nicht.«

Noch ehe ich ausgeredet hatte, schüttelte er den Kopf.

»Es könnte aber sein, dass es schiefgeht, Bella.«

»Könnte«, sagte ich spöttisch. »Du weißt genauso wenig wie ich, wovon du sprichst.«

»Eben. Glaubst du etwa, ich würde dich einem solchen Risiko aussetzen?«

Ich schaute ihm lange in die Augen. Kein Zeichen der Bereitschaft einzulenken, keine Spur von Unschlüssigkeit war darin zu erkennen.

»Bitte«, flüsterte ich schließlich verzweifelt. »Das ist alles, was ich möchte. Bitte.« Ergeben schloss ich die Augen und wartete auf ein schnelles, endgültiges Nein.

Doch er antwortete nicht gleich. Ich zögerte ungläubig, als ich hörte, dass sein Atem wieder unregelmäßig ging.

Ich öffnete die Augen. Er sah gequält aus.

»Bitte«, flüsterte ich wieder, und mein Herz begann heftiger zu schlagen. Schnell versuchte ich, seine plötzliche Unsicherheit auszunutzen, ich stolperte über meine Worte. »Du brauchst mir nichts zu versprechen. Wenn es nicht klappt, dann ist es eben so. Ich will es nur versuchen ... einfach nur versuchen. Und dann gebe ich dir auch, was du willst«, sagte ich hastig. »Ich heirate dich. Du darfst für Dartmouth bezahlen, und ich sage nichts zu dem Bestechungsgeld, das du für meinen Studienplatz gezahlt hast. Du kannst mir sogar einen schnellen Wagen kaufen, wenn es dich glücklich macht! Nur ... *bitte*.«

Seine eisigen Arme umschlossen mich fester, und seine Lippen waren an meinem Ohr; sein kühler Atem ließ mich zittern. »Das ist unerträglich. So vieles wollte ich dir geben – und ausgerechnet das verlangst du. Kannst du dir überhaupt vorstellen, wie weh es tut, dir zu widerstehen, wenn du mich so bittest?«

»Dann gib den Widerstand auf«, sagte ich atemlos.

Er antwortete nicht.

»Bitte«, versuchte ich es wieder.

»Bella ...« Er schüttelte langsam den Kopf, aber es fühlte sich nicht wie ein Nein an, als seine Lippen an meinem Hals auf und ab wanderten. Es fühlte sich eher so an, als würde er aufgeben. Mein Herz, das sowieso schon schnell schlug, fing jetzt an zu rasen.

Wieder versuchte ich jede Chance zu nutzen, so gut es ging. Als er das Gesicht langsam, unschlüssig zu mir wandte, drehte ich mich schnell in seinen Armen, bis meine Lippen auf seinen lagen. Er nahm mein Gesicht in die Hände, und ich dachte, er würde mich wieder von sich schieben.

Aber ich hatte mich getäuscht.

Sein Mund war nicht zärtlich; in der Art, wie er die Lippen bewegte, lag eine ungekannte Mischung aus Verzweiflung und Zerrissenheit. Ich schlang die Arme um seinen Hals, und an meiner plötzlich überhitzten Haut fühlte sich sein Körper kälter an denn je. Ich erschauerte, aber nicht vor Kälte.

Er hörte nicht auf mich zu küssen. Ich war diejenige, die sich losreißen musste, um nach Luft zu schnappen. Und selbst da verließen seine Lippen nicht meinen Körper, sie wanderten nur zu meiner Kehle. Ich empfand so etwas wie Siegestaumel, ich fühlte mich mächtig und unerschrocken. Diesmal waren meine Hände nicht zittrig, ich konnte sein Hemd mühelos aufknöpfen, und meine Finger zeichneten seine makellose eisige Brust nach. Er war zu schön. Was hatte er eben noch gesagt? Unerträglich – das war's. Seine Schönheit war mehr, als ich ertragen konnte …

Ich zog sein Gesicht wieder zu meinem heran, und er schien genauso begierig zu sein wie ich. Eine Hand lag immer noch an meinem Gesicht, mit der anderen Hand hielt er mich fest um die Taille und zog mich enger an sich. Dadurch kam ich etwas schlechter an die Knöpfe meiner Bluse, aber es ging.

Kalte Eisenfesseln umklammerten meine Handgelenke und

hoben mir die Hände über den Kopf, der plötzlich auf dem Kissen lag.

Seine Lippen waren wieder an meinem Ohr. »Bella«, murmelte er, und seine Stimme war warm und samten. »Würdest du bitte aufhören dich auszuziehen?«

»Möchtest du das lieber machen?«, fragte ich verwirrt.

»Nicht heute Nacht«, sagte er leise. Seine Lippen an meiner Wange waren jetzt langsamer, nicht mehr so drängend.

»Edward, hör auf ...«, setzte ich an.

»Ich habe nicht nein gesagt«, versicherte er mir. »Ich sage nur, nicht heute Nacht.«

Ich dachte darüber nach, während mein Atem zur Ruhe kam.

»Nenn mir einen einzigen überzeugenden Grund, weshalb diese Nacht nicht genauso gut ist wie jede andere.« Ich war immer noch atemlos; der Ärger in meiner Stimme klang daher nicht ganz überzeugend.

»Ich bin doch nicht von gestern.« Er lachte mir leise ins Ohr. »Was glaubst du, wem von uns beiden es schwerer fällt, die Bedingungen des anderen zu erfüllen? Gerade hast du versprochen, mich zu heiraten, bevor du dich verwandeln lässt, doch wenn ich dir jetzt nachgebe, wer garantiert mir dann, dass du morgen früh nicht zu Carlisle rennst? Ich bin ganz eindeutig weniger abgeneigt, deine Bedingung zu erfüllen. Deshalb ... bist du zuerst dran.«

Ich schnaubte. »Ich soll dich erst heiraten?«, fragte ich fassungslos.

»Das ist die Abmachung – du hast die Wahl. Ein Kompromiss, weißt du noch?«

Er nahm mich in die Arme und begann mich auf eine Weise zu küssen, die verboten sein sollte. So verführerisch – das grenzte schon an Nötigung. Ich versuchte einen kühlen Kopf zu bewahren ... und versagte auf ganzer Linie.

»Ich finde, das ist eine ganz miese Idee«, keuchte ich, als er mich freigab.

»Es überrascht mich nicht, dass du so darüber denkst.« Er schmunzelte. »Du hast ja nur das Eine im Kopf.«

»Wie konnte das passieren?«, grollte ich. »Ich dachte, heute hätte ich mal die Oberhand – nur ein einziges Mal – und jetzt plötzlich ...«

»Bist du verlobt!«, vollendete er meinen Satz.

»O nein! Bitte sprich es nicht aus!«

»Stehst du nicht zu deinem Wort?«, fragte er. Er wich ein Stück zurück und schaute mich prüfend an. Er sah amüsiert aus. Offenbar fand er das Ganze sehr witzig.

Ich blitzte ihn an. Sein Lächeln ließ mein Herz schneller schlagen, aber ich versuchte es zu ignorieren.

»Und?«, fragte er drängend.

»Oh!«, stöhnte ich. »Doch. Ich stehe dazu. Bist du jetzt glücklich?«

Sein Lächeln war umwerfend. »Überglücklich.«

Ich stöhnte wieder.

»Bist du gar nicht glücklich?«

Er küsste mich wieder, bevor ich antworten konnte. Noch so ein allzu verführerischer Kuss.

»Ein bisschen«, gab ich zu, als ich wieder sprechen konnte. »Aber nicht darüber, dass wir heiraten.«

Wieder küsste er mich. »Hast du nicht auch das Gefühl, dass bei uns die Rollen vertauscht sind?« Er lachte mir ins Ohr. »Eigentlich müsstest du so argumentieren wie ich und ich wie du, traditionell gesehen.«

»An uns beiden ist nicht viel Traditionelles.«

»Auch wieder wahr.«

Er küsste mich noch einmal, so lange, dass mein Herz wieder raste und meine Haut glühte.

»Edward«, murmelte ich, und meine Stimme wurde schmeichelnd, als er meine Handfläche küsste. »Ich habe gesagt, dass ich dich heiraten werde, und das werde ich auch. Ich verspreche es. Ich schwöre es. Wenn du willst, unterschreibe ich einen Vertrag mit meinem eigenen Blut.«

»Das ist nicht witzig«, murmelte er mit den Lippen an meinem Puls.

»Ich will doch nur sagen, dass ich dich nicht hereinlegen werde oder so. So gut müsstest du mich kennen. Es gibt also überhaupt keinen Grund zu warten. Wir sind hier ganz allein – wie oft kommt das vor? – und du hast dieses große, bequeme Bett besorgt ...«

»Nicht heute Nacht«, sagte er wieder.

»Vertraust du mir nicht?«

»Doch, natürlich.«

Mit der Hand, die er immer noch küsste, hob ich sein Gesicht so an, dass ich ihn anschauen konnte.

»Was spricht dann noch dagegen? Du hast doch gewusst, dass du am Ende gewinnen würdest.« Ich runzelte die Stirn. »Du gewinnst ja immer.«

»Ich gehe lieber auf Nummer sicher«, sagte er ruhig.

»Da gibt es doch noch einen anderen Grund«, sagte ich und schaute ihn argwöhnisch an. Ich sah eine Andeutung in seinem Gesicht, irgendetwas, was er hinter seiner lässigen Art verbarg. »Willst *du* vielleicht nicht zu deinem Wort stehen?«

»Doch«, versprach er feierlich. »Ich schwöre dir, dass wir es versuchen werden. Nach der Hochzeit.«

Ich schüttelte den Kopf und lachte missmutig. »Ich komme

mir vor wie der Schurke in einer Schmierenkomödie – ich zwirbele genüsslich meinen Schnurrbart, während ich versuche, einem armen Mädchen die Unschuld zu rauben.«

Er sah mich vorsichtig an, dann drückte er schnell die Lippen an mein Schlüsselbein.

»Das ist es, stimmt's?« Ich lachte auf, aber ich war eher entsetzt als belustigt. »Du versuchst deine Tugend zu bewahren!« Ich hielt mir den Mund zu, um ein Kichern zu ersticken. Es war so ein altmodischer Ausdruck.

»Nein, du dummes Mädchen«, murmelte er an meiner Schulter. »Ich versuche *deine* zu bewahren. Und du machst es mir erschreckend schwer.«

»Das ist das Lächerlichste ...«

»Eine Frage«, unterbrach er mich schnell. »Wir hatten diese Diskussion schon einmal, aber sieh es mir nach. Wie viele Menschen in diesem Raum haben eine Seele? Eine Chance auf den Himmel oder was auch immer nach dem Leben kommen mag?«

»Zwei«, sagte ich sofort und voller Überzeugung.

»Na gut, vielleicht hast du Recht. Über dieses Thema wird zwar viel gestritten, aber die große Mehrheit scheint doch der Ansicht zu sein, dass man sich an gewisse Regeln halten muss.«

»Reichen dir die Vampirregeln nicht? Musst du dir auch noch über die Regeln der Menschen Gedanken machen?«

»Es kann nicht schaden.« Er zuckte die Schultern. »Für alle Fälle.«

Ich sah ihn wütend an.

»Es mag natürlich sein, dass es für mich bereits zu spät ist, selbst wenn du Recht hast, was meine Seele betrifft.«

»Nein, ist es nicht«, widersprach ich heftig.

»Das Gebot ›Du sollst nicht töten‹ wird von den meisten

Gesellschaften akzeptiert, Bella. Und ich habe viele Menschen getötet.«

»Aber nur böse Menschen.«

Er zuckte die Achseln. »Vielleicht rettet mich das, vielleicht auch nicht. Aber du hast noch niemanden umgebracht ...«

»Soweit du weißt«, sagte ich leise.

Er lächelte, ging aber nicht weiter auf meine Bemerkung ein. »Und ich werde mein Bestes geben, dich nicht in Versuchung zu führen.«

»Na gut. Aber es geht hier nicht um Mord«, wandte ich ein.

»Dasselbe Prinzip lässt sich auch hier anwenden – mit dem Unterschied, dass ich auf diesem Gebiet eine genauso reine Weste habe wie du. Kann es nicht wenigstens eine Regel geben, die ich nicht breche?«

»Eine?«

»Du weißt, dass ich gestohlen habe, gelogen, ich habe begehrt ... meine Tugend ist alles, was ich noch habe.« Er grinste schief.

»Ich lüge andauernd.«

»Ja, aber so schlecht, dass es nicht richtig zählt. Dir glaubt sowieso niemand.«

»Ich hoffe doch sehr, dass du damit falschliegst – sonst platzt Charlie gleich mit einer geladenen Flinte hier rein.«

»Charlie geht es besser, wenn er so tut, als würde er dir deine Geschichten abkaufen. Er belügt sich lieber selbst, als zu genau hinzusehen.« Edward grinste.

»Aber was hast du je begehrt?«, fragte ich zweifelnd. »Du hast doch alles.«

»Ich habe dich begehrt.« Seine Miene verfinsterte sich. »Ich hatte kein Recht, dich zu wollen – doch ich habe einfach zugegriffen. Und jetzt sieh, was aus dir geworden ist! Du versuchst einen Vampir zu verführen.« In gespieltem Entsetzen schüttelte er den Kopf.

»Aber du darfst doch das begehren, was dir schon gehört«, sagte ich. »Außerdem dachte ich, du wärst um *meine* Tugend besorgt.«

»So ist es auch. Selbst wenn es für mich schon zu spät ist … so will ich verdammt sein, wenn sie dich durch meine Schuld auch nicht hineinlassen.«

»Ich werde nirgends hingehen, wo du nicht bist«, sagte ich.

»Das wäre wirklich die Hölle. Außerdem hab ich für all das eine ganz einfache Lösung: Wir sterben einfach nie, okay?«

»Das klingt einfach. Warum bin ich darauf nicht selbst gekommen?«

Er lächelte mich an, bis ich mit einem wütenden »Hmpf« aufgab. »Dann ist es also so. Du schläfst erst mit mir, wenn wir verheiratet sind.«

»Genau genommen kann ich nie mit dir schlafen.«

Ich verdrehte die Augen. »Sei nicht so albern.«

»Aber abgesehen davon hast du es richtig verstanden, ja.«

»Ich glaube, da steckt noch etwas anderes dahinter.«

Er sah mich unschuldig an. »Noch etwas?«

»Du weißt genau, dass das die Sache beschleunigt«, sagte ich.

Er versuchte ein Lächeln zu unterdrücken. »Es gibt nur eins, was ich gern beschleunigen würde, alles andere kann warten bis in alle Ewigkeit … Aber du hast Recht, was das betrifft, sind deine ungeduldigen menschlichen Hormone meine stärksten Verbündeten.«

»Ich fasse es nicht, dass ich eingewilligt habe. Wenn ich an Charlie denke … und an Renée! Kannst du dir vorstellen, was Angela denken wird? Oder Jessica? Oje. Ich höre jetzt schon das Getratsche.«

Er zog eine Augenbraue hoch, und ich wusste, warum. Was spielte es für eine Rolle, was sie über mich redeten, wo ich doch sowieso bald für immer verschwinden würde? War ich so ein Sensibelchen, dass ich nicht mal ein paar Wochen verstohlene Seitenblicke und anzügliche Fragen aushielt? Vielleicht wäre es halb so wild, wenn ich nicht wüsste, dass ich vermutlich genauso lästern würde, wenn eine von den anderen in diesem Sommer heiraten würde.

O Mann. In diesem Sommer heiraten! Ich schauderte.

Vielleicht würde es mir gar nicht so viel ausmachen, wenn ich nicht dazu erzogen worden wäre, die Ehe als etwas Fürchterliches anzusehen.

Edward unterbrach meine quälenden Gedanken. »Es muss ja keine große Veranstaltung sein. Ich muss kein großes Tamtam haben. Du brauchst es niemandem zu erzählen und nichts zu verändern. Wir fahren nach Las Vegas – du kannst in alten Jeans gehen, und wir fahren zu einer von diesen Kapellen, die Schnellhochzeiten anbieten. Ich möchte es nur offiziell haben – dass du zu mir gehörst und zu keinem anderen.«

»Offizieller, als es ist, kann es gar nicht mehr werden«, murrte ich. Aber so, wie er es beschrieb, klang es gar nicht so übel. Nur Alice würde enttäuscht sein.

»Wir kriegen das schon hin.« Er lächelte selbstzufrieden. »Ich nehme an, du möchtest deinen Ring jetzt noch nicht haben?«

Ich musste erst mal schlucken. »Da vermutest du ganz richtig.«

Er lachte über mein Gesicht. »Kein Problem. Ich werde ihn dir schon früh genug anstecken.«

Ich blitzte ihn an. »Du redest so, als hättest du schon einen.«

»Habe ich auch«, sagte er unverblümt. »Er wartet nur darauf, dass ich ihn dir beim ersten Zeichen von Schwäche aufdränge.«

»Du bist unglaublich.«

»Möchtest du ihn sehen?«, fragte er. Seine weichen Topasaugen leuchteten plötzlich vor Aufregung.

»Nein!« Ich schrie es fast, es war wie ein Reflex. Sofort bereute ich es, als ich sah, wie seine Miene sich ein kleines bisschen verfinsterte. »Es sei denn, du willst ihn mir unbedingt zeigen«, lenkte ich ein. Ich biss die Zähne zusammen, damit er meine irrationale Panik nicht bemerkte.

»Kein Problem«, sagte er achselzuckend. »Das hat Zeit.«

Ich seufzte. »Jetzt zeig mir schon den verdammten Ring, Edward.«

Er schüttelte den Kopf. »Nein.«

Ich schaute ihn lange an.

»Bitte«, sagte ich dann leise und testete meine neu entdeckte Waffe. Ich berührte sein Gesicht mit den Fingerspitzen. »Kann ich ihn bitte sehen?«

Er kniff die Augen zusammen. »Du bist das gefährlichste Wesen, das mir je begegnet ist«, sagte er. Doch er stand auf und kniete sich mit einer Anmut, deren er sich nicht bewusst war, vor den Nachttisch. Sofort war er wieder bei mir auf dem Bett und legte mir einen Arm um die Schultern. Er hatte eine kleine schwarze Schachtel in der Hand. Er stellte sie auf mein linkes Knie.

»Jetzt schau ihn dir schon an«, sagte er schroff.

Es kostete mich große Überwindung, die harmlose kleine Schachtel zu nehmen, aber ich wollte ihn nicht noch einmal kränken, also achtete ich angestrengt darauf, dass meine Hand nicht zitterte. Die Schachtel war aus glattem schwarzen Satin. Zögernd strich ich mit den Fingern darüber.

»Du hast hoffentlich nicht *sehr* viel Geld dafür ausgegeben, oder? Falls doch, sag es mir bitte nicht.«

»Ich habe gar nichts ausgegeben«, sagte er. »Es ist schon wieder ein Erbstück. Das ist der Ring, den mein Vater meiner Mutter gegeben hat.«

»Oh«, sagte ich überrascht. Ich drückte den Deckel zwischen Daumen und Zeigefinger, ohne ihn zu öffnen.

»Ich fürchte, er ist ein wenig altmodisch«, sagte er gespielt entschuldigend. »Genau wie ich. Ich kann dir auch einen moderneren besorgen. Bei Tiffany zum Beispiel.«

»Ich mag altmodische Sachen«, sagte ich leise und öffnete zögernd die Schachtel.

In dem schwarzen Satin steckte golden, schmal und zierlich Elizabeth Masens Ring und funkelte im schwachen Licht. Eingewoben in das fragile goldene Netz bildeten schräge Reihen kleiner runder Diamanten ein glitzerndes Oval. Ich hatte noch nie etwas Vergleichbares gesehen.

Intuitiv strich ich über die leuchtenden Steine.

»Der ist aber hübsch«, murmelte ich überrascht.

»Gefällt er dir?«

»Er ist wunderschön.« Ich zuckte die Achseln und tat so, als ob es mich nicht weiter interessierte. »Wie sollte er mir nicht gefallen?«

Er lachte leise. »Probier ihn mal an.«

Ich ballte die linke Hand zu einer Faust.

»Bella.« Er seufzte. »Ich will ihn dir doch nicht an den Finger schweißen. Du sollst ihn nur anprobieren, damit ich sehen kann, ob ich ihn ändern lassen muss. Danach kannst du ihn sofort wieder abnehmen.«

»Na gut«, sagte ich widerstrebend.

Ich wollte den Ring nehmen, aber Edward war schneller. Er nahm meine linke Hand und schob mir den Ring auf den Finger. Er hielt meine Hand so, dass wir beide das funkelnde Oval auf meiner Haut sehen konnten. Es fühlte sich nicht so schlimm an, wie ich befürchtet hatte.

»Passt wie angegossen«, sagte er unbeteiligt. »Das ist gut – dann kann ich mir den Gang zum Juwelier sparen.«

Ich spürte, dass sich sehr viel mehr hinter seinem beiläufigen Ton verbarg, und schaute ihm ins Gesicht. Auch in seinen Augen sah ich es, obwohl er betont gleichmütig guckte.

»Das gefällt dir, oder?«, fragte ich misstrauisch, wedelte mit der Hand und bedauerte, dass ich mir nicht die *linke* Hand gebrochen hatte.

Er zuckte die Schultern. »Ja, klar«, sagte er, immer noch ganz lässig. »Er steht dir sehr gut.«

Ich schaute ihm in die Augen und versuchte zu entschlüsseln, was da unter der Oberfläche schwelte. Er erwiderte meinen Blick, und plötzlich fiel die Fassade. Er strahlte – sein Engelsgesicht strahlte voller Freude und Triumph. Er war so siegestrunken, dass es mir den Atem verschlug.

Bevor ich wieder Luft holen konnte, küsste er mich, seine Lippen frohlockend. In meinem Kopf drehte sich alles, als er den Mund an mein Ohr legte – sein Atem ging genauso stoßweise wie meiner.

»Ja, es gefällt mir. Du weißt gar nicht, wie sehr.«

Ich lachte und keuchte ein wenig. »Ich glaube dir.«

»Stört es dich, wenn ich noch etwas mache?«, fragte er leise und nahm mich fest in die Arme.

»Alles, was du willst.«

Doch er ließ mich los und erhob sich.

»Aber das nicht!«, beschwerte ich mich.

Er achtete nicht darauf, nahm meine Hand und zog mich vom Bett. Er legte mir die Hände auf die Schultern und stand mit ernstem Gesicht vor mir.

»Nein, ich möchte es so machen, wie es sich gehört. Bitte, bitte denk daran, dass du schon ja gesagt hast, und mach es mir nicht kaputt.«

»O nein«, stöhnte ich, als er einen Kniefall machte.

»Sei nett«, sagte er.

Ich atmete tief durch.

»Isabella Swan?« Er schaute zu mir auf, seine Wimpern waren so unglaublich lang, und sein Blick war weich, aber immer noch glühend. »Ich verspreche dir, dass ich dich immer lieben werde – jeden Tag bis in alle Ewigkeit. Willst du mich heiraten?«

Es gab vieles, was ich gern gesagt hätte, manches davon ziemlich unfreundlich, anderes so sentimental und kitschig, wie er es mir bestimmt in seinen wildesten Träumen nicht zugetraut hätte. Doch anstatt mir diese Blöße zu geben, flüsterte ich »Ja«.

»Danke«, sagte er nur. Er nahm meine linke Hand und küsste jede einzelne Fingerspitze, und zum Schluss küsste er den Ring, der jetzt mir gehörte.

Falsche Fährte

Ich empfand es als reine Zeitvergeudung, in dieser Nacht überhaupt zu schlafen, aber leider ließ es sich nicht vermeiden. Die Sonne vor dem Fenster schien hell, als ich erwachte, und kleine Wolken huschten allzu schnell über den Himmel. Der Wind rüttelte so heftig an den Wipfeln, dass es aussah, als wollte der Wald auseinanderfallen.

Edward ließ mich allein, damit ich mich anziehen konnte, und ich war froh, ein wenig Zeit zum Nachdenken zu haben. Irgendwie war mein Plan für die letzte Nacht völlig schiefgegangen, und ich musste mir über die Folgen klarwerden. Zwar hatte ich ihm den Ring zurückgegeben, sobald der Takt es zuließ, aber trotzdem fühlte sich meine linke Hand schwerer an – als wäre der Ring immer noch da, nur unsichtbar.

Es ist Unsinn, sich darüber aufzuregen, versuchte ich mir zu sagen. Es war keine große Sache – nur eine Fahrt nach Las Vegas. Ich hatte sogar noch was Besseres anzuziehen als alte Jeans – meine alte Jogginghose. Die Zeremonie dauerte bestimmt nicht lange, höchstens eine Viertelstunde. Das würde ich schon überstehen.

Und wenn wir das hinter uns hatten, musste er seinen Teil der Abmachung erfüllen. Daran wollte ich denken und den Rest einfach vergessen.

Er hatte gesagt, ich brauche es niemandem zu erzählen, und ich würde ihn beim Wort nehmen. Es war natürlich dumm von mir, nicht an Alice zu denken.

Die Cullens kamen gegen Mittag nach Hause. Eine neue, geschäftsmäßige Aura umgab sie, und das erinnerte mich wieder daran, was uns bevorstand.

Alice schien ungewöhnlich schlechter Laune zu sein. Ich schrieb es ihrer Wut darüber zu, dass ihre Gabe nicht funktionierte, denn als Erstes beschwerte sie sich bei Edward darüber, dass sie mit den Wölfen zusammenarbeiten musste.

»Ich *glaube*« – sie verzog das Gesicht, als sie dieses Wort benutzte –, »du solltest für kaltes Wetter packen, Edward. Ich kann nicht sehen, wo genau ihr sein werdet, weil ihr mit diesem Hund zusammen loszieht. Aber der Sturm, der gerade aufkommt, scheint in der gesamten Gegend besonders schlimm zu sein.«

Edward nickte.

»In den Bergen wird es Schnee geben«, warnte sie ihn.

»Schnee, bah«, murmelte ich. Es war Juni, verdammt noch mal.

»Zieh eine Jacke über«, sagte Alice zu mir. Es klang unfreundlich, und das wunderte mich. Ich versuchte ihre Miene zu deuten, aber sie wandte das Gesicht ab.

Ich schaute zu Edward, und er lächelte – was immer Alice bedrückte, ihn schien es zu amüsieren.

Edwards Campingausrüstung war beeindruckend – alles Requisite für das Menschentheater; die Cullens waren gute Kunden bei Newton's. Er nahm einen Daunenschlafsack, ein kleines Zelt und mehrere Packungen Trockennahrung – er grinste, als ich das Gesicht verzog – und stopfte alles in seinen Rucksack.

Alice kam zu uns in die Garage und sah Edward beim Packen zu. Edward achtete nicht auf sie.

Als er fertig war, reichte er mir sein Mobiltelefon. »Ruf doch schon mal Jacob an und sag ihm, dass wir in etwa einer Stunde so weit sind. Den Treffpunkt kennt er.«

Jacob war nicht zu Hause, aber Billy versprach, herumzutelefonieren, bis er einen Werwolf erreicht hatte, dem er die Nachricht ausrichten konnte.

»Mach dir wegen Charlie keine Sorgen, Bella«, sagte Billy. »Ich hab alles im Griff.«

»Ja, ich weiß, dass Charlie in Sicherheit ist.« Was Jacobs Sicherheit anging, war ich nicht ganz so zuversichtlich, aber das sagte ich nicht.

»Schade, dass ich morgen nicht dabei sein kann«, sagte Billy und lachte bedauernd. »Es ist ein Elend, ein alter Mann zu sein.«

Das Gen für diesen Kampftrieb musste auf dem Y-Chromosom liegen. Die Typen waren alle gleich.

»Viel Spaß mit Charlie.«

»Viel Glück, Bella«, sagte er. »Und … richte das auch den … öh … Cullens von mir aus.«

»Mach ich«, sagte ich überrascht.

Als ich Edward das Telefon zurückgab, sah ich, dass Alice und er eine Art stumme Diskussion führten. Sie schaute ihn bittend an. Ihm war anzusehen, dass er nicht glücklich mit dem war, was sie wollte.

»Billy wünscht euch viel Glück.«

»Das ist sehr großzügig von ihm«, sagte Edward und löste sich von Alice' Blick.

»Bella, könnte ich mal mit dir allein sprechen?«, fragte Alice schnell.

»Du machst mir das Leben damit schwerer als nötig, Alice«, sagte Edward. »Es wäre mir wirklich lieber, wenn du es sein ließest.«

»Es geht hier nicht um dich, Edward.«

Er lachte, ihn schien ihre Antwort zu amüsieren.

»Wirklich nicht, Edward«, beharrte Alice. »Das ist eine Frauensache.«

Er runzelte die Stirn.

»Lass sie mit mir reden«, sagte ich zu ihm. Jetzt war ich neugierig.

»Du hast es nicht anders gewollt«, murmelte er. Er lachte wieder – halb wütend, halb belustigt – und ging aus der Garage. Ich wandte mich zu Alice, jetzt etwas besorgt, aber sie schaute mich nicht an. Ihre schlechte Laune hatte sich noch nicht gelegt.

Sie setzte sich auf die Motorhaube ihres Porsche, sie sah niedergeschlagen aus. Ich ging zu ihr und lehnte mich an die Stoßstange.

»Bella?«, sagte sie traurig, rutschte zu mir herüber und lehnte sich an mich. Es klang so kläglich, dass ich sie tröstend in die Arme nahm.

»Alice, was ist denn?«

»Hast du mich nicht gern?«, fragte sie in demselben traurigen Ton.

»Natürlich hab ich dich gern. Das weißt du doch.«

»Warum sehe ich dich dann, wie du heimlich nach Las Vegas fährst, um zu heiraten, ohne mich einzuladen?«

»Ach so«, sagte ich leise und merkte, wie ich knallrot wurde. Ich begriff, dass ich sie ernsthaft verletzt hatte, und versuchte mich schnell zu verteidigen. »Du weißt doch, wie ungern ich so was an die große Glocke hänge. Außerdem war es Edwards Idee.«

»Es ist mir egal, wessen Idee es war. Wie konntest *du* mir das antun? Von *Edward* erwarte ich nichts anderes, aber du! Ich liebe dich wie eine Schwester.«

»Für mich *bist* du meine Schwester, Alice.«

»Nichts als Worte!«, sagte sie aufgebracht.

»Na gut, du kannst mitkommen. Da gibt's aber nicht viel zu sehen.«

Sie zog immer noch einen Flunsch.

»Was ist?«

»*Wie* gern hast du mich, Bella?«

»Warum fragst du?«

Sie sah mich flehend an, ihre feinen schwarzen Augenbrauen zogen sich zusammen, ihre Mundwinkel zitterten. Es sah herzzerreißend aus.

»Bitte, bitte, bitte«, flüsterte sie. »Bitte, Bella, bitte – wenn du mich wirklich gernhast … Bitte lass mich deine Hochzeit ausrichten.«

»Oh, Alice!«, stöhnte ich, entzog mich ihrer Umarmung und stand auf. »Nein! Tu mir das nicht an!«

»Wenn du mich wirklich richtig gernhast, Bella.«

Ich verschränkte die Arme vor der Brust. »Das ist so gemein. Auf dieselbe Tour hat Edward mich auch schon erpresst.«

»Ich wette, Edward wäre es lieber, wenn ihr ganz klassisch heiraten würdet, obwohl er das nie zugeben würde. Und Esme – stell dir nur vor, was es für sie bedeuten würde!«

Ich stöhnte. »Lieber würde ich ganz allein gegen die Neugeborenen kämpfen.«

»Ich wäre dir zehn Jahre lang zu Dank verpflichtet.«

»Hundert Jahre!«

Ihre Augen leuchteten. »Ist das ein Ja?«

»Nein! Ich will das nicht!«

»Du brauchst doch überhaupt nichts zu tun, nur ein paar Meter gehen und dem Pfarrer nachsprechen.«

»Bah! Bah! Bah!«

»Bitte!« Sie begann auf und ab zu hüpfen. »Bitte, bitte, bitte, bitte, bitte, ja?«

»Das werde ich dir nie, nie, nie verzeihen, Alice.«

»Jippie!«, kreischte sie und klatschte in die Hände.

»Das war kein Ja!«

»Aber es wird eins«, trällerte sie.

»Edward!«, schrie ich und stürmte aus der Garage. »Ich weiß, dass du lauschst. Komm sofort her.« Alice folgte mir auf dem Fuß, sie klatschte immer noch in die Hände.

»Vielen Dank, Alice«, sagte Edward eisig, als er hinter mich trat. Ich drehte mich um und wollte ihm die Meinung sagen, aber er sah so besorgt aus, dass mir die Worte im Hals stecken blieben. Stattdessen schlang ich die Arme um ihn und verbarg das Gesicht, damit er die Tränen der Wut in meinen Augen nicht womöglich falsch deutete.

»Las Vegas«, versprach Edward mir leise.

»Kommt gar nicht in Frage«, sagte Alice hämisch. »Das würde Bella mir niemals antun. Weißt du, Edward, als Bruder enttäuschst du mich manchmal.«

»Sei nicht so gemein«, fuhr ich sie an. »Er versucht mich glücklich zu machen, ganz im Gegensatz zu dir.«

»Ich versuche auch dich glücklich zu machen, Bella. Aber ich weiß besser als du, was dich glücklich macht ... auf lange Sicht. Du wirst mir noch dafür danken. Vielleicht nicht in den nächsten fünfzig Jahren, aber eines Tages ganz bestimmt.«

»Ich hätte nie gedacht, dass ich jemals gegen dich wetten würde, aber jetzt ist es so weit.«

Sie lachte ihr Silberlachen. »Und, zeigst du mir jetzt den Ring?«

Ich verzog das Gesicht, als sie meine linke Hand nahm und sie ebenso schnell wieder losließ.

»Hm. Ich habe doch gesehen, wie er ihn dir angesteckt hat ... Ist mir da etwas entgangen?« Sie konzentrierte sich einen Augenblick und runzelte die Stirn, bevor sie sich selbst die Antwort gab. »Nein. Der Plan für die Heirat steht noch.«

»Bella hat ein Problem mit Schmuck«, erklärte Edward.

»Was ist schon ein Diamant mehr oder weniger? Na ja, der Ring hat sicher viele Diamanten, aber er hat dir doch sowieso schon …«

»Es reicht jetzt, Alice!«, fuhr Edward dazwischen. Wie er sie anfunkelte … jetzt sah er wieder aus wie ein Vampir. »Wir haben es eilig.«

»Ich verstehe kein Wort. Was war das mit den Diamanten?«, fragte ich.

»Darüber reden wir später«, sagte Alice. »Edward hat Recht – ihr müsst jetzt los. Ihr müsst dem Feind eine Falle stellen und euer Zelt aufschlagen, ehe der Sturm kommt.« Jetzt sah sie besorgt und nervös aus. »Vergiss deine Jacke nicht, Bella. Es scheint … ungewöhnlich kalt für die Jahreszeit zu werden.«

»Ich habe sie schon«, versicherte Edward ihr.

»Eine schöne Nacht wünsche ich euch«, sagte sie zum Abschied.

Zu der Lichtung war es doppelt so weit wie sonst; Edward machte einen Umweg, damit mein Geruch auf keinen Fall in der Nähe des Pfades war, den Jacob später mit seinem Geruch überdecken würde. Er trug mich im Arm, auf seinem Rücken war der vollgepackte Rucksack.

Am äußersten Rand der Lichtung blieb er stehen und setzte mich ab.

»So. Jetzt geh einfach eine Weile in Richtung Norden und fasse so viel an wie möglich. Alice hat mir ihre Route genau beschrieben, es wird nicht lange dauern, bis wir sie kreuzen.«

»Nach Norden?«

Er lächelte und zeigte mir die Richtung.

Ich ging in den Wald hinein und ließ das klare gelbe Licht des seltsam sonnigen Tages hinter mir zurück. Vielleicht täuschte sich Alice mit ihren verschwommenen Visionen, was den Schnee anging. Ich hoffte es. Der Himmel war fast wolkenlos, obwohl der Wind über die freien Flächen fegte. Inmitten der Bäume war es ruhiger, aber für Juni war es viel zu kalt. Selbst mit einem langärmligen T-Shirt und einem Pulli darüber hatte ich Gänsehaut. Ich ging langsam und berührte alles in meiner Reichweite: die raue Rinde der Bäume, den nassen Farn, die moosbedeckten Steine.

Edward blieb in der Nähe, er ging in etwa zwanzig Meter Entfernung parallel zu mir.

»Ist es so gut?«, rief ich.

»Perfekt.«

Da hatte ich eine Idee. »Ob das was bringt?«, fragte ich, fuhr mir mit den Fingern durchs Haar und zog ein paar lose Haare heraus. Ich hängte sie in den Farn.

»Ja, so wird die Fährte noch deutlicher. Aber du brauchst dir keine Haare herauszureißen, Bella. Das wird schon genügen.«

»Ich hab noch ein paar übrig.«

Es war düster unter den Bäumen, ich wäre gern näher bei Edward gewesen und hätte seine Hand genommen.

Ich hängte noch ein Haar über einen abgebrochenen Zweig, der in meinen Weg ragte.

»Du musst nicht tun, was Alice sagt«, sagte Edward.

»Keine Sorge, Edward. So oder so werde ich dich nicht vor dem Altar sitzenlassen.« Ich hatte das bange Gefühl, dass Alice ihren Kopf durchsetzen würde, zum einen, weil sie skrupellos war, wenn sie etwas wollte, zum anderen, weil ich immer sofort einknickte, wenn man mir ein schlechtes Gewissen machte.

»Deswegen mache ich mir auch keine Sorgen. Ich möchte nur, dass es so wird, wie du es dir wünschst.«

Ich unterdrückte ein Seufzen. Es hätte seine Gefühle verletzt, wenn ich ihm die Wahrheit gesagt hätte – dass es keine große Rolle spielte, weil es für mich sowieso grässlich war, der Unterschied war nur graduell.

»Selbst wenn sie sich durchsetzt, können wir es im kleinen Rahmen halten. Nur wir. Emmett kann sich so eine Lizenz aus dem Internet holen und dann traut er uns.«

Ich kicherte. »Das klingt schon besser.« Wenn Emmett das Eheversprechen verlesen würde, würde es sich nicht so offiziell anhören, das wäre ein Vorteil. Allerdings würde es mir schwerfallen, ernst zu bleiben.

»Siehst du«, sagte er und lächelte. »Man kann immer einen Kompromiss finden.«

Bei meinem Tempo dauerte es eine Weile, bis ich zu der Stelle kam, wo die Armee der Neugeborenen meinen Weg kreuzen würde, aber Edward verlor nie die Geduld.

Zurück musste er mich ein wenig mehr lenken, damit ich denselben Weg nahm. Für mich sah alles gleich aus.

Wir waren schon fast bei der Lichtung, als ich hinfiel. Ich sah die große freie Stelle vor mir, und da achtete ich im Eifer des Gefechts wohl nicht auf meine Füße. Ich konnte gerade noch verhindern, dass ich mit dem Kopf gegen einen Baum knallte, aber unter meiner linken Hand brach ein kleiner Zweig entzwei und stach mir in die Haut.

»Aua! Na super«, murmelte ich.

»Hast du dir wehgetan?«

»Nicht besonders. Bleib, wo du bist. Ich blute. Es ist gleich vorüber.«

Er hörte nicht auf mich. Sofort war er bei mir.

»Ich habe einen Erste-Hilfe-Kasten«, sagte er und setzte den Rucksack ab. »Ich hatte das Gefühl, ich könnte ihn brauchen.«

»Es ist nicht schlimm. Ich kümmere mich selbst darum – du brauchst dich nicht zu quälen.«

»Ich quäle mich nicht«, sagte er ruhig. »Warte – ich werde die Wunde säubern.«

»Moment mal, ich hab gerade eine bessere Idee.«

Ich schaute nicht auf das Blut und atmete durch den Mund, für den Fall, dass mein Magen rebellierte. Dann drückte ich die Hand auf einen Stein.

»Was machst du da?«

»Jasper wird begeistert sein«, sagte ich leise. Ich ging wieder in Richtung der Lichtung und drückte die Hand unterwegs auf alles, was sich anbot. »Das bringt sie bestimmt so richtig in Rage.«

Edward seufzte.

»Halt die Luft an«, sagte ich.

»Für mich ist es kein Problem. Ich finde nur, du übertreibst.«

»Mehr kann ich ja nicht tun. Da will ich meine Sache wenigstens gut machen.«

Jetzt hatten wir die letzten drei Bäume hinter uns gelassen. Ich strich mit der verletzten Hand über einen Farn.

»Das ist dir gelungen«, versicherte Edward mir. »Die Neugeborenen werden außer sich sein, und Jasper wird beeindruckt sein, wie ernst du deine Aufgabe nimmst. Aber jetzt möchte ich die Wunde behandeln – du hast Dreck hineinbekommen.«

»Das kann ich doch selbst machen.«

Er nahm meine Hand und untersuchte sie lächelnd. »Das macht mir nichts mehr aus.«

Ich beobachtete ihn ganz genau, während er die Wunde säuberte. Doch er atmete gleichmäßig ein und aus, immer noch ein kleines Lächeln auf den Lippen.

»Warum nicht?«, fragte ich schließlich, als er einen Verband um meine Hand wickelte.

Er zuckte die Schultern. »Ich bin darüber hinweg.«

»Du ... bist drüber hinweg? Seit wann? Und wieso?« Ich versuchte mich zu erinnern, wann er das letzte Mal in meiner Nähe die Luft angehalten hatte. Mir fiel nur meine unselige Geburtstagsfeier im letzten September ein.

Edward legte die Stirn in Falten, er schien nach Worten zu suchen. »Seit ich einmal vierundzwanzig Stunden lang in dem Glauben gelebt habe, du seist tot, Bella, hat sich meine Einstellung zu vielen Dingen verändert.«

»Rieche ich seitdem anders für dich?«

»Ganz und gar nicht. Aber ... seit ich erlebt habe, wie es sich anfühlt, dich zu verlieren ... reagiere ich nicht mehr so auf den Geruch. Mein ganzes Wesen schreckt vor allem zurück, was mir noch einmal solch einen Schmerz bereiten könnte.«

Darauf wusste ich nichts zu sagen.

Er lächelte über meinen Gesichtsausdruck. »Man könnte es eine lehrreiche Erfahrung nennen.«

In diesem Moment fegte der Wind über die Lichtung, peitschte mir das Haar ins Gesicht und ließ mich erzittern.

»Nun denn«, sagte er und fasste wieder in seinen Rucksack. »Du hast deine Aufgabe erfüllt.« Er holte meine dicke Winterjacke heraus und half mir hinein. »Nun liegt es nicht mehr in deinen Händen. Jetzt wird gezeltet!«

Ich lachte über seine gespielte Begeisterung.

Er nahm meine verbundene Hand – die andere war noch immer in der Schiene – und dann gingen wir auf die andere Seite der Lichtung.

»Wo treffen wir uns mit Jacob?«, fragte ich.

»Hier.« In dem Moment, als er auf die Bäume vor uns zeigte, trat Jacob misstrauisch dahinter hervor.

Es hätte mich nicht überraschen dürfen, dass er in Menschen-

gestalt kam. Ich wusste nicht recht, weshalb ich nach dem großen rotbraunen Wolf Ausschau gehalten hatte.

Jacob kam mir schon wieder größer vor – aber ganz sicher
spielte mein Gedächtnis mir einen Streich; unbewusst hatte ich
wohl gehofft, den kleinen Jacob aus meiner Erinnerung zu treffen, den unkomplizierten Freund, mit dem es keine Schwierigkeiten gab. Jetzt hatte er die Arme vor der nackten Brust verschränkt und hielt eine Jacke in der Faust. Mit ausdrucksloser
Miene schaute er uns an.

Edward zog die Mundwinkel nach unten. »Es hätte bestimmt
eine bessere Möglichkeit gegeben.«

»Dafür ist es jetzt zu spät«, sagte ich düster.

Er seufzte.

»Hallo, Jake«, sagte ich, als wir näher kamen.

»Hi, Bella.«

»Hallo, Jacob«, sagte Edward.

Jacob ignorierte den Gruß und tat ganz geschäftsmäßig. »Wo
soll ich sie hinbringen?«

Edward zog eine Karte aus der Seitentasche des Rucksacks
und reichte sie Jacob. Der faltete sie auseinander.

»Wir sind jetzt hier«, sagte Edward und zeigte auf die Stelle. Jacob zuckte unwillkürlich vor seiner Hand zurück, dann
riss er sich zusammen. Edward tat so, als hätte er nichts gemerkt.

»Und du bringst sie hierhin«, fuhr Edward fort und zeichnete
mit dem Finger Serpentinen an den Höhenlinien auf der Karte
entlang. »Etwa vierzehn Kilometer.«

Jacob nickte kurz.

»Wenn ihr noch etwa anderthalb Kilometer von dort entfernt
seid, müsstet ihr meinen Weg kreuzen. Er wird dich hinführen.
Brauchst du die Karte?«

»Nein, danke. Ich kenne das Gebiet ziemlich gut. Ich weiß, wo es langgeht.«

Jacob schien es schwerer zu fallen als Edward, nicht unfreundlich zu werden.

»Ich nehme einen längeren Weg«, sagte Edward. »Wir sehen uns dann in ein paar Stunden.« Er sah mich unglücklich an. Dieser Teil des Plans gefiel ihm nicht.

»Bis später«, murmelte ich.

Edward verschwand in die entgegengesetzte Richtung zwischen den Bäumen.

Kaum war er weg, lebte Jacob auf.

»Was gibt's, Bella?«, fragte er mit breitem Grinsen.

Ich verdrehte die Augen. »Immer noch dasselbe.«

»Ja«, sagte er. »Ein Haufen Vampire, die dich umbringen wollen. Wie immer.«

»Wie immer.«

»Na denn«, sagte er, als er sich die Jacke überzog, um die Arme frei zu haben. »Packen wir's.«

Ich verzog das Gesicht und machte einen kleinen Schritt auf ihn zu.

Er beugte sich herab und fuhr mir mit dem Arm unter die Knie, er riss mir die Beine weg. Mit dem anderen Arm fing er mich auf, bevor ich mit dem Kopf aufschlagen konnte.

»Mistkerl«, sagte ich leise.

Jacob kicherte nur, er rannte schon durch den Wald. Er lief in einem gleichmäßigen Tempo, so wie es ein trainierter Läufer vielleicht tun würde … jedenfalls auf ebener Strecke und ohne einen Zentner Gewicht in den Armen.

»Renn doch nicht so. Sonst bist du gleich erschöpft.«

»Rennen strengt mich nicht an«, sagte er. Sein Atem ging regelmäßig – wie bei einem Marathonläufer. »Außerdem wird es bald kälter. Hoffentlich hat er das Lager schon aufgeschlagen, wenn wir kommen.«

Ich tippte mit dem Finger an seine dicke Jacke. »Ich dachte, du frierst jetzt nie mehr.«

»Tu ich auch nicht. Den Parka hab ich für dich mitgenommen, für den Fall, dass du nichts dabeihast.« Beinahe enttäuscht schaute er meine Jacke an. »Das Wetter gefällt mir nicht. Es macht mich ganz kribbelig. Ist dir aufgefallen, dass wir überhaupt keine Tiere gesehen haben?«

»Öhm, nö, eigentlich nicht.«

»Hab ich mir schon gedacht. Deine Sinne sind zu stumpf.«

Ich überging die Bemerkung. »Alice hat sich auch Sorgen wegen des Sturms gemacht.«

»Es gehört schon einiges dazu, den Wald völlig zum Verstummen zu bringen. Du hast dir eine üble Nacht für einen Zeltausflug ausgesucht.«

»Das war ja nicht direkt meine Idee.«

Wir liefen mitten durch den Wald, und es wurde immer steiler, aber Jacob wurde nicht langsamer. Leichtfüßig sprang er von Stein zu Stein, die Hände brauchte er offenbar gar nicht. Er hatte einen Gleichgewichtssinn wie eine Bergziege.

»Was ist das da an deinem Armband?«, fragte er.

Ich schaute auf mein Handgelenk und sah, dass das Kristallherz nach oben zeigte.

Ich zuckte schuldbewusst die Achseln. »Noch ein Geschenk zum Abschluss.«

Er schnaubte verächtlich. »So ein Klunker. Das passt ja.«

Klunker? Plötzlich fiel mir wieder ein, was Alice vor der Garage gesagt hatte – der Satz, den sie nicht beendet hatte. Ich starrte auf den leuchtend weißen Kristall und versuchte mich an ihre Worte zu erinnern … irgendwas mit Diamanten. Wollte sie womöglich sagen *Er hat dir doch sowieso schon einen geschenkt?* Was so viel heißen sollte wie: Du trägst doch schon einen Diamanten von Edward? Nein, das war unmöglich. Das Herz müsste ja fünf Karat haben oder so, völlig verrückt! Edward würde nicht …

»Es ist schon wieder eine ganze Weile her, seit du in La Push warst«, sagte Jacob und unterbrach meine Spekulationen.

»Ich hatte viel zu tun«, sagte ich. »Und … ich wäre wahrscheinlich sowieso nicht gekommen.«

Er schnitt eine Grimasse. »Ich dachte, du bist die alles Verzeihende, und ich bin der Nachtragende von uns beiden.«

Ich zuckte die Schultern.

»Du hast bestimmt noch oft über das letzte Treffen nachgedacht, oder?«

»Nee.«

Er lachte. »Entweder lügst du oder du bist der größte Dickschädel aller Zeiten.«

»Das Zweite kann ich nicht beurteilen, aber lügen tu ich nicht.«

Es passte mir gar nicht, unter diesen Umständen ein solches Gespräch zu führen – während er seine viel zu warmen Arme um mich geschlungen hatte und ich vollkommen hilflos war. Sein Gesicht war näher, als mir lieb war. Ich wäre gern ein Stück zurückgewichen.

»Wer klug ist, beleuchtet eine Entscheidung von allen Seiten.«

»Das hab ich schon«, sagte ich.

»Wenn du über unser … öhm … Gespräch bei deinem letzten Besuch gar nicht nachgedacht hast, dann stimmt das nicht.«

»Dieses *Gespräch* hat keinerlei Einfluss auf meine Entscheidung.«

»Manche Leute schrecken vor gar nichts zurück, um sich selbst zu betrügen.«

»Das ist mir vor allem bei Werwölfen aufgefallen – meinst du, das ist erblich?«

»Soll das heißen, dass er besser küsst als ich?«, fragte Jacob, plötzlich niedergeschlagen.

»Das kann ich dir beim besten Willen nicht sagen, Jake. Edward ist der Einzige, den ich je geküsst habe.«

»Außer mir.«

»Das zähle ich nicht als Kuss. Für mich war es eher ein Überfall.«

»Aua! Wie hartherzig du bist.«

Ich zuckte die Achseln. Ich nahm es nicht zurück.

»Ich hab mich dafür entschuldigt«, sagte er.

»Und ich habe dir verziehen ... weitgehend. Das ändert aber nichts daran, wie es für mich war.«

Er nuschelte etwas Unverständliches.

Eine Weile war es still, nur sein regelmäßiger Atem war zu hören und der Wind, der hoch über uns in den Wipfeln heulte. Neben uns erhob sich eine steile Felswand. Nackter, rauer, grauer Stein. Wir folgten ihr, als sie sich aus dem Wald hinaufwand.

»Ich finde es immer noch ziemlich unverantwortlich«, sagte Jacob plötzlich.

»Ich weiß zwar nicht, wovon du sprichst, aber du liegst daneben.«

»Denk mal darüber nach, Bella. Du sagst, du hast in deinem Leben bisher erst einen Menschen geküsst – der noch nicht mal ein richtiger Mensch ist –, und das soll's gewesen sein? Woher willst du wissen, ob er wirklich der Richtige ist? Willst du nicht ein bisschen mehr ausprobieren?«

Meine Stimme war ganz kühl. »Ich weiß genau, was ich will.«

»Dann kann es doch nicht schaden, auf Nummer sicher zu gehen. Du könntest ja mal ausprobieren, wie es ist, jemand anderen zu küssen – nur zum Vergleich … weil das, was neulich passiert ist, ja nicht zählt. Du könntest zum Beispiel mich küssen. Es stört mich nicht, wenn du mich als Versuchskaninchen benutzt.«

Er zog mich fester an seine Brust, so dass mein Gesicht jetzt noch näher an seinem war. Er grinste über seinen Scherz, aber ich wollte es lieber nicht drauf ankommen lassen.

»Mach keinen Quatsch, Jake. Ich schwöre dir, dass ich ihn nicht zurückhalten werde, wenn er dir den Kiefer brechen will.«

Als er die Panik in meiner Stimme hörte, grinste er noch breiter. »Wenn du mich um einen Kuss bittest, hat er doch keinen Grund, sich aufzuregen. Er hat gesagt, das wäre in Ordnung.«

»Da würde ich lieber nicht drauf warten, Jake. Oder Moment, ich hab's mir anders überlegt – warte einfach. Warte so lange, bis ich dich um einen Kuss bitte.«

»Du bist heute aber schlecht drauf.«

»Woran das wohl liegt?«

»Manchmal glaube ich, als Wolf hast du mich lieber.«

»Manchmal ist das auch so. Das hat wahrscheinlich damit zu tun, dass du dann nicht reden kannst.«

Nachdenklich schob er die vollen Lippen vor. »Nein, ich glaube nicht, dass es das ist. Ich glaube, wenn ich kein Mensch bin, fällt es dir leichter, in meiner Nähe zu sein, weil du dann nicht so tun musst, als ob du dich nicht zu mir hingezogen fühlst.«

Mir klappte der Mund auf. Sofort machte ich ihn wieder zu und knirschte mit den Zähnen.

Als er das hörte, verzog er den Mund zu einem triumphierenden Lächeln.

Ich atmete langsam ein, ehe ich etwas sagte. »Nein. Es liegt ganz sicher daran, dass du als Wolf nicht sprechen kannst.«

475

Er seufzte. »Bist du es nicht langsam leid, dir selbst etwas vorzumachen? Du musst doch merken, wie du auf mich reagierst. Körperlich, meine ich.«

»Es ist wohl kaum möglich, körperlich nicht auf dich zu reagieren, Jacob«, sagte ich. »Du bist ein riesenhaftes Monster, das sich weigert, die Privatsphäre anderer zu respektieren.«

»Ich mache dich nervös. Aber nur wenn ich ein Mensch bin. Wenn ich ein Wolf bin, fühlst du dich wohler in meiner Nähe.«

»Ich bin aber nicht nervös, ich bin genervt. Das ist ein Unterschied.«

Er starrte mich eine Weile an, verlangsamte seinen Schritt, und der belustigte Ausdruck verschwand aus seinem Gesicht. Seine Augen wurden schmal und dunkel in den Schatten seiner Brauen. Sein Atem, der so gleichmäßig gegangen war, während er gerannt war, ging jetzt hastig. Langsam neigte er das Gesicht zu meinem.

Ich starrte unerschrocken zurück, ich wusste genau, was er vorhatte.

»Denk an dein Gesicht«, sagte ich warnend.

Er lachte laut und lief wieder los. »Heute Nacht will ich nicht gerade mit deinem Vampir kämpfen – jede andere Nacht gern. Aber wir werden morgen beide gebraucht, und ich will ja nicht, dass die Cullens auf einen verzichten müssen.«

Wie eine Welle überspülte mich die Scham, und ich merkte, wie mein Gesicht sich verzerrte.

»Ich weiß, ich weiß«, sagte er, ohne zu verstehen. »Du glaubst, er würde mich fertigmachen.«

Ich konnte nichts sagen. Ich hatte dafür gesorgt, dass sie auf einen verzichten mussten. Und wenn nun jemand verletzt wurde, nur weil ich so feige war? Aber wenn ich tapfer wäre und Edward … ich konnte es noch nicht mal zu Ende denken.

»Bella, was hast du?« Das großspurige Grinsen verschwand

aus seinem Gesicht, und mein Jacob trat zum Vorschein, als hätte man ihm eine Maske weggerissen. »Falls ich dich beleidigt habe, dann war es nur Spaß, das weißt du. Ich wollte nicht … hey, was ist denn? Nicht weinen, Bella«, bat er.

Ich versuchte mich zusammenzureißen. »Ich weine nicht.«

»Was hab ich denn gesagt?«

»Es ist nichts, was du gesagt hast. Es liegt nur an mir. Ich habe etwas … Schlimmes gemacht.«

Er starrte mich verwirrt an.

»Edward wird morgen nicht kämpfen«, flüsterte ich. »Ich habe ihn gezwungen, bei mir zu bleiben. Ich bin ein riesengroßer Feigling.«

Er runzelte die Stirn. »Meinst du, es geht etwas schief? Dass sie dich hier finden? Weißt du mehr als ich?«

»Nein, nein. Davor habe ich keine Angst. Ich kann nur … Ich kann ihn einfach nicht gehen lassen. Wenn er nicht zurückkommen würde …« Ich schauderte und schloss die Augen, um den Gedanken zu verscheuchen.

Jacob schwieg.

Mit geschlossenen Augen flüsterte ich: »Wenn jemand verletzt wird, bin ich daran schuld. Und selbst wenn nicht … ich war schrecklich. Ich musste so sein, damit er bei mir bleibt. Er wird es mir nicht vorhalten, aber ich werde immer wissen, wozu ich fähig bin.« Es ging mir ein kleines bisschen besser, als ich es mir von der Seele reden konnte. Auch wenn ich es nur Jacob anvertrauen konnte.

Er schnaubte. Langsam machte ich die Augen auf, und ich war traurig, als ich sah, dass sich sein Gesicht in die harte Maske verwandelt hatte.

»Ich fasse es nicht, dass er sich von dir um den Kampf bringen lässt. Um nichts auf der Welt würde ich darauf verzichten.«

Ich seufzte. »Ich weiß.«

»Das hat aber nichts zu bedeuten«, beeilte er sich zu sagen. »Das heißt nicht, dass er dich mehr liebt als ich.«

»Aber du würdest nicht bei mir bleiben, selbst wenn ich dich darum bitten würde.«

Er verzog ganz kurz den Mund, und ich dachte schon, er würde es abstreiten. Wir kannten beide die Wahrheit. »Aber nur weil ich dich besser kenne«, sagte er schließlich. »Es wird alles völlig reibungslos über die Bühne gehen. Selbst wenn du mich fragen würdest und ich nein sagen würde, wärst du hinterher nicht sauer auf mich.«

»Wenn es wirklich reibungslos geht, hast du wahrscheinlich Recht. Dann wäre ich nicht sauer. Aber die ganze Zeit, während du weg bist, werde ich krank sein vor Sorge.«

»Wieso?«, fragte er schroff. »Was kümmert es dich, ob mir was zustößt?«

»Sag das nicht. Du weißt genau, wie viel du mir bedeutest. Es tut mir leid, dass ich deine Gefühle nicht auf dieselbe Weise erwidern kann, aber so ist es nun mal. Du bist mein bester Freund. Jedenfalls warst du das mal. Und manchmal bist du es immer noch … wenn du du selbst bist.«

Er lächelte das alte Lächeln, das ich so mochte. »Ich bin immer dein Freund«, versprach er. »Selbst wenn ich … mich nicht so gut benehme, wie ich sollte. Innen drin bin ich immer noch der Alte.«

»Ich weiß. Weshalb sollte ich den ganzen Mist von dir sonst ertragen?«

Wir lachten beide, dann wurde sein Blick traurig. »Wann wirst du bloß endlich herausfinden, dass du auch in mich verliebt bist?«

»Musst du unbedingt den Augenblick zerstören?«

»Ich sage nicht, dass du ihn nicht liebst. Ich bin ja nicht blöd. Aber man kann auch mehr als eine Person lieben, Bella. Das habe ich selbst schon gesehen.«

»Ich bin aber kein durchgeknallter Werwolf, Jacob.«

Er zog die Nase kraus, und ich wollte mich schon für die letzte Bemerkung entschuldigen, aber er wechselte das Thema.

»Jetzt ist es nicht mehr weit, ich kann ihn schon riechen.«

Ich seufzte erleichtert.

Er deutete es falsch. »Ich würde gern langsamer gehen, aber du möchtest bestimmt einen Unterschlupf haben, bevor *das* da runterkommt.«

Wir schauten beide zum Himmel.

Eine dicke schwarzviolette Wolkenwand kam schnell von Westen her und verdüsterte den Wald unter sich.

»Wahnsinn«, murmelte ich. »Beeil dich lieber, Jake, damit du wieder zu Hause bist, bevor das hierherkommt.«

»Ich gehe nicht wieder nach Hause.«

Ich funkelte ihn an. »Du zeltest doch nicht etwa mit uns?«

»Nicht direkt – nicht in dem Sinn, dass ich zu euch ins Zelt schlüpfe oder so. Da nehm ich doch lieber den Sturm in Kauf als den Gestank. Aber bestimmt will dein Blutsauger mit dem Rudel Kontakt halten, um sich abzustimmen, und das werde ich gütigerweise übernehmen.«

»Ich dachte, das wäre Seths Job.«

»Er löst mich morgen ab, wenn der Kampf losgeht.«

Der Gedanke daran ließ mich für einen Moment verstummen. Ich sah ihn an, und plötzlich war ich wieder fast verrückt vor Sorge.

»Es gibt wohl keine Möglichkeit, dich zum Bleiben zu bewegen, jetzt, wo du schon mal da bist?«, sagte ich. »Wenn ich dich wirklich bitten würde? Oder die lebenslange Knechtschaft wieder eintauschen würde?«

»Verlockend, aber ich muss leider ablehnen. Obwohl es interessant sein könnte, dich bitten zu sehen. Du kannst es gern mal versuchen.«

»Gibt es wirklich absolut nichts, was ich sagen könnte?«

»Nein. Es sei denn, du könntest mir einen besseren Kampf versprechen. Außerdem bestimmt Sam, wo es langgeht, nicht ich.«

Das erinnerte mich an etwas.

»Edward hat mir neulich etwas erzählt ... über dich.«

Er schnaubte vor Wut. »Dann ist es bestimmt gelogen.«

»Ach ja? Dann bist du also nicht der stellvertretende Anführer des Rudels?«

Er blinzelte, er sah perplex aus. »Ach. Das.«

»Wieso hast du mir das nie erzählt?«

»Warum sollte ich? Es ist nicht weiter wichtig.«

»Ich weiß nicht. Warum nicht? Ist doch interessant. Wie läuft das denn? Wie kommt es, dass Sam das Alphatier ist und du ... das Betatier?«

Er lachte über den Ausdruck. »Sam war der Erste, und er ist der Älteste. Es ist ganz logisch, dass er das Kommando übernommen hat.«

Ich runzelte die Stirn. »Aber müsste dann nicht Jared der Zweite sein, oder Paul? Sie haben sich doch als Nächste verwandelt.«

»Also ... das ist schwer zu erklären«, sagte Jacob ausweichend.

»Versuch es.«

Er seufzte. »Es hat mehr mit der Abstammung zu tun, verstehst du? Eine altmodische Sache. Sollte eigentlich keine Rolle spielen, wer mein Urgroßvater war, oder?«

Da fiel mir etwas ein, was Jacob mir vor langer Zeit erzählt hatte, bevor wir etwas über Werwölfe gewusst hatten.

»Hast du nicht mal gesagt, Ephraim Black war der letzte Häuptling der Quileute?«

»Ja, stimmt. Weil er das Alphatier war. Wusstest du schon, dass Sam jetzt genau genommen der Häuptling des ganzen Stammes ist?« Er lachte. »Diese verrückten Traditionen.«

Ich dachte einen Augenblick darüber nach und versuchte die Teile zusammenzufügen. »Aber du hast doch auch gesagt, dass die Leute auf deinen Vater mehr hören als auf jeden anderen im Rat, weil er Ephraims Enkel ist.«

»Ja, und?«

»Na ja, wenn es mit der Abstammung zu tun hat … müsstest du dann nicht der Häuptling sein?«

Jacob gab keine Antwort. Er starrte in den jetzt dunkleren Wald, als müsste er sich plötzlich darauf konzentrieren, wo es langging.

»Jake?«

»Nein. Das ist Sams Aufgabe.« Sein Blick war immer noch auf unseren Weg geheftet.

»Warum? Sein Urgroßvater war Levi Uley, oder? War Levi auch ein Alphatier?«

»Es gibt nur ein Alphatier«, antwortete er mechanisch.

»Was war Levi dann?«

»Eine Art Betatier, nehme ich an.« Er prustete. »So wie ich.«

»Das ist aber unlogisch.«

»Ist doch egal.«

»Ich will es aber verstehen.«

Schließlich schaute Jacob auf, sah meinen verwirrten Blick und seufzte. »Ja. Ich sollte eigentlich das Alphatier sein.«

Ich zog die Augenbrauen zusammen. »Aber Sam wollte seine Position nicht aufgeben?«

»Im Gegenteil. Ich wollte nicht an seine Stelle treten.«

»Warum nicht?«

Er runzelte die Stirn, er fühlte sich unter meinen Fragen nicht wohl. Na, endlich fühlte *er* sich mal nicht wohl.

»Ich wollte das alles nicht, Bella. Ich wollte nicht, dass sich etwas ändert. Ich wollte kein legendärer Häuptling sein. Ich wollte nicht zu einem Rudel von Werwölfen gehören, geschweige denn ihr Leitwolf sein. Als Sam es mir anbot, habe ich abgelehnt.«

Darüber dachte ich lange nach. Jacob störte meine Gedanken nicht. Er starrte wieder in den Wald.

»Aber ich dachte, du wärest ganz glücklich. Dass es für dich gut so ist«, flüsterte ich schließlich.

Jacob lächelte mich beruhigend an. »Ja. Es ist wirklich nicht so übel. Manchmal auch spannend, wie die Sache morgen. Aber am Anfang kam es mir so vor, als würde ich in einen Krieg hineingezogen, von dem ich nicht mal wusste, dass es ihn gibt. Ich hatte keine Wahl, verstehst du? Und es war so endgültig.« Er zuckte die Schultern. »Aber ich glaub, jetzt bin ich ganz froh. Einer muss es ja machen, und könnte ich jemand anderem mehr vertrauen? Es ist besser, wenn ich mich selbst darum kümmere.«

Ich starrte ihn an und empfand plötzlich Bewunderung für ihn. Er war erwachsener, als ich es ihm je zugetraut hätte. Wie auch Billy in jener Nacht am Lagerfeuer strahlte er eine Würde aus, die ich nie bei ihm vermutet hätte.

»Häuptling Jacob«, flüsterte ich und lächelte darüber, wie das klang.

Er verdrehte die Augen.

In diesem Moment fegte der Wind noch heftiger durch die Bäume um uns herum, und es fühlte sich an, als käme er geradewegs von einem Gletscher. Obwohl sich alles verdüsterte, als die dunkle Wolke den Himmel bedeckte, sah ich die kleinen weißen Flocken, die an uns vorbeiflogen.

Jacob lief jetzt schneller und heftete den Blick auf den Boden, während er rannte. Ich schmiegte mich bereitwilliger an seine Brust, um mich vor dem Schnee zu schützen.

Nur wenige Minuten später sauste er um die Ecke und lief zur windgeschützten Seite des steinigen Gipfels. Wir sahen das kleine Zelt an der Felswand. Noch mehr Flocken umwehten uns, aber der Wind war so heftig, dass sie nicht zu Boden fallen konnten.

»Bella!«, rief Edward und hörte auf, nervös hin- und herzulaufen. Ich hörte, wie erleichtert er war.

Blitzschnell war er bei mir. Jacob zuckte zusammen und setzte mich ab. Edward überging seine Reaktion und nahm mich fest in die Arme.

»Danke«, sagte Edward über meinen Kopf hinweg. Es klang aufrichtig. »Das war schneller als erwartet, und ich weiß das sehr zu schätzen.«

Ich drehte mich zu Jacob um.

Er zuckte nur die Achseln, keine Spur von Freundlichkeit im Gesicht. »Bring sie rein. Das wird schlimm – ich habe es im Gefühl. Steht das Zelt sicher?«

»Ich habe es sozusagen an den Felsen geschweißt.«

»Gut.«

Jacob schaute zum Himmel – er war jetzt schwarz, mit kleinen weißen Schneesprengseln. Jacobs Nasenflügel bebten.

»Ich werde mich jetzt verwandeln«, sagte er. »Ich muss wissen, was zu Hause los ist.«

Er hängte seine Jacke an einen kleinen Ast und ging, ohne sich umzuschauen, in den düsteren Wald.

Feuer und Eis

Wieder rüttelte der Wind am Zelt, und ich wurde mitgerüttelt.

Die Temperatur sank, das spürte ich selbst durch den Daunenschlafsack und durch die Jacke. Ich war vollständig angezogen, mit geschnürten Wanderstiefeln. Aber ich fror trotzdem. Wie konnte es so kalt sein? Und immer noch kälter werden? Irgendwo musste doch mal ein Ende erreicht sein, oder?

»W-w-w-w-wie sp-sp-spät ist es?«, stieß ich mit klappernden Zähnen hervor.

»Zwei«, sagte Edward.

Er saß in dem winzigen Zelt so weit wie möglich von mir entfernt, er wollte mich noch nicht mal anhauchen, weil ich so fror. In der Dunkelheit konnte ich sein Gesicht nicht sehen, aber er klang außer sich vor Sorge, Unschlüssigkeit und Wut.

»Vielleicht …«

»Nein, mir g-g-g-geht's g-g-g-gut, ich w-w-will nicht r-raus.«

Er hatte immer wieder versucht mich zur Flucht zu überreden, aber ich hatte panische Angst, das Versteck zu verlassen. Wenn es hier drin schon so kalt war, wo wir vor dem tosenden Wind geschützt waren, konnte ich mir ungefähr vorstellen, wie schlimm es sein musste, draußen herumzulaufen.

Und dann wäre die ganze Anstrengung heute vergebens gewesen. Würden wir noch genug Zeit haben, das Zelt woanders neu aufzubauen, wenn der Sturm vorüber war? Und wenn er nicht aufhörte? Es hatte keinen Sinn, jetzt wegzulaufen. Eine Nacht konnte ich wohl bibbernd überstehen.

Ich hatte Angst, dass meine Fährte verwehen könnte, doch Edward versicherte mir, dass sie für die Neugeborenen deutlich genug sein würde.

»Was kann ich tun?«, sagte er fast flehend.

Ich schüttelte nur den Kopf.

Draußen im Schnee winselte Jacob unglücklich.

»H-h-hau ab«, befahl ich ihm wieder.

»Er macht sich nur Sorgen um dich«, übersetzte Edward. »Ihm geht es gut. Sein Körper ist für dieses Wetter geschaffen.«

»E-e-e-e-e.« Ich wollte sagen, er solle trotzdem verschwinden, aber ich bekam die Worte nicht heraus. Ich biss mir beim Versuch fast die Zunge ab. Wenigstens konnte Jacob den Schnee gut aushalten, sogar noch besser als die anderen in seinem Rudel – er hatte ja sein langes dickes Zottelfell. Ich fragte mich, warum das wohl so war.

Jacob winselte, ein fast unerträglich hoher Klagelaut.

»Was soll ich denn machen?«, knurrte Edward. Er war so in Sorge, dass er alle Höflichkeitsregeln fahrenließ. »Soll ich sie etwa durch diesen Sturm tragen? Du machst dich hier ja auch nicht gerade nützlich. Besorg ihr doch einen Heizlüfter!«

»Mir g-g-geht es g-g-gut«, protestierte ich. Edwards Stöhnen und dem unterdrückten Knurren vor dem Zelt nach zu urteilen, hatte ich die beiden nicht überzeugt. Der Wind schüttelte das Zelt hin und her und ich zitterte mit.

Plötzlich wurde das Heulen des Windes von einem Schrei zerrissen, und ich musste mir die Ohren zuhalten. Edwards Miene verfinsterte sich.

»Das war ganz und gar unnötig«, murmelte er. »Und es ist die schlechteste Idee, die ich je gehört habe!«, rief er laut.

»Besser als alles, was du bisher vorgeschlagen hast«, antwortete Jacob, und ich erschrak, als ich seine menschliche Stimme hörte. »Besorg ihr einen Heizlüfter!«, grummelte er. »Bin ich ein Bernhardiner?«

Dann hörte ich, wie der Reißverschluss des Zelteingangs mit einer schnellen Bewegung geöffnet wurde.

Jacob schlüpfte durch die kleinstmögliche Öffnung. Er brachte arktische Luft mit herein, ein paar Schneeflocken fielen auf den Zeltboden. Ich zitterte so sehr, dass das ganze Zelt wackelte.

»Das gefällt mir nicht«, zischte Edward, als Jake den Reißverschluss wieder zuzog. »Gib ihr einfach die Jacke und verschwinde.«

Meine Augen hatten sich jetzt so weit an die Dunkelheit gewöhnt, dass ich Umrisse erkennen konnte – Jacob hatte die Jacke dabei, die in einem Baum neben dem Zelt gehangen hatte.

Ich wollte fragen, wovon sie redeten, aber ich brachte nur »w-w-w-w« heraus. Vor lauter Zittern konnte ich nicht mal mehr stottern.

»Der Parka ist für morgen – er ist zu ausgekühlt, um sie zu wärmen. Er ist eisig.« Er warf ihn neben den Eingang. »Du hast gesagt, sie braucht einen Heizlüfter – und hier bin ich.« Jacob breitete die Arme so weit aus, wie es in dem kleinen Zelt möglich war. Wie immer, wenn er als Wolf herumgelaufen war, trug er nur das Allernötigste am Leib – eine Jogginghose, kein T-Shirt, keine Schuhe.

»J-J-J-Jake, dann f-f-frierst du d-d-doch«, wehrte ich ab.

»Ich doch nicht«, sagte er unbekümmert. »Meine Temperatur liegt bei kuscheligen 42 Grad. Ich kann dich in null Komma nichts zum Schwitzen bringen.«

Edward knurrte, aber Jacob würdigte ihn keines Blickes.

Stattdessen krabbelte er zu mir und begann meinen Schlafsack zu öffnen.

Plötzlich fasste Edward ihn hart an der Schulter und zog ihn zurück, eine schneeweiße Hand auf dunkler Haut. Jacob biss die Zähne zusammen, blähte die Nasenlöcher, sein Körper schrak vor der kalten Berührung zurück. Die langen Muskeln seiner Arme begannen automatisch zu zucken.

»Nimm deine Flosse da weg«, knurrte er mit zusammengebissenen Zähnen.

»Lass deine Pfoten von ihr«, gab Edward zurück.

»B-b-b-bitte k-k-keinen Streit«, bat ich. Wieder schüttelte es mich vor Kälte. Ich klapperte so heftig mit den Zähnen, dass ich dachte, sie müssten zerbrechen.

»Bestimmt wird sie es dir danken, wenn ihre Zehen blau werden und abfallen«, sagte Jacob.

Edward zögerte, dann zog er die Hand zurück und setzte sich wieder in seine Ecke.

Es klang tonlos und drohend, als er sagte: »Nimm dich in Acht.«

Jacob kicherte.

»Rutsch mal ein Stück, Bella«, sagte er und öffnete den Schlafsack noch weiter.

Ich starrte ihn empört an. Kein Wunder, dass Edward so reagiert hatte.

»N-n-n-n«, versuchte ich zu protestieren.

»Stell dich nicht so an«, sagte er aufgebracht. »Liegt dir nichts an deinen Zehen?«

Er quetschte sich zu mir in den Schlafsack und zog den Reißverschluss mit einiger Mühe wieder zu.

Und dann konnte ich mich nicht mehr wehren – ich wollte es auch gar nicht mehr. Er war so warm. Er schlang die Arme um mich und drückte mich an seine nackte Brust. Die Wärme war unwiderstehlich – wie Luft, wenn man zu lange unter Wasser gewesen ist. Er zuckte zusammen, als ich meine Eisfinger an seine Haut legte.

»Mensch, Bella, du bist ja der reinste Eiszapfen«, beschwerte er sich.

»'tsch-tsch-tsch-tschuldigung«, stotterte ich.

»Entspann dich mal«, sagte er, als es mich wieder schüttelte. »Nicht mehr lange, dann bist du warm. Es würde natürlich viel schneller gehen, wenn du dich ausziehen würdest.«

Edward knurrte heftig.

»Das ist eine Tatsache«, versuchte Jacob sich zu verteidigen. »Überlebenstipp Nummer eins.«

»Hör auf d-d-damit, Jake«, sagte ich wütend, obwohl mein Körper sich weigerte, von ihm abzurücken. »W-w-wer b-b-braucht schon alle Z-Z-Zehen.«

»Mach dir keine Sorgen wegen dem Blutsauger«, sagte Jacob in selbstgefälligem Ton. »Der ist bloß eifersüchtig.«

»Natürlich bin ich das.« Edwards Stimme war wieder samten, ein melodisches Murmeln in der Finsternis. »Du hast nicht die leiseste Ahnung, wie gern ich das für sie täte, was du da tust, du Bastard.«

»Jetzt bin ich mal der Glückliche«, sagte Jacob leichthin, aber dann veränderte sich sein Ton. »Wenigstens weißt du, dass sie lieber in deinen Armen wäre.«

»Wohl wahr«, sagte Edward.

Das Zittern nahm ab und wurde langsam erträglich, während sie zankten.

»Na bitte«, sagte Jacob erfreut. »Geht's jetzt besser?«

Endlich konnte ich deutlich sprechen. »Ja.«

»Deine Lippen sind immer noch blau«, sagte er nachdenklich. »Soll ich dir die auch wärmen? Du brauchst mich bloß zu fragen.«

Edward seufzte tief.

»Reiß dich zusammen«, sagte ich leise und legte das Gesicht an seine Schulter. Wieder fuhr er zusammen, als ich ihn mit meiner kalten Haut berührte, und ich lächelte schadenfroh.

Jetzt war es schön mollig im Schlafsack. Die Wärme von Jacobs Körper schien von allen Seiten auszustrahlen – vielleicht weil er so viel Platz einnahm. Ich streifte die Schuhe ab und presste die Zehen an seine Beine. Er zuckte leicht zusammen, dann beugte er den Kopf herab und legte seine heiße Wange an mein gefühlloses Ohr.

Mir fiel auf, dass Jacobs Haut einen holzigen, moschusartigen Geruch hatte – passend zum Wald. Er roch gut. Vielleicht spielten die Cullens und die Quileute die Sache mit dem Geruch nur deshalb hoch, weil sie solche Vorurteile hatten. Für mich rochen sie alle gut.

Der Sturm heulte wie ein Tier, das unser Zelt angriff, aber das machte mir jetzt keine Sorgen mehr. Jacob war im Warmen und ich auch. Außerdem war ich schlicht zu erschöpft, um mir über irgendetwas Sorgen zu machen – ich war übermüdet und vom ständigen Zittern tat mir alles weh. Während ich langsam, ganz langsam auftaute, entspannte sich mein Körper endlich.

»Jake?«, murmelte ich schläfrig. »Darf ich dich mal was fragen? Ich will dich nicht nerven oder so – ich bin ehrlich neugierig.« Genau dasselbe hatte er bei uns in der Küche gesagt … wie lange war das her?

»Klar«, sagte er und lachte leise, vermutlich weil er sich auch daran erinnerte.

»Warum hast du ein so viel struppigeres Fell als deine Freunde? Du musst mir darauf keine Antwort geben, wenn du es taktlos findest.« Ich wusste nicht, wie empfindlich Werwölfe waren.

»Weil ich längere Haare habe«, sagte er belustigt – wenigstens hatte ich ihn nicht beleidigt. Er schüttelte den Kopf, und seine ungekämmten Haare, die ihm jetzt bis übers Kinn gingen, kitzelten mich an der Wange.

»Ach so.« Ich war überrascht, aber es war logisch. Deshalb hatten sie sich also alle die Haare kurz geschnitten, als sie zum Rudel dazustießen. »Warum schneidest du sie dann nicht ab? Gefällt es dir, wenn das Fell so zottig ist?«

Diesmal antwortete er nicht gleich, und Edward lachte in sich hinein.

»Tut mir leid«, sagte ich und gähnte. »Ich wollte nicht bohren. Du musst es mir nicht erzählen.«

Jacob schnaubte verärgert. »Ach, er wird's dir sowieso erzählen, da kann ich auch … Ich hab mir die Haare wachsen lassen, weil … weil ich den Eindruck hatte, dass sie dir lang besser gefallen.«

»Oh«, sagte ich peinlich berührt. »Öhm, mir gefällt beides, Jake. Meinetwegen brauchst du es nicht unbequem zu haben.«

Er zuckte die Achseln. »Heute war es doch ganz praktisch, also mach dir keine Gedanken.«

Mir fiel nichts mehr ein. Als das Schweigen anhielt, wurden meine Lieder schwer und fielen zu, und mein Atem wurde langsamer, gleichmäßiger.

»So ist es gut, Schatz, schlaf schön«, flüsterte Jacob.

Ich seufzte zufrieden, ich war schon fast weg.

»Seth ist hier«, sagte Edward leise zu Jacob, und da begriff ich, was das Geheul zu bedeuten hatte.

»Perfekt. Jetzt kannst du alles andere im Blick behalten, während ich mich um deine Freundin kümmere.«

Edward gab keine Antwort, aber ich stöhnte erschöpft. »Hört auf damit«, sagte ich leise.

Darauf war es still, jedenfalls im Zelt. Draußen pfiff der Wind wie verrückt durch die Bäume. Das Zelt flatterte so sehr, dass es fast unmöglich war einzuschlafen. Immer wenn ich gerade dabei war abzutauchen, wackelten und bebten die Zeltstangen ganz plötzlich, und dann wurde ich wieder an die Oberfläche gerissen. Es tat mir so leid für den Wolf, den Jungen, der draußen im Schnee saß.

Während ich darauf wartete, dass der Schlaf kam, ließ ich die Gedanken schweifen. Die warme kleine Höhle erinnerte mich an die erste Zeit mit Jacob, und ich dachte daran, wie er meine Ersatzsonne gewesen war, der Wärmequell, der mir die Leere des Lebens erträglich gemacht hatte. Ich hatte schon ziemlich lange nicht mehr so an Jake gedacht, aber jetzt war er da und wärmte mich wieder.

»*Bitte!*«, zischte Edward. »Könntest du dich mal beherrschen!«

»Was ist?«, flüsterte Jacob überrascht.

»Kannst du nicht wenigstens *versuchen*, deine Gedanken im Zaum zu halten?«, flüsterte Edward voller Zorn.

»Keiner hat gesagt, dass du zuhören sollst«, murmelte Jacob. Es klang trotzig, aber auch peinlich berührt. »Verschwinde aus meinem Kopf.«

»Wenn ich das nur könnte. Du glaubst ja gar nicht, wie laut deine kleinen Phantasien sind. Es ist, als würdest du sie mir zuschreien.«

»Ich stell's ein bisschen leiser«, sagte Jacob sarkastisch.

Kurze Zeit blieb es still.

»Ja«, sagte Edward fast unhörbar als Antwort auf einen unausgesprochenen Gedanken. »Auch darauf bin ich eifersüchtig.«

»Das hab ich mir schon gedacht«, sagte Jacob zufrieden. »Immerhin ein kleiner Ausgleich, oder?«

Edward lachte leise. »Träum weiter.«

»Sie könnte ihre Meinung ja immer noch ändern, weißt du?«, spottete Jacob. »Wenn man mal *alles* bedenkt, was sie und ich machen könnten und ihr nicht. Jedenfalls nicht, ohne dass du sie dabei umbringst.«

»Schlaf jetzt, Jacob«, murmelte Edward. »Du gehst mir allmählich auf die Nerven.«

»Ja, ich glaub, das mach ich auch. Ich hab es so bequem hier.«

Edward gab keine Antwort.

Ich hätte sagen können, sie sollten aufhören, so über mich zu reden, als ob ich nicht da wäre, aber dafür war ich dem Schlaf schon zu nah. Das Gespräch war für mich eher wie ein Traum, und ich wusste nicht, ob ich überhaupt wach war.

»Vielleicht, ja«, sagte Edward nach einer Weile als Antwort auf eine unhörbare Frage.

»Aber wärest du auch ehrlich?«

»Frag mich, dann weißt du es.«

»Tja, du kannst in meinen Kopf gucken – dann lass mich heute Nacht in deinen gucken, damit wir quitt sind«, sagte Jacob.

»Dein Kopf ist voller Fragen. Welche soll ich beantworten?«

»Die Eifersucht … die muss doch an dir nagen. Ich glaube nicht, dass du dir deiner Sache so sicher bist, wie du tust. Es sei denn, du hast überhaupt keine Gefühle.«

»Natürlich«, sagte Edward, jetzt nicht mehr belustigt. »In diesem Moment ist es so schlimm, dass ich meine Stimme kaum in der Gewalt habe. Und natürlich ist es noch schlimmer, wenn sie mit dir zusammen ist, ohne dass ich weiß, was sie tut.«

»Denkst du die ganze Zeit daran?«, flüsterte Jacob. »Fällt es dir schwer, dich auf anderes zu konzentrieren, wenn sie nicht da ist?«

»Ja und nein«, sagte Edward; er schien die Fragen wirklich ehrlich beantworten zu wollen. »Mein Verstand arbeitet etwas anders als deiner. Ich kann an viel mehr gleichzeitig denken. Das bedeutet, dass ich *immer* an dich denken kann, mich immer fragen kann, ob sie mit ihren Gedanken bei dir ist, wenn sie still und nachdenklich ist.«

Beide schwiegen einen Moment.

»Ja, ich glaube, dass sie oft an dich denkt«, sagte Edward als Antwort auf Jacobs Gedanken. »Öfter, als mir lieb ist. Sie macht sich Sorgen, du könntest unglücklich sein. Nicht, dass du das nicht wüsstest. Und du nutzt es auch aus.«

»Ich muss alles ausnutzen, was ich kann«, sagte Jacob. »Ich habe nicht solche Vorteile wie du – zum Beispiel das Wissen, dass sie in dich verliebt ist.«

»Das ist hilfreich«, sagte Edward sanft.

»In mich ist sie aber auch verliebt«, sagte Jacob herausfordernd.

Edward gab keine Antwort.

Jacob seufzte. »Aber sie weiß es noch nicht.«

»Ich kann dir nicht sagen, ob du Recht hast.«

»Macht dir das zu schaffen? Würdest du gern auch ihre Gedanken lesen können?«

»Ja … und auch wieder nein. Ihr gefällt es so besser, und obwohl es mich manchmal in den Wahnsinn treibt, ist es mir lieber, wenn sie glücklich ist.«

Der Wind peitschte ums Zelt und schüttelte es mit der Gewalt eines Erdbebens. Jacob nahm mich noch fester in die Arme.

»Danke«, flüsterte Edward. »Auch wenn es merkwürdig klingt, ich bin froh, dass du hier bist, Jacob.«

»Du meinst wohl: *So gern ich dich umbringen würde, ich bin froh, dass sie es warm hat*, stimmt's?«

»Es ist ein etwas heikler Waffenstillstand, nicht wahr?«

Jacob wirkte plötzlich sehr zufrieden. »Ich wusste, dass du genauso krank vor Eifersucht bist wie ich.«

»Ich bin nur nicht so dumm, es wie du auf einem Schild vor mir herzutragen. Das bringt dich nicht weiter, weißt du?«

»Du hast mehr Geduld als ich.«

»Das sollte man meinen. Schließlich hatte ich fast hundert Jahre Zeit, mich darin zu üben. Fast hundert Jahre, die ich auf *sie* gewartet habe.«

»Also … wann hast du beschlossen, den ach so geduldigen Helden zu spielen?«

»Als ich sah, wie weh es ihr tat, eine Entscheidung treffen zu müssen. Normalerweise kann ich mich recht gut beherrschen. Meistens habe ich die … weniger freundlichen Gefühle, die ich für dich hege, im Griff. Manchmal glaube ich, dass sie mich durchschaut, aber ich weiß es nicht genau.«

»Ich glaube, du hattest bloß Angst, dass sie sich, wenn du sie zu einer Entscheidung zwingst, nicht für dich entscheidet.«

Darauf antwortete Edward nicht gleich. »Das spielte mit hinein«, gab er schließlich zu. »Doch nur zum kleinen Teil. Wir haben alle unsere Momente des Zweifels. Vor allem hatte ich Angst, es könnte ihr etwas zustoßen, wenn sie sich heimlich zu dir schleicht. Als ich einmal akzeptiert hatte, dass sie bei dir einiger- maßen sicher ist – so sicher Bella denn sein kann –, schien es mir besser, sie nicht mehr zum Äußersten zu treiben.«

Jacob seufzte. »Ich würde ihr das alles gern erzählen, aber sie würde mir nie glauben.«

»Ich weiß.« Es klang so, als würde Edward lächeln.

»Du hältst dich wohl für allwissend.«

»Ich weiß nichts über die Zukunft«, sagte Edward. Jetzt schwang Unsicherheit in seiner Stimme mit.

Lange Zeit sagte niemand etwas.

»Was würdest du machen, wenn sie sich anders entscheiden würde?«

»Auch das weiß ich nicht.«

Jacob kicherte leise. »Würdest du versuchen mich umzubringen?« Das klang wieder sarkastisch, als zweifelte er daran, dass es Edward gelingen könnte.

»Nein.«

»Warum nicht?« Immer noch dieser spöttische Ton.

»Glaubst du wirklich, ich könnte ihr so wehtun?«

Jacob zögerte einen Augenblick, dann seufzte er. »Ja, du hast Recht. Das stimmt natürlich. Aber manchmal …«

»Manchmal hat der Gedanke etwas Verlockendes.«

Jacob zog sich den Schlafsack vors Gesicht, um sein Lachen zu ersticken. »Genau«, stimmte er zu.

Was für ein merkwürdiger Traum. Ich fragte mich, ob der erbarmungslose Wind mir dieses Gespräch einflüsterte. Aber der Wind brüllte eher, als dass er flüsterte …

»Wie ist das? Sie zu verlieren?«, fragte Jacob nach einem Moment des Schweigens. Seine Stimme war plötzlich heiser, und der Spott war verschwunden. »Als du dachtest, du hättest sie für immer verloren? Wie hast du … das verkraftet?«

»Es fällt mir sehr schwer, darüber zu sprechen.«

Jacob wartete.

»Zwei Mal habe ich das schon gedacht.« Edward sprach ein kleines bisschen langsamer als sonst. »Beim ersten Mal, als ich dachte, ich könnte sie verlassen … da war es … fast erträglich. Weil ich dachte, sie würde mich vergessen und es würde so sein, als hätte ich ihr Leben nie berührt. Mehr als sechs Monate gelang es mir, ihr fernzubleiben und mich an mein Versprechen zu halten, dass ich mich nicht wieder in ihr Leben einmischen würde. Es war knapp – ich kämpfte, doch ich wusste, dass ich nicht gewinnen würde; ich wäre in jedem Fall zurückgekommen … und sei es nur, um nach ihr zu sehen. Das hätte ich mir jedenfalls eingeredet. Und wenn ich sie einigermaßen glücklich angetroffen hätte ... ich sage mir gern, dass ich dann wieder gegangen wäre.

Aber sie war nicht glücklich. Und ich bin geblieben. So hat sie mich natürlich auch überredet, morgen bei ihr zu bleiben. Du hast dich schon gefragt, was mich wohl zu einem solchen Schritt bewogen hat ... weswegen sie so ein unnötig schlechtes Gewissen hatte. Sie hat mich daran erinnert, was sie durchgemacht hat, als ich sie verließ – wie sie immer noch leidet, wenn ich weggehe. Sie fühlt sich schlecht, weil sie davon angefangen hat, aber sie hat Recht. Ich werde das nie wiedergutmachen können, aber ich werde nie aufhören, es zu versuchen.«

Jacob schwieg einen Augenblick, er lauschte dem Sturm oder vielleicht dachte er über Edwards Worte nach.

»Und das zweite Mal – als du dachtest, sie wäre tot?«, flüsterte er rau.

»Ja«, sagte Edward und beantwortete damit eine andere Frage. »So wirst du es wahrscheinlich empfinden, nicht wahr? So, wie du uns betrachtest, wirst du sie vielleicht nicht mehr als Bella sehen können. Aber sie wird immer noch Bella sein.«

»Das habe ich nicht gefragt.«

Jetzt kam Edwards Antwort schnell und hart. »Ich kann dir nicht sagen, wie es sich angefühlt hat. Dafür gibt es keine Worte.«

Jacob umarmte mich noch fester.

»Und doch hast du sie verlassen, weil du nicht wolltest, dass sie ein Blutsauger wird. Du willst, dass sie ein Mensch bleibt.«

Edward sprach langsam. »Jacob, von dem Moment an, da mir klarwurde, dass ich sie liebe, wusste ich, dass es genau vier Möglichkeiten gibt. Die erste und für Bella beste Möglichkeit wäre, dass sie nicht so stark für mich empfindet – dass sie darüber hinwegkommt und ihr Leben weiterlebt. Das würde ich akzeptieren, auch wenn es nichts an meinen Gefühlen ändern würde. Für dich bin ich ein … lebender Stein – hart und kalt. Das ist richtig. Wir sind, wie wir sind, und wirkliche Veränderungen kommen nur ganz selten vor. Wenn es doch vorkommt, wie damals, als Bella in mein Leben trat, ist es eine bleibende Veränderung. Dann gibt es kein Zurück.

Die zweite Möglichkeit, für die ich mich entschieden hatte, wäre, ihr ganzes Menschenleben lang mit ihr zusammenzubleiben. Für sie war es keine schöne Aussicht, ihr Leben mit jemandem zu vergeuden, der kein Mensch sein konnte, aber für mich war es die erträglichste Variante. Denn ich wusste, wenn sie stirbt, würde ich auch einen Weg finden, mein Leben zu beenden. Sechzig, siebzig Jahre – für mich ist das eine sehr, sehr kurze Zeitspanne … Doch dann zeigte sich, dass es für sie viel zu gefährlich war, so nah an meiner Welt zu leben. Alles, was schiefgehen konnte, ging auch schief. Oder es schwebte über uns … ein drohendes Unheil. Ich hatte furchtbare Angst, dass ich die sechzig Jahre nicht bekommen würde, wenn ich in ihrer Nähe blieb, während sie ein Mensch war.

Also entschied ich mich für die dritte Möglichkeit. Was sich als der größte Fehler meines langen Lebens erwies, wie du weißt. Ich entschied mich dafür, ihre Welt zu verlassen, in der Hoffnung, sie zu der ersten Möglichkeit zu bewegen. Dieser Versuch schlug fehl, und ich hätte uns beinahe beide getötet.

Was bleibt mir anderes übrig als die vierte Möglichkeit? Sie will es so haben – jedenfalls glaubt sie das. Ich würde sie gern überreden, sich mehr Zeit zu lassen, damit sie ihre Meinung vielleicht doch noch ändert, aber sie ist so … starrsinnig. Das weißt du ja. Ich kann froh sein, wenn ich es noch ein paar Monate hinauszögern kann. Sie findet es schrecklich älter zu werden, und im September hat sie Geburtstag …«

»Ich bin für die erste Möglichkeit«, murmelte Jacob.

Edward gab keine Antwort.

»Du weißt genau, wie schwer es für mich ist, das zu akzeptieren«, flüsterte Jacob langsam, »aber ich weiß jetzt, dass du sie liebst … auf deine Weise. Dagegen kann ich nichts mehr sagen. Doch ich glaube, du solltest die erste Möglichkeit nicht aufgeben, noch nicht. Ich kann mir gut vorstellen, dass es ihr gutgehen würde. Nach einer Weile. Weißt du, wenn sie im März nicht von der Klippe gesprungen wäre … und wenn du dann noch ein halbes Jahr gewartet hättest, um nach ihr zu sehen … dann hättest du sie vielleicht ganz glücklich erlebt. Ich hatte einen Plan.«

Edward lachte. »Vielleicht wäre er aufgegangen. Er war gut durchdacht.«

»Ja.« Jake seufzte. »Aber …« Plötzlich flüsterte er so schnell, dass seine Worte sich verhedderten. »Gib mir ein Jahr, Bl… – Edward. Ich glaube wirklich, ich könnte sie glücklich machen. Ja, sie ist stur, keiner weiß das besser als ich, aber sie kann darüber hinwegkommen. Sie wäre auch damals darüber hinweggekommen. Und sie könnte ein Mensch sein, mit Charlie und Renée zusammen sein, sie könnte älter werden und Kinder haben und … Bella sein.

Wenn du sie so liebst, musst du doch die Vorteile dieses Plans sehen. Sie hält dich für sehr selbstlos … bist du das wirklich? Kannst du die Möglichkeit in Betracht ziehen, dass ich vielleicht besser zu ihr passe als du?«

»Das habe ich schon in Betracht gezogen«, sagte Edward ruhig. »In gewisser Hinsicht wärest du besser für sie als andere Männer. Bella braucht jemanden, der auf sie aufpasst, und du bist stark genug, um sie vor sich selbst zu beschützen und vor allen anderen, die sich gegen sie verschworen haben. Das hast du ja bereits getan, und dafür werde ich dir dankbar sein, solange ich lebe – für immer also.

Ich habe sogar schon Alice gefragt – ob sie sehen könne, mit wem von uns beiden es Bella bessergehen würde. Aber natürlich konnte sie es nicht sehen, weil sie dich nicht sehen kann, und im Moment ist sich Bella ihrer Sache sehr sicher.

Ich bin nicht so dumm, denselben Fehler noch einmal zu machen, Jacob. Ich werde nicht noch einmal versuchen, sie zu der ersten Möglichkeit zu zwingen. Solange sie mich will, werde ich da sein.«

»Und wenn sie sich plötzlich für mich entscheiden würde?«, sagte Jacob herausfordernd. »Ich geb zu, das ist nicht sehr wahrscheinlich, aber mal angenommen.«

»Dann würde ich sie gehen lassen.«

»Einfach so?«

»Insofern, als ich ihr nie zeigen würde, wie schwer es mir fiele, ja. Aber ich würde sie im Auge behalten. Weißt du, Jacob, *du* könntest sie ja eines Tages verlassen. Wie Sam mit seiner Emily hättest du keine Wahl. Darauf würde ich hoffen, und dafür würde ich mich immer bereithalten.«

Jacob schnaubte leise. »Du warst sehr viel ehrlicher, als ich erwarten durfte … Edward. Danke.«

»Wie gesagt bin ich dir heute Nacht auf seltsame Weise dankbar dafür, dass du für sie da bist. Das war das Wenigste, was ich tun konnte … Weißt du, Jacob, wären wir nicht von Natur aus Feinde und würdest du nicht versuchen, mir den Sinn meiner Existenz zu rauben, könnte ich dich sogar mögen.«

»Vielleicht … wenn du kein widerlicher Vampir wärst, der aus dem Mädchen, das ich liebe, das Leben heraussaugen will … aber nee, selbst dann nicht.«

Edward kicherte.

»Kann ich dich etwas fragen?«, sagte Edward nach einer Weile.

»Wieso musst du überhaupt fragen?«

»Ich kann es nur hören, wenn du daran denkst. Es ist eine Geschichte, die Bella mir neulich nicht erzählen wollte. Etwas über eine dritte Frau …?«

»Was ist damit?«

Edward antwortete nicht, er lauschte der Geschichte in Jacobs Kopf. Ich hörte ihn im Dunkeln leise zischen.

»Was ist?«, fragte Jacob.

»Natürlich«, sagte Edward wütend. »Natürlich! Es wäre mir lieber, deine Stammesältesten hätten diese Geschichte für sich behalten, Jacob.«

»Gefällt es dir nicht, wenn die Blutsauger als die Bösen dargestellt werden?«, spottete Jacob. »Das sind sie aber, weißt du, damals und heute.«

»Das ist mir herzlich egal. Aber kannst du dir nicht denken, mit welcher Figur Bella sich identifiziert?«

Darüber musste Jacob einen Augenblick nachdenken. »Ach so. Oh. Die dritte Frau. Jetzt weiß ich, was du meinst.«

»Sie will auf der Lichtung sein. Um wenigstens einen kleinen Beitrag zu leisten, wie sie es ausdrückt.« Er seufzte. »Das ist der andere Grund, weshalb ich morgen bei ihr bleiben will. Wenn sie sich etwas in den Kopf gesetzt hat, kann sie sehr erfinderisch sein.«

»Dein Soldatenbruder hat zu der Idee aber genauso beigetragen wie unsere Geschichte.«

»Keine Seite hatte etwas Böses im Sinn«, flüsterte Edward beschwichtigend.

»Und wann ist *unser* kleiner Waffenstillstand beendet?«, fragte Jacob. »Bei Tagesanbruch? Oder warten wir bis nach dem Kampf?«

Eine Weile schwiegen beide und dachten darüber nach.

»Bei Tagesanbruch«, flüsterten sie gleichzeitig, dann lachten beide.

»Schlaf gut, Jacob«, sagte Edward. »Genieße den Augenblick.«

Wieder war es still, und auch das Zelt bewegte sich nicht. Offenbar hatte der Wind beschlossen, uns doch nicht wegzufegen, und gab den Kampf auf.

Edward stöhnte leise. »So wörtlich habe ich es nicht gemeint.«

»'tschuldigung«, flüsterte Jacob. »Du kannst ja auch gehen – dann sind wir ein bisschen für uns.«

»Wenn du nicht einschlafen kannst, helfe ich gern nach«, sagte Edward.

»Das kannst du ja mal versuchen«, sagte Jacob ungerührt. »Wäre doch interessant zu sehen, wer von uns beiden das überlebt, oder?«

»Treib es nicht zu weit, Wolf. Auch meine Geduld hat Grenzen.«

Jacob lachte heiser. »Im Moment würde ich mich lieber nicht von der Stelle bewegen, wenn du nichts dagegen hast.«

Edward begann für sich selbst zu summen – lauter als sonst, wahrscheinlich versuchte er Jacobs Gedanken zu übertönen. Es war mein Schlaflied, das er summte, und obwohl mir bei diesem Flüstertraum immer unbehaglicher zu Mute wurde, sank ich tiefer in den Schlaf … in andere, weniger wirre Träume …

Gegen jede Vernunft

Als ich am nächsten Morgen erwachte, war es sehr hell – selbst im Zelt stach mir das Sonnenlicht in den Augen. Und ich schwitzte wirklich, genau wie Jacob prophezeit hatte. Er schnarchte mir leise ins Ohr, er hielt mich noch immer in den Armen.

Ich nahm den Kopf von seiner fieberheißen Brust, und der kalte Morgen brannte mir auf der feuchten Wange. Jacob seufzte im Schlaf, unbewusst verstärkte er seinen Griff.

Ich wollte mich aus seinen Armen winden, aber er ließ nicht locker. Ich versuchte den Kopf so weit zu heben, dass ich etwas sehen konnte.

Edward begegnete meinem Blick ganz gelassen, doch ich sah den Schmerz in seinen Augen.

»Ist es da draußen wärmer geworden?«, flüsterte ich.

»Ja. Ich glaube, heute brauchen wir keinen Heizlüfter.«

Ich wollte den Reißverschluss öffnen, doch ich bekam die Arme nicht frei. Ich strengte mich an, aber gegen Jacobs immense Kraft hatte ich keine Chance. Er murmelte etwas im Schlaf, und seine Umarmung wurde noch fester.

»Kannst du mir helfen?«, fragte ich leise.

Edward lächelte. »Möchtest du, dass ich ihm die Arme ganz abnehme?«

»Nein, danke. Du sollst mich nur befreien. Sonst kriege ich einen Hitzschlag.«

Mit einer schnellen, abrupten Bewegung zog Edward den Reißverschluss des Schlafsacks auf. Jacob fiel heraus und knallte mit dem nackten Rücken auf den eisigen Zeltboden.

»He!«, beschwerte er sich und riss die Augen auf. Instinktiv zuckte er vor der Kälte zurück und drehte sich dabei auf mich drauf. Sein Gewicht drückte mich nieder, und ich bekam keine Luft mehr.

Und dann war das Gewicht plötzlich weg. Mit voller Wucht flog Jacob gegen eine Zeltstange, und das Zelt wackelte.

Das Knurren schien von allen Seiten zu kommen. Edward kauerte vor mir, ich konnte sein Gesicht nicht sehen, aber ich hörte das Knurren in seiner Brust. Auch Jacob hockte halb auf dem Boden, am ganzen Körper zitternd, und knurrte mit zusammengebissenen Zähnen. Draußen vor dem Zelt hallte Seth Clearwaters wütendes Knurren von den Felsen wider.

»Hört auf, hört auf«, schrie ich und rappelte mich ungeschickt auf, um mich zwischen sie zu stellen. Es war so eng im Zelt, dass ich die Arme kaum auszustrecken brauchte, um jedem eine Hand auf die Brust zu legen. Edward umfasste meine Taille, um mich wegzureißen.

»Hör jetzt auf!«, warnte ich ihn.

Unter meiner Berührung beruhigte sich Jacob allmählich. Das Zittern ließ nach, aber er hatte immer noch die Zähne gebleckt und sah Edward mit wildem Blick an. Das einzige Geräusch war Seths Knurren – ein lang anhaltender Laut im Hintergrund, während es im Zelt plötzlich still war.

»Jacob?«, fragte ich und wartete, bis der erbitterte Ausdruck aus seinem Gesicht verschwand und er mich ansah. »Bist du verletzt?«

»Natürlich nicht!«, zischte er.

Ich wandte mich zu Edward. Er schaute mich an, sein Blick war hart und wütend. »Das war nicht nett. Entschuldige dich mal.«

Er riss entsetzt die Augen auf. »Du machst wohl Witze – er hätte dich fast zerquetscht!«

»Weil du ihn auf den Boden geworfen hast! Er hat es nicht mit Absicht gemacht, und er hat mir auch nicht wehgetan.«

Edward stöhnte unwillig. Langsam schaute er auf und sah Jacob feindselig an. »Entschuldige, du Hund.«

»Schon okay«, sagte Jacob mit spöttischem Unterton.

Es war immer noch kalt, wenn auch nicht mehr so sehr wie gestern. Ich schlang mir die Arme um die Brust.

»Hier«, sagte Edward, der sich jetzt wieder in der Gewalt hatte. Er hob den Parka vom Boden auf und legte ihn mir über meine Jacke.

»Der gehört Jacob«, wehrte ich ab.

»Jacob hat ein Fell«, betonte Edward.

»Ich nehme einfach wieder den Schlafsack, wenn du nichts dagegen hast.« Jacob würdigte Edward keines Blickes, stieg um uns herum und schlüpfte in den Daunenschlafsack. »Ich war noch nicht ausgeschlafen. Ich muss sagen, ich hab schon besser geschlafen.«

»Es war deine Idee«, sagte Edward unbeeindruckt.

Jacob hatte sich schon zusammengerollt und die Augen geschlossen. Er gähnte. »Ich hab nicht behauptet, es wäre nicht die beste Nacht meines Lebens gewesen. Nur dass ich nicht gerade viel geschlafen hab. Ich dachte schon, Bella würde nie aufhören zu reden.«

Ich zuckte zusammen und fragte mich, was ich heute Nacht wohl erzählt hatte. Bei der Vorstellung wurde mir ganz anders.

»Freut mich, dass du deinen Spaß hattest«, sagte Edward.

Jacob schlug die Augen wieder auf. »Dann hattest du also keine angenehme Nacht?«, fragte er genüsslich.

»Es war nicht die schlimmste Nacht meines Lebens.«

»Kommt sie unter die ersten zehn?«, fragte Jacob sadistisch.

»Schon möglich.«

Jacob lächelte und schloss die Augen.

»Aber«, fuhr Edward fort, »hätte ich mit dir tauschen können, dann wäre sie nicht unter die ersten zehn der *schönsten* Nächte meines Lebens gekommen. Denk mal darüber nach.«

Wieder öffnete Jacob die Augen, diesmal um Edward wütend anzufunkeln. Mit gestrafften Schultern richtete er sich auf.

»Weißt du was? Hier drin wird es mir zu eng.«

»Da sind wir uns ausnahmsweise einmal einig.«

Ich stieß Edward in die Rippen – das gab bestimmt einen blauen Fleck an meinem Ellbogen.

»Den Schlaf hole ich lieber später nach.« Jacob verzog das Gesicht. »Ich muss sowieso mit Sam reden.«

Er drehte sich auf die Knie und zog am Reißverschluss.

Der Schmerz fuhr mir den Rücken hinunter und landete in meinem Magen, als mir bewusst wurde, dass ich Jacob womöglich nie mehr wiedersehen würde. Er ging jetzt zu Sam, um gegen eine Horde blutrünstiger neugeborener Vampire zu kämpfen.

»Warte, Jake …« Ich streckte die Hand nach ihm aus, aber sie glitt an seinem Arm ab.

Er entzog mir den Arm, ehe meine Finger Halt fanden.

»Jake, bitte, willst du nicht bleiben?«

»Nein.«

Es klang hart und kalt. Ich wusste, dass mir der Schmerz anzusehen war, denn er atmete aus und lächelte ein wenig.

»Mach dir um mich keine Sorgen, Bella«, sagte er. »Unkraut vergeht nicht.« Er lachte gezwungen. »Und außerdem müsste Seth dann für mich einspringen – dann hätte er den ganzen Spaß und würde außerdem den Ruhm einstreichen. Kommt gar nicht in Frage.« Er schnaubte.

»Pass auf dich auf …«

Noch ehe ich ausreden konnte, war er schon aus dem Zelt.

»Lass gut sein, Bella«, murmelte er, dann verschloss er den Eingang wieder.

Ich lauschte auf seine Schritte, als er wegging, aber alles blieb still. Kein Wind mehr. Weit weg auf dem Berg hörte ich die Vögel ihr Morgenlied singen, sonst nichts. Jacob schien sich in völliger Stille zu bewegen.

Ich hüllte mich in meine Jacken und lehnte mich an Edwards Schulter. Eine ganze Weile sagten wir nichts.

»Wie lange noch?«, fragte ich dann.

»Noch etwa eine Stunde, das hat Alice zu Sam gesagt«, sagte Edward düster.

»Wir bleiben zusammen, ganz gleich, was kommt.«

»Ganz gleich, was kommt«, sagte er mit zusammengekniffenen Augen.

»Ich weiß«, sagte ich. »Ich habe auch Angst um sie.«

»Sie wissen sich schon zu helfen«, sagte Edward betont leichthin. »Ich ärgere mich nur darüber, dass ich den Spaß verpasse.«

Schon wieder nannten sie es einen Spaß. Meine Nasenflügel bebten.

Er legte mir einen Arm um die Schultern. »Keine Angst«, sagte er und küsste mich auf die Stirn.

Als ob das so einfach wäre. »Klar.«

»Soll ich dich ablenken?«, flüsterte er und fuhr mir mit den kalten Fingern über die Wange.

Ich zitterte unwillkürlich, der Morgen war immer noch kalt.

»Vielleicht nicht gerade jetzt«, beantwortete er seine eigene Frage und zog die Hand zurück.

»Es gibt noch andere Möglichkeiten, mich abzulenken.«

»Als da wären?«

»Du könntest mir von den zehn schönsten Nächten deines Lebens erzählen«, schlug ich vor. »Ich bin neugierig.«

Er lachte. »Rate mal.«

Ich schüttelte den Kopf. »Da sind zu viele Nächte, von denen ich nichts weiß. Fast ein ganzes Jahrhundert.«

»Ich schränke die Auswahl für dich ein. Alle meine schönsten Nächte habe ich erlebt, seit ich dich kenne.«

»Wirklich?«

»Ja, wirklich – mit großem Abstand.«

Ich überlegte eine Weile. »Mir fallen nur meine schönsten ein«, gab ich zu.

»Vielleicht sind es dieselben«, sagte er aufmunternd.

»Tja, also, einmal die erste Nacht. Als du geblieben bist.«

»Ja, die gehört bei mir auch dazu. In meinem Lieblingsteil der Nacht hast du allerdings geschlafen.«

»Ach, ja.« Jetzt fiel es mir wieder ein. »In der Nacht habe ich auch im Schlaf geredet.«

»Ja«, sagte er.

Mein Gesicht wurde heiß, als ich mich erneut fragte, was ich wohl gesagt hatte, während ich in Jacobs Armen schlief. Ich wusste nicht mehr, was ich geträumt hatte oder ob ich überhaupt etwas geträumt hatte.

»Was hab ich letzte Nacht gesagt?«, flüsterte ich ganz leise.

An Stelle einer Antwort zuckte er die Schultern.

»So schlimm?«

»So schlimm nun auch wieder nicht.« Er seufzte.

»Bitte sag es mir.«

»Vor allem hast du meinen Namen gesagt, wie immer.«

»Das ist ja nicht schlimm«, sagte ich vorsichtig.

»Aber gegen Ende hast du irgendeinen Unsinn von ›Jacob, mein Jacob‹ gemurmelt.« Obwohl er flüsterte, hörte ich, wie weh es ihm tat. »Das hat deinem Jacob sehr gefallen.«

Ich reckte den Hals und versuchte, seine Wange mit den Lippen zu berühren. Ich konnte seine Augen nicht sehen. Er starrte ans Zeltdach.

»Entschuldige«, sagte ich. »Das ist nur meine Art zu unterscheiden.«

»Unterscheiden?«

»Zwischen Dr. Jekyll und Mr Hyde. Zwischen dem Jacob, den ich gernhabe, und dem, der mich nervt«, erklärte ich.

»Klingt einleuchtend.« Er klang ein wenig besänftigt. »Nenn mir noch eine Lieblingsnacht.«

»Der Rückflug von Italien.«

Er runzelte die Stirn.

»Für dich nicht?«, fragte ich erstaunt.

»Doch, das ist eine meiner Lieblingsnächte, aber es wundert mich, dass sie auf deiner Liste steht. Warst du nicht in der irrigen Annahme, ich handle nur aus einem schlechten Gewissen heraus und würde davonrennen, sobald sich die Flugzeugtür öffnet?«

»Stimmt.« Ich lächelte. »Aber du warst da.«

Er küsste mein Haar. »Du liebst mich mehr, als ich es verdiene.«

Ich lachte über diese absurde Bemerkung. »Und dann die Nacht danach«, fuhr ich fort.

»Ja, die steht auch auf meiner Liste. Du warst so witzig.«

»Witzig?«, fragte ich leicht empört.

»Ich hatte keine Ahnung, dass du so lebhafte Träume hast. Es dauerte ewig, bis ich dich überzeugt hatte, dass du wach bist.«

»Ich bin mir immer noch nicht ganz sicher«, sagte ich leise.

»Für mich warst du immer mehr Traum als Wirklichkeit. Jetzt nenn du mir eine von deinen. Habe ich die erraten, die bei dir an erster Stelle steht?«

»Nein – das war vor zwei Nächten, als du mir endlich dein Jawort gabst.«

Ich schnitt eine Grimasse.

»Steht die nicht auf deiner Liste?«

Ich dachte daran, wie er mich geküsst hatte, an die Zusage, die ich ihm abgerungen hatte, und änderte meine Meinung. »Doch ... schon. Aber mit Einschränkungen. Ich verstehe nicht, warum es für dich so wichtig ist. Ich gehörte dir sowieso schon für immer.«

»In hundert Jahren, wenn du genügend Lebenserfahrung hast, um die Antwort wirklich zu verstehen, werde ich es dir erklären.«

»Ich werd dich dran erinnern – in hundert Jahren.«

»Hast du es warm genug?«, fragte er plötzlich.

»Ja«, sagte ich. »Warum?«

Bevor er antworten konnte, wurde die Stille vor dem Zelt von einem ohrenbetäubenden Schmerzensschrei zerrissen. Das Geräusch prallte von den nackten Felswänden des Berges ab und erfüllte die Luft derart, dass es von überall her zu kommen schien.

Der Schrei fuhr durch mein Hirn wie ein Tornado, gleichermaßen fremd und vertraut. Fremd, weil ich noch nie so einen qualvollen Schrei gehört hatte. Vertraut, weil ich die Stimme sofort erkannte – ich erkannte den Laut und begriff, was er bedeutete, als hätte ich ihn selbst ausgestoßen. Es spielte keine

Rolle, dass Jacob nicht in seiner Menschengestalt war, als er schrie. Ich brauchte keine Übersetzung.

Jacob war ganz in der Nähe. Er hatte jedes Wort mit angehört, das wir gesprochen hatten. Und er litt.

Der Schrei mündete in ein gurgelndes Schluchzen, dann war es wieder still.

Ich hörte seine leise Flucht nicht, aber ich spürte sie – nun spürte ich die Abwesenheit, von der ich zuvor fälschlich ausgegangen war, die Leere, die er zurückließ.

»Weil dein Heizlüfter nicht mehr kann«, sagte Edward ruhig. »Ende des Waffenstillstands«, fügte er hinzu, so leise, dass ich mir nicht sicher war, ob ich richtig gehört hatte.

»Jacob hat gelauscht«, flüsterte ich. Es war keine Frage.

»Ja.«

»Und du wusstest es.«

»Ja.«

Ich starrte ins Nichts, ohne etwas zu sehen.

»Ich habe nie behauptet, ich würde fair kämpfen«, sagte er. »Und er hat es verdient, die Wahrheit zu erfahren.«

Ich ließ den Kopf in die Hände sinken.

»Bist du wütend auf mich?«, fragte er.

»Nicht auf dich«, flüsterte ich. »Es graut mir vor mir selbst.«

»Quäle dich nicht«, bat er.

»Stimmt«, sagte ich bitter. »Das spare ich mir lieber für Jacob auf. Damit er noch mehr leidet.«

»Er wusste, was er tat.«

»Spielt das eine Rolle?« Ich blinzelte die Tränen zurück, und das war mir anzuhören. »Glaubst du, es spielt für mich eine Rolle, ob es gerecht ist oder ob er gewarnt war? Ich tue ihm weh. Was immer ich tue, ich tue ihm wieder weh.« Meine Stimme wurde lauter, hysterischer. »Ich bin ein schrecklicher Mensch.«

Er nahm mich in die Arme. »Nein, bist du nicht.«

»Doch! Was ist bloß mit mir los?« Ich versuchte mich zu befreien, und er ließ die Arme sinken. »Ich muss ihn finden.«

»Bella, er ist schon meilenweit weg, und es ist kalt.«

»Das ist mir egal. Ich kann hier nicht einfach rumsitzen.« Ich zog Jacobs Parka aus, zog die Stiefel an und krabbelte steif zum Zelteingang; meine Beine waren gefühllos. »Ich muss … ich muss …« Ich wusste nicht, wie ich den Satz beenden sollte, wusste nicht, was ich tun sollte, aber ich machte den Reißverschluss auf und ging hinaus in den hellen, eisigen Morgen.

Es lag nicht so viel Schnee, wie ich nach dem Sturm der vergangenen Nacht erwartet hätte. Wahrscheinlich war er eher weggeweht worden als geschmolzen. Die Sonne stand tief im Südosten, schien grell auf den verbliebenen Schnee und stach mir in den Augen, die sich noch nicht an das Licht gewöhnt hatten. Die Kälte war immer noch schneidend, aber es ging kein Lüftchen, und als die Sonne höher stieg, wurde es langsam etwas sommerlicher.

Seth Clearwater lag im Schatten einer dicken Fichte, er hatte den Kopf auf den Pfoten und lag zusammengerollt auf einem Bett aus trockenen Kiefernnadeln. Sein sandfarbenes Fell hob sich kaum von den Kiefernnadeln ab, aber ich sah, wie sich der Schnee in seinen Augen spiegelte. Er starrte mich an, und ich erkannte den Vorwurf in seinem Blick.

Ich wusste, dass Edward mir nachging, als ich in den Wald stolperte. Ich konnte ihn nicht hören, aber seine Haut reflektierte die Sonne in glitzernden Regenbogen, die mir voraustanzten. Erst als ich tiefer in den Wald hineinging, hielt er mich zurück.

Er fasste mich am Handgelenk. Ich versuchte mich loszureißen, aber er gab nicht nach.

»Du kannst ihm nicht nachgehen. Nicht heute. Es ist bald so weit. Und wenn du dich verläufst, ist niemandem gedient.«

Ich drehte das Handgelenk herum und zog, aber es hatte keinen Sinn.

»Es tut mir leid, Bella«, flüsterte er. »Es tut mir leid, dass ich das getan habe.«

»Du hast überhaupt nichts getan. Ich bin schuld, ich hab das getan. Ich hab alles falsch gemacht. Ich hätte … Als er … Ich hätte nicht … ich … ich …« Ich schluchzte.

»Bella, Bella.«

Er nahm mich in die Arme, und meine Tränen liefen auf sein Hemd.

»Ich hätte … es ihm sagen sollen … ich hätte … sagen sollen …« Was? Wie hätte ich die Lage retten können? »Er hätte es nicht so … erfahren dürfen.«

»Soll ich versuchen ihn zurückzuholen, damit du mit ihm reden kannst? Ein wenig Zeit haben wir noch«, sagte Edward. Er versuchte sich nicht anmerken zu lassen, wie schwer ihm das fiel.

Ich nickte an seiner Brust, ohne aufzublicken, ich wollte sein Gesicht nicht sehen.

»Warte du beim Zelt. Ich bin gleich zurück.«

Er ließ mich los und verschwand so schnell, dass er, als ich aufschaute, schon nicht mehr zu sehen war. Ich war allein.

Wieder kämpfte ich mit einem Schluchzer. Heute tat ich allen nur weh. Alles, was ich anfasste, ging schief.

Ich wusste nicht, warum mich das jetzt so hart traf. Ich hatte es doch kommen sehen. Aber so heftig hatte Jacob noch nie reagiert – dass er sein unerschütterliches Selbstvertrauen verloren und sein Leid so offen gezeigt hätte. Irgendwo tief in der Brust spürte ich noch immer seinen Schmerzensschrei. Und dann war da noch der andere Schmerz. Schmerz, weil ich jetzt auch noch Edward verletzte, indem ich meinen Kummer so offen zeigte. Weil ich Jacob nicht einfach gehen lassen konnte, wohl wissend, dass es das einzig Richtige wäre.

Ich war egoistisch, ich tat anderen weh. Ich quälte die, die ich liebte.

Ich war wie Cathy in der *Sturmhöhe*, nur dass ich viel bessere Alternativen hatte als sie, denn keiner von beiden war böse und keiner war schwach. Und hier saß ich und weinte, anstatt etwas Sinnvolles zu tun, um es wiedergutzumachen. Genau wie Cathy.

Ich konnte meine Entscheidungen nicht mehr davon abhängig machen, ob etwas *mir* wehtat. Jetzt musste ich das Richtige tun, auch wenn es viel zu spät kam. Vielleicht hatte das Schicksal es schon übernommen. Vielleicht schaffte Edward es nicht, ihn zurückzuholen. Dann musste ich das hinnehmen und mein Leben weiterleben. Nie wieder würde Edward mich eine Träne um Jacob Black vergießen sehen. Es würde keine Tränen mehr geben. Mit kalten Fingern wischte ich die letzten weg.

Doch wenn Edward mit Jacob zurückkam, dann war's das. Dann musste ich ihm sagen, er solle weggehen und nie wiederkommen.

Warum fiel mir das so schwer? So viel schwerer als der Abschied von meinen anderen Freunden, von Angela oder Mike? Warum tat es so weh? Das war nicht richtig. Es dürfte mir nicht so wehtun. Ich hatte alles, was ich wollte. Ich konnte sie nicht beide haben, denn Jacob wollte nicht nur mein Freund sein. Von diesem Wunsch musste ich mich endlich verabschieden. Wieso war ich so gierig?

Ich musste mich von diesem irrationalen Gefühl befreien, dass Jacob in mein Leben gehörte. Er konnte nicht zu mir gehören, konnte nicht *mein* Jacob sein, wenn ich zu jemand anderem gehörte.

Langsam ging ich zurück zu der kleinen Lichtung. Meine Beine fühlten sich schwer an. Als der Wald sich öffnete und ich in das grelle Licht blinzelte, warf ich Seth einen kurzen Blick zu – er lag immer noch auf dem Bett aus Kiefernnadeln –, dann schaute ich schnell weg.

Ich merkte, dass meine Haare wirr waren, verknotet wie die Schlangen der Medusa. Ich kämmte sie mit den Fingern, gab jedoch schnell auf. Wen kümmerte es, wie ich aussah?

Ich nahm die Feldflasche, die am Zelteingang hing, und trank einen Schluck von dem eiskalten Wasser. Irgendwo gab es auch etwas zu essen, aber ich war noch nicht so hungrig, dass ich Lust gehabt hätte, danach zu suchen. Die ganze Zeit, während ich über den kleinen sonnigen Platz ging, spürte ich Seths Blick auf mir. Weil ich ihn nicht ansah, war er in meiner Vorstellung wieder der Junge und nicht der riesige Wolf. Wie eine jüngere Ausgabe von Jacob.

Ich hätte Seth gern gebeten zu bellen oder mir irgendein Zeichen zu geben, ob Jacob wiederkommen würde, aber ich hielt mich zurück. Es spielte keine Rolle, ob Jacob zurückkam. Vielleicht war es leichter, wenn nicht. Am liebsten hätte ich Edward zurückgerufen.

In diesem Augenblick winselte Seth und richtete sich auf.

»Was ist?«, fragte ich ihn, obwohl es idiotisch war.

Er achtete nicht auf mich, trottete zum Waldrand und zeigte mit der Nase in Richtung Westen. Er begann zu wimmern.

»Sind es die anderen, Seth?«, fragte ich. »Auf der Lichtung?«

Er schaute mich an und jaulte einmal leise, dann wandte er die Nase wieder nach Westen. Er legte die Ohren an und winselte wieder.

Warum war ich so blöd gewesen? Was hatte ich mir dabei gedacht, Edward wegzuschicken? Wie sollte ich jetzt erfahren, was los war? Ich war der Wolfssprache nicht mächtig.

Ein kalter Angstschauer lief mir den Rücken hinunter. Und wenn es nun schon so weit war? Wenn Jacob und Edward zu nahe herangekommen waren? Und wenn Edward sich entschloss mitzukämpfen?

Ein Eisklumpen bildete sich in meinem Bauch. Wenn Seths Nervosität gar nichts mit der Lichtung zu tun hatte und sein Jaulen ein Nein gewesen war? Oder wenn Jacob und Edward miteinander kämpften, irgendwo weit weg im Wald? Aber das würden sie nicht tun, oder?

Mit einer Gewissheit, die mich frösteln ließ, wusste ich plötzlich, dass sie das doch tun würden – wenn einer von beiden etwas Falsches sagte. Ich dachte an die angespannte Situation heute Morgen im Zelt und fragte mich, ob sie womöglich haarscharf an einem Kampf vorbeigeschrammt waren.

Wenn ich beide verlieren müsste, würde es mir recht geschehen.

Das Eis legte sich um mein Herz.

Ehe ich vor Angst ohnmächtig werden konnte, stieß Seth tief in der Brust ein leises Grummeln aus, dann gab er seinen Wachposten auf und schlich zurück zu seinem Platz unter der Fichte. Das beruhigte mich, aber gleichzeitig ärgerte ich mich auch. Konnte er nicht eine Nachricht in die Erde kratzen oder so?

Vom Hin- und Hergehen fing ich an zu schwitzen. Ich warf die Jacke ins Zelt, dann ging ich wieder in der Mitte des kleinen Platzes auf und ab.

Plötzlich sprang Seth auf die Füße, seine Nackenhaare standen zu Berge. Ich schaute mich um, konnte aber nichts entdecken. Wenn Seth nicht sofort damit aufhörte, würde ich einen Kiefernzapfen nach ihm werfen.

Er knurrte, ein leiser, warnender Laut, dann schlich er wieder zum Waldrand, und ich zügelte meine Ungeduld.

»Wir sind's nur, Seth«, rief Jacob aus der Ferne.

Ich suchte nach einer Erklärung dafür, weshalb mein Herz in den vierten Gang sprang, als ich seine Stimme hörte. Es war nur die Angst vor dem, was mir bevorstand, mehr nicht. Ich durfte nicht zulassen, dass ich erleichtert war. Das half mir kein bisschen.

Erst kam Edward in Sicht, sein Gesicht glatt und ausdruckslos. Als er aus dem Schatten trat, glitzerte die Sonne auf seiner Haut wie auf dem Schnee. Seth ging zu ihm, um ihn zu begrüßen, und sah ihm fest in die Augen. Edward nickte langsam, er sah besorgt aus.

»Ja, mehr brauchen wir nicht«, sagte er leise zu sich selbst, ehe er sich an den großen Wolf wandte. »Das sollte uns wohl nicht überraschen. Aber es wird sehr knapp. Sam muss Alice unbedingt bitten, den Zeitplan besser auszuarbeiten.«

Seth senkte kurz den Kopf, und ich hätte am liebsten geknurrt. Denn jetzt konnte er natürlich nicken. Verärgert wandte ich den Kopf und stellte fest, dass Jacob da war.

Er hatte mir den Rücken zugekehrt und schaute in die Richtung, aus der er gekommen war. Ich wartete darauf, dass er sich umdrehte.

»Bella«, murmelte Edward, er war plötzlich direkt neben mir. Er schaute mich an, und in seinem Blick lag nichts als Sorge. Seine Großzügigkeit war endlos. Jetzt hatte ich ihn noch weniger verdient denn je.

»Es gibt eine kleine Komplikation«, sagte er betont sorglos. »Ich gehe mit Seth ein Stück in den Wald und versuche das Problem zu lösen. Ich bin nicht weit weg, aber ich werde nicht lauschen. Ich weiß, dass du keine Zuhörer wünschst, ganz gleich, wie deine Entscheidung ausfällt.«

Nur am Ende war der Schmerz in seinen Worten zu hören.

Ich durfte ihm nie wieder wehtun. Das war von jetzt an meine Aufgabe. Nie wieder wollte ich schuld sein, dass dieser Ausdruck in seine Augen trat.

Ich war zu mitgenommen, um auch nur zu fragen, was für ein Problem es gab. Darum konnte ich mich jetzt nicht auch noch kümmern.

»Beeil dich«, flüsterte ich.

Er küsste mich leicht auf die Lippen, dann verschwand er zusammen mit Seth im Wald.

Jacob stand immer noch im Schatten der Bäume, ich konnte seine Miene nicht erkennen.

»Ich habe nicht viel Zeit, Bella«, sagte er tonlos. »Warum bringst du es nicht hinter dich?«

Ich schluckte, meine Kehle war plötzlich so trocken, dass ich nicht wusste, ob ich ein Wort herausbringen würde.

»Spuck's schon aus und dann war's das.«

Ich holte tief Luft.

»Es tut mir leid, dass ich so ein schrecklicher Mensch bin«, flüsterte ich. »Und dass ich so egoistisch bin. Es wäre besser, wenn wir uns nie kennengelernt hätten, dann hätte ich dir nicht so wehtun können. Es wird nicht mehr vorkommen, das verspreche ich dir. Von jetzt an halte ich mich von dir fern. Ich ziehe in einen anderen Staat. Du brauchst mich nie wieder zu sehen.«

»Das ist keine Entschuldigung«, sagte er bitter.

Ich brachte nicht mehr als ein Flüstern zu Stande. »Dann sag mir, wie ich es besser machen kann.«

»Was ist, wenn ich gar nicht will, dass du weggehst? Wenn es mir lieber ist, dass du bleibst, ob du nun egoistisch bist oder nicht? Habe ich da gar nichts mitzureden, wenn du versuchen willst es wiedergutzumachen?«

»Das würde nichts nützen, Jake. Es war ein Fehler, mit dir zusammen zu sein, wo wir doch beide etwas ganz Unterschiedliches wollen. Und das wird sich nicht ändern. Ich tue dir nur immer weiter weh. Ich will das nicht mehr. Es ist schrecklich für mich.« Mir versagte die Stimme.

Er seufzte. »Hör auf. Du brauchst nichts weiter zu sagen. Ich habe verstanden.«

Ich wollte ihm sagen, wie sehr ich ihn vermissen würde, aber ich biss mir auf die Zunge. Das würde auch nichts nützen.

Eine Weile stand er stumm da und starrte zu Boden, und ich kämpfte gegen den Drang an, zu ihm zu gehen und ihn zu umarmen. Ihn zu trösten.

Und dann hob er plötzlich den Kopf.

»Tja, du bist nicht die Einzige, die bereit ist sich zu opfern«, sagte er, und seine Stimme war jetzt kräftiger. »Das kann ich auch.«

»Was?«

»Ich habe mich auch ziemlich danebenbenommen. Ich habe es dir viel schwerer gemacht als nötig. Am Anfang hätte ich mich noch zurückziehen können. Aber ich hab dir auch wehgetan.«

»Ich bin schuld.«

»Du kannst nicht die ganze Verantwortung auf dich nehmen, Bella. Und auch nicht den ganzen Ruhm für dich beanspruchen. Ich weiß, wie ich es wiedergutmachen kann.«

»Wovon redest du?«, fragte ich. Der plötzliche irre Glanz in seinen Augen machte mir Angst.

Er schaute hoch in die Sonne, dann lächelte er mich an. »Da unten wird bald ein ziemlich übler Kampf losbrechen. Es dürfte mir nicht allzu schwer fallen, von der Bildfläche zu verschwinden.«

Langsam begriff ich seine Worte, ganz allmählich, eins nach

dem anderen, und ich konnte nicht mehr atmen. Zwar hatte ich vorgehabt, Jacob aus meinem Leben zu verbannen, aber erst in diesem Moment wurde mir bewusst, was für einen tiefen Einschnitt das bedeutete.

»O nein, Jake! Nein, nein, nein, nein«, stieß ich entsetzt hervor. »Nein, Jake, nein. Bitte nicht.« Meine Knie fingen an zu zittern.

»Was macht es schon aus, Bella? So ist es für alle viel praktischer. Dann brauchst du noch nicht mal umzuziehen.«

»Nein!« Meine Stimme wurde lauter. »Nein, Jacob! Das lasse ich nicht zu!«

»Wie willst du mich aufhalten?«, sagte er mit leisem Spott und lächelte, um den Worten den Stachel zu nehmen.

»Jacob, ich bitte dich. Bleib bei mir.« Ich wäre auf die Knie gefallen, aber ich konnte mich nicht rühren.

»Was, für eine Viertelstunde, während ich eine tolle Rauferei verpasse? Damit du danach abhauen kannst, sobald du denkst, mir könnte nichts mehr passieren? Du machst wohl Witze.«

»Ich haue nicht ab. Ich hab es mir anders überlegt. Wir werden eine Lösung finden, Jacob. Man kann immer einen Kompromiss finden. Geh nicht!«

»Du lügst.«

»Ich lüge nicht. Du weißt, wie schlecht ich lügen kann. Schau mir in die Augen. Wenn du bleibst, bleibe ich auch.«

Sein Gesicht wurde hart. »Und dann darf ich auf deiner Hochzeit Trauzeuge sein?«

Es dauerte einen Augenblick, ehe ich darauf antworten konnte, und dann sagte ich doch nur »Bitte«.

»Das habe ich mir gedacht«, sagte er, und seine Züge wurden ganz ruhig, bis auf das Flackern in seinen Augen.

»Bella, ich liebe dich«, sagte er leise.

»Ich liebe dich auch«, flüsterte ich heiser.

Er lächelte. »Das weiß ich besser als du.«

Er wandte sich um und ging.

»Ich tue alles, was du willst, Jacob«, rief ich ihm mit erstickter Stimme nach. »Alles, was du willst, Jacob. Bitte bleib!«

Er blieb stehen und drehte sich langsam um.

»Ich glaube nicht, dass du das ernst meinst.«

»Bleib«, bat ich.

Er schüttelte den Kopf. »Nein, ich gehe.« Er hielt inne, als müsste er über etwas nachdenken. »Aber ich könnte es dem Schicksal überlassen.«

»Wie meinst du das?«, stieß ich hervor.

»Ich bräuchte es nicht absichtlich zu tun – ich könnte einfach so gut es geht für mein Rudel kämpfen und den Dingen ihren Lauf lassen.« Er zuckte die Schultern. »Wenn du mich überzeugen könntest, dass du wirklich willst, dass ich zurückkomme – mehr, als du selbstlos sein willst.«

»Wie?«, fragte ich.

»Du könntest mich fragen«, schlug er vor.

»Kommst du zurück?«, flüsterte ich. Wie konnte er daran zweifeln, dass es mir ernst war?

Er schüttelte den Kopf und lächelte wieder. »Ich rede von etwas anderem.«

Es dauerte einen Moment, bis ich begriff, worauf er hinauswollte, und die ganze Zeit sah er mich überlegen an – er war sich so sicher, wie ich reagieren würde. Kaum hatte ich begriffen, platzte ich heraus, ohne über die Folgen nachzudenken.

»Willst du mich küssen, Jacob?«

Er riss überrascht die Augen auf, dann wurde sein Blick misstrauisch. »Du bluffst doch.«

»Küss mich, Jacob. Küss mich, und dann komm zurück.«

Er zögerte, er schien mit sich zu ringen. Halb wandte er sich schon wieder um, drehte den Oberkörper von mir weg, während die Füße blieben, wo sie waren. Mit abgewandtem Blick machte er einen zögerlichen Schritt auf mich zu, dann noch einen. Dann wandte er mir wieder das Gesicht zu, immer noch Zweifel im Blick.

Ich erwiderte seinen Blick. Ich hatte keine Ahnung, wie ich guckte.

Jacob schwang zurück auf die Fersen, dann stürzte er auf mich zu und war mit drei langen Schritten bei mir.

Ich hatte gewusst, dass er die Situation ausnutzen würde. Ich war darauf gefasst. Ich hielt ganz still – ich schloss die Augen, ballte die Hände neben dem Körper zu Fäusten –, als er mein Gesicht in die Hände nahm und die Lippen so fest auf meine presste, dass es an Gewalt grenzte.

Ich merkte, wie wütend er wurde, als er meinen passiven Widerstand spürte. Er packte mich mit einer Hand im Nacken und krallte sich in meine Haare. Mit der anderen Hand fasste er mich roh bei der Schulter, schüttelte mich und zog mich an sich. Seine Hand wanderte an meinem Arm hinunter, fand mein Handgelenk und legte meinen Arm um seinen Hals. Ich ließ den Arm dort liegen, die Hand immer noch zur Faust geballt, und überlegte, wie weit ich in meinem verzweifelten Wunsch, Jacob am Leben zu halten, gehen konnte. Die ganze Zeit versuchten seine verwirrend warmen, weichen Lippen meinen eine Antwort zu entringen.

Sobald er sicher war, dass ich meinen Arm nicht wegziehen würde, ließ er mein Handgelenk los, jetzt wanderte seine Hand zu meiner Taille. Seine glühend heiße Hand berührte meine nackte Haut, und er presste meinen Körper an seinen.

Für einen kurzen Moment gaben seine Lippen mich frei, aber

ich wusste, dass er noch lange nicht fertig war. Sein Mund wanderte an meiner Wange hinunter, um meinen Hals zu erkunden. Er ließ meine Haare los, nahm meinen anderen Arm und legte auch diesen um seinen Hals.

Dann umfasste er mit beiden Armen meine Taille, und seine Lippen fanden mein Ohr.

»Das kannst du doch besser, Bella«, flüsterte er heiser. »Du denkst zu viel.«

Ich erschauerte, als er mit den Zähnen ganz leicht mein Ohrläppchen berührte.

»So ist es gut«, murmelte er. »Lass deinen Gefühlen nur ein Mal freien Lauf.«

Ich schüttelte mechanisch den Kopf, bis er wieder in mein Haar fasste und meinen Kopf festhielt.

Seine Stimme wurde eisig. »Willst du wirklich, dass ich zurückkomme? Oder soll ich vielleicht doch lieber sterben?«

Die Wut durchfuhr mich mit voller Wucht. Das war zu viel. Jetzt wurde er unfair.

Meine Arme lagen schon um seinen Hals, also krallte ich mich mit beiden Fäusten in sein Haar – wobei ich den stechenden Schmerz in meiner Rechten ignorierte – und wehrte mich, versuchte mein Gesicht zu befreien.

Und Jacob verstand mich falsch.

Er war zu stark, um zu merken, dass ich ihm mit meinen Händen, die seine Haare mit den Wurzeln auszureißen versuchten, wehtun wollte. Er deutete meine Wut als Leidenschaft. Er dachte, ich würde endlich reagieren.

Er stöhnte und legte seine Lippen wieder auf meine, seine Finger krallten sich in meine Seite.

Die Wut hatte meine dürftige Selbstbeherrschung schon ins Wanken gebracht, seine überraschende, ekstatische Reaktion machte sie nun vollends zunichte. Hätte er nur triumphiert, hätte ich ihm vielleicht noch widerstehen können. Aber seine hilflose, unbändige Freude untergrub meine Entschlossenheit, setzte sie außer Gefecht. Mein Gehirn verabschiedete sich von meinem Körper, und ich erwiderte seinen Kuss. Gegen jede Vernunft bewegten meine Lippen sich auf eine merkwürdige, verwirrende Weise – wie nie zuvor, denn bei Jacob brauchte ich mich nicht in Acht zu nehmen, ebenso wenig wie er sich in Acht nahm.

Ich krallte mich noch fester in sein Haar, aber jetzt zog ich ihn zu mir heran.

Er war überall. Das grelle Sonnenlicht färbte meine Lider rot, und die Farbe passte zu der Hitze. Die Hitze war überall. Ich konnte nichts sehen, nichts hören, nichts fühlen, das nicht Jacob war.

Der winzige Teil meines Gehirns, der noch funktionierte, bombardierte mich mit Fragen.

Warum hörte ich nicht damit auf? Schlimmer noch, warum verspürte ich nicht den leisesten Wunsch aufzuhören? Was bedeutete es, dass ich nicht wollte, dass er aufhörte? Dass ich mich an seine Schultern klammerte, die so schön breit und stark waren? Dass seine Hände mich zu fest an seinen Körper zogen und es mir doch nicht fest genug war?

Es waren dumme Fragen, denn ich kannte die Antwort: Ich hatte mir etwas vorgemacht.

Jacob hatte Recht. Er hatte die ganze Zeit Recht gehabt. Er war mehr als nur ein Freund für mich. Deshalb war es so unmöglich, von ihm Abschied zu nehmen – weil ich ihn liebte. Auch. Ich liebte ihn, mehr als ich sollte und doch nicht genug. Ich war in ihn verliebt, aber es reichte nicht aus, um irgendetwas zu ändern, es reichte nur, um uns beiden noch mehr wehzutun. Ihm schlimmer wehzutun denn je.

Alles andere war mir egal, aber nicht sein Schmerz. Ich selbst hatte den Schmerz verdient, den es mir bereiten würde. Ich hoffte, dass es schlimm wurde. Dass ich richtig leiden musste.

In diesem Moment fühlte es sich so an, als wären wir ein und dieselbe Person. Sein Schmerz war immer auch meiner gewesen und würde es immer sein – und jetzt war sein Glück auch mein Glück. Auch ich empfand Glück, und doch tat es gleichzeitig weh. Fast körperlich – wie Säure brannte es auf meiner Haut, eine langsame Folter.

Eine kurze, nicht enden wollende Sekunde lang tat sich hinter den Lidern meiner tränennassen Augen ein ganz anderer Weg auf. Als schaute ich durch den Filter von Jacobs Gedanken, sah ich genau, was ich im Begriff war aufzugeben, was ich trotz dieser neuen Selbsterkenntnis verlieren musste. Ich sah Charlie und Renée, die sich in einer merkwürdigen Collage mit Billy und Sam und La Push vermischten. Ich sah Jahre vorbeiziehen, und während sie vorbeizogen, hatten sie eine Bedeutung, sie veränderten mich. Ich sah den gigantischen rotbraunen Wolf, den ich liebte und der immer für mich da war. Den Bruchteil einer Sekunde lang sah ich die auf und ab hüpfenden Köpfe zweier kleiner schwarzhaariger Kinder, die vor mir in den vertrauten Wald liefen. Als sie verschwanden, nahmen sie den Rest der Vision mit sich fort.

Und dann spürte ich ganz deutlich, wie mein Herz zersplitterte, als sich der kleinere Teil aus dem großen wand.

Jacobs Lippen kamen noch vor meinen zur Ruhe. Ich schlug die Augen auf, und er starrte mich an, verwundert und beglückt.

»Ich muss jetzt gehen«, flüsterte er.

»Nein.«

Er lächelte, die Antwort gefiel ihm. »Es dauert nicht lange«, versprach er. »Aber erst noch was anderes …«

Er beugte sich wieder herab, um mich zu küssen, und es gab keinen Grund zu widerstehen. Was hätte das für einen Sinn?

Diesmal war es anders. Seine Hände lagen weich auf meinem Gesicht und seine warmen Lippen waren zärtlich, unerwartet zögernd. Es war ein kurzer, sehr, sehr süßer Kuss.

Er schlang die Arme um mich und hielt mich fest. Dann flüsterte er mir ins Ohr: »Das hätte unser erster Kuss sein sollen. Aber besser spät als gar nicht.«

An seiner Brust, wo er es nicht sehen konnte, stiegen mir die Tränen hoch und liefen über.

Ein Albtraum wird wahr

Ich lag mit dem Gesicht nach unten auf dem Schlafsack und wartete auf die gerechte Strafe. Vielleicht würde ich unter einem Steinschlag begraben werden. Hoffentlich. Ich wollte nie wieder in den Spiegel sehen müssen.

Ich hörte kein Geräusch, nichts warnte mich vor. Aus dem Nichts kam Edwards kalte Hand und strich mir über das wirre Haar. Das schlechte Gewissen ließ mich unter seiner Berührung schaudern.

»Wie geht es dir?«, fragte er besorgt.

»Grässlich. Ich will sterben.«

»Das wird nicht passieren. Ich werde es nicht zulassen.«

Ich stöhnte, dann flüsterte ich: »Könnte sein, dass du deine Meinung noch änderst.«

»Wo ist Jacob?«

»Er ist in den Kampf gezogen«, nuschelte ich in den Boden hinein.

Jacob hatte das kleine Lager in strahlender Laune verlassen. Mit einem fröhlichen »Bin gleich wieder da« war er in Höchstgeschwindigkeit zur Lichtung gesaust, er bebte schon vor der Verwandlung. Inzwischen wusste das ganze Rudel Bescheid. Seth Clearwater, der vor dem Zelt auf und ab ging, war Zeuge meiner Schande geworden.

Edward schwieg lange. »Ach so«, sagte er schließlich.

Der Ton, in dem er das sagte, ließ mich befürchten, dass der Steinschlag nicht schnell genug kam. Verstohlen schaute ich zu ihm auf und sah, dass er ins Nichts blickte, während er lauschte, und ich wäre am liebsten gestorben. Ich ließ das Gesicht wieder zu Boden sinken.

Ich war völlig perplex, als Edward verhalten kicherte.

»Und ich dachte, *ich* hätte unfair gekämpft«, sagte er mit widerstrebender Bewunderung. »Im Vergleich zu ihm bin ich geradezu ein Heiliger.« Er strich mir mit der Hand über die Wange. »Ich bin dir nicht böse, Liebste. Jacob ist gerissener, als ich dachte. Auch wenn es mir natürlich lieber wäre, du hättest ihn nicht gefragt.«

»Edward«, flüsterte ich in den rauen Nylonstoff. »Ich … ich … ich bin …«

»Schsch«, sagte er beruhigend, die Finger immer noch an meiner Wange. »So habe ich es nicht gemeint. Ich meine nur, dass er dich ohnehin geküsst hätte – selbst wenn du nicht darauf hereingefallen wärst –, aber jetzt habe ich keine Entschuldigung, ihm den Kiefer zu brechen. Das würde ich zu gern tun.«

»Darauf hereingefallen?«, murmelte ich fast unhörbar.

»Bella, hast du ihm wirklich abgenommen, dass er so nobel ist? Dass er ruhmreich zu Grunde gehen würde, nur um mir den Weg frei zu machen?«

Langsam hob ich den Kopf. Er sah mich geduldig an. Seine Miene war weich, sein Blick verständnisvoll, nicht angewidert, wie ich es verdient hätte.

»Ja, hab ich«, sagte ich, dann wandte ich den Blick ab. Ich nahm es Jacob nicht übel, dass er mich an der Nase herumgeführt hatte. In mir war kein Platz für irgendein Gefühl außer dem Selbsthass, den ich empfand.

Edward lachte leise. »Du bist so eine schlechte Lügnerin, dass du jedem glaubst, der nur ein bisschen begabter ist als du.«

»Warum bist du nicht sauer auf mich?«, flüsterte ich. »Warum hasst du mich nicht? Oder kennst du noch nicht die ganze Geschichte?«

»Ich glaube, ich habe einen ganz guten Überblick«, sagte er leichthin. »Jacobs Gedanken sind sehr anschaulich. Für sein Rudel tut es mir fast so leid wie für mich. Dem armen Seth ist beinahe übel geworden. Aber jetzt sorgt Sam dafür, dass Jacob sich konzentriert.«

Ich schloss die Augen und schüttelte gequält den Kopf. Der harte Nylonstoff schabte an meiner Haut.

»Du bist nur ein Mensch«, flüsterte er und strich mir wieder übers Haar.

»Das ist die mieseste Entschuldigung, die ich je gehört habe.«

»Aber du bist ein Mensch, Bella. Und auch wenn es mir nicht gefällt, er ist auch einer … Es gibt Lücken in deinem Leben, die ich nicht ausfüllen kann. Das verstehe ich.«

»Aber das stimmt überhaupt nicht. Deshalb ist es ja gerade so schrecklich. Es gibt überhaupt keine Lücken.«

»Du liebst ihn«, sagte er sanft.

Jede Zelle meines Körpers sehnte sich danach, es zu leugnen.

»Aber dich liebe ich mehr«, sagte ich. Mehr brachte ich nicht zu Stande.

»Ja, ich weiß. Aber … als ich dich verließ, Bella, habe ich dich blutend zurückgelassen. Jacob hat dich wieder zusammengeflickt. Das musste seine Spuren hinterlassen – bei euch beiden. Ich weiß nicht, ob sich solche Nähte von selbst auflösen. Ich kann keinem von euch einen Vorwurf für etwas machen, was ich selbst ausgelöst habe. Ich kann darauf hoffen, dass mir vergeben wird, aber vor den Folgen kann ich nicht davonlaufen.«

»Ich hätte mir denken können, dass du es selbst in dieser Situation noch schaffst, dir selbst die Schuld zu geben. Hör auf damit. Ich ertrage es nicht.«

»Was soll ich denn sagen?«

»Ich möchte, dass du mir alle Schimpfwörter an den Kopf wirfst, die dir einfallen, in jeder Sprache, die du kennst. Sag mir, dass du mich unmöglich findest und mich verlässt, damit ich dich auf Knien anflehen kann, bei mir zu bleiben.«

»Es tut mir leid.« Er seufzte. »Das kann ich nicht.«

»Dann hör wenigstens auf, mir gut zuzureden. Lass mich leiden. Ich hab es verdient.«

»Nein«, murmelte er.

Ich nickte langsam. »Du hast Recht. Mach weiter mit dieser verständnisvollen Tour. Das ist wahrscheinlich noch schlimmer.«

Er antwortete nicht, sondern schwieg einen Moment, und ich spürte, dass etwas in der Luft lag, eine neue Dringlichkeit.

»Es ist gleich so weit«, sagte ich.

»Ja, nur noch wenige Minuten. Gerade genug Zeit, um eins zu sagen ...«

Ich wartete. Als er schließlich wieder sprach, war es nur ein Flüstern. »*Ich* kann nobel sein, Bella. Ich werde dich nicht zu einer Entscheidung zwingen. Sei einfach glücklich, du kannst alles von mir haben, was du willst – oder auch nichts, wenn das besser ist. Du sollst nicht aus dem Gefühl heraus handeln, du seist mir irgendetwas schuldig.«

Ich stützte mich auf und kam auf die Knie.

»Verdammt, hör auf damit!«, rief ich.

Er riss überrascht die Augen auf. »Nein – du verstehst mich nicht. Ich sage das nicht, damit es dir bessergeht, Bella, es ist mir ernst.«

»Ich weiß«, stöhnte ich. »Aber du sollst kämpfen! Hör auf mit der noblen Opfertour! Kämpf!«

»Wie?«, fragte er, und sein Blick war so traurig, dass er uralt aussah.

Ich schmiegte mich in seinen Schoß und schlang die Arme um ihn.

»Es ist mir egal, dass es hier kalt ist. Es ist mir auch egal, dass ich stinke wie ein Hund. Lass mich vergessen, wie schrecklich ich bin. Sorg dafür, dass ich *ihn* vergesse. Dass ich meinen eigenen Namen vergesse. Kämpf!«

Ich wartete seine Entscheidung nicht ab – ließ ihm keine Chance, mir zu sagen, dass er mit so einem grausamen, treulosen Monster wie mir nichts zu tun haben wollte. Ich drängte mich an ihn und presste meinen Mund auf seine schneekalten Lippen.

»Vorsichtig, Liebste«, murmelte er unter meinem drängenden Kuss.

»Nein«, knurrte ich.

Sanft schob er mein Gesicht ein paar Zentimeter weg.

»Du brauchst mir nichts zu beweisen.«

»Ich will dir gar nichts beweisen. Du hast gesagt, ich kann alles von dir haben, was ich will. Und ich will *das*. Ich will alles.« Ich schlang ihm die Arme um den Hals und versuchte seine Lippen zu erreichen. Er beugte den Kopf, um meinen Kuss zu erwidern, aber sein kühler Mund zögerte, als ich immer ungeduldiger wurde. Mein Körper verriet mich, er konnte nicht verbergen, was ich vorhatte. Wie zu erwarten wehrte Edward mich sanft ab.

»Vielleicht ist das nicht gerade der richtige Moment«, sagte er, zu ruhig für meinen Geschmack.

»Warum nicht?«, fragte ich. Wenn er so vernünftig sein wollte, hatte es keinen Sinn zu kämpfen; ich ließ die Arme sinken.

»Erstens weil es kalt ist.« Er hob den Schlafsack vom Boden auf und legte ihn mir wie eine Decke um die Schultern.

»Stimmt nicht«, sagte ich. »Erstens weil du für einen Vampir auf geradezu absurde Weise moralisch bist.«

Er lachte. »Na gut, ich gebe es zu. Die Kälte kommt an zweiter Stelle. Und drittens ... also, du stinkst wirklich, mein Schatz.«

Er rümpfte die Nase.

Ich seufzte.

»Viertens«, murmelte er, legte die Lippen an mein Ohr und flüsterte: »Wir werden es versuchen, Bella. Ich halte mein Versprechen. Aber es wäre mir lieber, wenn es nicht als Reaktion auf Jacob Black passieren würde.«

Ich zuckte zusammen und verbarg das Gesicht an seiner Schulter.

»Und fünftens ...«

»Das ist aber eine lange Liste«, sagte ich.

Er lachte. »Ja, aber du wolltest doch hören, wie der Kampf läuft, oder?«

Während er das sagte, heulte Seth durchdringend vor dem Zelt.

Bei dem Laut erstarrte ich. Ich merkte nicht, dass ich die linke Hand zur Faust geballt hatte und dass die Fingernägel mir in die verbundene Handfläche schnitten – bis Edward sie nahm und mir sanft über die Finger strich.

»Es wird alles gut, Bella«, versprach er. »Wir haben so viele Vorteile: Wir sind geschickter, haben mehr Übung und können sie überrumpeln. Es wird sehr schnell vorüber sein. Wenn ich davon nicht felsenfest überzeugt wäre, wäre ich jetzt da unten – und du wärest auch dort, an einen Baum gekettet oder so.«

»Alice ist so klein«, jammerte ich.

Er kicherte. »Das könnte zum Problem werden ... wenn irgendjemand sie fangen könnte.«

Seth begann zu winseln.

»Was ist los?«, fragte ich.

»Er ist nur wütend, weil er hier mit uns festsitzt. Er weiß, dass das Rudel ihn zu seinem eigenen Schutz nicht mitgenommen hat. Er lechzt danach mitzukämpfen.«

Ich warf einen finsteren Blick in Seths Richtung.

»Die Neugeborenen sind am Ende deiner Spur angelangt – es hat genau so funktioniert, wie Jasper gedacht hat, einfach genial – und sie haben nun die Fährte derjenigen auf der Lichtung aufgenommen. Jetzt teilen sie sich in zwei Gruppen auf, ganz wie Alice prophezeit hat«, murmelte Edward. Sein Blick war in die Ferne gerichtet. »Sam führt uns im Bogen um sie herum, damit wir die Gruppe abfangen können, die im Hinterhalt lauert.« Er konzentrierte sich so sehr auf das, was er hörte, dass er im Rudelplural sprach.

Plötzlich sah er mich an. »Bella, atmen.«

Ich zwang mich zu gehorchen. Ich hörte Seth vor dem Zelt hecheln und versuchte, in seinem Rhythmus zu atmen, um nicht zu hyperventilieren.

»Die erste Gruppe ist schon auf der Lichtung. Wir hören sie kämpfen.«

Ich biss die Zähne zusammen.

Er lachte kurz auf. »Wir können Emmett hören – der hat seinen Spaß.«

Wieder atmete ich im selben Moment ein wie Seth.

»Die zweite Gruppe hält sich bereit – sie achten nicht auf uns, sie haben uns noch nicht bemerkt.«

Edward knurrte.

»Was ist?«, fragte ich erschrocken.

»Sie reden über dich.« Er biss die Zähne zusammen. »Sie sollen dafür sorgen, dass du nicht entkommst ... Guter Zug, Leah! Mmmm, sie ist ganz schön schnell«, sagte er anerkennend. »Einer der Neugeborenen hat unsere Fährte gerochen, und Leah hat ihn erwischt, bevor er sich auch nur umdrehen konnte. Sam hilft ihr, ihn zur Strecke zu bringen. Paul und Jacob haben noch einen erwischt, aber die anderen sind jetzt aufmerksam geworden. Sie wissen nicht, was sie von uns halten sollen. Jetzt versuchen sich beide Seiten in Ablenkungsmanövern ... Nein, überlass Sam das Kommando. Halt dich raus«, murmelte er. »Du musst sie isolieren – nicht zulassen, dass sie einander Rückendeckung geben.«

Seth winselte.

»So ist es besser, treibt sie zur Lichtung«, sagte Edward. Er zuckte automatisch, als würde er mitkämpfen. Wir hielten uns an den Händen, ich verschränkte meine Finger mit seinen. Wenigstens war er nicht dabei.

Plötzlich wurde es still, und das war die einzige Warnung.

Seths regelmäßige Atemzüge brachen ab, und da ich meinen Atem seinem angepasst hatte, fiel mir das sofort auf.

Auch ich hörte auf zu atmen – ich war zu erschrocken, um meiner Lunge zu befehlen weiterzuatmen, als ich merkte, dass Edward neben mir zu einem Eisblock gefroren war.

O nein. Nein. Nein.

Wer war gefallen? Einer von ihnen oder einer von uns? Sie gehörten alle zu mir, alle. Wen hatte ich verloren?

So schnell, dass ich gar nicht wusste, wie mir geschah, war ich auf den Füßen und das Zelt hing in Fetzen um mich herum. Hatte Edward den Eingang zerrissen? Warum?

Erschrocken blinzelte ich in das grelle Licht. Ich sah nur Seth direkt neben uns, sein Gesicht nur zehn Zentimeter von

Edwards entfernt. Eine endlose Sekunde lang schauten sie sich hochkonzentriert an. Die Sonne brach sich auf Edwards Haut; die Funken tanzten über Seths Fell.

Und dann flüsterte Edward drängend: »Lauf, Seth!«

Der große Wolf drehte sich herum und verschwand im dunklen Wald.

Wie viel Zeit war vergangen? Es kam mir vor wie Stunden. Mir war fast übel vor Entsetzen, als mir klarwurde, dass auf der Lichtung irgendetwas Schreckliches passiert war. Ich machte den Mund auf und wollte von Edward verlangen, mich dorthin zu bringen, auf der Stelle. Sie brauchten ihn und sie brauchten mich. Wenn ich bluten musste, um sie zu retten, würde ich das tun. Ich würde dafür sterben, wie die dritte Frau. Ich hatte kein Messer in der Hand, aber ich würde einen Weg finden …

Ehe ich einen Laut herausbringen konnte, kam es mir vor, als würde ich durch die Luft geschleudert. Doch Edwards Hände ließen mich nicht los – er bewegte mich nur, aber so schnell, dass es sich anfühlte, als würde ich umfallen.

Schließlich stand ich mit dem Rücken zur Felswand. Edward stand vor mir und nahm eine Haltung ein, die ich sofort erkannte.

Ich war unendlich erleichtert, und gleichzeitig rutschte mein Magen ein paar Etagen tiefer.

Ich hatte alles falsch verstanden.

Erleichterung – auf der Lichtung war nichts schiefgegangen.

Entsetzen – das Problem war hier.

Edward blieb in der Verteidigungshaltung – halb kauernd, die Arme leicht ausgebreitet –, die mir nur allzu vertraut war. Es war, als wäre der Felsen hinter mir die alte Mauer der Gasse in Italien, wo er sich zwischen mich und die Volturi-Wache mit ihren schwarzen Umhängen gestellt hatte.

Jemand war hinter uns her.

»Wer ist es?«, flüsterte ich.

Lauter als erwartet stieß er die Worte zwischen den Zähnen hervor. Zu laut. Das bedeutete, dass es zu spät war, um sich zu verstecken. Wir saßen in der Falle, und es spielte keine Rolle, wer seine Antwort hörte.

»Victoria«, sagte er, und es klang wie ein Schimpfwort. »Sie ist nicht allein. Sie hat meine Fährte gerochen, als sie den Neugeborenen gefolgt ist, um zuzusehen – sie hatte nie vor, an ihrer Seite zu kämpfen. Dann hat sie sich blitzschnell entschieden, mich zu suchen, weil sie annahm, dass du da bist, wo ich bin. Sie hatte Recht. Du hattest Recht. Es war die ganze Zeit Victoria.«

Sie war so nah, dass er ihre Gedanken hören konnte.

Wieder Erleichterung. Wären es die Volturi, würde das für uns beide den Tod bedeuten. Aber bei Victoria musste es nicht uns beide treffen. Edward hatte eine Chance zu überleben. Er war ein guter Kämpfer, genauso gut wie Jasper. Wenn sie nicht zu viel Verstärkung dabeihatte, könnte er es schaffen und zu seiner Familie flüchten. Edward war schneller als alle anderen. Er könnte es schaffen.

Ich war so froh, dass er Seth weggeschickt hatte. Natürlich gab es niemanden, zu dem Seth laufen konnte, um Hilfe zu holen. Victoria hatte ihre Entscheidung zum richtigen Zeitpunkt getroffen. Aber wenigstens war Seth auf diese Weise in Sicherheit. Wenn ich seinen Namen dachte, konnte ich immer nur den schlaksigen fünfzehnjährigen Jungen vor mir sehen, nicht den großen sandfarbenen Wolf.

Edward bewegte sich – kaum merklich, aber ich begriff, in welche Richtung ich schauen sollte. Ich starrte in den schwarzen Wald.

Es war, als wären meine Albträume wahr geworden.

Zwei Vampire schlichen sich langsam auf die schmale Öffnung vor unserem Lager, mit wachsamem Blick, dem nichts entging. Sie funkelten wie Diamanten in der Sonne.

Ich konnte den blonden Jungen kaum ansehen – ja, er war noch ein Junge, obwohl er groß und kräftig war, zum Zeitpunkt seiner Verwandlung musste er etwa in meinem Alter gewesen sein. Seine Augen – ein so leuchtendes Rot hatte ich noch nie gesehen – konnten meine Aufmerksamkeit nicht fesseln. Obwohl er Edward am nächsten war, ihn jederzeit angreifen konnte, musste ich den Blick abwenden.

Denn nur ein paar Meter schräg hinter ihm stand Victoria und starrte mich an.

Ihr orangefarbenes Haar war wie eine Flamme, noch leuchtender als in meiner Erinnerung. Es war windstill, aber das Feuer, das ihr Gesicht umgab, schien leicht zu flackern, als wäre es echt.

Ihre Augen waren schwarz vor Durst. Sie lächelte nicht, wie sie es in meinen Albträumen immer getan hatte – ihre Lippen waren zu einem schmalen Strich zusammengepresst. Etwas auffallend Katzenhaftes lag in ihrer Haltung, wie eine Löwin, die auf die Gelegenheit zum Sprung wartet. Ihr wilder Blick wanderte nervös zwischen Edward und mir hin und her, verharrte jedoch immer nur ganz kurz bei ihm. Sie war ebenso von mir gebannt wie ich von ihr.

Die Spannung, die von ihr ausging, war fast sichtbar. Ich spürte das Verlangen, die verzehrende Leidenschaft, die sie gefangen hielt. Fast so, als könnte auch ich ihre Gedanken hören, wusste ich, was in ihr vorging.

Sie war der Erfüllung ihres Wunsches so nah – all ihr Sinnen und Trachten des letzten Jahres lag zum Greifen nah.

Mein Tod.

Ihr Plan war ebenso offensichtlich wie einfach. Der große blonde Junge sollte Edward angreifen. Sobald Edward abgelenkt war, würde Victoria mich erledigen.

Es würde schnell gehen – sie hatte keine Zeit für Spielchen –, aber es würde endgültig sein. So, dass ich unmöglich wieder zu Bewusstsein kommen konnte. Dass selbst Vampirgift mich nicht zurück ins Leben holen konnte.

Sie musste mein Herz zum Stillstand bringen. Vielleicht würde sie mit einer Hand in meine Brust greifen und es zerquetschen. So etwas in der Art.

Mein Herz hämmerte, als wollte es ihre Aufmerksamkeit auf sich lenken.

Endlos weit weg, auf der anderen Seite des finsteren Waldes, zerriss das Heulen eines Wolfs die unbewegte Luft. Jetzt, da Seth nicht mehr da war, ließ sich der Laut nicht deuten.

Der blonde Junge schaute aus dem Augenwinkel zu Victoria, er wartete auf ihren Befehl.

Er war in mehr als einer Hinsicht jung. Seine Iris war karmesinrot, daraus schloss ich, dass er erst seit kurzem ein Vampir war. Also war er stark, aber nicht sehr geschickt. Edward wusste, wie er ihn besiegen konnte. Edward würde überleben.

Victoria zeigte mit dem Kinn auf Edward, ein wortloser Befehl an den Jungen.

»Riley«, sagte Edward in weichem, bittendem Ton.

Der blonde Junge erstarrte und riss die roten Augen auf.

»Sie lügt dich an, Riley«, sagte Edward. »Hör mir zu. Sie belügt dich genauso wie all die anderen, die jetzt auf der Lichtung sterben. Du weißt, dass sie die anderen belogen hat, denn du hast für sie gelogen, keiner von euch hatte je vor, ihnen zu Hilfe zu kommen. Liegt es da nicht nahe, dass sie auch dich belügt?«

Jetzt stand Verwirrung auf Rileys Gesicht geschrieben.

Edward rückte ein paar Zentimeter zur Seite, und Riley reagierte automatisch, wie ein Spiegelbild.

»Sie liebt dich nicht, Riley.« Edwards Stimme hatte etwas Zwingendes, fast Hypnotisches. »Sie hat dich nie geliebt. Sie liebte jemanden namens James, und du bist für sie nur ein Mittel zum Zweck.«

Als er James' Namen aussprach, fletschte Victoria die Zähne. Ihr Blick ließ mich nicht los.

Riley warf ihr einen verzweifelten Blick zu.

»Riley?«, sagte Edward.

Automatisch schaute Riley wieder zu Edward.

»Sie weiß, dass ich dich töten werde, Riley. Sie will, dass du stirbst, damit sie dir nicht länger etwas vormachen muss. Ja – das hast du doch gemerkt, oder? Du hast das Widerstreben in ihren Augen gesehen, hast einen falschen Ton in ihren Versprechungen geahnt. Du hattest Recht. Sie hat dich nie gewollt. Jeder Kuss, jede Berührung war gelogen.«

Wieder bewegte sich Edward, ging ein paar Zentimeter auf den Jungen zu und ein paar Zentimeter von mir weg.

Victoria konzentrierte sich auf die Lücke zwischen uns beiden. Sie würde keine Sekunde brauchen, um mich zu töten – sie wartete nur auf den Hauch einer Chance.

Diesmal dauerte es länger, bis Riley reagierte.

»Du brauchst nicht zu sterben«, versprach Edward und schaute dem Jungen in die Augen. »Es gibt Möglichkeiten zu leben, die sie dir nicht gezeigt hat. Es gibt noch etwas anderes als Lügen und Blut, Riley. Du kannst auf der Stelle weggehen. Du brauchst nicht für ihre Lügen zu sterben.«

Edward bewegte die Füße schräg nach vorn. Jetzt lag etwa ein Schritt zwischen uns. Riley drehte sich so weit er konnte zu Victoria um. Sie stellte sich auf die Ballen und beugte sich vor.

»Deine letzte Chance, Riley«, flüsterte Edward.

Verzweiflung spiegelte sich in Rileys Gesicht, als er Victoria fragend ansah.

»Er ist der Lügner, Riley«, sagte Victoria, und beim Klang ihrer Stimme blieb mir der Mund offen stehen. »Ich habe dir ja von ihren Tricks erzählt. Du weißt, dass ich nur dich liebe.«

Ihre Stimme war nicht das starke, wilde, katzenhafte Knurren, das zu ihrem Gesicht und ihrer Haltung gepasst hätte. Sie war weich und hoch – ein babyhaft glockenheller Sopran. Eine Stimme, wie sie zu blonden Locken und rosa Kaugummi gepasst hätte. Es war absurd, sie aus diesem Mund mit den gebleckten funkelnden Zähnen zu hören.

Riley spannte den Kiefer an, er straffte die Schultern. Sein Blick wurde leer – keine Spur mehr von Verwirrung, kein Misstrauen. Da war überhaupt kein Gedanke mehr. Er ging in Angriffsstellung.

Victorias Körper schien zu beben vor Spannung. Die Hände hielt sie wie Klauen, sie wartete nur darauf, dass Edward noch ein kleines Stück von mir abrückte.

Das Knurren kam von keinem der beiden.

Ein riesiges gelbbraunes Etwas flog mitten durch die Luft und warf Riley zu Boden.

»Nein!«, schrie Victoria, und ihre Babystimme war schrill vor Entsetzen.

Eineinhalb Meter vor mir riss und zerrte der riesige Wolf an dem blonden Vampir unter sich. Etwas Hartes, Weißes prallte neben meinen Füßen auf die Felsen. Ich sprang zur Seite.

Victoria hatte für den Jungen, dem sie eben noch ihre Liebe geschworen hatte, keinen Blick übrig. Sie starrte immer noch mich an, und die Enttäuschung verlieh ihr einen wahnsinnigen Ausdruck.

»Nein«, sagte sie mit zusammengebissenen Zähnen, als Edward auf sie zuging und ihr den Weg zu mir abschnitt.

Riley war wieder auf den Beinen, er sah verunstaltet aus, aber er schaffte es, Seth brutal in die Schulter zu treten. Ich hörte, wie ein Knochen brach. Seth wich zurück und begann im Kreis herumzuhumpeln. Riley hatte die Arme zum Kampf ausgestreckt, obwohl es so aussah, als würde ihm ein Teil seiner Hand fehlen …

Nur ein paar Meter von diesem Kampf entfernt tanzten Edward und Victoria umeinander herum. Nicht richtig im Kreis, denn Edward ließ sie nicht in meine Nähe kommen. Sie tänzelte zurück, bewegte sich von einer Seite zur anderen, versuchte eine Lücke in seiner Verteidigung zu finden. Geschmeidig spiegelte er ihre Schritte und belauerte sie mit höchster Konzentration. Er bewegte sich immer den Bruchteil einer Sekunde eher als sie – er las ihre Absicht in ihren Gedanken.

Seth sprang Riley von der Seite an, und da zerbrach etwas mit einem entsetzlichen Krachen. Ein weiterer schwerer weißer Klumpen flog mit einem dumpfen Geräusch in den Wald. Riley knurrte zornig und Seth sprang zurück – erstaunlich leichtfüßig für seine Größe –, als Riley mit einer verstümmelten Hand auf ihn einschlug.

Jetzt versuchte Victoria durch die Bäume auf der anderen Seite der kleinen Lichtung zu entkommen. Sie war hin- und hergerissen, es drängte ihre Füße in Sicherheit, während sie mich ansah, als wäre ich ein Magnet, der sie anzog. Ich sah, wie ihr brennendes Verlangen, mich zu töten, mit ihrem Überlebensinstinkt rang.

Auch Edward sah es.

»Geh jetzt nicht, Victoria«, murmelte er in demselben hypnotischen Ton wie zuvor. »So eine Gelegenheit bekommst du nie wieder.«

Sie bleckte die Zähne und zischte ihn an, doch es schien ihr unmöglich, sich weiter von mir fortzubewegen.

»Weglaufen kannst du immer noch«, schnurrte Edward. »Dafür ist genug Zeit. So machst du es doch immer, nicht wahr? Deshalb hat James sich an dich gehalten. Sehr nützlich, wenn man gern gefährliche Spielchen spielt. Eine Partnerin mit untrüglichem Fluchtinstinkt. Er hätte dich nicht verlassen sollen – er hätte deine Talente gut gebrauchen können, als wir ihn in Phoenix fanden.«

Ein Knurren kam aus ihrem Mund.

»Aber mehr hast du ihm nicht bedeutet. Wie töricht von dir, so viel Energie darauf zu verschwenden, jemanden zu rächen, der weniger für dich übrighatte als ein Jäger für sein Pferd. Du warst für ihn immer nur ein Mittel zum Zweck. Ich muss es wissen.«

Edward tippte sich an die Schläfe und verzog die Lippen.

Mit einem erstickten Schrei kam Victoria wieder aus dem Wald gestürzt und täuschte einen Angriff von der Seite an. Edward reagierte, und der Tanz begann von neuem.

In diesem Moment erwischte Riley Seth an der Flanke, und Seth jaulte leise auf. Er wich zurück, seine Schultern zuckten, als wollte er den Schmerz abschütteln.

Bitte, hätte ich Riley am liebsten zugerufen, aber ich fand nicht die Kraft, den Mund zu öffnen. *Bitte, er ist doch noch ein Kind!*

Weshalb war Seth nicht weggelaufen? Wieso lief er jetzt nicht weg?

Riley verringerte den Abstand zwischen sich und Seth wieder, er drängte ihn neben mich an die Felswand. Jetzt begann Victoria sich plötzlich für das Schicksal ihres Gefährten zu interessieren. Ich sah, wie sie aus dem Augenwinkel den Abstand zwischen Riley und mir abschätzte. Seth schnappte nach Riley und zwang ihn zurückzuweichen. Victoria zischte.

Seth humpelte jetzt nicht mehr. Während er Riley umkreiste, geriet er nah an Edward, sein Schwanz streifte Edwards Rücken, und Victoria fielen fast die Augen aus dem Kopf.

»Nein, er wird mich nicht angreifen«, sagte Edward und beantwortete damit die Frage in ihrem Kopf. Er nutzte ihre Verblüffung aus, um sich näher heranzupirschen. »Du hast uns einen gemeinsamen Feind geliefert. Du hast uns verbündet.«

Sie biss die Zähne zusammen und versuchte sich ganz auf Edward zu konzentrieren.

»Sieh genauer hin, Victoria«, murmelte er, um ihre Konzentration zu stören. »Sieht er dem Monster wirklich so ähnlich, das James quer durch Sibirien verfolgt hat?«

Sie riss die Augen weit auf, und ihr Blick begann flackernd von Edward zu Seth und weiter zu mir zu wandern, immer rundherum. »Ist das nicht derselbe?«, fauchte sie mit ihrer Kleinmädchenstimme. »Das ist unmöglich!«

»Nichts ist unmöglich«, sagte Edward samtweich, während er noch ein kleines Stück auf sie zuging. »Bis auf das, was du vorhast. Du wirst sie nie in die Finger kriegen.«

Sie schüttelte den Kopf, schnell und ruckartig, versuchte sich gegen sein Ablenkungsmanöver zu wehren und an ihm vorbeizukommen, aber kaum dass sie daran dachte, schnitt er ihr schon den Weg ab. Ihr Gesicht verzerrte sich vor Wut, sie kauerte sich tiefer, wie eine Löwin, und ging langsam auf ihn zu.

Victoria war keine unerfahrene, instinktgesteuerte Neugeborene. Sie war tödlich. Selbst ich sah den Unterschied zwischen ihr und Riley, und ich wusste, dass Seth sich nicht so lange gehalten hätte, wenn er es mit ihr zu tun gehabt hätte.

Auch Edward veränderte seine Haltung, als sie sich aufeinander zubewegten, und jetzt hieß es Löwe gegen Löwin.

Der Tanz wurde schneller.

Es sah aus wie Alice und Jasper auf der Lichtung, ein verschwommenes Wirbeln, nur dass dieser Tanz in seiner Choreographie nicht so vollkommen war. Immer wenn einer von beiden einen Patzer machte, gab es ein hartes Knacken oder Krachen, das von der Felswand widerhallte. Doch sie bewegten sich so schnell, dass ich nicht erkennen konnte, wer die Fehler machte ...

Riley war wie gebannt von dem erbarmungslosen Ballett, voller Sorge um Victoria. Da schlug Seth zu und erwischte noch ein kleines Stück von dem Vampir. Riley brüllte und schlug Seth mit dem Handrücken voll auf die Brust. Seths massiger Körper flog drei Meter durch die Luft und knallte mit solcher Wucht über mir an die Felswand, dass der ganze Gipfel zu beben schien. Ich hörte, wie der Atem zischend aus seiner Lunge entwich, und ich sprang zur Seite, als er vom Fels abprallte und ein Stück vor mir zusammenbrach.

Er wimmerte leise.

Scharfkantige graue Felsstücke fielen mir auf den Kopf und zerkratzten mir die nackte Haut. Ein spitzer, gezackter Stein kullerte an meinem Arm herunter. Ohne darüber nachzudenken, fing ich ihn auf und schloss die Finger um den länglichen Stein. Mein Überlebensinstinkt setzte ein; da es keine Möglichkeit zur Flucht gab, bereitete sich mein Körper auf einen Kampf vor, wie aussichtslos er auch sein mochte.

Adrenalin strömte durch meine Adern. Ich wusste, dass mir die Schiene in die Hand schnitt. Ich wusste, dass der Bruch in meinem Knöchel aufbegehrte. Ich wusste es, aber ich spürte keinen Schmerz.

Hinter Riley sah ich nur die zuckende Flamme von Victorias Haar und etwas verschwommenes Weißes. Immer häufiger war metallisches Krachen und Reißen zu hören, erschrockenes

Zischen und Keuchen, und alles deutete darauf hin, dass der Tanz bald tödlich enden würde.

Aber für wen von beiden?

Riley machte einen Satz in meine Richtung, seine roten Augen funkelten wild. Er schaute auf den schlaffen sandfarbenen Fellhaufen zwischen uns, und seine Hände – verunstaltete, gebrochene Hände – formten sich zu Klauen. Er riss den Mund weit auf, seine Zähne blitzten, er wollte Seth die Kehle herausreißen.

Ein zweiter Adrenalinstoß fuhr mir durch den Körper wie ein elektrischer Schlag, und auf einmal war alles ganz klar.

Die beiden Kämpfe waren zu ausgewogen. Seth war im Begriff zu verlieren, und ich hatte keine Ahnung, ob Edward gewinnen oder verlieren würde. Sie brauchten Hilfe. Eine Ablenkung. Etwas, was ihnen einen Vorteil verschaffte.

Ich hielt den spitzen Stein so fest, dass eine Klammer meiner Schiene brach.

War ich stark genug? War ich mutig genug? Wie fest konnte ich den rauen Stein in meinen Arm stoßen? Würde Seth dadurch genügend Zeit gewinnen, um wieder auf die Füße zu kommen? Würden seine Wunden schnell genug heilen, dass mein Opfer ihm etwas nützte?

Mit der Spitze des Steins fuhr ich an meinem Arm hoch und riss den dicken Pulli damit auf, dann drückte ich sie in die Armbeuge. Dort hatte ich schon eine lange Narbe von meinem letzten Geburtstag. An jenem Abend hatte ich mit meiner blutenden Wunde die Aufmerksamkeit aller Vampire auf mich gezogen, hatte sie alle für einen Augenblick erstarren lassen. Ich betete, dass es auch diesmal funktionierte. Ich riss mich zusammen und holte tief Luft.

Dieses Geräusch lenkte Victoria ab. Für den Bruchteil einer

544

Sekunde verharrte ihr Blick und traf meinen. Eine seltsame Mischung aus Wut und Neugier lag darin.

Ich wusste nicht, wie ich unter all den Geräuschen, die von der Felswand widerhallten und in meinem Kopf hämmerten, ein einziges leises Geräusch wahrnehmen konnte. Mein eigener Herzschlag hätte es übertönen müssen. Doch in dem winzigen Augenblick, in dem ich Victoria anschaute, meinte ich ein vertrautes, ärgerliches Seufzen zu hören.

In diesem Moment brach der Tanz gewaltsam auseinander. Es ging so schnell, dass es vorbei war, noch ehe ich es richtig mitbekam. Ich versuchte es zu rekonstruieren.

Victoria war aus der Choreographie ausgebrochen und auf eine hohe Fichte gesaust. Als sie auf halber Höhe war, sprang sie schon wieder hinunter und duckte sich zum Angriff.

Gleichzeitig war Edward – so schnell, dass er nahezu unsichtbar war – herumgewirbelt und hatte den ahnungslosen Riley am Arm gepackt. Es sah so aus, als ob er ihm gleichzeitig den Fuß in den Rücken stieß und zog …

Rileys Schmerzensschrei hallte über die kleine Lichtung.

In dem Augenblick sprang Seth auf und versperrte mir die Sicht.

Aber Victoria konnte ich immer noch sehen. Und obwohl sie eigenartig missgestaltet aussah – als könnte sie sich nicht ganz aufrichten –, sah ich das Lächeln, von dem ich immer geträumt hatte, über ihr wütendes Gesicht huschen.

Sie spannte die Muskeln an und sprang.

Etwas Kleines, Weißes zischte durch die Luft und prallte mitten im Flug mit ihr zusammen. Es klang wie eine Explosion, und sie wurde gegen einen Baum geschleudert – mit einer solchen Wucht, dass der Baum sich spaltete. Sie landete wieder auf den Füßen, zum nächsten Sprung geduckt, aber Edward stand schon wieder. Ich war unendlich erleichtert, als ich sah, dass er unversehrt war.

Victoria stieß etwas mit dem nackten Fuß beiseite – das Wurfgeschoss, das ihren Angriff vereitelt hatte. Es rollte auf mich zu und ich sah, was es war.

Mir drehte sich der Magen um.

Die Finger zuckten noch und griffen nach vereinzelten Grashalmen, herrenlos begann sich Rileys Arm über den Boden zu ziehen.

Seth umkreiste Riley wieder, und jetzt war Riley auf dem Rückzug. Er wich vor dem angreifenden Werwolf zurück, das Gesicht starr vor Schmerz. In einer abwehrenden Geste hob er den verbliebenen Arm.

Seth scheuchte Riley vor sich her, der Vampir war aus dem Gleichgewicht gebracht. Ich sah, wie Seth ihm die Zähne in die Schulter schlug und riss.

Mit einem ohrenbetäubenden metallischen Kreischen verlor Riley seinen zweiten Arm.

Seth schüttelte den Kopf und warf den Arm in den Wald. Dabei stieß er ein brüchiges Zischen aus, das wie ein Kichern klang.

»Victoria!«, schrie Riley gequält.

Victoria zuckte beim Klang ihres Namens noch nicht einmal zusammen. Nicht einen Moment wandte sie den Blick zu ihrem Gefährten.

Mit der Wucht einer Abrissbirne stürzte sich Seth nach vorn. Sowohl Seth als auch Riley wurden in die Bäume geschleudert, und von dort ertönte ein Gemisch aus metallischem Kreischen und Rileys Schreien. Die Schreie verstummten plötzlich, während das Geräusch von Gestein, das zerbrochen wurde, weiter zu hören war.

Obwohl sich Victoria kein einziges Mal nach Riley umgesehen hatte, schien sie zu begreifen, dass sie allein dastand. Langsam wich sie vor Edward zurück, ihre Augen funkelten vor Enttäuschung. Noch einmal sah sie mich kurz mit gequältem Verlangen an, dann zog sie sich schnell weiter zurück.

»Nein«, säuselte Edward. »Bleib doch noch ein bisschen.«

Sie wirbelte herum und sauste pfeilschnell in den Wald, um dort Deckung zu suchen.

Aber Edward war noch schneller – wie eine Gewehrkugel.

Am Waldrand erwischte er ihren ungeschützten Rücken und beendete den Tanz mit einem letzten, einfachen Schritt.

Er fuhr mit dem Mund nur einmal an ihrem Hals entlang, als würde er sie liebkosen. Der Lärm, den Seth veranstaltete, übertönte alles andere, deshalb war nichts zu hören, was dieses friedliche Bild in eines voller Gewalt verwandelt hätte. Er hätte sie ebenso gut küssen können.

Und dann war ihr flammendes Haar nicht länger mit dem Rest ihres Körpers verbunden. Die flackernden orangefarbenen Wellen fielen zu Boden, prallten einmal ab und rollten dann in den Wald.

SPIEGEL DER ZUKUNFT

Ich hatte die Augen weit aufgerissen, starr vor Schreck. Dann zwang ich mich, den Blick abzuwenden, damit ich das Etwas, das da in flatterndes, loderndes Haar gehüllt war, nicht allzu genau ansehen musste.

Edward war schon wieder in Bewegung. Schnell und geschäftsmäßig trennte er die Gliedmaßen von der kopflosen Leiche ab.

Ich konnte nicht zu ihm gehen, meine Füße wollten nicht gehorchen, sie waren mit dem Stein unter mir verschmolzen. Doch ich sah ihm ganz genau zu und suchte nach Anzeichen für eine Verletzung. Als ich nichts fand, beruhigte sich mein Herzschlag ein wenig. Edward bewegte sich geschmeidig wie immer. Ich konnte nicht einmal einen Riss in seiner Kleidung entdecken.

Ich stand wie angewurzelt an der Felswand, und er sah mich nicht an, während er die zitternden, zuckenden Körperteile aufeinanderhäufte und sie mit trockenen Kiefernnadeln bedeckte. Und er sah mich auch nicht an, als er in den Wald zu Seth rannte.

Ich hatte noch gar keine Zeit gehabt, mich von dem Schock zu erholen, da waren die beiden schon wieder da – Edward mit Überresten von Riley in den Armen, Seth mit einem einzigen großen Stück – dem Oberkörper – im Maul. Sie legten auch diese Teile auf den Haufen, und Edward holte etwas Silbernes, Rechteckiges aus der Hosentasche. Er entzündete das Feuerzeug und hielt die Flamme an den Scheiterhaufen. Er fing sofort Feuer, hohe orangefarbene Flammen leckten darüber.

»Sammle alles ein«, sagte Edward leise zu Seth.

Gemeinsam durchkämmten der Vampir und der Werwolf die kleine Lichtung und warfen hin und wieder kleine Stücke weißen Gesteins ins Feuer. Seth packte die Teile mit den Zähnen.

Edward ließ das Feuer nicht aus den Augen.

Und dann waren sie fertig, und beißender, purpurfarbener Rauch stieg in einer Säule von dem lodernden Feuer auf. Langsam ringelte sich der dichte, fast undurchdringliche Rauch empor und er roch unangenehm, wie brennender Weihrauch. Ein schwerer, zu intensiver Geruch.

Tief in der Brust stieß Seth wieder diesen kichernden Laut aus.

Ein Lächeln glitt über Edwards angespannte Züge.

Er streckte einen Arm aus, die Hand zur Faust geballt. Seth grinste und entblößte dabei eine Reihe langer spitzer Zähne, dann stieß er mit der Schnauze gegen Edwards Hand.

»Wir sind ein gutes Team«, sagte Edward.

Seth lachte ein kurzes, bellendes Lachen.

Dann atmete Edward tief durch und wandte sich langsam zu mir.

Ich begriff nicht, warum er so guckte. Er sah so zögerlich aus, als wäre auch ich ein Feind – nicht nur zögerlich, geradezu ängstlich. Im Kampf gegen Victoria und Riley hatte er nicht die Spur von Angst gezeigt … Mein Gehirn war genauso lahm und nutzlos wie mein Körper. Verunsichert starrte ich ihn an.

»Bella, Liebste«, sagte er mit Samtstimme und kam übertrieben langsam auf mich zu, die Hände erhoben. Benommen, wie ich war, erinnerte er mich an einen Verdächtigen, der auf einen Polizisten zukam und mit dieser Geste zeigen wollte, dass er unbewaffnet war.

»Bella, könntest du bitte den Stein fallen lassen? Vorsichtig. Tu dir nicht weh.«

An meine primitive Waffe hatte ich gar nicht mehr gedacht; dabei hielt ich sie so fest umklammert, dass mein Knöchel protestierte. War er wieder gebrochen? Diesmal würde Carlisle ihn garantiert eingipsen.

Ein paar Schritte von mir entfernt blieb Edward stehen, immer noch mit erhobenen Händen und ängstlichem Gesicht.

Es dauerte mehrere Sekunden, bis mir wieder einfiel, wie man die Finger bewegt. Dann knallte der Stein zu Boden, während meine Hand in derselben Position verharrte.

Als ich nichts mehr in der Hand hatte, schien sich Edward ein wenig zu entspannen, aber er kam keinen Schritt näher.

»Du brauchst keine Angst zu haben, Bella«, murmelte er. »Du bist jetzt in Sicherheit. Ich tue dir nichts.«

Dieses rätselhafte Versprechen verwirrte mich nur noch mehr. Ich starrte ihn wie betäubt an und versuchte zu verstehen, was er meinte.

»Bella, es wird alles gut. Ich weiß, dass du jetzt Angst hast, aber es ist vorbei. Keiner wird dir etwas tun. Ich fasse dich nicht an. Ich tue dir nichts«, sagte er wieder.

Ich blinzelte wütend, jetzt fand ich meine Stimme wieder. »Warum sagst du so was?«

Ich machte einen unsicheren Schritt auf ihn zu, und er wich leicht zurück.

»Was ist?«, flüsterte ich. »Was meinst du?«

»Hast du …« Er sah mich mit seinen goldenen Augen an, und plötzlich sah *er* verwirrt aus. »Hast du denn keine Angst vor mir?«

»Vor dir? Warum denn?«

Ich taumelte noch einen Schritt auf ihn zu, dann stolperte ich über etwas – vermutlich über meine eigenen Füße. Edward fing mich auf, ich verbarg das Gesicht an seiner Brust und begann zu schluchzen.

»Bella, Bella, es tut mir so leid. Es ist vorbei, es ist vorbei.«

»Mir geht es gut«, stieß ich hervor. »Alles in Ordnung. Es ist nur. Meine Nerven. Warte. Moment.«

Er nahm mich fest in die Arme. »Es tut mir so leid«, murmelte er immer wieder.

Ich klammerte mich an ihn, bis ich wieder atmen konnte, dann küsste ich ihn – seine Brust, seine Schultern, seinen Hals, alles, was ich erwischen konnte. Langsam funktionierte mein Gehirn wieder.

»Bist du gar nicht verletzt?«, fragte ich zwischen den Küssen. »Hat sie dir gar nichts getan?«

»Mir geht es hervorragend«, sagte er und vergrub das Gesicht in meinem Haar.

»Und Seth?«

Edward lachte leise. »Dem geht es mehr als gut. Er ist sehr zufrieden mit sich.«

»Und die anderen? Alice, Esme? Die Wölfe?«

»Es geht allen gut. Dort unten ist es auch vorbei. Es ging genauso glatt, wie ich es dir versprochen hatte. Wir waren hier am schlimmsten dran.«

Ich ließ seine Worte einen Moment sacken, bis sie in meinem Kopf angekommen waren.

Meine Familie und meine Freunde waren in Sicherheit. Victoria konnte mir nie mehr etwas anhaben. Es war vorbei.

Uns allen ging es gut.

Aber ich konnte die gute Nachricht noch nicht ganz erfassen, ich war zu durcheinander.

»Erklär mir mal«, sagte ich, »wieso du dachtest, ich könnte Angst vor dir haben.«

»Es tut mir leid«, sagte er – wofür entschuldigte er sich nur immerzu? »So leid. Ich wollte nicht, dass du das mit ansiehst. Dass du mich so siehst. Ich weiß, dass ich dich erschreckt habe.«

Wieder musste ich einen Moment nachdenken, darüber, wie zögernd er auf mich zugekommen war, mit erhobenen Händen. Als könnte ich wegrennen, wenn er sich zu schnell bewegte …

»Ist das dein Ernst?«, fragte ich schließlich. »Du … was? Du hast gedacht, ich hätte Angst vor dir?« Ich schnaubte. Schnauben war gut, dabei konnte die Stimme nicht zittern oder versagen. Es klang beeindruckend lässig.

Er legte mir eine Hand unters Kinn und hob mein Gesicht an.

»Bella, ich habe …« – er zögerte, dann zwang er sich weiterzureden – »ich habe gerade keine fünf Meter von dir entfernt eine fühlende Kreatur enthauptet und zerstückelt. Macht dir das gar nichts aus?« Er sah mich stirnrunzelnd an.

Ich zuckte die Schultern. Schulternzucken war auch gut. Völlig ungerührt. »Eigentlich nicht. Ich hatte nur Angst um dich und Seth. Ich wollte euch helfen, aber ich konnte ja nicht viel machen …«

Jetzt sah er plötzlich wütend aus, und das brachte mich zum Verstummen.

»Ja«, sagte er knapp. »Die Nummer mit dem Stein. Weißt du, dass ich deswegen fast einen Herzinfarkt bekommen hätte? Und dazu gehört schon einiges.«

Er funkelte mich so zornig an, dass ich nicht wusste, was ich sagen sollte.

»Ich wollte euch helfen … Seth war verletzt …«

»Seth hat nur so getan, als wäre er verletzt, Bella. Das war ein Trick. Und dann nimmst du …!« Er schüttelte den Kopf, ohne den Satz zu beenden. »Seth konnte nicht sehen, was du vorhattest, also musste ich eingreifen. Seth ist ein wenig verärgert darüber, dass er Riley nicht ganz allein zur Strecke gebracht hat.«

»Seth hat … so getan, als ob?«

Edward nickte ernst.

»Oh.«

Wir sahen beide zu Seth, der uns geflissentlich ignorierte und ins Feuer schaute. Seine ganze Haltung strahlte Triumph aus.

»Das konnte ich ja nicht wissen«, sagte ich gereizt. »Es ist nicht so leicht, als Einzige hilflos dabeizustehen. Warte nur, bis ich erst mal ein Vampir bin! Nächstes Mal stehe ich nicht mehr am Rande.«

Zahllose Gefühlsregungen spiegelten sich in seinem Gesicht, bevor er sich entschied, es mit Humor zu nehmen. »Nächstes Mal? Rechnest du schon so bald mit einem weiteren Kampf?«

»Bei meinem Glück? Wer weiß?«

Er verdrehte die Augen, aber ich sah, dass er wie befreit war – vor Erleichterung war uns beiden ganz schwindelig. Es war vorbei.

Oder?

»Warte mal. Hattest du nicht irgendwas gesagt, bevor …?« Ich zuckte zusammen, als mir einfiel, was genau vorher passiert war – was sollte ich Jacob sagen? Mein zersplittertes Herz schlug schmerzhaft. Es war schwer vorstellbar, fast unglaublich, dass das Schlimmste des heutigen Tages noch nicht hinter mir lag. Aber dann redete ich einfach weiter. »Irgendwas von einer kleinen Komplikation? Und dass Alice einen Zeitplan für Sam ausarbeiten müsste. Du sagtest, es würde knapp werden. Was war knapp?«

Edwards Blick huschte zurück zu Seth, und sie schauten sich bedeutungsvoll an.

»Was denn?«, fragte ich.

»Gar nichts, wirklich nicht«, beeilte Edward sich zu sagen. »Aber wir müssen uns jetzt auf den Weg machen …«

Er wollte mich wieder auf seinen Rücken heben, aber ich machte mich steif und wandte mich ab.

»Erst will ich wissen, was du mit nichts meinst.«

Edward nahm mein Gesicht in seine Hände. »Wir haben nur ganz wenig Zeit, also dreh nicht durch, ja? Ich habe dir gesagt, dass du keine Angst zu haben brauchst. Bitte vertraue mir, ja?«

Ich nickte und versuchte meine plötzliche Panik zu verbergen – wie viel konnte ich noch ertragen, bevor ich zusammenbrach? »Ich brauche keine Angst zu haben. Alles klar.«

Er schürzte die Lippen und überlegte, was er sagen sollte. Dann schaute er plötzlich zu Seth, als hätte der ihn gerufen.

»Was macht sie?«, fragte Edward.

Seth winselte, es klang besorgt. Meine Nackenhaare stellten sich auf.

Eine endlose Sekunde lang war es totenstill.

Dann keuchte Edward plötzlich »Nein!« und ließ eine Hand vorschnellen, als wollte er etwas fangen, was ich nicht sehen konnte. »Nicht!«

Ein Zucken ging durch Seths Körper, und ihm entfuhr ein gequältes Heulen.

Im selben Moment fiel Edward auf die Knie und fasste sich mit beiden Händen an den Kopf. Sein Gesicht war schmerzverzerrt.

Entsetzt schrie ich auf und ließ mich neben ihn sinken. Ich

versuchte ihm die Hände vom Gesicht zu ziehen, aber meine schweißnassen Hände glitten von seiner Marmorhaut ab.

»Edward! Edward!«

Er starrte mich an, dann zwang er sich, die zusammengebissenen Zähne zu lösen.

»Es wird alles gut. Es ist …« Er brach ab und krümmte sich.

»Was ist los?«, schrie ich, während Seth heulte.

»Es wird alles gut«, stieß Edward wieder hervor. »Sam – hilf ihm …«

Und in diesem Augenblick, als er Sams Namen sagte, wurde mir klar, dass er nicht von Seth und sich sprach. Diesmal fand der Kampf nicht hier statt.

Er sprach im Rudelplural.

Ich hatte all mein Adrenalin verbraucht. Mein Körper hatte nichts mehr übrig. Ich sackte zusammen, aber Edward fing mich auf, ehe ich auf die Felsen fallen konnte. Mit mir in den Armen sprang er auf.

»Seth!«, rief er.

Seth kauerte am Boden, immer noch starr vor Schmerz, er sah aus, als wollte er sich jeden Moment in den Wald stürzen.

»Nein!«, befahl Edward. »Du gehst jetzt sofort nach Hause. Auf der Stelle. So schnell du kannst!«

Seth winselte und schüttelte den großen Kopf.

»Seth. Vertrau mir.«

Der große Wolf schaute eine endlose Sekunde lang in Edwards gequälte Augen, dann straffte er sich, sauste in den Wald und verschwand wie ein Geist.

Edward drückte mich fest an seine Brust, und dann rasten auch wir durch den dunklen Wald. Wir nahmen einen anderen Weg als der Wolf.

»Edward.« Meine Kehle war so zugeschnürt, dass ich kaum

etwas herausbrachte. »Was ist passiert, Edward? Was ist mit Sam? Wo willst du hin? Was ist los?«

»Wir müssen zurück zur Lichtung«, sagte er leise. »Wir hatten damit gerechnet, dass das passieren könnte. Heute Morgen hat Alice es gesehen und es über Sam an Seth weitergegeben. Die Volturi haben entschieden, dass es Zeit ist einzugreifen.«

Die Volturi.

Zu viel. Mein Gehirn weigerte sich, die Worte zu erfassen, es stellte sich dumm.

Die Bäume sausten an uns vorbei. Edward raste so schnell bergab, dass es sich anfühlte, als würden wir abstürzen, als würden wir unkontrolliert fallen.

»Keine Angst. Sie kommen nicht unseretwegen. Es sind nur die Wachen, die in solchen Fällen die Ordnung wiederherstellen. Nichts von Belang, sie machen nur ihre Arbeit. Allerdings scheinen sie den Zeitpunkt ihrer Ankunft sehr sorgfältig geplant zu haben. Was mich zu der Annahme führt, dass in Italien niemand eine Träne vergießen würde, wenn die Neugeborenen die Cullens dezimiert hätten.« Er sprach mit zusammengebissenen Zähnen, hart und tonlos. »Sobald wir zu der Lichtung kommen, werde ich genau wissen, was sie sich dabei gedacht haben.«

»Müssen wir deshalb zurück?«, flüsterte ich. Würde ich das überstehen? Bilder von flatternden schwarzen Umhängen drängten sich in meine widerstrebenden Gedanken. Ich schrak davor zurück, ich stand kurz vor einem Zusammenbruch.

»Das ist einer der Gründe. Vor allem aber sind wir sicherer, wenn wir als Einheit auftreten. Sie haben keinen Grund, uns anzugreifen, aber … Jane ist dabei. Wenn sie uns irgendwo allein glaubt, weit weg von den anderen, könnte sie in Versuchung geraten. Wie Victoria wird sich Jane vermutlich denken, dass ich bei dir bin. Demetri ist bei ihr, und er könnte mich finden, wenn Jane ihn darum bäte.«

Ich wollte nicht an diesen Namen denken. Ich wollte nicht dieses blendend schöne Kindgesicht vor Augen haben. Ein merkwürdiger Laut kam aus meiner Kehle.

»Sch, Bella, sch. Es wird alles gut. Alice kann es sehen.«

Alice konnte es sehen? Aber … wo waren dann die Wölfe?

»Und das Rudel?«, fragte ich.

»Sie mussten schnell fort. Die Volturi halten sich nicht an Verträge mit Wölfen.«

Ich hörte, wie mein Atem schneller ging, ich konnte nichts dagegen tun. Ich fing an zu keuchen.

»Ich schwöre dir, dass ihnen nichts passiert«, sagte Edward. »Die Volturi werden den Geruch nicht erkennen – sie werden nicht merken, dass die Wölfe hier waren, sie sind mit ihnen nicht vertraut. Dem Rudel wird nichts passieren.«

Ich konnte seiner Erklärung nicht folgen. Meine Angst zerstörte den letzten Rest an Konzentration. *Es wird alles gut*, hatte er vorhin gesagt … aber Seth, der so gequält geheult hatte … und Edward, der meiner ersten Frage ausgewichen war und mich mit den Volturi abgelenkt hatte …

Mir war, als stünde ich nur einen Fußbreit vor einem Abgrund.

Die Bäume sausten verschwommen an uns vorbei wie jadegrünes Wasser.

»Was ist passiert?«, flüsterte ich wieder. »Vorher. Als Seth geheult hat. Als du Schmerzen hattest?«

Edward zögerte.

»Edward! Sag es mir!«

»Es war schon vorbei«, flüsterte er. Ich konnte ihn über den Wind hinweg kaum hören, er rannte so schnell. »Die

Wölfe hatten ihre Vampirgruppe nicht gezählt ... sie dachten, sie hätten alle erwischt. Und Alice konnte natürlich nichts sehen ...«

»Was ist passiert?!«

»Einer der Neugeborenen hatte sich versteckt ... Leah fand ihn – sie war leichtfertig, prahlerisch, sie wollte den anderen etwas beweisen. Sie hat ihn allein angegriffen ...«

»Leah«, wiederholte ich, und ich war zu schwach, um mich für die Erleichterung zu schämen, die mich durchströmte. »Kommt sie durch?«

»Leah wurde nicht verletzt«, murmelte Edward.

Ich starrte ihn einen langen Augenblick an.

Sam – hilf ihm, hatte Edward hervorgestoßen. Ihm, nicht ihr.

»Jetzt sind wir fast da«, sagte Edward und schaute auf einen Punkt am Himmel.

Automatisch folgte ich seinem Blick. Dicht über den Bäumen hing eine dunkle, purpurne Wolke. Eine Wolke? Aber es war so ungewöhnlich sonnig ... Nein, keine Wolke – jetzt sah ich, dass es eine Säule aus dickem Rauch war, genau wie vorhin auf unserer Lichtung.

»Edward«, sagte ich fast unhörbar. »Edward, es ist jemand verletzt worden.«

Ich hatte Seths Schmerz gehört, hatte die Qual in Edwards Gesicht gesehen.

»Ja«, flüsterte er.

»Wer?«, fragte ich, obwohl ich es natürlich schon wusste. Natürlich wusste ich es. Natürlich.

Die Bäume bewegten sich langsamer, als wir uns unserem Ziel näherten.

Es dauerte lange, bis er antwortete.

»Jacob«, sagte er.

558

Ich schaffte es zu nicken.

»Natürlich«, flüsterte ich.

Und dann stürzte ich in den Abgrund.

Alles wurde schwarz.

Als Erstes merkte ich, dass kühle Hände mich berührten. Mehr als zwei Hände. Ich wurde von Armen gehalten, eine Hand schmiegte sich an meine Wange, Finger strichen mir über die Stirn, andere Finger drückten mir leicht aufs Handgelenk.

Dann hörte ich die Stimmen. Zuerst war es nur ein leises Summen, dann wurden sie immer deutlicher, als würde jemand ein Radio lauter stellen.

»Carlisle – jetzt sind es schon fünf Minuten.« Edwards Stimme, er klang besorgt.

»Sie kommt wieder zu sich, wenn sie so weit ist.« Carlisles Stimme, ruhig und zuversichtlich wie immer. »Es war heute alles zu viel für sie. Sie muss sich schützen, lass sie noch.«

Aber ich fühlte mich nicht geschützt. Ich war in einem Wissen gefangen, das mich nicht verlassen hatte, selbst in der Ohnmacht nicht – der Schmerz war Teil der Finsternis.

Es kam mir vor, als wäre ich nicht mit meinem Körper verbunden. Als wäre ich hilflos in einem kleinen Winkel meines Gehirns eingesperrt. Und ich war machtlos dagegen. Ich konnte nicht denken. Der Schmerz war zu stark. Es gab kein Entrinnen.

Jacob.

Jacob.

Nein, nein, nein, nein, nein …

»Alice, wie viel Zeit haben wir noch?«, fragte Edward. Er klang immer noch nervös; Carlisle hatte ihn nicht beruhigen können.

Dann Alice' Stimme, weiter weg. Hell und vergnügt. »Noch

fünf Minuten. Und Bella wird in siebenunddreißig Sekunden die Augen aufschlagen. Ich bin mir sicher, dass sie uns jetzt hören kann.«

»Bella, Schatz?« Das war Esmes weiche, tröstende Stimme. »Hörst du mich? Jetzt kann dir nichts mehr passieren.«

Ja, *mir* konnte nichts passieren. Na und?

Dann waren kühle Lippen an meinem Ohr, und Edward sagte die Worte, die mich von dem Schmerz befreiten, der mich gefangen hielt.

»Bella, er wird es schaffen. Während ich dir das sage, verheilen seine Wunden. Er wird wieder gesund.«

Als der Schmerz und die Angst nachließen, fand ich zu meinem Körper zurück. Meine Lider flatterten.

»Oh, Bella.« Edward seufzte erleichtert, und seine Lippen berührten meine.

»Edward«, flüsterte ich.

»Ja, ich bin da.«

Ich schlug die Augen auf und schaute in warmes Gold.

»Jacob geht es gut?«, fragte ich.

»Ja«, sagte er.

Ich suchte in seinen Augen nach einem Anzeichen dafür, dass er mich nur beruhigen wollte, aber sein Blick war ganz klar.

»Ich habe ihn selbst untersucht«, sagte Carlisle. Ich drehte den Kopf und sah sein Gesicht ganz in der Nähe. Er sah ernst und zugleich optimistisch aus. Es war unmöglich, an seinen Worten zu zweifeln. »Sein Leben ist nicht in Gefahr. Seine Wunden sind unglaublich schnell verheilt, wenngleich er so schwer verletzt war, dass es noch einige Tage dauern wird, bis er wieder der Alte ist. Sobald wir hier fertig sind, werde ich tun, was ich kann, um ihm zu helfen. Sam will dafür sorgen, dass er sich wieder zurückverwandelt. In Menschengestalt können wir ihn leichter behandeln.« Carlisle lächelte ein wenig. »Als Tierarzt bin ich nicht ausgebildet.«

»Was ist passiert?«, flüsterte ich. »Wie schlimm ist er verletzt?«

Carlisles Gesicht wurde wieder ernst. »Ein anderer Wolf war in Schwierigkeiten …«

»Leah«, flüsterte ich.

»Ja. Er hat sie aus der Gefahrenzone gestoßen, aber dann blieb ihm keine Zeit mehr, sich selbst zu verteidigen. Der Neugeborene hat ihn umklammert. Die meisten Knochen seiner rechten Körperhälfte wurden zerschmettert.«

Ich zuckte zusammen.

»Sam und Paul waren rechtzeitig bei ihm. Schon auf dem Weg nach La Push ging es ihm allmählich besser.«

»Wird er wieder so wie früher?«, fragte ich.

»Ja, Bella. Er wird keine bleibenden Schäden davontragen.«

Ich atmete tief durch.

»Drei Minuten«, sagte Alice ruhig.

Mühsam versuchte ich mich aufzurichten. Edward begriff, was ich vorhatte, und half mir auf die Beine.

Ich starrte auf das Bild, das sich mir bot.

Die Cullens standen in einem lockeren Halbkreis um das Feuer herum. Es waren kaum Flammen zu sehen, nur der dicke, purpurschwarze Rauch, der unheilvoll über dem hellen Gras schwebte. Jasper war dem dichten Nebel am nächsten, er wurde davon überschattet, so dass seine Haut nicht in der Sonne glitzerte wie die der anderen. Er hatte mir den Rücken zugewandt, die Schultern starr, die Arme ein wenig ausgestreckt. Da war etwas in seinem Schatten. Etwas, über das er wachsam gebeugt war.

Ich war so erschöpft, dass ich nur leicht erschrak, als ich sah, was es war.

Es befanden sich insgesamt acht Vampire auf der Lichtung.

Das Mädchen hatte sich neben dem Feuer zusammengerollt, die Arme um die Beine geschlungen. Sie war sehr jung. Jünger als ich – sie mochte etwa fünfzehn sein, schmächtig, mit dunklen Haaren. Ihr Blick war auf mich geheftet, die Iris ihrer Augen waren von einem erschreckend leuchtenden Rot. Noch viel leuchtender als Rileys, fast glühend. Sie verdrehte wild die Augen.

Edward sah mein Befremden.

»Sie hat sich ergeben«, sagte er leise. »Ich habe sie noch nie gesehen. Nur Carlisle würde so ein Angebot machen. Jasper hält nichts davon.«

Ich konnte mich nicht von der Szene am Feuer losreißen. Jasper rieb sich geistesabwesend den linken Unterarm.

»Was hat Jasper?«, flüsterte ich.

»Nichts. Das Gift tut nur weh.«

»Ist er gebissen worden?«, fragte ich entsetzt.

»Er hat versucht, überall gleichzeitig zu sein. Er wollte Alice heraushalten.« Edward schüttelte den Kopf. »Als ob Alice Hilfe bräuchte.«

Alice schnitt Jasper eine Grimasse. »Er musste mal wieder den Beschützer spielen.«

Plötzlich legte das Mädchen den Kopf in den Nacken wie ein Tier und heulte schrill.

Als Jasper sie anknurrte, wich sie zurück, krallte die Finger in den Boden wie Klauen, und ihr Kopf schaukelte vor Schmerz vor und zurück. Jasper duckte sich noch tiefer und machte einen Schritt auf sie zu. Übertrieben beiläufig drehte Edward uns beide so herum, dass er sich zwischen mir und dem Mädchen befand. Ich spähte an seinem Arm vorbei und beobachtete Jasper und das wild gewordene Mädchen.

Sofort war Carlisle an Jaspers Seite. Beschwichtigend legte er ihr eine Hand auf den Arm.

»Hast du deine Meinung geändert, Mädchen?«, fragte Carlisle, ruhig wie immer. »Wir möchten dich nicht zerstören, aber wenn du dich nicht beherrschen kannst, werden wir es tun.«

»Wie haltet ihr das aus?«, stöhnte das Mädchen mit hoher, klarer Stimme. »Ich *will* sie.« Ihre blutroten Augen waren auf Edward gerichtet, schauten an ihm vorbei zu mir, und wieder schlug sie die Fingernägel in die harte Erde.

»Du musst es aushalten«, erklärte Carlisle ihr mit ernster Miene. »Du musst dich in Beherrschung üben. Es geht, und es ist das Einzige, was dich retten kann.«

Das Mädchen fasste sich mit den dreckverkrusteten Händen an den Kopf und heulte leise vor sich hin.

»Sollen wir nicht lieber von ihr weggehen?«, flüsterte ich und zog Edward am Arm. Als das Mädchen meine Stimme hörte, fletschte sie die Zähne.

»Wir müssen hierbleiben«, sagte Edward leise. »*Sie* haben gerade das nördliche Ende der Lichtung erreicht.«

Mein Herz fing an zu rasen, als ich über die Lichtung schaute, doch durch die dicke Rauchsäule konnte ich nichts erkennen.

Ich schaute zurück zu dem Vampirmädchen. Sie sah mich immer noch mit irrem Blick an.

Einen endlosen Augenblick lang erwiderte ich ihren Blick. Ihr alabasterfarbenes Gesicht war von kinnlangem dunklem Haar umrahmt. Es war schwer zu sagen, ob sie schön war, weil ihre Züge von Durst und Raserei entstellt waren. Vor allem fielen die glühend roten Augen auf – ich konnte mich kaum davon lösen. Sie schaute mich gierig an, immer wieder bebte und zuckte sie.

Gebannt starrte ich sie an und fragte mich, ob sie mir meine Zukunft spiegelte.

Dann wichen Carlisle und Jasper langsam zurück und gesellten sich zu uns. Auch Emmett, Rosalie und Esme versammelten sich schnell dort, wo Edward mit Alice und mir stand. Eine Einheit, wie Edward gesagt hatte, mit mir im Zentrum, wo ich am sichersten war.

Ich riss mich von dem wilden Mädchen los und hielt nach den Monstern Ausschau, die wir erwarteten.

Es war immer noch nichts zu sehen. Ich schaute zu Edward, er guckte starr geradeaus. Ich versuchte seinem Blick zu folgen, aber da war nur Rauch – dichter, öliger Rauch, der sich am Boden ringelte, träge aufstieg, über dem Gras wogte.

Er wölbte sich vor, in der Mitte dunkler.

»Hmm«, sagte eine leblose Stimme leise aus dem Nebel. Sofort erkannte ich die teilnahmslose Art zu sprechen.

»Willkommen, Jane.« Edward sprach kühl und höflich.

Die dunklen Gestalten kamen näher, lösten sich aus dem Nebel, verfestigten sich. Ich wusste, dass Jane voranging – der dunkelste Umhang, fast schwarz, die Gestalt mehr als einen halben Meter kleiner als die anderen. Unter der Kapuze konnte ich Janes engelhafte Züge kaum ausmachen.

Auch die vier noch immer in Nebel gehüllten Gestalten, die hinter ihr aufragten, kamen mir bekannt vor. Den größten erkannte ich ganz deutlich, und während ich ihn anstarrte, blickte er auf. Ja, es war Felix. Er ließ seine Kapuze leicht nach hinten fallen, damit ich sehen konnte, dass er mir zublinzelte und lächelte. Edward neben mir war vollkommen reglos und äußerst beherrscht.

Langsam ließ Jane den Blick über die strahlenden Gesichter der Cullens wandern und blieb dann an dem neugeborenen Mädchen am Feuer hängen; das Mädchen hatte den Kopf wieder in die Hände gelegt.

»Ich verstehe nicht.« Janes Stimme war tonlos, aber nicht ganz so gleichgültig wie zuvor.

»Sie hat sich ergeben«, erklärte Edward und beantwortete damit die Verwirrung in Janes Kopf.

Schnell schaute sie ihn mit ihren dunklen Augen an. »Ergeben?«

Felix tauschte einen raschen Blick mit einem der anderen Schatten.

Edward zuckte die Achseln. »Carlisle ließ ihr die Wahl.«

»Es gibt keine Wahl für jene, die gegen die Regeln verstoßen«, sagte Jane rundheraus.

Jetzt sprach Carlisle, sein Ton war mild. »Das liegt in euren Händen. Als sie bereit war, den Angriff auf uns abzubrechen, sahen wir keine Notwendigkeit, sie zu zerstören. Sie hat es nicht anders gelernt.«

»Das ist unerheblich«, beharrte Jane.

»Wie ihr wollt.«

Jane starrte Carlisle irritiert an. Sie schüttelte kaum merklich den Kopf, dann hatte sie sich sofort wieder in der Gewalt.

»Aro hatte gehofft, dass wir weit genug nach Westen kommen würden, um dich zu sehen, Carlisle. Er lässt dich grüßen.«

Carlisle nickte. »Ich wäre dir sehr verbunden, wenn du ihm meine Grüße übermitteln könntest.«

»Natürlich.« Jane lächelte. Wenn Leben in ihr Gesicht kam, war es beinahe zu schön. Sie schaute wieder in den Rauch. »Es sieht so aus, als hättet ihr heute die Arbeit für uns erledigt … jedenfalls zum größten Teil.« Ihr Blick fiel wieder auf das gefangene Mädchen. »Nur aus professioneller Neugier, wie viele waren es? Sie haben in Seattle einigen Schaden angerichtet.«

»Achtzehn, diese hier eingeschlossen«, sagte Carlisle.

Janes Augen weiteten sich, und sie schaute wieder ins Feuer, als wollte sie seine Größe noch einmal in Augenschein nehmen. Jetzt tauschte Felix einen längeren Blick mit einem der anderen Schatten.

»Achtzehn?«, wiederholte Jane, und zum ersten Mal klang sie unsicher.

»Alle brandneu«, sagte Carlisle abwehrend. »Sie waren ungeübt.«

»Alle?« Ihre Stimme wurde scharf. »Wer hat sie dann erschaffen?«

»Sie hieß Victoria«, antwortete Edward. Seine Stimme ließ keine Gefühlsregung erkennen.

»Hieß?«, fragte Jane.

Edward machte eine Kopfbewegung in Richtung des östlichen Waldes. Blitzschnell folgte Jane seinem Blick, sie schaute auf etwas in weiter Ferne. Die andere Rauchsäule? Ich sah nicht hin.

Jane schaute lange nach Osten, dann inspizierte sie wieder das Feuer vor uns.

»Diese Victoria – sie war zusätzlich zu den achtzehn da?«

»Ja. Sie hatte nur einen anderen bei sich. Er war nicht so jung wie dieses Mädchen hier, aber nicht älter als ein Jahr.«

»Zwanzig«, stieß Jane hervor. »Wer hat sich die Schöpferin vorgeknöpft?«

»Ich«, sagte Edward.

Janes Augen wurden schmal, sie wandte sich zu dem Mädchen am Feuer.

»Du da«, sagte sie, und ihre leblose Stimme war jetzt unfreundlicher als zuvor. »Name?«

Die Neugeborene warf Jane einen bösen Blick zu und presste die Lippen fest zusammen.

Jane sah sie mit einem Engelslächeln an.

Der Schrei des Mädchens, der darauf folgte, war ohrenbetäubend, ihr Körper wurde starr und verdrehte sich unnatürlich. Ich wandte den Blick ab und bekämpfte den Drang, mir die Ohren zuzuhalten. Ich biss die Zähne zusammen und hoffte, dass mein Magen nicht rebellierte. Der Schrei wurde immer schlimmer. Ich versuchte mich auf Edwards Gesicht zu konzentrieren, glatt und emotionslos, aber da fiel mir wieder ein, dass Jane auch Edward schon einmal mit ihrem Blick gefoltert hatte, und mir wurde noch elender. Stattdessen sah ich Alice an und Esme neben ihr. Ihre Gesichter waren ebenso ausdruckslos wie Edwards.

Endlich war es still.

»Name?«, sagte Jane tonlos.

»Bree«, brachte das Mädchen mühsam heraus.

Jane lächelte, und das Mädchen kreischte wieder los. Ich hielt die Luft an, bis der Schmerzensschrei verstummte.

»Sie wird dir alles sagen, was du wissen willst«, sagte Edward mit zusammengebissenen Zähnen. »Du kannst dir das sparen.«

Jane schaute auf, ihr lebloser Blick wirkte plötzlich belustigt. »Ja, ich weiß«, sagte sie und grinste Edward an, ehe sie sich wieder an das Vampirmädchen wandte.

»Bree«, sagte Jane und jetzt war ihre Stimme wieder kalt. »Stimmt diese Geschichte? Wart ihr zwanzig?«

Das Mädchen lag keuchend da, das Gesicht in die Erde gepresst. Sie sprach schnell. »Neunzehn oder zwanzig, vielleicht auch mehr, ich weiß es nicht!« Sie krümmte sich, voller Angst, dass ihre ungenaue Antwort eine weitere Attacke zur Folge haben könnte. »Sara und eine, deren Namen ich nicht kenne, haben unterwegs miteinander gekämpft …«

»Und diese Victoria – hat sie dich erschaffen?«

»Ich weiß es nicht«, sagte sie und zuckte wieder zusammen. »Riley hat ihren Namen nie erwähnt. Ich konnte in der Nacht

damals nichts sehen … es war so dunkel und es hat wehgetan …«
Bree schauderte. »Wir sollten nicht an sie denken können. Er
sagte, unsere Gedanken seien nicht sicher …«

Jane schaute kurz zu Edward, dann wieder zu dem Mädchen.

Victoria hatte alles sehr gut geplant. Wäre sie Edward nicht
gefolgt, hätten wir niemals Gewissheit gehabt, dass sie in die
Sache verwickelt war.

»Erzähl mir von Riley«, sagte Jane. »Weshalb hat er euch
hierhergeführt?«

»Riley hat gesagt, wir sollten die merkwürdigen Wesen mit
den gelben Augen töten«, erzählte Bree freimütig. »Er sagte, es
wär ein Kinderspiel. Er sagte, die Stadt gehöre ihnen und sie
würden uns angreifen. Er sagte, wenn sie erst beseitigt wären,
würde alles Blut uns gehören. Er gab uns ihren Geruch.« Bree
zeigte mit einem Finger auf mich. »Er sagte, an ihr könnten wir
erkennen, dass wir den richtigen Zirkel erwischt hätten, weil sie
bei ihnen sein würd. Er sagte, wer sie als Erstes fände, könnte
sie haben.«

Ich hörte, wie Edward neben mir die Zähne zusammenbiss.

»Riley scheint die Schwierigkeiten nicht ganz richtig einge-
schätzt zu haben«, stellte Jane fest.

Bree nickte, sie wirkte erleichtert, dass das Gespräch jetzt
ohne Schmerzen verlief. Sie setzte sich vorsichtig auf. »Ich
weiß nicht, was passiert ist. Wir haben uns geteilt, aber die anderen sind überhaupt nicht wiederaufgetaucht. Und Riley hat
uns auch im Stich gelassen, er ist uns nicht zu Hilfe gekommen,
wie er versprochen hatte. Und dann gab es ein großes Durcheinander und alle wurden zerstückelt.« Sie schauderte wieder.
»Ich hatte Angst. Ich wollte weglaufen. Der da« – sie schaute zu
Carlisle – »sagte, sie würden mir nichts tun, wenn ich mich
ergebe.«

»Tja, es stand ihm aber nicht zu, dir das anzubieten, mein Fräulein«, sagte Jane in merkwürdig sanftem Ton. »Wer gegen die Regeln verstößt, hat die Folgen zu tragen.«

Bree starrte sie an, ohne zu begreifen.

Jane schaute zu Carlisle. »Bist du sicher, dass ihr sie alle erwischt habt? Was ist mit der anderen Hälfte?«

Carlisles Gesicht war vollkommen ausdruckslos, als er nickte. »Auch wir haben uns aufgeteilt.«

Jane lächelte ein wenig. »Ich muss zugeben, ich bin beeindruckt.« Die großen Schatten hinter ihr murmelten zustimmend. »Ich habe es noch nie erlebt, dass ein Zirkel einen solchen Angriff unversehrt überstanden hat. Könnt ihr euch denken, was dahintersteckte? Es erscheint mir sehr übertrieben, wenn man bedenkt, wie ihr hier lebt. Und warum kam dem Mädchen eine solche Bedeutung zu?« Einen kurzen Moment lang sah sie mich unwillig an.

Ich zitterte.

»Victoria hatte eine Rechnung mit Bella zu begleichen«, sagte Edward gleichmütig.

Jane lachte – ein goldenes Lachen, wie das eines fröhlichen Kindes. »Sie scheint merkwürdig starke Reaktionen bei unseresgleichen auszulösen«, bemerkte sie und lächelte mich an, ein glückstrahlendes Gesicht.

Edward erstarrte. Als ich ihn ansah, merkte ich gerade noch, wie er den Blick von mir abwandte und wieder zu Jane schaute.

»Würdest du das bitte lassen?«, sagte er gepresst.

Jane lachte leichthin. »Nur ein kleiner Test. Es ist offenbar nichts passiert.«

Ich schauderte und war heilfroh, dass diese kleine Eigentümlichkeit von mir, die mich schon bei unserer letzten Begegnung vor Jane beschützt hatte, immer noch wirkte. Edward legte den Arm fester um mich.

»Nun denn, es sieht so aus, als wäre hier für uns nicht mehr viel zu tun. Eigenartig«, sagte Jane, jetzt wieder in teilnahmslosem Ton. »Wir sind es nicht gewohnt, überflüssig zu sein. Zu schade, dass wir den Kampf verpasst haben. Es war bestimmt ein unterhaltsames Schauspiel.«

»Ja«, antwortete Edward schnell in scharfem Ton. »Und ihr wart so nah dran. Schade, dass ihr nicht eine halbe Stunde eher gekommen seid. Vielleicht hättet ihr eure Aufgabe dann erfüllen können.«

Jane erwiderte Edwards Blick, ohne mit der Wimper zu zucken. »Ja. Zu dumm, wie es manchmal läuft, nicht wahr?«

Edward nickte einmal, er schien seinen Verdacht bestätigt zu sehen.

Tödlich gelangweilt schaute Jane jetzt wieder zu dem Vampirmädchen Bree. »Felix?«, rief sie gedehnt.

»Warte«, fuhr Edward dazwischen.

Jane hob eine Augenbraue, aber Edward starrte Carlisle an und sagte drängend: »Wir könnten der Kleinen die Regeln erklären. Sie scheint nicht abgeneigt zu lernen. Sie wusste nicht, was sie tat.«

»Natürlich«, sagte Carlisle. »Wir wären selbstverständlich bereit, die Verantwortung für Bree zu übernehmen.«

Jane sah gleichzeitig fassungslos und belustigt aus.

»Bei uns gibt es keine Ausnahmen«, sagte sie. »Und niemand bekommt eine zweite Chance. Das würde unserem Ruf schaden. Was mich daran erinnert …« Plötzlich war ihr Blick wieder auf mich gerichtet, und Grübchen traten in ihr engelhaftes Gesicht. »Es wird Caius sehr interessieren, dass du immer noch ein Mensch bist, Bella. Vielleicht schaut er einmal vorbei.«

»Der Termin steht«, sagte Alice. Es war das erste Mal, dass sie etwas sagte. »Vielleicht schauen wir in ein paar Monaten mal bei euch vorbei.«

Janes Lächeln verschwand. Gleichgültig zuckte sie die Schultern, ohne Alice eines Blickes zu würdigen. Sie wandte sich zu Carlisle. »Es war schön, dich kennenzulernen, Carlisle – ich dachte, Aro übertreibe. Na dann, bis zum nächsten Mal …«

Carlisle nickte, er sah sehr bekümmert aus.

»Erledige du das, Felix«, sagte Jane gelangweilt. Sie machte eine Kopfbewegung zu Bree. »Ich möchte jetzt nach Hause.«

»Sieh nicht hin«, flüsterte Edward mir ins Ohr.

Nur zu gern befolgte ich seinen Rat. Ich hatte für heute mehr als genug gesehen – mehr als genug für ein ganzes Leben. Ich kniff die Augen zu und verbarg das Gesicht an Edwards Brust.

Aber hören konnte ich noch.

Ich hörte ein tiefes Grollen und dann ein hohes Jammern, das mir grauenhaft bekannt vorkam. Das Jammern verstummte bald, und dann war nur noch ekelhaftes Krachen und Knacken zu hören.

Edward rieb fürsorglich meine Schultern.

»Kommt«, sagte Jane, und ich sah gerade noch die Rücken der hohen grauen Gestalten, die auf den sich ringelnden Rauch zugingen. Es roch wieder stark nach Weihrauch – ein weiteres Mal.

Die grauen Umhänge verschwanden im dichten Nebel.

VERZICHT

Zahllose Cremes und Wässerchen standen auf der Ablage in Alice' Bad, die den Menschen angeblich verschönern sollten. Da in diesem Haus alle sowohl vollkommen als auch vollkommen undurchlässig waren, konnte ich nur annehmen, dass sie das Zeug für mich gekauft hatte. Benommen las ich die Etiketten und fand es eine ungeheuerliche Verschwendung.

Ich achtete darauf, auf keinen Fall in den hohen Spiegel zu schauen.

Mit gleichmäßigen Bewegungen kämmte Alice mir die Haare.

»Das reicht, Alice«, sagte ich tonlos. »Ich möchte zurück nach La Push.«

Wie viele Stunden hatte ich darauf gewartet, dass Charlie endlich Billys Haus verließ, damit ich zu Jacob konnte? Jede Minute, in der ich keine Gewissheit hatte, ob er noch atmete oder nicht, war mir vorgekommen wie zehn Leben. Und als ich dann endlich zu ihm durfte, um mit eigenen Augen zu sehen, dass er lebte, war die Zeit viel zu schnell vergangen. Es kam mir so vor, als hätte ich kaum Luft geholt, da rief Alice schon Edward an und bestand darauf, dass ich dieses alberne Übernachtungstheater weiterspielte. Ich fand das so unwichtig …

»Jacob ist immer noch ohne Bewusstsein«, sagte Alice. »Carlisle oder Edward melden sich, sobald er aufwacht. Außerdem musst du jetzt zu Charlie. Er war bei Billy und hat gesehen, dass Carlisle und Edward zurück sind, also wird er garantiert misstrauisch, wenn du so spät nach Hause kommst.«

Ich konnte meine Geschichte schon auswendig. »Das ist mir egal. Ich will da sein, wenn Jacob aufwacht.«

»Du musst jetzt an Charlie denken. Du hattest einen langen Tag – entschuldige, ich weiß, dass das gar kein Ausdruck ist –, aber das heißt nicht, dass du dich vor deinen Pflichten drücken kannst.« Sie sprach ernst, fast tadelnd. »Jetzt ist es wichtiger denn je, dass Charlie keinen Verdacht schöpft. Spiel erst deine Rolle, Bella, dann kannst du machen, was du willst. Wer zu den Cullens gehört, trägt eine große Verantwortung.«

Sie hatte natürlich Recht. Und ohne dieses Argument – das schwerer wog als all meine Ängste, mein Leid und meine Schuldgefühle – hätte Carlisle mich nie dazu überreden können, von Jacobs Seite zu weichen, ob er nun bei Bewusstsein war oder nicht.

»Fahr jetzt nach Hause«, befahl Alice. »Rede mit Charlie. Schmück dein Alibi aus. Wiege ihn in Sicherheit.«

Als ich aufstand, strömte mir das Blut in die Füße, sie stachen wie tausend Stecknadeln. Ich hatte zu lange still gesessen.

»Das Kleid steht dir ausgezeichnet«, säuselte Alice.

»Hä? Ach so, ja. Öhm – danke noch mal für die Klamotten«, murmelte ich, mehr aus Höflichkeit denn aus Dankbarkeit.

»Du brauchst doch einen Beweis«, sagte Alice mit Unschuldsmiene. »Was wäre eine Shoppingtour ohne ein neues Outfit? Ich will mich ja nicht loben, aber das Kleid schmeichelt dir wirklich.«

Ich blinzelte, ich konnte mich überhaupt nicht mehr erinnern, was sie mir angezogen hatte. Alle paar Sekunden schweiften meine Gedanken ab, wie Insekten, die vom Licht aufgescheucht werden …

»Jacob geht es gut, Bella«, sagte Alice, die sofort erriet, was mich beschäftigte. »Kein Grund zur Eile. Wenn man bedenkt, wie viel Morphium Carlisle ihm geben musste, weil es bei seiner Temperatur so schnell verbrennt, ist es ganz logisch, dass er so lange ohne Bewusstsein ist.«

Wenigstens hatte er keine Schmerzen. Noch nicht.

»Möchtest du noch über irgendwas Bestimmtes reden, bevor du fährst?«, fragte sie mitfühlend. »Du musst ja ganz schön traumatisiert sein.«

Ich wusste, worauf sie anspielte. Aber ich hatte andere Fragen.

»Werde ich auch so sein?«, fragte ich gedämpft. »Wie das Mädchen auf der Lichtung, wie Bree?«

Es gab so vieles zu bedenken, aber ich bekam das Vampirmädchen nicht aus dem Kopf, dessen Leben so plötzlich beendet worden war. Ihr Gesicht, vor Verlangen nach meinem Blut verzerrt, lauerte hinter meinen Lidern.

Alice streichelte meinen Arm. »Es ist bei jedem anders. Aber so ähnlich, ja.«

Ich saß ganz still und versuchte es mir vorzustellen.

»Das geht vorüber«, sagte sie.

»Wie lange dauert das?«

Sie zuckte die Achseln. »Einige Jahre, vielleicht auch weniger. Möglicherweise ist es bei dir ja anders. Ich habe noch nie erlebt, dass jemand das freiwillig durchgemacht hat. Es wäre interessant zu sehen, was für einen Einfluss das auf dich hat.«

»Interessant«, wiederholte ich.

»Wir passen schon auf dich auf.«

»Ich weiß. Ich vertraue euch.« Meine Stimme war monoton, leblos.

Alice zog die Stirn in Falten. »Falls du dir Sorgen um Carlisle und Edward machst – ich bin ganz sicher, dass ihnen nichts passiert. Ich glaube, Sam fasst allmählich Vertrauen zu uns … jedenfalls zu Carlisle. Ein Glück. Ich kann mir vorstellen, dass die Stimmung nicht so gut war, als Carlisle Jacobs Knochen noch einmal brechen musste …«

»Alice, bitte.«

»Entschuldige.«

Ich holte tief Luft, um mich zu beruhigen. Jacobs Brüche waren zu schnell verheilt, und ein paar Knochen waren schief zusammengewachsen. Er war bei dem Eingriff bewusstlos gewesen, aber ich wollte es mir trotzdem nicht vorstellen.

»Alice, kann ich dir eine Frage stellen? Über die Zukunft?«

Plötzlich war sie auf der Hut. »Du weißt, dass ich nicht alles sehen kann.«

»Das meine ich auch nicht. Aber manchmal siehst du doch meine Zukunft. Warum glaubst du, geht das, wenn doch alles andere bei mir nicht funktioniert? Weder Janes Talente noch Edwards oder Aros …« Ich ließ den Satz unbeendet. Es war ohnehin nur eine flüchtige Neugier gewesen, die jetzt von drängenderen Gefühlen überlagert wurde.

Alice dagegen fand die Frage hochinteressant. »Du hast Jasper vergessen – sein Talent wirkt auf deinen Körper genauso wie auf die Körper aller anderen. Darin liegt der Unterschied, verstehst du? Jaspers Gabe beeinflusst andere körperlich, er kann sie tatsächlich beruhigen oder aufregen. Das ist keine Illusion. Und ich habe Visionen von Ergebnissen, nicht von den Gründen und Gedanken der dahinterliegenden Entscheidungen. Das liegt außerhalb des Geistes, ist also auch keine Illusion, sondern Wirklichkeit – oder wenigstens eine Version davon. Aber Jane und Edward und Aro und Demetri – sie wirken im Kopf. Jane erzeugt nur eine Illusion von Schmerz. Sie tut deinem Körper nicht in Wirklichkeit weh, du glaubst nur es zu spüren. Verstehst du,

Bella? In deinem Kopf bist du in Sicherheit. Dort kann dich niemand erreichen. Es ist nicht verwunderlich, dass Aro neugierig auf deine zukünftigen Talente ist.«

Sie schaute mich aufmerksam an, um zu sehen, ob ich ihr folgen konnte. Doch ihre Worte waren alle miteinander verschmolzen, die einzelnen Silben und Laute hatten ihre Bedeutung verloren. Ich konnte mich nicht darauf konzentrieren. Trotzdem nickte ich und versuchte so auszusehen, als hätte ich es begriffen.

Sie ließ sich nicht täuschen. Sie streichelte meine Wange und sagte: »Er wird wieder gesund, Bella. Ich brauchte nicht in die Zukunft sehen zu können, um das zu wissen. Bist du jetzt so weit?«

»Eins noch. Kann ich dir noch eine Frage über die Zukunft stellen? Keine Einzelheiten, nur ganz allgemein.«

»Ich werde mein Bestes versuchen«, sagte sie, jetzt wieder zweifelnd.

»Siehst du immer noch, dass ich ein Vampir werde?«

»Ach, das ist einfach. Ja, natürlich.«

Ich nickte langsam.

Sie sah mich prüfend an. Ihr Blick war unergründlich. »Kennst du deine eigenen Gedanken nicht, Bella?«

»Doch. Ich wollte nur sichergehen.«

»Ich kann nur so sicher sein, wie du es bist. Das weißt du. Würdest du es dir anders überlegen, würde sich auch das verändern, was ich sehe … oder einfach verschwinden.«

Ich seufzte. »Das wird aber nicht passieren.«

Sie nahm mich in die Arme. »Es tut mir so leid, Bella. Bei mir war es so ganz anders. Meine erste Erinnerung ist, dass ich meine Zukunft mit Jasper sah; ich wusste immer, dass mein Leben mich zu ihm führen würde. Aber ich fühle mit dir und es tut mir so leid, dass du dich zwischen zwei guten Alternativen entscheiden musst.«

Ich schüttelte ihre Arme ab. »Ich brauche dir nicht leidzutun.« Es gab andere Leute, die Mitleid verdienten. Ich gehörte bestimmt nicht dazu. Und es gab auch keine Entscheidung zu treffen – jetzt galt es nur, ein gutes Herz zu brechen. »Ich fahr dann mal zu Charlie.«

Ich fuhr mit dem Transporter nach Hause, wo Charlie mich misstrauisch erwartete – ganz wie Alice gesagt hatte.

»Hallo, Bella. Wie war dein Einkaufsbummel?«, sagte er, als ich in die Küche kam. Er hatte die Arme vor der Brust verschränkt und schaute mich an.

»Lang«, sagte ich gleichgültig. »Wir sind grad erst wiedergekommen.«

Charlie sah mich prüfend an. »Von der Sache mit Jake hast du wohl schon gehört, oder?«

»Ja. Die anderen Cullens waren eher zurück als wir. Esme hat uns erzählt, wo Carlisle und Edward sind.«

»Und wie geht es dir?«

»Ich mach mir natürlich Sorgen um Jake. Sobald ich das Abendessen fertig hab, fahre ich nach La Push.«

»Ich hab dir ja immer gesagt, dass Motorräder lebensgefährlich sind. Hoffentlich siehst du jetzt endlich ein, wie Recht ich hatte.«

Ich nickte und holte alles, was ich brauchte, aus dem Kühlschrank. Charlie setzte sich an den Tisch. Er schien gesprächiger zu sein als üblich.

»Ich glaube, wegen Jake brauchst du dir keine allzu großen Sorgen zu machen. Wer so fluchen kann, kommt bestimmt wieder auf die Beine.«

»Dann war er wach, als du ihn gesehen hast?«, sagte ich und drehte mich schnell zu ihm herum.

»O ja, und wie. Du hättest ihn hören sollen – na ja, vielleicht ist es doch besser, dass du ihn nicht gehört hast. Bestimmt hat man ihn in ganz La Push gehört. Ich weiß nicht, woher er diese Ausdrücke hat, und ich hoffe, er hat sie noch nicht in deiner Gegenwart benutzt.«

»Heute hatte er aber allen Grund dazu, oder? Wie sah er aus?«

»Ziemlich fertig. Seine Freunde haben ihn reingetragen. Gut, dass sie so kräftig sind, er ist ein ganz schöner Brocken. Carlisle sagte, er hat das rechte Bein und den rechten Arm gebrochen. So ziemlich seine ganze rechte Seite wurde gequetscht, als er mit dieser verdammten Maschine gestürzt ist.« Charlie schüttelte den Kopf. »Wenn mir je zu Ohren kommen sollte, dass du dich noch mal auf so ein Ding setzt …«

»Keine Sorge, Dad. Das wirst du nicht erleben. Glaubst du wirklich, Jake wird wieder gesund?«

»Bestimmt, Bella. Es ging ihm schon wieder so gut, dass er mich ärgern konnte.«

»Dich ärgern?«, sagte ich erschrocken.

»Ja – erst hat er die Mutter von jemandem beleidigt, dann hat er den Namen des Herrn missbraucht, und zwischendrin hat er gesagt: ›Charlie, heute bist du bestimmt froh, dass sie Cullen liebt und nicht mich, was?‹«

Ich drehte mich wieder zum Kühlschrank, damit er mein Gesicht nicht sehen konnte.

»Und ich konnte ihm nicht widersprechen. Wenn es um deine Sicherheit geht, ist Edward reifer als Jacob, das muss man ihm lassen.«

»Jacob ist reif genug«, murmelte ich. »Bestimmt war es nicht seine Schuld.«

»Verrückter Tag heute«, sagte Charlie nach einer Weile. »Du weißt ja, dass ich von diesem ganzen Aberglauben nichts halte, aber es war schon komisch … Als ob Billy gewusst hätte, dass

Jake heute irgendwas zustoßen würde. Den ganzen Morgen war er aufgeregt wie eine Gans an Weihnachten. Ich glaube, er hat nichts mitgekriegt von dem, was ich erzählt habe. Und was noch verrückter war – weißt du noch, als wir im Februar und März so viel Ärger mit den Wölfen hatten?«

Ich bückte mich, um eine Pfanne aus dem Schrank zu holen, und hielt mich damit länger als nötig auf.

»Ja«, sagte ich leise.

»Ich hoffe, die machen uns nicht schon wieder Ärger. Heute Morgen waren wir mit dem Boot draußen und Billy achtete weder auf mich noch auf die Fische, als wir plötzlich im Wald Wölfe heulen hörten. Das war nicht nur einer, und unglaublich laut. Hörte sich an, als ob sie direkt im Dorf wären. Das Verrückteste war, dass Billy sofort das Boot wendete und zurück zur Bucht ruderte, als würden sie ihn persönlich rufen. Als ich ihn gefragt hab, was er da macht, hat er noch nicht mal zugehört. Wir hatten das Boot noch nicht vertäut, da war es schon wieder still. Aber auf einmal hatte Billy es wahnsinnig eilig, rechtzeitig zum Spiel zu Hause zu sein, obwohl wir noch Stunden Zeit hatten. Er nuschelte irgendeinen Quatsch von einer früheren Ausstrahlung … bei einem Livespiel! Ich sag dir, Bella, es war schon merkwürdig.

Und dann fand er zwar wirklich ein Spiel, das er angeblich sehen wollte, aber er hat überhaupt nicht hingeguckt. Er hing die ganze Zeit am Telefon, rief Sue an und Emily und den Großvater deines Freundes Quil. Mir war nicht so ganz klar, was das sollte – er hielt nur ein bisschen Smalltalk.

Dann ging das Geheul wieder los, diesmal direkt vor dem Haus. So was hab ich noch nie gehört – ich hab richtig Gänsehaut bekommen. Ich hab Billy gefragt – ich musste rufen, so laut war es –, ob er in seinem Garten Fallen aufgestellt hätte. Es hat sich so angehört, als ob da ein Tier große Schmerzen hätte.«

Ich zuckte zusammen, aber Charlie ging so in seiner Geschichte auf, dass er es nicht merkte.

»Das fällt mir jetzt erst alles wieder ein, denn genau in dem Moment wurde Jake nach Hause gebracht. Erst hat der Wolf so fürchterlich geheult und im nächsten Moment war er gar nicht mehr zu hören – Jakes Flüche müssen ihn übertönt haben. Der Junge hat vielleicht ein Organ, kann ich dir sagen.«

Charlie schwieg einen Moment, er sah nachdenklich aus. »Ist schon komisch, aber das ganze Durcheinander hat auch sein Gutes. Ich hätte ja nie gedacht, dass sie hier je über diese blöden Vorurteile gegen die Cullens hinwegkommen würden. Aber irgendwer hat Carlisle angerufen, und Billy war richtig dankbar, als er auftauchte. Ich meinte, wir sollten Jake ins Krankenhaus fahren, aber Billy wollte ihn zu Hause behalten, und Carlisle war einverstanden. Er muss es ja wissen. Sehr großzügig von ihm, sich für so viele Hausbesuche zu verpflichten. Und …« Er legte eine Pause ein, als ob es ihm widerstrebte, weiterzusprechen. Er seufzte, dann sagte er: »Und Edward war wirklich … nett. Er schien sich genauso um Jacob zu sorgen wie du – als wäre es sein Bruder, der dort liegt. Dieser Blick …« Charlie schüttelte den Kopf. »Er ist ein anständiger Kerl, Bella. Ich werd versuchen, mir das zu merken. Aber ich will lieber nichts versprechen.« Er grinste.

»Ich werd dich nicht drauf festnageln«, murmelte ich.

Charlie streckte die Beine und stöhnte. »Es ist schön, wieder zu Hause zu sein. Du kannst dir gar nicht vorstellen, was bei Billy los war. Sieben von Jakes Freunden haben sich in das winzige Wohnzimmer gequetscht – man kriegte kaum noch Luft. Ist dir schon mal aufgefallen, wie riesig die Quileute-Jungs alle sind?«

»Ja, stimmt.«

Charlie starrte mich an, plötzlich wirkte er viel aufmerksamer. »Wirklich, Bella, Carlisle hat gesagt, Jake ist im Nu wieder auf den Beinen. Er meinte, es sieht viel schlimmer aus, als es ist. Der ist bald wieder fit.«

Ich nickte nur.

Jacob hatte so … ungewohnt schwach ausgesehen, als ich, kaum dass Charlie weg war, kurz zu ihm gefahren war. Er war überall geschient gewesen – Carlisle hatte gesagt, er brauche keinen Gips, weil bei ihm alles so schnell verheile. Sein Gesicht war blass und elend, obwohl er nicht bei Bewusstsein war. Zerbrechlich. Trotz seiner Größe hatte er zerbrechlich gewirkt. Vielleicht hatte ich mir das auch nur eingebildet, weil ich wusste, dass ich ihm das Herz brechen musste.

Wenn mich doch bloß ein Blitz treffen und in zwei Hälften spalten könnte. Auf möglichst schmerzhafte Weise. Zum ersten Mal empfand ich es als richtiges Opfer, mein Leben als Mensch aufzugeben. Als würde ich womöglich doch zu viel verlieren.

Ich stellte Charlies Essen neben seinem Ellbogen auf dem Tisch ab und ging zur Tür.

»Öh, Bella? Könntest du noch einen Augenblick warten?«

»Fehlt noch was?«, fragte ich mit einem Blick auf seinen Teller.

»Nein, nein. Ich wollte nur … ich wollte dich um etwas bitten.« Charlie runzelte die Stirn und schaute zu Boden. »Setz dich doch – es dauert nicht lange.«

Ein wenig verwirrt setzte ich mich ihm gegenüber. Ich versuchte mich zu konzentrieren. »Was ist los?«

»Ich will gleich zur Sache kommen, Bella.« Charlie wurde rot. »Vielleicht bin ich nur … abergläubisch, weil Billy sich heute den ganzen Tag so merkwürdig benommen hat. Aber ich hab so ein komisches Gefühl. Als ob … ich dich bald verlieren würde.«

»So ein Quatsch, Dad«, murmelte ich schuldbewusst. »Du willst doch, dass ich studiere, oder?«

»Versprich mir nur eins.«

Ich zögerte, bereitete mich darauf vor, einen Rückzieher zu machen. »Na gut …«

»Sagst du mir Bescheid, bevor du irgendwas unternimmst? Bevor du mit ihm durchbrennst oder so etwas?«

»Dad …«, stöhnte ich.

»Es ist mein Ernst. Ich werde dir keine Szene machen. Sag mir nur vorher Bescheid. Damit ich die Gelegenheit habe, dich noch mal in den Arm zu nehmen.«

Innerlich zuckte ich zusammen, aber ich hob die Hand. »Es ist echt albern. Aber wenn es dich glücklich macht … ich verspreche es.«

»Danke, Bella«, sagte er. »Ich hab dich lieb.«

»Ich dich auch.« Ich berührte ihn an der Schulter, dann schob ich meinen Stuhl zurück. »Ich bin bei Billy, falls irgendwas ist.«

Ich schaute mich nicht um, als ich aus dem Haus stürmte. Das hatte mir jetzt gerade noch gefehlt. Den ganzen Weg nach La Push grummelte ich vor mich hin.

Carlisles schwarzer Mercedes stand nicht vor Billys Haus. Das war einerseits gut und andererseits schlecht. Ich musste natürlich mit Jacob allein reden. Trotzdem hätte ich gern Edwards Hand gehalten, wie vorhin, als Jacob noch bewusstlos war. Unmöglich. Aber Edward fehlte mir – der Nachmittag mit Alice allein war mir sehr lang vorgekommen. Damit stand meine Entscheidung fest. Aber ich wusste ja sowieso schon, dass ich ohne Edward nicht leben konnte. Das machte die Sache nicht weniger quälend.

Leise klopfte ich an die Haustür.

»Komm rein, Bella«, sagte Billy. Er hatte natürlich das Röhren meines Transporters erkannt.

Ich ging hinein.

»Hallo, Billy. Ist er wach?«, fragte ich.

»Er ist vor etwa einer halben Stunde aufgewacht, kurz bevor Dr. Cullen gefahren ist. Geh rein. Er wartet bestimmt schon auf dich.«

Ich atmete tief durch. »Danke.«

An der Tür zu Jacobs Zimmer zögerte ich und überlegte, ob ich anklopfen sollte. Doch ich wollte lieber erst hineinspähen, weil ich – feige, wie ich war – hoffte, er wäre vielleicht wieder eingeschlafen. Ich hatte das Gefühl, ich könnte gut noch ein paar Minuten brauchen.

Ich öffnete die Tür einen Spaltbreit und schaute vorsichtig hinein.

Jacob wartete auf mich, sein Gesicht war ruhig und unbewegt. Der wilde, nervöse Blick war verschwunden, stattdessen starrte er ins Leere. Seine dunklen Augen waren ohne Leben.

Es war schwer, ihn in dem Bewusstsein anzusehen, dass ich ihn liebte. Es machte mehr aus, als ich gedacht hätte. Ich fragte mich, ob es für ihn wohl immer so schwer gewesen war, die ganze Zeit.

Zum Glück hatte jemand ihn zugedeckt. Ich hätte es kaum ertragen, all seine Verletzungen zu sehen.

Ich trat ins Zimmer und machte die Tür hinter mir zu.

»Hallo, Jake«, sagte ich leise.

Er antwortete nicht gleich. Er schaute mich lange an. Dann setzte er mit einiger Anstrengung ein leicht spöttisches Lächeln auf.

»Ja, so hatte ich es mir schon fast vorgestellt.« Er seufzte. »Heute ist eindeutig nicht mein Tag. Erst bin ich am falschen Ort, verpasse den besten Kampf und Seth heimst die ganzen Lorbeeren ein. Dann muss Leah unbedingt beweisen, dass sie genauso hart kämpfen kann wie wir, und ich bin der Dumme, der sie rettet. Und jetzt das.« Er machte eine Handbewegung zu mir.

»Wie geht es dir?«, murmelte ich. Was für eine dämliche Frage.

»Bin ein bisschen bedröhnt. Dr. Reißzahn weiß nicht genau, wie viel Schmerzmittel ich brauche, deshalb muss er rumprobieren. Ich glaube, jetzt hat er mir zu viel gegeben.«

»Aber du hast keine Schmerzen.«

»Nein. Wenigstens merke ich nichts von den Verletzungen«, sagte er und setzte wieder das spöttische Lächeln auf.

Ich biss mir auf die Lippe. Ich schaffte es einfach nicht. Warum versuchte nicht mal jemand mich umzubringen, wenn ich gerade ganz dringend sterben *wollte*?

Der Spott wich aus seinem Gesicht, und sein Blick wurde wärmer. Er zog die Stirn in Falten, als sei er besorgt.

»Und du?«, sagte er, und er klang wirklich besorgt. »Geht es dir gut?«

»Mir?« Ich starrte ihn an. Vielleicht hatte er wirklich zu viel Schmerzmittel genommen. »Warum?«

»Na ja, ich hab nicht damit gerechnet, dass er dir wehtun würde, aber ich wusste ja nicht, wie schlimm es werden würde. Seit ich wach bin, war ich ziemlich verrückt vor Sorge um dich. Ich wusste nicht, ob du mich überhaupt besuchen darfst. Es war unerträglich. Wie ist es gelaufen? War er gemein zu dir? Hoffentlich war es nicht zu schlimm. Ich wollte nicht, dass du das allein durchstehen musst. Ich dachte, ich würde dabei sein …«

Es dauerte einen Moment, bis ich überhaupt begriff, was er meinte. Er redete immer weiter und es wurde immer peinlicher, bis ich endlich kapierte. Dann sagte ich schnell: »Nein, nein, Jake! Mir geht es gut. Eigentlich sogar zu gut. Natürlich war er nicht gemein zu mir. Schön wär's!«

Er sah geschockt aus. »Was?«

»Er war noch nicht mal sauer auf mich – nicht mal auf dich! Er ist so selbstlos, dass ich mich noch viel mieser fühle. Wenn er mich wenigstens angeschrien hätte oder so. Verdient hätte ich es ja … viel Schlimmeres, als angeschrien zu werden. Aber das ist ihm egal. Er will nur, dass ich glücklich bin.«

»Er war nicht sauer?«, fragte Jacob ungläubig.

»Nein. Er war … viel zu verständnisvoll.«

Jacob starrte mich an, dann verfinsterte sich seine Miene. »Verdammt!«, grollte er.

»Was ist, Jake? Hast du Schmerzen?« Ich fuchtelte sinnlos herum und suchte nach seiner Medizin.

»Nein«, sagte er wütend. »Ich fasse es nicht! Er hat dir kein Ultimatum gestellt oder so?«

»Absolut nicht – was hast du denn?«

Er schüttelte den Kopf. »Ich hatte damit gerechnet, dass er ausflippen würde. Verdammt. Er ist besser, als ich dachte.«

Der Ton, in dem er es sagte, erinnerte mich an Edwards anerkennende Bemerkung über Jacobs Gerissenheit heute Morgen im Zelt – nur dass es sich bei Jacob wütender anhörte. Jake hatte also immer noch nicht aufgehört zu kämpfen und zu hoffen. Als mir das klarwurde, zuckte ich innerlich zusammen.

»Er spielt kein Spiel, Jake«, sagte ich ruhig.

»O doch. Er spielt genauso hart wie ich, aber im Gegensatz zu mir weiß er, was er tut. Mach mir keinen Vorwurf, nur weil er dich besser manipulieren kann als ich – ich bin noch nicht lange genug dabei, um all seine Tricks zu kennen.«

»Er manipuliert mich nicht!«

»Und ob! Wann wachst du endlich auf und kapierst, dass er nicht so vollkommen ist, wie du denkst?«

»Wenigstens hat er nicht gedroht, sich umzubringen, damit

ich ihn küsse«, sagte ich. Kaum waren die Worte heraus, hätte ich mich ohrfeigen können vor Wut. »Halt. Vergiss, dass ich das gesagt habe. Ich hatte mir geschworen, es nicht zu erwähnen.«

Er holte tief Luft. Als er wieder sprach, war er ruhiger. »Wieso nicht?«

»Weil ich nicht gekommen bin, um dir Vorwürfe zu machen.«

»Aber du hast ja Recht«, sagte er gelassen. »Das hab ich getan.«

»Es ist mir egal, Jake. Ich bin nicht sauer.«

Er lächelte. »Mir ist es auch egal. Ich wusste, dass du mir verzeihen würdest, und ich bin froh, dass ich es getan habe. Ich würde es sofort wieder tun. Immerhin hab ich dir damit bewiesen, dass du mich liebst. Das war es wert.«

»Ja? Ist das wirklich besser, als wenn ich immer noch ahnungslos wäre?«

»Meinst du nicht, du solltest dir über deine Gefühle im Klaren sein? Nur damit dich die Erkenntnis nicht eines Tages überfällt, wenn es zu spät ist und du ein verheirateter Vampir bist.«

Ich schüttelte den Kopf. »Nein – ich meinte nicht, besser für mich. Ich meinte, besser für *dich*. Ist es für dich besser oder schlechter, wenn ich weiß, dass ich in dich verliebt bin? Wenn es so oder so egal ist. Wäre es nicht leichter für dich, wenn ich es nie kapiert hätte?«

Er nahm meine Frage genauso ernst, wie ich sie gemeint hatte, und dachte gründlich nach, ehe er antwortete. »Nein, es ist besser, dass du es weißt«, entschied er schließlich. »Wenn du es nie herausgefunden hättest … dann hätte ich mich immer gefragt, ob du dich vielleicht anders entschieden hättest, wenn du es wüsstest. Jetzt habe ich die Antwort. Ich habe getan, was ich konnte.« Er atmete zittrig ein und schloss die Augen.

Diesmal konnte ich dem Drang, ihn zu trösten, nicht widerstehen. Ich ging quer durch das kleine Zimmer und kniete neben seinem Kopf nieder. Ich wollte mich nicht aufs Bett setzen, weil ich Angst hatte, die Erschütterung könnte ihm wehtun. Ich beugte mich vor und legte die Stirn an seine Wange.

Jacob seufzte und legte mir eine Hand aufs Haar.

»Es tut mir so leid, Jake.«

»Ich hab immer gewusst, dass meine Chancen schlechtstehen. Es ist nicht deine Schuld, Bella.«

»Nicht du auch noch«, stöhnte ich. »Bitte.«

Er wich zurück, so dass er mich ansehen konnte. »Was denn?«

»Es *ist* meine Schuld. Und ich bin es leid, mir immer anhören zu müssen, dass es nicht so ist.«

Er grinste, aber seine Augen blieben davon unberührt. »Soll ich dir die Hölle heißmachen?«

»Ehrlich gesagt … das wär mir lieber.«

Er schob die Lippen vor und überlegte, ob ich es ernst meinte. Ein Lächeln huschte über sein Gesicht, dann setzte er eine grimmige Miene auf.

»Es war unverzeihlich, mich so zu küssen«, schimpfte er. »Wenn du doch wusstest, dass du es sowieso zurücknimmst, hättest du vielleicht nicht ganz so überzeugend sein müssen.«

Ich nickte. »Es tut mir so leid.«

»Das nützt mir überhaupt nichts, Bella. Was hast du dir dabei gedacht?«

»Gar nichts«, flüsterte ich.

»Du hättest mich lieber in den Tod schicken sollen. Das willst du doch.«

»Nein, Jacob«, wimmerte ich und kämpfte mit den Tränen. »Nein! Niemals.«

»Du weinst doch nicht etwa?«, fragte er, und seine Stimme war plötzlich wieder normal. Er rutschte unruhig im Bett hin und her.

»Doch«, murmelte ich und lachte unter Schluchzen über mich selbst.

Er verlagerte sein Gewicht und warf das gesunde Bein über den Bettrand, als wollte er versuchen aufzustehen.

»Was machst du da?«, fragte ich durch die Tränen. »Leg dich wieder hin, du Idiot, du tust dir weh!« Ich sprang auf und drückte mit beiden Händen seine gesunde Schulter nieder.

Er gab nach und legte sich mit einem Stöhnen wieder hin, aber er umfasste meine Taille und zog mich mit sich aufs Bett, an seine gesunde Seite. Ich schmiegte mich an ihn und versuchte die dummen Tränen an seiner heißen Haut zu stillen.

»Ich fasse es nicht, dass du weinst«, murmelte er. »Du weißt doch, dass ich all das nur gesagt habe, weil du es wolltest. Ich hab es überhaupt nicht so gemeint.« Er rieb mir die Schulter.

»Ich weiß.« Ich atmete stockend ein und versuchte mich zu beruhigen. Wie war es möglich, dass ich jetzt weinte und er mich tröstete? »Aber du hast trotzdem Recht. Danke dafür, dass du es ausgesprochen hast.«

»Krieg ich jetzt Punkte dafür, dass ich dich zum Weinen gebracht habe?«

»Klar, Jake.« Ich versuchte zu lächeln. »So viele du willst.«

»Kein Sorge, Schatz. Das kriegen wir schon hin.«

»Ich wüsste nicht, wie«, sagte ich leise.

Er tätschelte mir den Kopf. »Ich werde aufgeben und brav sein.«

»Ist das jetzt wieder ein Spiel?«, fragte ich und hob den Kopf, damit ich sein Gesicht sehen konnte.

»Vielleicht.« Er lachte ein wenig gezwungen, obwohl er gequält aussah. »Aber ich werd's wirklich versuchen.«

Ich runzelte die Stirn.

»Sei nicht so skeptisch«, sagte er. »Du kannst mir schon glauben.«

»Was meinst du mit brav sein?«

»Ich werde dein Freund sein, Bella«, sagte er ruhig. »Mehr verlange ich nicht.«

»Ich glaube, dafür ist es zu spät. Wie sollen wir Freunde sein, wenn wir uns so lieben?«

Er schaute zur Decke, ganz konzentriert, als wollte er etwas lesen, was dort geschrieben stand. »Vielleicht ... muss es eine Freundschaft auf Distanz sein.«

Ich biss die Zähne zusammen. Ich war froh, dass er mich nicht ansah, als ich gegen das erneute Schluchzen ankämpfte. Ich musste jetzt stark sein, und ich wusste nicht, wie das gehen sollte ...

»Kennst du die Geschichte aus der Bibel«, fragte Jacob plötzlich, während er immer noch an die Decke starrte, »von dem König und den beiden Frauen, die sich um ein Kind streiten?«

»Klar. König Salomon.«

»Genau. König Salomon«, wiederholte er. »Und er sagte, schneidet das Kind entzwei ... aber das war nur eine Prüfung. Er wollte nur sehen, welche der beiden Frauen auf das Kind verzichten würde, um es zu beschützen.«

»Ja, ich erinnere mich.«

Jetzt schaute er mir wieder ins Gesicht. »Ich werde dich nicht mehr entzweischneiden, Bella.«

Ich begriff, was er mir sagen wollte. Er wollte mir sagen, dass er mich mehr liebte und dass sein Verzicht der Beweis dafür war. Ich hätte Edward gern verteidigt und gesagt, dass Edward dasselbe für mich tun würde, wenn ich ihn ließe. Dass ich diejenige war, die nicht auf Edward verzichten wollte. Aber es war sinnlos, eine Diskussion anzufangen, die ihn nur noch mehr verletzen würde.

Ich schloss die Augen und zwang mich, den Schmerz in Schach zu halten. Den konnte ich ihm nicht auch noch aufbürden.

Eine Weile sagte keiner von uns etwas. Er schien darauf zu warten, dass ich das Schweigen brach; ich überlegte, was ich sagen könnte.

»Soll ich dir sagen, was das Schlimmste ist?«, fragte er zögernd, als ich weiter schwieg. »Darf ich? Ich bin auch brav.«

»Hilft das denn?«, flüsterte ich.

»Vielleicht. Es kann nicht schaden.«

»Also, was ist das Schlimmste?«

»Das Schlimmste ist, zu wissen, wie es gewesen wäre.«

»Wie es *vielleicht* gewesen wäre«, sagte ich und seufzte.

»Nein.« Jacob schüttelte den Kopf. »Ich bin genau der Richtige für dich, Bella. Es wäre so leicht mit uns beiden gewesen – wie atmen. Mit mir hätte dein Leben seinen natürlichen Weg genommen ...« Er starrte ins Nichts und ich wartete. »Wenn die Welt so wäre, wie sie sein sollte, wenn es keine Monster gäbe und keine Zauberei ...«

Ich konnte sehen, was er sah, und ich wusste, dass er Recht hatte. Würden wir in einer rationalen Welt leben, wären Jacob und ich zusammen. Und wir wären glücklich. In einer solchen Welt wäre er mein Seelenverwandter – er wäre es in jeder Welt gewesen, wenn unsere Gefühle füreinander nicht von etwas noch Stärkerem überlagert worden wären – von etwas, das so stark war, dass es in einer rationalen Welt nicht existieren konnte.

Wartete auf Jacob auch so etwas? Etwas, das stärker war als eine Seelenverwandtschaft? Daran musste ich glauben.

Zwei Lebensläufe, zwei Seelenverwandte ... zu viel für einen einzigen Menschen. Und es war so ungerecht, dass ich nicht die Einzige war, die dafür zahlen musste. Jacobs Leid war ein zu hoher Preis. Mir wurde ganz elend bei dem Gedanken daran, und ich fragte mich, ob ich ins Wanken geraten wäre, wenn ich Edward nicht schon einmal verloren hätte. Wenn ich nicht wüsste, wie es war, ohne ihn zu leben. Ich war mir nicht sicher. Dieses Wissen gehörte so sehr zu mir, dass ich mir nicht vorstellen konnte, wie ich ohne es empfinden würde.

»Er ist wie eine Droge für dich, Bella.« Er sprach immer noch sanft, ohne Vorwurf. »Ich sehe ein, dass du nicht mehr ohne ihn leben kannst. Dafür ist es zu spät. Aber ich wäre besser für dich gewesen. Keine Droge – ich wäre die Luft für dich gewesen, die Sonne.«

Mein Mund verzog sich zu einem wehmütigen Lächeln. »Weißt du, dass du das immer für mich warst? Meine persönliche Sonne. Du hast die Wolken ausgeglichen.«

Er seufzte. »Gegen Wolken komme ich an. Aber gegen eine Sonnenfinsternis bin ich machtlos.«

Ich berührte sein Gesicht und legte ihm eine Hand an die Wange. Er seufzte leise und schloss die Augen. Es war ganz still. Ich hörte seinen Herzschlag, langsam und gleichmäßig.

»Erzähl mir, was für dich das Schlimmste ist«, flüsterte er.

»Ich glaube, das ist keine gute Idee.«

»Bitte.«

»Ich fürchte, dann tue ich dir weh.«

»Bitte.«

Wie hätte ich ihm jetzt etwas abschlagen können?

»Das Schlimmste …« Ich zögerte, dann strömte die Wahrheit aus mir heraus. »Das Schlimmste ist, dass ich alles schon gesehen habe – unser ganzes Leben. Und ich wünsche es mir so sehr, Jake. Ich will einfach hierbleiben und mich nicht von der Stelle rühren. Ich will dich lieben und glücklich machen. Aber ich kann nicht, und das bringt mich um. Es ist wie bei Sam und Emily – ich hatte nie eine Wahl. Ich hab immer gewusst, dass sich nichts ändern würde. Vielleicht habe ich deshalb so sehr dagegen angekämpft.«

Ich sah, dass er sich darauf konzentrieren musste, regelmäßig zu atmen.

»Ich wusste, dass ich es dir nicht hätte sagen sollen.«

Er schüttelte langsam den Kopf. »Nein. Ich bin froh, dass du es gesagt hast. Danke.« Er küsste mich aufs Haar, dann seufzte er. »Und jetzt bin ich brav.«

Ich schaute auf; er lächelte.

»Und du willst also heiraten, hm?«

»Darüber müssen wir nicht reden.«

»Ich würde aber gern ein paar Einzelheiten erfahren. Ich weiß ja nicht, wann ich wieder die Gelegenheit habe, mit dir zu reden.«

Ich musste eine Weile warten, bis ich sprechen konnte. Als ich mir einigermaßen sicher war, dass meine Stimme nicht versagen würde, sagte ich: »Es war eigentlich nicht meine Idee … aber es stimmt. Ihm liegt sehr viel daran. Und deshalb sage ich mir, warum nicht?«

Jake nickte. »Stimmt. Es ist keine so große Sache – relativ gesehen.«

Er sagte es sehr ruhig und nüchtern. Ich starrte ihn an, um zu sehen, wie er das schaffte, und damit machte ich es ihm unmöglich. Ganz kurz trafen sich unsere Blicke, dann wandte er das Gesicht ab. Ich wartete, bis er seinen Atem wieder unter Kontrolle hatte.

»Ja. Relativ gesehen«, stimmte ich zu.

»Wie lange hast du noch?«

»Das kommt drauf an, wie lange Alice braucht, um die Hochzeit zu organisieren.« Bei der Vorstellung, was Alice alles veranstalten würde, musste ich ein Stöhnen unterdrücken.

»Davor oder danach?«, fragte er ruhig.

Ich wusste, was er meinte. »Danach.«

Er nickte erleichtert. Ich fragte mich, wie viele schlaflose

Nächte ihn der Gedanke an meinen Abschluss wohl gekostet hatte.

»Hast du Angst?«, flüsterte er.

»Ja«, flüsterte ich zurück.

»Wovor hast du Angst?« Jetzt konnte ich seine Stimme kaum noch hören. Er starrte auf meine Hände.

»Vor vielem.« Ich versuchte, meine Stimme locker klingen zu lassen, aber ich war ganz ehrlich. »Ich hatte noch nie masochistische Neigungen, auf die Schmerzen freue ich mich also nicht. Und es wäre mir lieb, wenn irgendjemand *ihn* fernhalten könnte – ich will nicht, dass er mit mir leidet, aber ich fürchte, das lässt sich nicht verhindern. Mit Charlie muss ich auch irgendwie fertigwerden und mit Renée … Und dann danach; ich hoffe, dass ich mich bald im Griff haben werde. Vielleicht werde ich so gefährlich, dass dein Rudel mich erledigen muss.«

Er sah mich missbilligend an. »Das soll mal einer meiner Brüder versuchen, den mach ich sofort unschädlich.«

»Danke.«

Er lächelte halbherzig. Dann runzelte er die Stirn. »Aber ist das nicht unheimlich gefährlich? In den Geschichten heißt es immer, es ist zu schwierig … sie verlieren die Selbstbeherrschung … Menschen kommen um …« Er schluckte.

»Nein, davor hab ich keine Angst. Sei nicht albern – du wirst doch nicht an Vampirgeschichten glauben?«

Das fand er offenbar nicht sehr witzig.

»Na ja, insgesamt eine Menge, weswegen ich mir Sorgen mache. Aber das ist es wert.«

Er nickte widerstrebend, und ich wusste, dass er absolut nicht meiner Meinung war.

Ich reckte den Hals, legte die Wange an seine warme Haut und flüsterte ihm ins Ohr: »Du weißt, dass ich dich liebe.«

»Ich weiß«, sagte er leise und umarmte mich automatisch fester. »Du weißt, wie sehr ich mir wünsche, es wäre genug.«

»Ja.«

»Ich werde immer bereit sein, Bella«, versprach er. Sein Ton war jetzt lockerer, und er ließ mich ein wenig los. Ich befreite mich mit einem dumpfen, ziehenden Schmerz. Ich spürte die Trennung körperlich, als ließe ich einen Teil von mir auf dem Bett neben ihm zurück. »Diese Möglichkeit steht dir immer offen, wenn du willst.«

Ich versuchte zu lächeln. »Bis mein Herz aufhört zu schlagen.«

Er grinste. »Weißt du was, vielleicht würde ich dich sogar dann noch nehmen – vielleicht. Das hängt ganz davon ab, wie sehr du stinkst.«

»Soll ich dich noch mal besuchen kommen? Oder ist es dir lieber, wenn nicht?«

»Ich denke drüber nach und melde mich dann«, sagte er. »Kann sein, dass ich Gesellschaft brauche, damit ich hier nicht den Verstand verliere. Euer hervorragender Vampirchirurg sagt, ich darf mich erst wieder verwandeln, wenn er sein Okay gibt – solange die Knochen nicht richtig zusammengewachsen sind, könnte es schiefgehen.« Jacob verzog das Gesicht.

»Sei brav und hör auf Carlisle. Dann wirst du schneller wieder gesund.«

»Ja, ja.«

»Ich frage mich, wann es bei dir wohl so weit ist«, sagte ich. »Wann dir die Richtige über den Weg läuft.«

»Mach dir da mal keine allzu großen Hoffnungen, Bella.« Jetzt klang Jacob plötzlich ungehalten. »Obwohl das für dich ja bestimmt eine Erleichterung wäre.«

»Vielleicht, vielleicht auch nicht. Wahrscheinlich finde ich dann, dass sie nicht gut genug für dich ist. Vielleicht bin ich auch eifersüchtig.«

»Das könnte mir gefallen«, gab er zu.

»Gib mir Bescheid, wenn ich wiederkommen soll, dann bin ich sofort da«, sagte ich.

Seufzend hielt er mir die Wange hin. Ich beugte mich vor und küsste ihn sanft. »Ich liebe dich, Jacob.«

Er lachte ein wenig. »Ich dich noch mehr.«

Mit unergründlichem Blick sah er mir nach, als ich aus dem Zimmer ging.

Das Richtige tun

Ich kam nicht sehr weit, schon bald konnte ich nicht mehr fahren.

Als ich nichts mehr sehen konnte, steuerte ich den Wagen an den Straßenrand und ließ ihn langsam ausrollen. Ich sank vornüber und ließ mich von der Schwäche, gegen die ich bei Jacob angekämpft hatte, übermannen. Es war schlimmer als erwartet – die Wucht meiner Gefühle überraschte mich. Ja, es war richtig gewesen, sie vor Jacob zu verbergen. Niemand sollte mich so sehen.

Aber ich blieb nicht lange allein – nur so lange, bis Alice mich gesehen hatte, und dann noch ein paar Minuten, bis Edward bei mir war. Die Beifahrertür ging quietschend auf, und er nahm mich in die Arme.

Erst machte das alles noch schlimmer. Denn da war dieser kleine Teil von mir, klein, aber unüberhörbar, der laut und wütend den anderen Teil von mir anschrie und der sich nach anderen Armen sehnte. Und dann hatte ich wieder neue Schuldgefühle, die wiederum den Kummer überlagerten.

Edward sagte nichts, er ließ mich einfach weinen, bis ich schließlich Charlies Namen hervorstieß.

»Willst du in diesem Zustand wirklich nach Hause?«, fragte er zweifelnd.

Nach mehreren Anläufen schaffte ich es, ihm zu sagen, dass es so bald nicht besser werden würde. Ich musste nach Hause, damit es nicht zu spät wurde und Charlie nicht bei Billy anrief.

Also brachte Edward mich nach Hause – und fuhr ausnahmsweise nicht annähernd so schnell, wie mein Transporter konnte –, wobei er mich fest im Arm hielt. Den ganzen Weg rang ich um Fassung. Zunächst vergeblich, aber ich gab nicht auf. Nur ein paar Sekunden, sagte ich mir. Nur für ein paar Ausflüchte, ein paar Lügen, dann durfte ich wieder zusammenbrechen. Das musste zu schaffen sein. Ich versuchte mich zusammenzureißen, suchte verzweifelt nach einer Kraftreserve.

Ich schaffte es nur, das Schluchzen zum Verstummen zu bringen, aber die Tränen wollten nicht aufhören zu fließen. Ich wusste nicht, wie ich sie eindämmen sollte.

»Warte oben auf mich«, murmelte ich, als wir vor dem Haus standen.

Einen kurzen Moment nahm er mich fest in den Arm, dann war er verschwunden.

Als ich im Haus war, ging ich direkt zur Treppe.

»Bella?«, rief Charlie von seinem Stammplatz auf dem Sofa, als ich vorbeiging.

Ich schaute ihn an, ohne etwas zu sagen. Er sah mich mit schreckgeweiteten Augen an und sprang auf.

»Was ist passiert? Ist Jacob …?«, fragte er.

Ich schüttelte aufgebracht den Kopf und versuchte meine Stimme wiederzufinden. »Es geht ihm gut, alles in Ordnung.« Ich sprach leise, mit heiserer Stimme. Jacob ging es ja wirklich gut, jedenfalls körperlich, und mehr wollte Charlie im Augenblick nicht wissen.

»Aber was ist los?« Mit besorgtem Blick fasste er mich bei den Schultern. »Was ist mit dir?«

Offenbar sah ich noch schlimmer aus, als ich dachte.

»Nichts, Dad. Ich … hatte nur ein Gespräch mit Jacob … und das war ziemlich schwierig. Alles okay.«

Jetzt sah er eher missbilligend als besorgt aus.

»Meinst du, das war der richtige Zeitpunkt?«, fragte er.

»Wahrscheinlich nicht, Dad, aber mir blieb nichts anderes übrig – ich war an einem Punkt angelangt, an dem ich mich entscheiden musste … Es gibt nicht immer einen goldenen Mittelweg.«

Langsam schüttelte er den Kopf. »Wie hat er es aufgenommen?«

Ich gab keine Antwort.

Er sah mich eine Weile an, dann nickte er. Mein Gesicht war wohl Antwort genug.

»Hoffentlich verzögert sich seine Genesung deswegen nicht.«

»Er kommt schnell wieder auf die Beine«, murmelte ich.

Charlie seufzte.

Ich merkte, wie ich wieder die Fassung verlor.

»Ich geh nach oben«, sagte ich und schüttelte seine Hände ab.

»Gut«, sagte er. Er sah wohl, dass ein Dammbruch drohte. Nichts fürchtete er mehr als Tränen.

Blind stolperte ich in mein Zimmer.

Als ich die Tür hinter mir zugemacht hatte, kämpfte ich mit dem Verschluss meines Armbands, mit zitternden Fingern versuchte ich ihn zu öffnen.

»Nein, Bella«, flüsterte Edward und hielt meine Hände fest. »Das gehört doch zu dir.«

Er nahm mich in die Arme, und ich fing wieder an zu schluchzen.

Dieser längste aller Tage zog und zog sich. Ich fragte mich, wann er je enden würde.

Aber obwohl sich auch die Nacht endlos zog, war es nicht die schlimmste Nacht meines Lebens. Dieser Gedanke hatte etwas

Tröstliches. Und ich war nicht allein. Auch das war ein großer Trost.

Charlies Angst vor Gefühlsausbrüchen hielt ihn davon ab, nach mir zu sehen, obwohl ich nicht leise war – wahrscheinlich bekam er auch nicht mehr Schlaf als ich.

In dieser Nacht sah ich alles mit unerträglicher Klarheit. Ich sah alles, was ich angerichtet hatte, die kleinen Fehler und die großen. All das Leid, das ich Jacob auf der einen Seite und Edward auf der anderen Seite zugefügt hatte, zwei ordentliche Stapel, die ich nicht übersehen konnte.

Und ich begriff, dass ich danebengelegen hatte, was die Magnete anging. Nicht Edward und Jacob hatte ich mit Gewalt versucht zusammenzubringen, sondern die beiden Teile meiner selbst, Edwards Bella und Jacobs Bella. Doch die beiden konnten nicht nebeneinander bestehen, und ich hätte es nie versuchen sollen.

Ich hatte so viel kaputt gemacht.

Irgendwann in der Nacht fiel mir das Versprechen wieder ein, das ich mir am Morgen selbst gegeben hatte – dass Edward nie mehr sehen sollte, wie ich eine Träne um Jacob Black vergoss. Da bekam ich einen hysterischen Anfall, der Edward mehr Angst machte als all meine Tränen. Doch auch das ging vorüber.

Edward sprach kaum, er hielt mich nur fest und ließ sich das Hemd mit Salzwasser ruinieren.

Es dauerte länger, als ich gedacht hätte, bis der kleinere, zerbrochene Teil von mir sich ausgeweint hatte. Aber irgendwann war ich so erschöpft, dass ich endlich schlafen konnte. Der Schlaf nahm mir den Schmerz nicht ganz, er betäubte ihn nur, wie eine Tablette. So wurde er erträglicher. Aber er war immer noch da, das war mir selbst im Schlaf bewusst, und das half mir, mich zu wappnen.

Am nächsten Morgen waren die Aussichten zwar nicht rosiger, aber immerhin hatte ich mich wieder einigermaßen im Griff. Instinktiv wusste ich, dass der neue Riss in meinem Herzen immer wehtun würde. Das gehörte von nun an zu mir. Mit der Zeit würde es besser werden – das sagten ja immer alle. Aber es war mir egal, ob die Zeit meine Wunden heilte oder nicht, wenn es nur Jacob besserging. Wenn er nur wieder glücklich sein konnte.

Als ich aufwachte, wusste ich sofort wieder, was passiert war. Ich schlug die Augen auf, die jetzt endlich trocken waren, und sah in Edwards besorgtes Gesicht.

»Hi«, sagte ich heiser. Ich räusperte mich.

Er sagte nichts. Er sah mich an und wartete darauf, dass es wieder losging.

»Nein, jetzt ist es gut«, versprach ich. »Das passiert nicht mehr.«

Seine Augen wurden schmal.

»Tut mir leid, dass du das mit ansehen musstest«, sagte ich. »Das war nicht fair von mir.«

Er nahm mein Gesicht in seine Hände.

»Bella ... bist du dir sicher? Hast du dich richtig entschieden? Ich habe dich noch nie so unglücklich ...« Bei dem letzten Wort versagte ihm die Stimme.

Aber ich war schon einmal *noch* unglücklicher gewesen.

Ich berührte seine Lippen. »Ja.«

»Ich weiß nicht ...« Er runzelte die Stirn. »Wenn es dir so wehtut, wie kann es dann überhaupt richtig sein?«

»Edward, ich weiß, dass ich ohne dich nicht leben kann.«

»Aber ...«

Ich schüttelte den Kopf. »Du verstehst mich nicht. *Du* bist vielleicht tapfer oder stark genug, um ohne mich zu leben, wenn du es für das Beste hältst. Aber ich könnte nie ein solches Opfer bringen. Ich muss mit dir zusammen sein. Anders kann ich nicht leben.«

Er sah immer noch nicht überzeugt aus. Ich hätte die letzte Nacht lieber allein verbringen sollen. Aber ich hatte ihn so sehr gebraucht …

»Gibst du mir mal das Buch?«, sagte ich und zeigte über seine Schulter.

Es sah mich verwirrt an, dann gab er es mir.

»Das schon wieder?«, fragte er.

»Ich will nur die eine Stelle suchen, die ich im Kopf habe … Ich will sehen, wie sie es ausgedrückt hat …« Ich blätterte das Buch durch und hatte die Seite, die ich suchte, bald gefunden. Sie hatte schon ein Eselsohr, so oft hatte ich sie aufgeschlagen. »Cathy ist ein Monster, aber in einigen Punkten hat sie Recht«, murmelte ich. Ich las die Zeilen leise, mehr für mich selbst. »Wenn alle anderen zu Grunde gingen und er übrig bliebe, würde ich fortfahren zu sein; und wenn alle anderen blieben und er würde vernichtet, so würde sich das Weltall in etwas vollkommen Fremdes verwandeln, und ich würde nicht mehr dazugehören.« Ich nickte, wieder mehr für mich. »Ich weiß genau, was sie meint. Und ich weiß, ohne wen ich nicht leben kann.«

Edward nahm mir das Buch aus den Händen und warf es quer durchs Zimmer – mit einem leisen Schlag landete es auf meinem Schreibtisch. Dann schlang er mir die Arme um die Taille.

Ein kleines Lächeln ließ sein vollkommenes Gesicht strahlen, obwohl die Sorge immer noch auf seiner Stirn zu lesen war. »Auch Heathcliff hatte seine lichten Momente«, sagte er. Er brauchte das Buch nicht, um zu zitieren. Er zog mich noch enger an sich und flüsterte mir ins Ohr: »Ich *kann* nicht leben ohne mein Leben! Ich *kann* nicht leben ohne meine Seele!«

»Ja«, sagte ich ruhig. »Genau das meine ich.«

»Bella, ich ertrage es nicht, wenn du leidest. Vielleicht …«

»Nein, Edward. Ich habe alles falsch gemacht, und jetzt muss ich eben damit leben. Aber ich weiß, was ich will und was ich brauche … und was ich jetzt tun werde.«

»Und was tun *wir* jetzt?«

Ich lächelte leicht über seine Korrektur, dann seufzte ich. »Wir fahren zu Alice.«

Alice stand unten an der Veranda, sie war zu aufgeregt, um drinnen auf uns zu warten. Sie sah aus, als wollte sie einen Freudentanz vollführen, so glücklich war sie über die Neuigkeit, die ich ihr erzählen wollte.

»Danke, Bella!«, sang sie, als wir ausstiegen.

»Warte, Alice«, sagte ich warnend und hob eine Hand, um sie zu dämpfen. »Du musst dich an ein paar Einschränkungen halten.«

»Ich weiß, ich weiß, ich weiß. Ich hab bis spätestens dreizehnten August Zeit, du hast ein Vetorecht bei der Gästeliste, und wenn ich übertreibe, redest du nie wieder ein Wort mit mir.«

»Ach so, ja gut. Dann kennst du ja die Regeln.«

»Keine Sorge, Bella, es wird wunderbar. Willst du dein Kleid sehen?«

Ich musste ein paarmal durchatmen. *Wenn es sie glücklich macht*, sagte ich mir.

»Gern.«

Alice lächelte selbstzufrieden.

»Öhm, Alice«, sagte ich in demselben lockeren Ton. »Wann hast du denn ein Kleid für mich gekauft?«

Wahrscheinlich war das nicht besonders gut gespielt. Edward drückte meine Hand.

Alice ging uns voran ins Haus und zur Treppe. »So etwas braucht seine Zeit, Bella«, erklärte sie. Sie schien mir auszuweichen. »Ich meine, ich konnte mir zwar nicht sicher sein, dass es so ausgehen würde, aber es war ja immerhin sehr gut möglich …«

»Wann?«, fragte ich noch mal.

»Perrine Bruyère hat eine Warteliste, weißt du«, sagte sie, als müsste sie sich verteidigen. »Solche Designerstücke entstehen nicht über Nacht. Wenn ich nicht vorausgeplant hätte, würdest du in einem Kleid von der Stange heiraten!«

Es sah nicht so aus, als würde ich eine Antwort auf meine Frage bekommen. »Per… was?«

»Er ist keiner der großen Namen, Bella, du musst also nicht gleich an die Decke gehen. Aber er ist vielversprechend – und genau auf das spezialisiert, was ich gesucht habe.«

»Ich gehe doch gar nicht an die Decke.«

»Nein, stimmt.« Sie sah mich misstrauisch an. Als wir in ihr Zimmer gingen, wandte sie sich zu Edward.

»Du wartest hier.«

»Wieso?«, fragte ich.

»Bella!« Sie stöhnte. »Du kennst doch die Regeln. Er darf das Kleid nicht vor dem Tag der Hochzeit sehen.«

Ich atmete noch einmal durch. »Mir ist das egal. Und du weißt, dass er es in deinem Kopf sowieso schon gesehen hat. Aber wenn du darauf bestehst …«

Sie schob Edward zur Tür hinaus. Er würdigte sie keines Blickes – seine Augen waren auf mich gerichtet, er hatte Angst, mich allein zu lassen.

Ich nickte und hoffte, dass ich gelassen genug aussah, um ihn zu beruhigen.

Alice machte ihm die Tür vor der Nase zu.

»Also dann!«, murmelte sie. »Komm.«

Sie packte mich am Handgelenk und schleifte mich zu ihrem Schrank – der größer war als mein ganzes Schlafzimmer –, dann zog sie mich in die hinterste Ecke, wo eine lange weiße Kleiderhülle einsam und allein an einer Stange hing.

Mit einer schwungvollen Bewegung zog sie den Reißverschluss der Hülle auf und ließ sie vorsichtig vom Bügel gleiten. Sie trat einen Schritt zurück und zeigte auf das Kleid, als wäre sie bei einer Modenschau.

»Und?«, fragte sie atemlos.

Ich schaute es lange prüfend an, um sie ein wenig auf die Folter zu spannen. Sie sah schon etwas besorgt aus.

»Ah«, sagte ich dann und lächelte – jetzt konnte sie beruhigt sein. »Ich verstehe.«

»Was sagst du dazu?«, fragte sie.

Es war ein Abbild meiner *Anne auf Green Gables*-Vision.

»Es ist natürlich traumhaft. Genau das Richtige. Du bist genial.«

Sie grinste. »Ich weiß.«

»Neunzehnhundertachtzehn?«, riet ich.

»Könnte hinkommen.« Sie nickte. »Teilweise hab ich es selbst entworfen, die Schleppe, den Schleier …« Sie berührte den weißen Satin. »Die Spitze ist erlesen. Gefällt es dir?«

»Es ist wunderschön. Genau das Richtige für ihn.«

»Aber ist es auch das Richtige für dich?«, wollte sie wissen.

»Ja, ich glaube schon, Alice. Ich glaube, genau so etwas brauche ich. Ich weiß, dass du das super hinkriegst … wenn du dich ein bisschen zurückhältst.«

Sie strahlte.

»Kann ich jetzt dein Kleid sehen?«, fragte ich.

Sie blinzelte und sah mich begriffsstutzig an.

»Hast du dein Brautjungfernkleid etwa nicht gleich mitbestellt? Ich will doch nicht, dass meine Brautjungfer ein Kleid von der Stange trägt.« Ich tat so, als wäre das eine grauenhafte Vorstellung.

Sie fiel mir in die Arme. »Danke, Bella!«

»Wie kommt es, dass du das nicht gesehen hast?«, neckte ich sie und küsste sie auf das stachelige Haar. »Und so was will Hellseherin sein!«

Alice strahlte vor neuer Begeisterung. »Ich hab so viel zu tun! Geh mit Edward spielen. Ich hab zu tun.«

Dann sauste sie aus dem Zimmer, rief »Esme!« und verschwand.

Ich ging ihr langsam hinterher. Edward wartete im Flur auf mich, er lehnte an der holzvertäfelten Wand.

»Das war wirklich sehr nett von dir«, sagte er.

»Sie scheint glücklich zu sein«, sagte ich.

Er berührte mein Gesicht; seine Augen, die zu dunkel waren – es war lange her, seit er mich zuletzt allein gelassen hatte –, sahen mich forschend an.

»Komm, wir gehen raus«, sagte er plötzlich. »Lass uns zu unserer Lichtung gehen.«

Das klang sehr verlockend. »Ich muss mich wohl nicht mehr verstecken, oder?«

»Nein. Die Gefahr liegt hinter uns.«

Er war still und nachdenklich, während er rannte. Der Wind blies mir ins Gesicht, viel wärmer nun, da der Sturm tatsächlich vorüber war, und die Wolken bedeckten den Himmel, ganz wie immer.

Heute war es auf der Lichtung schön und friedlich. Das Gras war mit weißen und gelben Blümchen gesprenkelt. Ich legte mich hin, obwohl der Boden ein wenig feucht war, und suchte nach Wolkenbildern. Doch die Wolken waren zu gleichmäßig, zu glatt. Keine Bilder, nur eine weiche graue Decke.

Edward legte sich neben mich und nahm meine Hand.

»Dreizehnter August?«, fragte er nach einigen Minuten angenehmer Stille beiläufig.

»Dann habe ich noch einen Monat bis zu meinem Geburtstag. Ich will nicht, dass es zu nah dran ist.«

Er seufzte. »Esme ist drei Jahre älter als Carlisle – genau genommen. Wusstest du das?«

Ich schüttelte den Kopf.

»Für die beiden hat das nie eine Rolle gespielt.«

Mein Ton war heiter, ein Kontrapunkt zu seiner Besorgtheit. »Es geht gar nicht so sehr darum, wie alt ich bin, Edward. Ich bin bereit, ich habe mich für mein Leben entschieden – jetzt will ich auch anfangen es zu leben.«

Er strich mir übers Haar. »Was soll das mit dem Vetorecht bei der Gästeliste?«

»Eigentlich ist es nicht so wichtig, aber …« Ich zögerte, ich wollte nicht darüber sprechen. Am besten brachte ich es schnell hinter mich. »Ich weiß nicht, ob Alice sich verpflichtet fühlt, ein paar … Werwölfe einzuladen. Ich weiß nicht, ob … Jake dann das Gefühl hätte … er *müsste* kommen. Als würde es sich so gehören oder als würde er mich kränken, wenn er nicht käme. Ich will nicht, dass er sich das antut.«

Edward schwieg eine Weile. Ich starrte in die Baumwipfel, die vor dem hellgrauen Himmel fast schwarz waren.

Plötzlich umfasste Edward meine Taille und zog mich an sich.

»Sag mir, warum du das tust, Bella. Warum hast du dich auf einmal entschlossen, Alice freie Hand zu lassen?«

Ich erzählte ihm von meinem Gespräch mit Charlie gestern Abend, bevor ich zu Jacob gefahren war.

»Es wäre gemein, Charlie auszuschließen«, sagte ich. »Und wenn ich Charlie einlade, muss ich auch Renée und Phil einladen. Und Alice soll ruhig ihren Spaß haben. Vielleicht ist es für Charlie leichter, wenn er sich richtig von mir verabschieden kann. Auch wenn er garantiert findet, dass es viel zu früh ist, möchte ich ihn nicht um die Gelegenheit bringen, mich zum Altar zu führen.« Bei dem Ausdruck verzog ich das Gesicht, dann atmete ich tief durch. »Wenigstens kennen meine Eltern und meine Freunde dann den besten Teil der Wahrheit, das, was ich ihnen erzählen darf. Sie werden wissen, dass ich mich für dich entschieden habe und dass wir zusammen sind. Dass ich glücklich bin, wo auch immer. Das ist das Beste, was ich für sie tun kann.«

Edward hielt mein Gesicht in den Händen und schaute mich einen Augenblick lang prüfend an.

»Die Abmachung gilt nicht mehr«, sagte er unvermittelt.

»*Was?*«, sagte ich erschrocken. »Du machst einen Rückzieher? Kommt nicht in Frage!«

»Ich mache keinen Rückzieher, Bella. Ich werde mich an meinen Teil der Vereinbarung halten. Aber du bist frei. Du kannst machen, was du willst, ohne Bedingungen.«

»Warum?«

»Bella, ich sehe doch, was du da tust. Du versuchst es allen recht zu machen. Und mir ist es herzlich egal, was die anderen denken. Ich will nur, dass *du* glücklich bist. Mach dir keine Sorgen, wie du es Alice beibringen sollst. Darum kümmere ich mich schon. Ich verspreche dir, dass sie dir kein schlechtes Gewissen einreden wird.«

»Aber ich …«

»Nein. Wir machen es auf deine Weise. Denn auf meine Weise funktioniert es nicht. Ich nenne dich einen Dickkopf, aber sieh nur, was ich angerichtet habe. Ich habe starrsinnig an meiner Vorstellung davon festgehalten, was das Beste für dich sei, und dabei habe ich dir nur wehgetan. Furchtbar wehgetan, immer wieder. Ich vertraue mir nicht mehr. Du sollst auf deine Weise glücklich werden. Auf meine Weise ist es immer verkehrt. So.« Er straffte die Schultern. »Wir machen es auf deine Weise, Bella. Heute Nacht. Nein, gleich. Je eher, desto besser. Ich werde mit Carlisle reden. Ich habe mir überlegt, dass es vielleicht erträglicher ist, wenn wir dir genug Morphium geben. Es ist einen Versuch wert.« Er knirschte mit den Zähnen.

»Edward, nein …«

Er legte mir einen Finger auf die Lippen. »Keine Sorge, Bella, Liebste. Deine andere Bedingung habe ich nicht vergessen.«

Seine Hände waren in meinem Haar, und seine Lippen bewegten sich sanft – aber sehr ernsthaft – auf meinen, bevor ich begriff, was er da sagte. Was er da tat.

Mir blieb nicht viel Zeit zum Handeln. Wenn ich zu lange wartete, würde ich vergessen, weshalb ich ihn bremsen musste. Ich konnte jetzt schon nicht mehr richtig atmen. Ich fasste seine Arme, presste mich fester an ihn, mein Mund verschmolz mit seinem und beantwortete alle unausgesprochenen Fragen.

Ich versuchte einen kühlen Kopf zu bewahren und etwas zu sagen.

Er rollte sich vorsichtig herum und drückte mich ins kühle Gras.

Ach, was soll's!, jubelte meine weniger heldenhafte Seite. Von seinem süßen Atem schwirrte mir der Kopf.

Nein, nein, nein, rief ich mich zur Vernunft. Ich schüttelte den

Kopf, und sein Mund glitt zu meinem Hals. Jetzt konnte ich Luft holen.

»Hör auf, Edward. Warte.« Meine Stimme war genauso schwach wie mein Wille.

»Warum?«, flüsterte er an meiner Kehle.

Ich gab mir alle Mühe, entschlossen zu klingen. »Ich will das jetzt nicht.«

»Ach nein?«, fragte er mit einem Lächeln in der Stimme. Er legte die Lippen wieder auf meine und machte es mir unmöglich zu sprechen. Die Hitze strömte mir durch die Adern, und meine Haut brannte, wo er mich berührte.

Ich riss mich zusammen. Es kostete mich große Anstrengung, die Hände aus seinem Haar zu lösen und auf seine Brust zu legen. Aber ich schaffte es. Und dann drückte ich und versuchte ihn wegzuschieben. Das wäre mir nie gelungen, aber er reagierte so, wie ich erwartet hatte.

Er wich ein wenig zurück und schaute mich an, und unter seinem Blick schmolz meine Entschlossenheit fast wieder dahin. Seine Augen waren wie schwarzes Feuer. Sie glühten.

»Warum nicht?«, fragte er wieder, und seine Stimme war leise und rau. »Ich liebe dich, ich will dich. Jetzt sofort.«

Die Schmetterlinge in meinem Bauch flatterten in meinen Hals. Er nutzte meine Sprachlosigkeit aus.

»Warte, warte«, sagte ich unter seinen Lippen.

»Ich bin dagegen«, murmelte er.

»*Bitte!*«, stieß ich hervor.

Er stöhnte und drehte sich wieder auf den Rücken.

Eine Zeit lang lagen wir beide da und versuchten zu Atem zu kommen.

»Sag mir, warum nicht«, sagte er dann. »Aber ich hoffe, es hat nichts mit mir zu tun.«

So ein Unsinn. Alles in meiner Welt hatte mit ihm zu tun.

»Edward, das ist sehr wichtig für mich. Ich will es *richtig* machen.«

»Nach wessen Definition von richtig?«

»Nach meiner.«

Er stützte sich auf den Ellbogen und sah mich missbilligend an.

»Und *wie* willst du es richtig machen?«

Ich holte tief Luft. »Verantwortungsvoll. Alles schön der Reihe nach. Ich werde Charlie und Renée nicht verlassen, ohne ihnen die bestmögliche Erklärung dafür zu bieten. Und wenn ich sowieso heirate, werde ich Alice den Spaß nicht verderben. Und ich werde mich so fest an dich binden, wie es in der menschlichen Welt möglich ist, bevor ich dich um die Unsterblichkeit bitte. Ich halte mich an die Regeln, Edward. Deine Seele ist mir viel zu wichtig, um sie aufs Spiel zu setzen. Du wirst mich nicht rumkriegen.«

»Ich wette, ich würde es schaffen«, murmelte er, und seine Augen glühten wieder.

»Aber du wirst es nicht tun«, sagte ich und versuchte es unbeteiligt klingen zu lassen. »Schließlich weißt du ja nicht, ob es das Richtige für mich ist.«

»Du kämpfst nicht mit fairen Mitteln«, warf er mir vor.

Ich grinste ihn an. »Das hab ich auch nie behauptet.«

Er lächelte mich wehmütig an. »Falls du deine Meinung änderst …«

»Wirst du der Erste sein, der es erfährt«, versprach ich.

In diesem Moment begann der Regen aus den Wolken zu tröpfeln, und die Tropfen platschten leise, als sie das Gras berührten.

Ich schaute wütend zum Himmel.

»Ich bringe dich nach Hause.« Er wischte mir die kleinen Wasserperlen von den Wangen.

»Der Regen ist nicht das Problem«, sagte ich. »Aber ich muss jetzt etwas hinter mich bringen, das sehr unangenehm und vielleicht auch äußerst gefährlich wird.«

Er riss erschrocken die Augen auf.

»Gut, dass du kugelsicher bist.« Ich seufzte. »Ich brauche den Ring. Ich muss es Charlie erzählen.«

Er lachte über meinen Gesichtsausdruck. »Äußerst gefährlich«, stimmte er zu. Er lachte wieder und fasste in die Tasche seiner Jeans. »Aber wenigstens müssen wir keinen Abstecher machen.«

Und noch einmal schob er mir den Ring auf den Finger meiner linken Hand.

Und dort würde er bleiben – womöglich bis in alle Ewigkeit.

EPILOG – DIE ENTSCHEIDUNG

JACOB BLACK

»Jacob, meinst du, das dauert noch sehr lange?«, fragte Leah. Ungeduldig. Quengelig.

Ich biss die Zähne zusammen.

Wie alle im Rudel wusste Leah genau Bescheid. Sie wusste, weshalb ich hierhergekommen war – an die Grenze von Erde, Himmel und Meer. Um allein zu sein. Sie wusste, dass ich nichts anderes wollte. Nur allein sein.

Aber Leah wollte mir trotzdem ihre Gesellschaft aufdrängen.

Ich war wahnsinnig genervt, aber einen kurzen Moment war ich auch stolz auf mich. Denn ich brauchte keinen Gedanken mehr daran zu verschwenden, mich zu beherrschen. Es fiel mir jetzt ganz leicht, es ging wie von selbst. Kein roter Schleier, der mir vor die Augen fiel. Keine Hitze, die mir den Rücken herunterlief. Ich konnte mit ruhiger Stimme antworten.

»Hau einfach ab, Leah.«

»Hör mal.« Sie ignorierte die Bemerkung und ließ sich neben mir auf dem Boden nieder. »Du kannst dir gar nicht vorstellen, wie schwer das für mich ist.«

»Für *dich*?« Es dauerte einen Moment, bis ich begriff, dass sie das ernst meinte. »Ich glaub, du bist der egozentrischste

Mensch der Welt, Leah. Ich würde nur sehr ungern die Traumwelt zerstören, in der du lebst – in der die Sonne nur um dich kreist –, also werd ich dir auch nicht sagen, wie wenig dein kleines Problem mich interessiert. Hau. Ab.«

»Versetz dich einfach mal in meine Lage, ja?« Sie redete einfach weiter, als hätte ich gar nichts gesagt.

Wenn sie mich damit aufheitern wollte, war es ihr gelungen. Ich musste lachen. Das Geräusch tat merkwürdig weh.

»Lass das Gegrunze und hör mir zu«, sagte sie.

»Wenn ich so tue, als ob ich zuhöre, verschwindest du dann?«, fragte ich und schaute in ihr grimmiges Gesicht. Ich wusste gar nicht, ob sie überhaupt noch anders gucken konnte.

Ich dachte zurück an die Zeit, als ich Leah hübsch fand, vielleicht sogar schön. Das war lange her. Niemand sah sie jetzt noch so. Bis auf Sam. Er würde es sich nie verzeihen. Als wäre es seine Schuld, dass sie sich in eine verbitterte Hexe verwandelt hatte. Jetzt sah sie noch wütender aus, als könnte sie meine Gedanken erraten. Wahrscheinlich konnte sie das sogar.

»Das macht mich echt fertig, Jacob. Kannst du dir vorstellen, wie es für *mich* ist? Ich konnte Bella Swan noch nie leiden. Und jetzt lässt du mich um dieses Vampirliebchen trauern, als wäre ich selbst in sie verliebt! Kannst du dir vorstellen, dass ich das irgendwie irritierend finde? Letzte Nacht habe ich geträumt, ich hätte sie geküsst! Was soll ich damit anfangen?«

»Was geht mich das an?«

»Ich ertrage es nicht mehr, in deinem Kopf zu sein! Komm endlich über sie hinweg! Sie wird diesen Stein heiraten. Er wird versuchen, sie in eine von seinesgleichen zu verwandeln! Es wird Zeit, dass du sie vergisst.«

»Halt's Maul«, knurrte ich.

Es wäre ein Fehler, zurückzuschlagen, das wusste ich. Ich biss mir auf die Zunge. Aber wenn sie jetzt nicht endlich wegging, würde es ihr noch leidtun.

»Wahrscheinlich wird er sie sowieso umbringen«, sagte Leah und lachte höhnisch. »In den Geschichten heißt es, dass es meistens so ausgeht. Vielleicht ist eine Beerdigung ein besserer Schluss als eine Hochzeit. Ha.«

Jetzt musste ich doch dagegen ankämpfen. Ich schloss die Augen und versuchte den heißen Geschmack im Mund loszuwerden. Ich unterdrückte das Feuer, das meinen Rücken hinunterlief, und kämpfte, um ganz zu bleiben, während mein Körper zu bersten versuchte.

Als ich mich wieder in der Gewalt hatte, funkelte ich sie an. Lächelnd schaute sie auf meine Hände, während das Zittern schwächer wurde.

Sehr witzig.

»Wenn dich das Durcheinander so sehr aufregt, Leah ...«, sagte ich, langsam, jedes Wort betonend, »was glaubst du, wie es für uns ist, Sam mit deinen Augen zu betrachten? Für Emily ist es schon schlimm genug, dass sie mit *deiner* fixen Idee fertigwerden muss. Da braucht sie nicht noch eine Horde Jungs, die ihm hinterherhecheln.«

Obwohl ich so wütend war, hatte ich doch ein schlechtes Gewissen, als ich sah, wie es in ihrem Gesicht vor Schmerz zuckte.

Sie rappelte sich auf, spuckte kurz in meine Richtung und rannte zu den Bäumen. Sie bebte wie eine Stimmgabel.

Ich lachte düster. »Daneben.«

Dafür würde Sam mir die Hölle heißmachen, aber das war es wert. Vor Leah hatte ich erst mal Ruhe. Ich würde es jederzeit wieder tun.

Denn ihre Worte waren immer noch da und gruben sich in mein Gehirn, und es tat so weh, dass ich kaum atmen konnte.

Dass Bella jemand anderen mir vorgezogen hatte, war nicht so schlimm. Dieser Schmerz war bedeutungslos. Das konnte ich mein dämliches, viel zu langes Leben lang ertragen.

Das Schlimme war, dass sie alles aufgeben wollte – dass ihr Herz aufhören würde zu schlagen, dass ihre Haut zu Eis gefrieren würde und sie das Denken eines Raubtiers annehmen würde. Sie würde ein Monster sein. Eine Fremde.

Ich hätte gedacht, etwas Schlimmeres könnte es nicht geben, nichts auf der ganzen Welt, was noch schmerzlicher wäre.

Aber wenn er sie *töten* würde …

Wieder musste ich gegen die Wut ankämpfen. Wenn Leah nicht wäre, hätte ich es vielleicht zugelassen, dass die Hitze mich in jemanden verwandelte, der das besser ertragen konnte. In ein Wesen mit Instinkten, die so viel stärker waren als menschliche Gefühle. Ein Tier, das Schmerz nicht auf dieselbe Weise empfand. Einen anderen Schmerz. Wenigstens mal eine Abwechslung. Aber jetzt rannte Leah, und ich wollte ihre Gedanken nicht teilen. Ich verfluchte sie leise dafür, dass sie mir auch noch diese Fluchtmöglichkeit nahm.

Gegen meinen Willen zitterten meine Hände. Was schüttelte sie? Wut? Schmerz? Ich war mir nicht sicher, wogegen ich ankämpfte.

Ich musste daran glauben, dass Bella überleben würde. Aber dafür brauchte es Vertrauen – ein Vertrauen, das ich nicht empfinden wollte, Vertrauen in die Fähigkeit des Blutsaugers, sie am Leben zu erhalten.

Sie würde anders sein, und ich fragte mich, wie ich das ertragen sollte. Wenn ich sie dort stehen sähe wie einen Stein, wie Eis, wäre das dann genauso, als wenn sie tot wäre? Wenn mir ihr Geruch in der Nase brennen und den Instinkt wecken würde zu beißen, zu reißen … Wie wäre das? War es denkbar, dass ich sie töten wollte? War es denkbar, dass ich eine von ihnen *nicht* töten wollte?

Ich schaute den Wellen zu, die auf den Strand zurollten. Unter der Klippe verschwanden sie aus meiner Sicht, aber ich hörte, wie sie auf den Sand schlugen. Ich schaute ihnen noch zu, als es schon lange dunkel war.

Es war wahrscheinlich keine gute Idee, nach Hause zu gehen. Aber ich hatte Hunger und mir fiel nichts anderes ein.

Ich verzog das Gesicht, als ich den Arm in die dämliche Schlinge legte und meine Krücken nahm. Hätte Charlie mich bloß nicht an jenem Tag gesehen und die Nachricht von meinem Motorradunfall verbreitet. Wie ich dieses Theater hasste.

Ich hätte vielleicht doch lieber hungern sollen. Als ich nach Hause kam und Billys Gesicht sah, wusste ich, dass er etwas auf dem Herzen hatte. Ich merkte es ihm sofort an – er übertrieb immer. Er tat so, als ob nichts wäre.

Außerdem redete er zu viel. Er textete mich schon zu, bevor ich mich überhaupt an den Tisch gesetzt hatte. Er quasselte nie so viel, außer wenn es etwas gab, was er nicht erzählen wollte. Ich ignorierte ihn, so gut es ging, und konzentrierte mich auf das Essen. Je schneller ich es herunterschlang …

»Und Sue ist heute vorbeigekommen.« Billy sprach laut. Kaum zu überhören. Wie immer. »Eine erstaunliche Frau. Sie ist härter als ein Grizzlybär. Aber ich weiß nicht, wie sie mit ihrer Tochter klarkommt. Also, Sue, die würde sich gut als Wolf machen. Während man Leah am liebsten durch den Wolf drehen würde.« Er kicherte über seinen Witz.

Er machte eine kurze Pause, aber er schien nicht zu merken, dass ich mit meinen Gedanken ganz woanders war. Sonst regte er sich immer darüber auf. Ich hoffte, er würde bald von Leah aufhören. Ich wollte nicht an sie denken.

»Seth ist da viel unkomplizierter. Aber du warst natürlich auch unkomplizierter als deine Schwestern, bis … na ja, du musst mit anderen Sachen fertigwerden als sie.«

Ich seufzte tief und starrte aus dem Fenster.

Billy schwieg eine Sekunde zu lange. »Da ist ein Brief gekommen.«

Ich merkte sofort, dass es das Thema war, über das er nicht reden wollte.

»Ein Brief?«

»Eine … Einladung zur Hochzeit.«

Sämtliche Muskeln in meinem Körper spannten sich an. Es war, als würde mir eine heiße Feder über den Rücken streichen. Ich hielt mich am Tisch fest, damit meine Hände nicht zitterten.

Billy redete weiter, als ob er nichts merkte. »Es ist ein Kärtchen für dich dabei. Ich hab es nicht gelesen.«

Er holte einen dicken elfenbeinfarbenen Briefumschlag hervor, der zwischen seinem Bein und der Seitenwand des Rollstuhls geklemmt hatte. Er legte ihn zwischen uns auf den Tisch.

»Wahrscheinlich brauchst du das nicht zu lesen. Spielt ja keine Rolle, was drinsteht.«

Wollte er mich provozieren? Ich riss den Umschlag an mich.

Es war schweres, steifes Papier. Teuer. Zu elegant für Forks. Die Karte darin war genauso, zu aufgeblasen und formell. Damit hatte Bella nichts zu tun. Die durchsichtigen, mit Blüten geprägten Blätter ließen nichts von ihrem Geschmack erkennen. Ich konnte mir nicht vorstellen, dass ihr das gefiel. Ich las nicht, was da stand, nicht einmal das Datum. Es war mir egal.

Ein Stück des dicken cremefarbenen Papiers war in der Mitte gefaltet, und darauf stand mit schwarzer Tinte mein Name geschrieben. Die Schrift kannte ich nicht, aber sie war genauso elegant wie der Rest. Einen kurzen Moment fragte ich mich, ob der Blutsauger sich an meinem Elend weidete.

Ich klappte die Karte auf.

Jacob,

ich verstoße gegen die Regeln, indem ich Dir dies schicke. Sie fürchtete Dich zu verletzen, sie wollte nicht, dass Du Dich zu irgendetwas verpflichtet fühlst. Doch ich weiß, dass ich, wäre es andersherum gekommen, lieber die Wahl hätte.

Ich verspreche Dir, dass ich auf sie aufpassen werde, Jacob. Ich danke Dir – für sie, für alles.

Edward

»Jake, wir haben nur den einen Tisch«, sagte Billy. Er starrte auf meine linke Hand.

Meine Finger hielten den Tisch so fest umklammert, dass er tatsächlich gefährdet war. Ich löste sie sorgfältig einen nach dem anderen und verschränkte dann die Hände, damit ich nichts kaputt machen konnte.

»Ist eigentlich auch egal«, murmelte Billy.

Ich stand auf und zog mir das T-Shirt aus. Hoffentlich war Leah inzwischen wieder zu Hause.

»Komm nicht so spät«, sagte Billy leise, als ich die Haustür aufstieß.

Noch ehe ich am Wald angelangt war, rannte ich schon, meine Kleider waren hinter mir verstreut wie eine Spur aus Brotkrumen – als sollten sie mir helfen, später den Weg zurück zu finden. Die Verwandlung fiel mir fast schon zu leicht. Ich brauchte gar nicht darüber nachzudenken. Mein Körper wusste, was ich vorhatte, und noch ehe ich ihn darum bat, gab er mir, was ich wollte.

Jetzt hatte ich vier Beine und ich flog dahin.

Die Bäume verschwammen zu einem schwarzen Meer, das mich umgab. In einem angenehm leichten Rhythmus zogen meine Muskeln sich zusammen und entspannten sich wieder. Tagelang hätte ich so laufen können, ohne zu ermüden. Vielleicht würde ich diesmal einfach nicht stehen bleiben.

Aber ich war nicht allein.

Es tut mir so leid, flüsterte Embry in meinem Kopf.

Ich konnte durch seine Augen sehen. Er war weit weg, im Norden, aber er hatte kehrtgemacht und lief zu mir. Ich knurrte und rannte noch schneller.

Warte auf uns, rief Quil. Er war näher, er kam vom Dorf her.

Lasst mich in Ruhe, grollte ich.

Ich spürte ihre Sorge in meinem Kopf, sosehr ich auch versuchte, sie in den Geräuschen von Wind und Wald untergehen zu lassen. Das verabscheute ich am meisten – mich mit ihren Augen zu sehen, vor allem jetzt, da ihre Blicke voller Mitleid waren. Sie sahen meinen Widerwillen, und doch rannten sie mir hinterher.

Eine neue Stimme erklang in meinem Kopf.

Lasst ihn ziehen. Sams Gedanke war leise, und doch war es ein Befehl. Embry und Quil gingen jetzt langsamer.

Wenn ich bloß nicht mehr hören müsste, was sie hörten, nicht mehr sehen, was sie sahen. In meinem Kopf war es zu voll, aber allein sein könnte ich nur, wenn ich mich wieder in einen Menschen verwandeln würde, und diesen Schmerz konnte ich nicht ertragen.

Verwandelt euch zurück, befahl Sam ihnen. *Ich hole dich ab, Embry.*

Erst verstummte der eine Beobachter, dann der andere. Nur Sam blieb übrig.

Danke, dachte ich mit Mühe.

Komm nach Hause, wenn du kannst. Die Worte waren kaum zu verstehen und verloren sich in schwarzer Leere, als auch er verschwand. Dann war ich allein.

So war es viel besser. Jetzt hörte ich nur noch das leise Rascheln des Laubteppichs unter meinen Krallen, das Flüstern des Flügels einer Eule über mir, den Ozean – weit, weit im Westen –, der sich stöhnend an den Strand warf. Das hören, sonst nichts. Nichts fühlen als Geschwindigkeit, nichts als den Zug von Muskeln, Sehnen und Knochen in ihrem harmonischen Zusammenspiel, während ich Meile um Meile zurücklegte.

Wenn das Schweigen in meinem Kopf anhielt, würde ich nie zurückkehren. Ich wäre nicht der Erste, der sich für diese Gestalt und gegen die andere entschied. Wenn ich nur weit genug weglief, musste ich vielleicht nie mehr hören …

Ich trieb meine Beine noch mehr an und ließ Jacob Black hinter mir zurück.

DANKSAGUNGEN

Es wäre sehr nachlässig von mir, würde ich nicht den vielen Leuten danken, die mir geholfen haben, die Geburt eines weiteren Romans zu überleben.

Meine Eltern waren mein Fels in der Brandung; ich weiß nicht, wie man so etwas schaffen soll ohne den guten Rat eines Vaters und ohne die Schulter einer Mutter, an der man sich ausweinen kann.

Mein Mann und meine Söhne mussten unglaublich viel erdulden – jeder andere hätte mich längst einweisen lassen. Danke, dass ihr mich bei euch behalten habt.

Meine Elizabeth – die großartige Elizabeth Eulberg – hat sowohl auf Reisen als auch sonst dafür gesorgt, dass ich nicht den Verstand verloren habe. Nur wenigen ist es vergönnt, so eng mit ihren besten Freunden zusammenzuarbeiten, und dafür bin ich unendlich dankbar. Ebenso wie für die Gesundheit der Käse liebenden Mädchen im Mittleren Westen.

Jodi Reamer begleitet meine Karriere weiterhin mit Einfallsreichtum und Geschick. Es ist sehr beruhigend zu wissen, dass ich in so guten Händen bin.

Ebenso wunderbar ist es, meine Manuskripte in den richtigen Händen zu wissen. Mein Dank an Rebecca Davis dafür, dass sie so im Einklang mit der Geschichte in meinem Kopf ist und mir hilft, sie auf bestmögliche Weise zu Papier zu bringen.

Danke an Megan Tingley, erstens für dein unerschütterliches Vertrauen in meine Arbeit und zweitens dafür, dass du an dieser Arbeit so lange feilst, bis sie glänzt.

Alle bei Little, Brown and Company Books for Young Readers haben sich großartig um meine Bücher gekümmert. Ich weiß, wie engagiert ihr alle seid, und das weiß ich mehr zu schätzen, als ihr ahnt. Mein Dank an Chris Murphy, Shawn Foster, Andrew Smith, Stephanie Voros, Gail Doobinin, Tina McIntyre, Ames O'Neill und die vielen anderen, die diese Reihe so erfolgreich gemacht haben.

Ich hatte das unfassbare Glück, Lori Joffs zu entdecken, die das Kunststück vollbringt, gleichermaßen schnell wie gründlich zu lesen. Ich bin begeistert, eine so scharfsinnige und begabte Freundin und Komplizin zu haben, die mein Gejammer immer geduldig erträgt.

Und noch ein Dank an Lori Joffs, zusammen mit Laura Cristiano, Michaela Child und Ted Joffs, dafür, dass ihr so einen leuchtenden Stern im Online-Universum erschaffen habt, das »Twilight Lexicon«. Ich weiß die Mühe zu schätzen, die ihr darauf verwendet habt, einen schönen Ort zu schaffen, an dem meine Fans sich aufhalten können. Danke auch meinen internationalen Freunden bei »Crepusculo-es.com« für eine Site, die alle Sprachbarrieren überwindet. Ein Lob auch für Brittany Gardeners tolle Arbeit an »Twilight and New Moon by Stephenie Meyer MySpace Group«, einer Fan-Site, die so umfangreich ist, dass mir schon bei der Vorstellung ganz schwindlig wird – Brittany, du bist bewundernswert.

Katie und Audrey, »Bella Penombra« ist wirklich wunderschön.

Heather, »Twilight Nexus« ist super.

Es ist unmöglich, an dieser Stelle alle Sites und ihre Schöpfer zu nennen, aber ich danke euch allen sehr.

Vielen Dank meinen ersten Lesern Laura Cristiano, Michelle Vieira, Bridget Creviston und Kimberlee Peterson für ihre wertvollen Anregungen und die Begeisterung, mit der sie mich ermutigt haben.

Jeder Autor braucht eine unabhängige Buchhandlung zum Freund; für die Unterstützung der Mitarbeiter des Changing Hands Bookstore in meiner Heimatstadt Tempe, Arizona, bin ich sehr dankbar, vor allem Faith Hochhalter mit ihrem ausgezeichneten Gespür für Literatur.

Ihr Rockgötter der Band Muse, ich stehe für ein weiteres inspirierendes Album in eurer Schuld. Danke dafür, dass ihr immer noch die Musik macht, bei der ich am liebsten schreibe. Auch den anderen Bands auf meiner Liste, die Schreibblockaden lösten, bin ich dankbar, und meinen Neuentdeckungen Ok Go, Gomez, Placebo, Blue October und Jack's Mannequin.

Vor allem ein riesiges Dankeschön allen meinen Fans. Ich bin fest davon überzeugt, dass meine Fans die schönsten, intelligentesten, interessantesten und treuesten der Welt sind. Am liebsten würde ich euch allen eine dicke Umarmung schicken, und dazu einen Porsche 911 Turbo.

FSC

Mix
Produktgruppe aus vorbildlich
bewirtschafteten Wäldern,
kontrollierten Herkünften und
Recyclingholz oder -fasern

Zert.-Nr. GFA-COC-1223
www.fsc.org
© 1996 Forest Stewardship Council

11 12 13 14   11 10 09 08
Alle deutschen Rechte CARLSEN Verlag GmbH, Hamburg 2008
This edition published by arrangement with Little, Brown and Company (Inc.), New York,
New York, USA. All rights reserved.
Originalcopyright © 2007 by Stephenie Meyer
Originaltitel: Eclipse
Umschlagfotografie und -gestaltung: © Sonya Pletes
Typografie: Melissa Fraser
Aus dem Englischen von Sylke Hachmeister
Lektorat: Katja Maatsch
Layout und Herstellung: Steffen Meier
Satz: Dörlemann Satz, Lemförde
Lithografie: Zieneke Preprint, Hamburg
Gesetzt aus der Janson Text, Shelley Allegro Script und MrsEavesSmallCaps
Druck und Bindung: GGP Media GmbH, Pößneck
ISBN 978-3-551-58166-2
Printed in Germany

Alle Bücher im Internet: www.carlsen.de
Mehr über Stephenie Meyer unter www.bella-und-edward.de